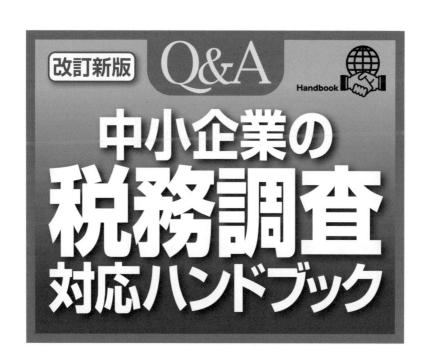

辰巳忠次 著
辰巳八栄子 著

セルバ出版

はじめに

　平成 24 年度税制改正において、それまで法人税、所得税、相続税等、各税法に置かれていた税務調査に関する規定が、国税通則法に一元化されました。そして、従来、具体的規定のなかった調査手続については、事前通知から終了手続まで具体的に示され、また、質問検査についても提示、提出、留置き等について、新たに法律により定められました。これにより税務調査の実務は、より国側の権力が強められ厳しくなると、実務家の一部からは危惧する声があったりしていたところです。

　ところが、いざ改正法が施行されてみると、事前通知、調査終了手続を国税通則法どおりの手抜かりのない運用を考えるあまり、そうした面に課税庁側には調査事務でのウエートを割かねばならない結果、逆に調査件数が減ってきてしまっていたりしているようです。

　税務調査の現場では、それまで法令通達遵守についての適否が納税者・課税庁双方の攻守の中心となっていましたが、現在ではそれに事前通知と終了時手続が加わり、課税庁側にはかなりの気遣いを要する状況に変わってきているようにも感じられます。

　本書は、タイトルが「中小企業の税務調査対応ハンドブック」となっていますが、千差万別の企業取引で現れる税務調査上のトラブルを想定し、その対応を個々具体的に表すような内容はとてもではありませんが難しく、どうしても具体的項目では法令通達規定のあらましや、その準備資料の収集等に偏らざるを得ないところです。

　しかしながら、いざ調査開始後においてもそうした面での不備も多く、調査進行中に必要とする場合も往々にしてあったりし、対応手法の中心となるところでもあります。その点でも参考にしていただければと思います。

　したがって、ハンドブックというより長々とした解説書スタイルとなってしまいましたが、要点は押さえているつもりで、逆に神髄に迫ったものとなっています。部分的な拾い読みだけで、十分にお役に立てるのではと考える次第です。

　文中、応答のポイント、資料の提示、提出等で際どい表現も出てきますが、決して反税的な意味ではありません。また、納税者に課税庁への反抗をすすめているのでもなく、申告納税制度が維持されるためには、むしろ、納税者が誠実で税法に準拠した、適正な申告納税姿勢の保持すべきと考えております。

ただ、筆者の長年の経験から、少しの妥協で、後日振り返ってみて、調査結果が少々無理な課税であったなと悔やまれたことが結構ありました。相手は、強力な課税権を有しています。非力な納税者側としては、理屈の押せるところはある程度まで粘るのがやはり基本だと常々考えていることでもあり、そのための姿勢を強調する点からの書き方とご理解を願う次第です。

　長引くデフレや大手企業の海外進出で、中小企業の業績は低迷が続いていて、過去においては中小企業経営者の多くに恐れられていた税務調査もかなり楽になり、経営問題の中心からは外れてしまった感も出てきていますが、依然として税務調査結果においては非違事項が多いと公表されています。

　十分な税務調査の事前準備と対応に、本書がよきバイブルとなればと願ってやみません。

　2019 年 9 月

改訂 2 版はじめに

　2020 年初頭の新型コロナの感染拡大により、2 年余りは税務調査の事績はあまり上がらなかったようです。しかし、データ提出の依頼やリモート調査、提出された税務関係書類の分析などを通じて、今後は、より効率的で効果的な税務調査が実施されるようになるのではないかと感じられます。

　このような中、2023 年 10 月からのインボイス制度の導入、2024 年 1 月からの電子帳簿保存法への対応など、企業規模の大小にかかわらず、対応しなければならない課題が続きます。これらの改正が、具体的に税務調査にどのような影響を与えるかは、日をおいてみなければわからないところではありますが、現在明らかにされている範囲で対応すべき点について取りまとめました。

　2023 年 8 月

辰巳　忠次

（本書の記載内容は、令和 5 年 8 月末現在の法令等に基づいています）

<u>改訂新版</u> Ｑ＆Ａ　中小企業の税務調査対応ハンドブック　目次

はじめに

第1章　税務調査ってどういう調査のこと

Ｑ１　税務調査ってなに・その目的は ———————————— 12

Ｑ２　税務調査が必要なのはなぜ ———————————————— 13

Ｑ３　税務調査の対象になる会社ってどういう会社 —————— 15

Ｑ４　税務調査の種類は ——————————————————————— 18

Ｑ５　税務調査の対象会社の選定は ——————————————— 20

Ｑ６　税務調査の流れは ——————————————————————— 23

Ｑ７　優良法人は調査省略ってホント ————————————— 26

Ｑ８　赤字申告をしていれば調査はないってホント —————— 28

第2章　税務調査の準備ポイント

Ｑ９　税務調査リハーサルの仕方は ——————————————— 32

Ｑ10　税務調査に備えた書類の整え方は ———————————— 35

Ｑ11　自社の処理方針とその伝え方は ————————————— 40

Ｑ12　調査官の準備調査のやり方は ——————————————— 44

Ｑ13　調査理由の開示を求めることができるのは ——————— 47

Ｑ14　任意調査の任意の意味は ———————————————————— 49

Ｑ15　進行年分の帳簿調査があるときの対応は —————————— 52

Ｑ16　任意調査の対策ポイントは ———————————————————— 54

Ｑ17　銀行調査対策のポイントは ———————————————————— 57

Ｑ18　反面調査対策のポイントは ———————————————————— 61

Ｑ19　現況調査対策のポイントは ———————————————————— 64

Ｑ20　税務調査で否認されないためのポイントは —————————— 67

Ｑ21　税務証拠資料ってなに・その役割は ————————————— 71

Q22	税務証拠資料の範囲・要件は	74
Q23	疑いを招く税務証拠資料は	76
Q24	税務証拠資料の準備ポイントは	78

第3章 税務調査の質問・検査の対応ポイント

Q25	調査官の質問・検査ってなに	82
Q26	質問検査権の効力は	85
Q27	税務調査の事前通知は口頭だけ・書面要件削除の意味は	87
Q28	従業員・家族も質問・検査の対象になるってホント	89
Q29	事前通知なしで税務調査されるときの対応は	93
Q30	反面調査先への事前通知は	97
Q31	反面調査を止める方法は	99
Q32	事前通知の対象となる代理人の範囲は	101
Q33	調査日時の変更ができるのはどんなとき	105
Q34	事前通知を要しない場合はどんなとき	107
Q35	質問・検査で提示・提出を求められたときの対応は	110
Q36	提出物件の留置きを求められたときの対応は	113
Q37	経理担当者の机の中や自宅の金庫などの開示を求められたときの対応は	116
Q38	社長などの個人情報の提供を求められたときの対応は	119
Q39	電子帳簿のときの対応は	122
Q40	自発的な見直しを求められたときの対応は	128

第4章 税理士との連携ポイント

Q41	税務調査での税理士の役割は	132
Q42	税理士との連携はどうやればいい	135
Q43	税理士の調査立会いの要件は	139
Q44	税理士への立会いの依頼・内容は	142

Q45　税理士資格のない税理士法人職員の調査立会いは ·············· 146
Q46　税理士への事前通知は ·· 149

第5章　税務調査中の対応ポイント

Q47　調査中の会話で注意することは ······································· 152
Q48　問題を指摘されたときの対応は ······································· 155
Q49　電子メールの中身を見せるよう求められたときの対応は ···· 158
Q50　大量の電磁的データの中身を見せるよう求められたときの対応は ·········· 162
Q51　答弁拒否ができるのはどんなとき ··································· 169
Q52　調査範囲が広がったときの対応は ··································· 171
Q53　守秘義務を盾に帳簿の提示拒否ができるのは ··················· 175
Q54　帳簿などのコピーを求められたときの対応は ··················· 177
Q55　威圧的・高圧的な調査官への対応は ······························· 179
Q56　コーヒー・昼食・お茶などは出さなくてもいいってホント ···· 181
Q57　いわゆるお土産を用意することのメリットは ··················· 184
Q58　調査資料をコピーしたときの代金請求は ························· 187
Q59　事実関係の確認書の提出を求められたときの対応は ·········· 190

第6章　貸借対照表項目の調査ポイント

Q60　「現金預金」調査の対応ポイントは ································· 194
Q61　「受取手形」調査の対応ポイントは ································· 199
Q62　「売掛金」調査の対応ポイントは ···································· 202
Q63　「有価証券・関係会社株式・子会社株式」調査の対応ポイントは ·········· 204
Q64　「棚卸資産」調査の対応ポイントは ································· 208
Q65　「支払手形」調査の対応ポイントは ································· 212
Q66　「買掛金」調査の対応ポイントは ···································· 214
Q67　「貸付金」調査の対応ポイントは ···································· 216
Q68　「前払費用」調査の対応ポイントは ································· 219

Q69 「立替金・仮払金」調査の対応ポイントは ································ 222

Q70 「未成工事支出金」調査の対応ポイントは ···························· 225

Q71 「貸倒引当金」調査の対応ポイントは ································· 228

Q72 「減価償却資産」調査の対応ポイントは ····························· 232

Q73 「土地等」調査の対応ポイントは ····································· 237

Q74 「借地権」調査の対応ポイントは ····································· 241

Q75 「無形固定資産」調査の対応ポイントは ····························· 245

Q76 「投資等」調査の対応ポイントは ····································· 251

Q77 「繰延資産」調査の対応ポイントは ··································· 256

Q78 「未払金」調査の対応ポイントは ····································· 260

Q79 「資本金」調査の対応ポイントは ····································· 264

Q80 「資本剰余金・利益剰余金」調査の対応ポイントは ··················· 267

Q81 「自己株式」調査の対応ポイントは ··································· 270

第7章　損益計算書項目の調査対象ポイント

Q82 「売上高」調査の対応ポイントは ····································· 276

Q83 「期ズレ」調査の対応ポイントは ····································· 279

Q84 「売上高控除」調査の対応ポイントは ································· 282

Q85 「売上原価」調査の対応ポイントは ··································· 285

Q86 「従業員給与・賞与・退職金」調査の対応ポイントは ················· 288

Q87 「役員報酬等」調査の対応ポイントは ································· 292

Q88 「役員退職金」調査の対応ポイントは ································· 297

Q89 「福利厚生費」調査の対応ポイントは ································· 302

Q90 「外注費」調査の対応ポイントは ····································· 305

Q91 「支払手数料・支払報酬」調査の対応ポイントは ····················· 308

Q92 「会議費」調査の対応ポイントは ····································· 311

Q93 「旅費交通費」調査の対応ポイントは ································· 314

Q94 「広告宣伝費」調査の対応ポイントは ································· 318

Q95 「交際費」調査の対応ポイントは ····································· 322

Q96 「寄付金」調査の対応ポイントは ……………………… 325

Q97 「支払運賃」調査の対応ポイントは ……………………… 328

Q98 「通信費」調査の対応ポイントは ……………………… 332

Q99 「地代家賃」調査の対応ポイントは ……………………… 335

Q100 「研究開発費」調査の対応ポイントは ……………………… 339

Q101 「消耗品費」調査の対応ポイントは ……………………… 343

Q102 「減価償却費」調査の対応ポイントは ……………………… 347

Q103 「修繕費」調査の対応ポイントは ……………………… 352

Q104 「貸倒損失」調査の対応ポイントは ……………………… 357

Q105 「リース料」調査の対応ポイントは ……………………… 361

Q106 「保険料」調査の対応ポイントは ……………………… 365

Q107 「使途秘匿金」調査の対応ポイントは ……………………… 372

Q108 「受取利息」調査の対応ポイントは ……………………… 375

Q109 「受取配当金」調査の対応ポイントは ……………………… 380

Q110 「雑収入」調査の対応ポイントは ……………………… 384

Q111 「資産の評価損」調査の対応ポイントは ……………………… 388

Q112 「雑損失等」調査の対応ポイントは ……………………… 393

Q113 「為替差損益」調査の対応ポイントは ……………………… 397

Q114 「減損損失」調査の対応ポイントは ……………………… 401

Q115 「特別利益・損失」調査の対応ポイントは ……………………… 404

Q116 「法人税、住民税および事業税」調査の対応ポイントは ……… 409

第8章　移転価格、源泉所得税、消費税調査などの対応ポイント

Q117 「移転価格」調査のポイントは ……………………… 414

Q118 「源泉所得税」調査のポイントは ……………………… 418

Q119 「源泉所得税」調査の対応ポイントは ……………………… 424

Q120 「消費税」調査のポイントは ……………………… 429

Q121 「消費税」調査の対応ポイントは ……………………… 434

Q122 「所得税」調査のポイントは ……………………… 438

Q123 「所得税」調査の対応ポイントは ……………………………… 443

Q124 「相続税、贈与税」調査のポイントは ……………………… 451

Q125 「相続税、贈与税」調査の対応ポイントは ……………… 455

Q126 「印紙税」調査のポイントは ……………………………… 461

Q127 「印紙税」調査の対応ポイントは ……………………… 465

第9章　調査終了したときの対応ポイント

Q128 税務調査で問題がなかったときは ……………………… 470

Q129 修正申告の勧奨を受けたときの対応は ……………… 474

Q130 税務当局の誤指導があったときの対応は ……………… 479

Q131 青色申告を取り消すといわれたときの対応は ……… 485

Q132 事前通知後調査開始前にした修正申告の可否・加算税の課否は … 491

Q133 重加算税がかかるのはどんなとき ……………………… 494

Q134 修正申告提出後に更正の請求ができるのは ……………… 499

Q135 更正通知書の内容と調査官に口頭で聞いた内容と

　　　違うときの対応は ……………………………………………505

Q136 処分に不服のあるときの対応は ……………………… 510

Q137 税務訴訟をするか否かの判断ポイントは ……………… 515

```
━━ 本文中は次の略称を使用しています ━━
民        民法                      措法      租税特別措置法
会法      会社法                    措令      租税特別措置法施行令
会計規    会社法計算規則            措基通    租税特別措置法基本通達
通法      国税通則法                消法      消費税法
所法      所得税法                  消令      消費税法施行令
所令      所得税法施行令            消基通    消費税法基本通達
所基通    所得税法基本通達          地法      地方税法
直所      所得税法個別通達          地特法    地方法人特別税
法法      法人税法                  相法      相続税法
法令      法人税法施行令            相令      相続税法施行令
法規      法人税法施行規則          財基通    財産評価基本通達
法基通    法人税法基本通達          直資      相続税財産評価関係個別通達
直法      法人税法個別通達          行訴法    行政訴訟法
復興財確法  復興財源確保特別措置法

法法22①とあるのは、法人税法第22条第1項の略記です。
```

第1章

税務調査って
どういう調査のこと

Q1 税務調査ってなに・その目的は

Answer Point

★税務調査とは、税の公平確実な賦課徴収のために必要な資料を収集することを目的として、国税庁職員が納税者を訪問、あるいは税務官署へ出向かせて行う事務をいいます。

★税務調査は、犯罪捜査でなく、税法規定が公平であって、かつ真の負担の公平を図るため、納税額の適否を確かめる目的で行われる事務手続です。

☆税務調査とは

税務調査とは、何をいうのでしょうか。

これは、一口で言い表すならば「税の公平確実な賦課徴収のために必要な資料を収集することを目的とする手続」です。法的、具体的には国税庁、国税局もしくは税務署、税関の職員が、国税の各税目ごとに調査に必要あるときに行使する質問検査権の内容が定められていて、その規定に従って国税職員が日常納税者宅を訪問、あるいは税務官署へ出向かせて調査事務を行うすべての行為といえます（通法74の2～74の7）。

☆税務調査の目的

税務調査とは、前述のとおりを言いますが、その目的は、建前的にはあくまでも各納税者間の負担の公平であり、決して犯罪捜査ではありません。

古くから税には租税原則というのが財政学の世界である程度確立されていて、その中で最も重要な原則に「公平の原則」があるとされています。税法は、そうした公平負担に反する内容であってはならないとされています。しかし、いくら税法が公平となる規定であっても、数多くの納税者全員がすべて税法に従った良心的で誠実な納税をするとは考えられませんし、また、税法の規定は複雑でわかり辛いものばかりで、納税者が誤って解釈し、過大、あるいは過少に納税をすることもあります。

そこで、課税権者である国は、納税者の中から適宜調査先を選定し、税法の規定に従い適正な納税をしているかどうかをチェックする必要があることになります。ここで税務調査の目的が建前的にはと言ったのは、本音的な面もあるからで、その点についてはQ2以降触れていきます。

第1章　税務調査ってどういう調査のこと

Q2	税務調査が必要なのはなぜ	

Answer point

★税務調査は、負担の公平を確かめる事務手続ですが、税務調査の現場では担当調査官と納税者の鬩ぎ合うことも多く見られます。

★税金には、申告納税方式と賦課課税方式がありますが、計算に手数を要す所得税、法人税や相続税は、納税者自らの申告によるのが望ましいとして、申告納税方式が採られています。

★申告納税方式では、納税者のレベルに差があるところから、数多い申告書の中から不審度の高いものを選んでチェックするのが合理的であるとして、税務調査が存在しているというのがザックバランなところです。

☆税務行政の本質は

　Q1のとおり税務調査とは、各納税者間の負担の公平が図られなければならないとの要請で行われることになっていますが、実際のナマの税務調査の現場では、今は少し穏やかになってきた傾向は見られるものの、調査官によっては何が何でも不正、誤りを見つけ出そうの気配ばかりが強く感じられることが往々に見受けられます。そうしたことから白を灰色に、灰色を黒にする証拠と理屈創りに調査の主眼が置かれ、負担の公平を念のため確かめているとの様子は見ることが少ないのが実状です。

　では、なぜ、そうした負担の公平チェック目的が粗探しないしは恐い恐いガサ入れ的になってしまうのでしょうか、それを考えてみる、いわば税務行政の本質は何なのかに迫る必要があります。

☆納税方式は2通りある

　国民が税金を払う、納税する方法は、図表1の2種類に分類されます。

【図表1　納税方式】

種　類	税　目	内　容
申告納税方式	法人税、所得税、相続税、贈与税、消費税等国税のほとんどと法人住民税、事業税等地方税の一部。	課税標準および税額を納税者自ら税法の課税要件に従って計算し、自主的に納税する。
賦課課税方式	課税官署が課税台帳に基づき課税	個人住民税、事業税、自動

| 標準と税額を納税通知書（賦課決定通知書）によって送付し、納税義務者がその賦課決定額を納税する。 | 車税、固定資産税等主要な地方税。 |

　図表1を見ればわかるとおり、国税の主要税目である法人税、所得税は所得を、相続税や贈与税は課税財産評価額といったように、賦課するにはかなりの手数を要し、課税官署の人員は膨大な数を必要とします。それよりも納税の必要ありとする者に、自分自身しかわかり得ない所得金額等を計算してもらうことが最も合理的です。

　それとは異なり、固定資産税のように一度課税客体（対象財産）を課税台帳に登録しさえすれば、その後は課税官署は名義の変動等を追うだけで手数はかからず比較的課税コストを低く抑えられます。

　これを自主申告制にすれば、かえって納税者、課税官署側ともに無駄な事務コストを要し、不合理な結果となります。

　このように、税目によりいずれの方式が合理的かにより課税方式が選択適用されています。

☆税務調査は申告納税制度では省略できない

　申告納税方式は、納税者が自主的に計算し納税することにより民主主義社会が円滑に運営されると表面上捉えられています。しかし、いつの時代でもそうですが、わからなかったら、見つからずに済んだら儲けもの的な人や、もっとひどいのは一切納税はしたくないといった不心得者が存在します。

　そして、税法は課税要件を定めていますが、果して自分は税を払わなければならないのかどうか、税法は複雑で税に素人の一般国民が適正な申告をすることはとても難しく不可能に近いことです。

　そこで、自らの意思で国民が納税して自ら民主主義社会を築き上げていこうというのは全くの綺麗事で、本質はそうではなく、徴税コストの合理化、いかに国税職員の数を少なくして合理的に抑え、そうしておいて税収は取れるだけとりたいのが、ザックバランな話ということになります。

　すなわち、一度国民に自主申告をさせ、その中から国税職員の数で実施可能な範囲目一杯のところで、不審度の高い申告者から順に税務調査を行って、最も効率よく税収を上げようとする手法が税務調査であるといえます。

第1章　税務調査ってどういう調査のこと

Q3 税務調査の対象になる会社ってどういう会社

Answer point

★税務調査は、個人所得税、法人税、相続税・贈与税、その他の数多くの税目で行われますが、多くの事業者の申告所得を確かめるのが基本となるところから、法人税の調査がその中心となります。

★課税漏れを少なくするには、税務職員数は多いほうがよいことになりますが、それでは徴税コストがかさむこととなり、より少人員での行政事務が望ましく、そのためには調査先を絞る必要があります。

★具体論として、少ない調査日数で大口の課税漏れを探し出すこととなりますが、これは数多い申告の中での相対的なもので、調査先に選定されるかどうかは、自分の会社がどのレベルなのか自己分析すれば答はある程度出るはずです。

☆税務調査の中心は法人税

　Q2で述べたように、税務調査は、申告納税制度下で行われるもので、賦課課税制度下ではあまり必要としません。したがって、税目のほとんどが申告納税方式を採っている国税の徴収実務を担っている第一線の現場、すなわち税務署は、その大半の業務が申告納税適否チェックであるといっても過言ではありません。

　これに対し、賦課課税の多い地方税では、独自の賦課を行うための職員は多少は要るものの、大部分は国税の所得を基に地方税独特の若干の修正を加えた賦課を行い、それに滞納者の督促徴収と滞納処分を行うのが地方税の税務機構であり、事務の内容です。

　国税も申告納税とはいえ、相続税や贈与税は申告件数も比較的少なく、また、酒税等も徴収管理はある程度抑えやすいので、国税機構の中では重要度は低いと思われます。国税の中心は何といっても法人税と所得税の２大税目となります。

　このうち所得税は、申告納税となっていても、大半は申告でなく源泉徴収手続で納税が完結する給与所得であり、最近では同様に雑所得となる公的年金収入もそうです。これらは、納税者の帳簿や証憑書類をチェックする必要はなく、回付されてきた各種資料に不符合がなければまず適正申告としなけ

Q3　税務調査の対象になる会社ってどういう会社　15

ればなりません。所得税の調査事務は、個人事業者と不動産所得、それに大口の譲渡所得事案に限られてきます。

本書の流れは、事業経営者の税務調査を対象としていますので、法人でなく個人の事業所得申告も同様です。

しかし、税務調査に限れば、税務署および国税局の調査事務は、原則的に法人税課税部門と個人課税部門に担当が分かれていて、よく似た調査事務、手法ですが、やや着眼点も違いますし、調査結果の取扱いもそれぞれ異なる面もあるところから、法人税の調査に絞って記述します。

法人税は、各種法人全般が対象ですが、中心は会社（株式会社、特例有限会社、合資会社、合名会社、合同会社）ですので、すべて会社と一括にして取り扱うこととします。

☆申告所得レベルは税務職員数による

バブル崩壊以降の不況感が続く日本経済は、今や未曾有の高齢化社会を迎え、税収は伸びずに、福祉予算ばかりが膨らんでいきます。国、地方とも財政難にあえぎ、やりくりに必死です。そこでは公務員減らしが盛んに取り上げられるため、各省庁とも防戦にやっきのようです。

税の世界では、古くから税務公務員を増やせば税収は伸び、減らせば縮むといわれたりしています。財政難で国税職員を減らせば税収は下がる危険もあり、難しいところです。

本当は、税務職員の能力アップを図り、密度の高い調査事務を行わせしめ、申告水準の維持を図るのがよいのですが、それでは税務公務員の職務内容がきつくなってしまい、なり手が不足してしまいます。

要は、税務行政の効率化なのですが、現実には土曜閉庁となり、さらに残業の制限、申告資料の庁外持ち出し禁止等、効率化を拒む条件ばかりです。

☆税務行政の効率化から考える

前述のように、税務行政も以前に比べ効率化には程遠く思うにまかせない状況のようです。

しかしながら、だからといって日常何の作戦もなく成行き任せの徴税事務をしていたのでは、最少の費用で最大の効果を上げねばならない行政の使命に反することになります。

そこでは、自らの結論として最少の費用で最大の効果、具体的には少ない調査日数で大口の課税漏れを探し出して追徴することに尽きます。それには、

味噌も糞も一緒くたに調査していたのでは効率は悪く、どうしても始めから
よく的を絞って調査対象会社を選定する必要があります。

　そう考えれば、もうおわかりかと思います。少ない時間で大口の追徴課税
という事績を挙げるには、誤りが多くても個々が少額では大した成果にはな
りませんし、真面目な優良納税者のところで非違事項を見つけるのも大変で
す。そんなことをしていては、調査官は疲れてしまうばかりで意気も上がり
ません。

　税法上の規定にも、国税庁の表向きの運営方針にしても、調査先に関する
ものは何もありません。悪質な納税者への厳しい調査や納得しての納税、公
平な納税等位がお題目で、決まったものはありませんが、毎日毎日調査に行っ
ても何1つ問題が見つからないか、増差所得と追徴税収に結びつかないよう
な調査が続けられるはずもないのです。

【図表2　税務機構の効率化】

項　目	内　容	手　法
徴税コスト 全般の低減	職員数総枠抑制	人件費、予算の圧縮
税収単位コ ストの低減	職員当たり徴収 税額の効率化	・租税教育 ・納税意識の向上 ・税務官署のイメージアップ等
	職員当たり増差 税額（追徴税額） の極大化	調査先の選別（少数重点的調査先選定） →高額申告法人、低レベル申告法人が対象
	効果的調査技法 の駆使	・無予告調査の実施 ・高圧的限界ギリギリな質問検査権の使用（捜 　索的）

　他にも様々の徴税強化手法はあると思いますが、費用対効果から見れば上
記のような取れるだけ取る、取れるところから取るに、結局は行き着くと思
われます。

　調査に来られるかどうかは、自分の会社がどの辺になるかを自己分析して
みれば、答はある程度出てくるでしょう。

Q3　税務調査の対象になる会社ってどういう会社

| Q4 | 税務調査の種類は |

Answer point

★法令上の調査の種類は特になく、強いて分類すれば査察事案は強制調査であり、通常の調査は任意調査となります。

★そのほか、調査時期や目的等により申告前の事前調査と申告書提出後の事後調査、調査方法からの机上調査、資料調査と臨場して行う実地調査があり、調査目的としての概況調査と反面調査とに分けられたりします。

☆調査とは課税標準の正否を確かめるもの

申告納税制度下では、課税標準は所得であったり、あるいは財産の価格、課税売上金額等です。一般的に調査とは、申告されたこの課税標準の金額が正しいか否かを確かめるもので、特に調査の種類や区分を意識せずとも無意識のうちにそうだと思い込んでいます。

課税標準は数量の場合もありますが、通常は金額ですから、その実際額が正確であるかどうかを確かめるところから、昔からこれを実額調査と呼ばれてきているようです。

税法令上で調査の種類や定義は特に見当たらず、上記調査方法については国税通則法上税目別に規定されているだけです（通法74の2～74の11）。そして、「調査」なる用語も質問検査権の行使に関する条項において、実地の調査を行う際の通知義務として表されているのみで、それの特に定義も示されていません（通法74の9）。

また、ここで取り上げている調査ではなく、租税犯則事案に関するものも広義には調査の範囲に含めることもできます。これは、犯則嫌疑者に対し、国税職員が検察官に代って裁判官の許可を得て強制的に臨検捜索等の調査を行うものです（旧国税犯則取締法1、2、新通法132以下）。

こうした区分で分類すれば、調査は強制調査と任意調査に分けることが出できます。

【図表3　税務調査の種類】

任意か強制か	目的	担当する税務機構
強制調査	租税犯則の調査	国税局の査察部

任意調査	課税標準の実額を調査	国税局の調査部 税務署の課税部門

☆調査のタイミング、技法等で調査・呼称が使い分けられている

　図表3のように種類を分けるとすれば、強制調査か任意調査かという風に大きく区分することができます。

　次に、では、調査はいつ行われるのか、また、どんな調査手続を施すのか、目的は課税標準の実額正否か、それとも他の目的かによっていろいろと呼称は使い分けられているようです。

【図表4　税務調査の時期・方法】

項目	調査呼称	目的	具体的時期・手続
調査時期	事前調査	概略の把握。	課税期間中で予備調査的な納税義務者の状況を調査（課税期間経過後、申告期限前の場合所得税では実額調査を兼ねることもある）。
	事後調査	課税標準の実額正否。	納税申告書提出後、税の消滅時効（5年間）までの間（一般的には法人税の場合申告書提出後数か月が多い）。
調査方法	机上調査 資料調査	資料の収集、回付。 資料と不符合の調整、申告書、明細書上での誤りの指摘等。	納税申告書提出後、中には資料箋等の関係で期間が相当経過後のときも。 通常は電話での照会等で終ることが多い。
	実地調査	課税標準の実額正否。	調査場所は、納税義務者の事業場が中心だが、取引先等もあらゆる調査技法が駆使される。
その他	概況調査	納税者の概況の把握（事前調査のときも）。	無予告調査に多く、現金商売等の場合実態を把む目的等で行われる。 また、申告期限前簡単に概況把握に行う場合もある。
	反面調査	納税義務者の記帳や各種証拠書類の正否検証。	銀行、仕入先、販売先、従業員、官公署等関係先に照会または出向いて確認を行う。

　このほか、調査とまでは呼ばない文書照会やお尋ね等の類もあります。

　以上のように、国税局や税務署は納税義務者の申告額の正否を確かめる実額調査を専ら行っていますが、調査の実態は、図表4の各種調査方式を使い分け、課税漏れ等の誤申告を効率的に探し出すものなのです。

Q4　税務調査の種類は

Q5 税務調査の対象会社の選定は

Answer Point

★調査は、全法人の年間4％弱程度と推定され、きわめて少数の法人にしか調査は行われていないようです。

★調査先として、まず不正申告のありそうな法人や業種が選定されます。不正申告の多い業種、不正金額の大きい業種については公表されています。

★調査が公平で普遍的であるために、調査間隔の空いている法人も対象となりやすいと考えられます。

★特別の課税資料が回ってきている法人も、特別に調査先に加えられます。

★税務署単位で見た場合の大口申告法人についても、長年に調査省略扱いとすることも問題のあるところから、3年ないし4年に1度の循環的調査対象法人とされます。

☆効率的な調査事務は

国税庁の「会社標本調査結果」（令和3年度）によると法人数は、全国で約2,864社と公表されています。また、国税庁から公表されている「法人税等の調査事績の概要」では、令和3年の実地調査件数は41千社（公表単位1,000件単位）です。新型コロナ感染症の影響により、調査件数は大きく減ったと思われますが、令和元年でも、法人数は約2,738千社、調査件数99千社で、全法人のうち3.6％の法人しか調査は行われていないこととなります。

約56,000人の国税職員で、直接調査に携わらない管理職や総務部門、管理部門の職員を除けば、調査担当者は限られてきますし、調査事務も所得税（個人課税部門）担当と区分すれば、法人税担当調査官は、そんなに多くないのではと推定されます。調査事務は、できるだけ効率的に行わなくてはならないということになります。

「税務行政のデジタル・トランスフォーメーション」（令和3年6月、国税庁）では、将来的にAIの活用も見据え、幅広いデータの分析により、申告漏れの可能性が高い納税者の判定や、滞納者の状況に応じた対応の判別を行うなど、課税・徴収の効率化・高度化に取り組んでいると公表されています。

☆重点的調査と普遍的調査事務

20　第1章　税務調査ってどういう調査のこと

前述のとおり、全法人数（法人税の申告をした会社数）に対し、調査が行われた会社数の割合は非常に低く、調査事務は効率的に行われなければ課税の公平に反することとなります。

　そこで、申告水準の維持と不正を逃さない税務行政を行うためには、どうしても不正申告の恐れのある法人や無申告の法人を重点的に選んで調査を行う必要があります。

　また、一方で、全く調査が行われていない法人群があっても納税者側の緊張感がなくなり、決算や申告調整がルーズになったりしますし、やはり、課税の公平、税務行政の公平にも反します。

　そうしたことから、なるべく相対的に申告漏れがありそうな法人や業種と通常の業績を挙げ続けている他の法人の中から、調査間隔の空いている会社を調査先にすることとなるでしょう。

☆何が選定基準か

　税務署では、会社を優良会社、普通の会社、悪質会社等にランクづけしているでしょうし、好況業種、不況業種の情報もそれに加えられ、好況業種なのに申告額が低い会社等もピックアップされます。さらに、不正発見の高い業種も調査選定先となると思われます。

　「令和3事務年度　法人税等の調査事績の概要」によると、「あらゆる資料情報と提出された申告書等の分析・検討を行った結果、大口・悪質な不正計算等が想定される法人など、調査必要度の高い法人」が選定されているようです。令和3事務年度に不正の多かった業種は、図表5のとおりです。従来は、飲食、パチンコ、不動産業などの業種が多かったのですが、時代の流れか変化が見られます。

【図表5　不正が多かった業種（令和3年事務年度）】

☆特別の資料等情報

不正発見割合の高い業種	不正所得金額の大きな業種
1位　その他の道路貨物運送	1位　情報サービス、興信所
2位　医療保健	2位　自動車・同部品販売
3位　職別土木建築工事	3位　鉄鋼製造
4位　土木工事	4位　運輸附帯サービス
5位　その他の飲食	5位　その他のサービス

Q5　税務調査の対象会社の選定は

上述のような調査先の選定が一般的には当然考えられるところですが、国税の機構運営では、資料せんと呼ばれる税務署間の膨大な情報が飛び交っています。国税局の資料調査課、税務署の資料担当部門等が納税者に取引種類（売上、仕入、営業費、不動産の売買、その他）を指定して提出させるのが通常ですが、税務調査の折に調査官が会社の帳表類から控えて帰ることも多いですし、相対的に危険性（きわどい取引等）が感じられる取引は、まず資料を切る（控えて帰る）と考えておくべきです。

　このほか、資料担当部門の職員が飛込みで納税者の事業場にやってきて、ランダムに資料を収集して帰ることもあります。

　それを取引相手側の所轄税務署へ回し、税務調査の際持参し、帳簿と照合し、合致しているかどうかを確かめるのです。

　不符合があると、資料せんが別会社のものであったり、書き誤っていたりの間違いでない限り、その資料の基となった取引がいずれかの側、あるいは双方とも誤魔化していたことになり、大きな不正が暴き出されることとなります。

　要するに、こうした不審な資料が回ってきている会社も、前記の一般的調査選定先に加えられることとなります。

☆相対的な規模の法人

　現在、全国には524の税務署がありますが、大都市と地方の田舎の税務署では、昨今の地方の過疎化もあり、単位法人当たりの法人税申告金額には、大差があると考えられます。そうした中で、大都市署では小口申告に分類されるような中クラス規模の法人でも、申告金額を地方署に持ってくれば、上位の大口法人になることも当然考えられます。

　税務署単位で、相対的規模比較において大口申告法人に該当すると思われる法人は、必ず3年ないしは4年に1度の、循環的調査対象法人となるとしなければなりません。

　税務職員が必死で調査事務を行っても、少額単位の問題事項の発見可能位しかない小口法人より、手数もあまり要しないで、比較的大口の誤りがあるかも知れない相対的大口法人に、どうしても調査先は向けられます。それが、冒頭に述べた効率的調査事務には最適となるからです。ただ、これについては大口であっても、税務青色欠損金を多額有しているような赤字続きの法人は、調査省略となることが多く、そうでない通常レベルの業容の法人が該当します。

Q6 税務調査の流れは

Answer point

★国税の徴収は、国税庁を頂点に全国に国税局11、さらにその管理下に518の税務署が組織され、税務行政を担っています。最近の全国税職員は55千人余と公表されています。

★国税局は、一部大法人の調査を担当し、その他の法人は、税務署の法人課税部門の職員によって調査事務が行われています。

★提出された法人税申告書は、複数に組織された税務署の法人課税部門で業種等により担当を割り振り、部門統括官が自部門職員に担当させ、調査終了決裁まで進行管理を行います。

☆税務機構はどうなっているか

わが国の台所、いわゆる財政を握っているのは財務省で、財務省主計局がすべての歳出をコントロールしています。逆に入ってくる歳入、本来はすべて税収でなければなりませんが、その税金の賦課徴収は財務省の外局である国税庁が担当しています。

そうした税金の取立て一切の権限は国税庁にありますが、国税庁が日本全国の納税者を相手にできるわけがありませんので、組織的に業務を行っています。それを税務機構と呼んでいます。

わが国の税務機構は、頂点に国税庁があり、国税庁の監督の下に国税局が全国に置かれ、一部の税金の賦課徴収事務をしています。

しかし、日常の大部分の本書の主題である税務調査は、全国に設置した税務署が行っており、図表6のようになっています。

【図表6 国の税務機構】

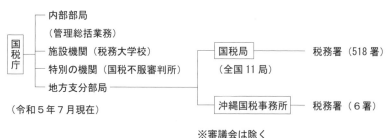

（令和5年7月現在）　　　　　　　　　　※審議会は除く

ちなみに、平成 29 年 3 月 31 日現在の財務省定員規則では、税務署を含む全国税庁職員は 55,666 人となっています。

☆国税局、税務署はどんな組織
　次に、では、日常納税者に接して賦課徴収事務を行っている国税局や税務署はどんな組織で動いているのでしょうか。図表 7 は大阪国税局の例ですが、各国税局や税務署により差異はあるようです。

【図表 7　国税局・税務署の組織（大阪国税局の例）】

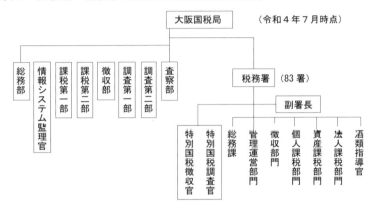

☆調査を担当するのは
　大阪国税局で、会社の税務調査にやって来るのは、図表 7 の組織図の調査第 2 部の調査第 1 部門から調査第 23 部門の職員で、大法人（原則として資本金 1 億円以上の会社）を担当しています。そのほか課税第 1 部の資料調査課が一部担当しています。
　税務署では、法人課税部門（第 1 部門から署により第 10 何部門のところもある）と一部特別国税調査官が日常の調査事務を行っています。
　したがって、それ以外の部門の職員には身分証明書に会社（法人税）の調査権限は書かれていないので来ることはありませんから、拒否すればよいことになります。
　なお、Q 4 での強制調査は、大阪国税局では査察部第 1 部門から第 15 部門の職員によって行われています。

☆申告書提出から調査に来るまでの流れ
　会社の調査は、税務署では法人課税部門が担当しますが、小規模署を除き、

24　第 1 章　税務調査ってどういう調査のこと

通常は複数部門により構成されています。

【図表8　法人課税部門の仕組み】

（税務署）法人課税部門	── 第1部門 ──	主として内勤内部事務、直接調査事務はしない
	── 第2部門 ──	選定された会社の調査
	── 〃 ──	〃
	── 〃 ──	〃
	── 〃 ──	〃

　複数部門が置かれている税務署では、第1部門は調査事務はしないようです。専ら提出された申告書類や無申告法人のチェック、統計的業務等を行っているようで、調査先の選定も以前はここで行われていたと思われます。

　第2部門以下の各部門は、直接調査事務を担当していて、その部門の調査先を部門長である統括官が選定し、担当調査官に割当てているようです。

　個人課税部門等では、地域、業種等により担当部門を決めているところもあったようですが、法人部門では主として業種により部門を決定しているようで、送られてきた申告用紙には当初から担当部門の数字が印字されています。

　国税局調査部は、規模、業種で特化しているやに思われます。各部門に回ってきた調査先は、部門長である統括官が5〜6人の自部門の調査官に毎月次何件かを担当させ、以後経過を管理していくことになります。

　調査件数割合が年々下がっていますので、なるだけ各職員には件数を熟させるのが統括官の重要な職務であり、自らも調査に出向く人も見られます。

　結論に至れば決裁書を起案し、副署長、署長決済を経て結着となります。調査を受ける会社の側からは、この何れかの段階で何度も苦労、辛抱を重ねながら対応することとなるでしょう。

　以上は平常時の流れですが、時として国税局査察部の調査に際し、その税務署管内法人に調査が必要とするようなことがあれば、短期間部門を挙げて応援したり、特定の職員に専担させたりすることもあるようです。

　あるいはまた、当初は調査先に選定されていなかった法人へ特別な資料や情報が回ってきて、臨時的に集中調査をしなければならなかったりすれば、通常の流れとは異なる調査事務体制が採られます。

Q6　税務調査の流れは

| Q7 | 優良法人は調査省略ってホント |

Answer point

★効率的な税務行政を行うためには、適正な申告をしている法人にあえて無駄な調査を行う必要はありません。

★一般的に優良法人とは、調査結果で誤りの少ない法人をいいますが、その中からかつ納税状況が継続して優良である法人については、その認定を行い、調査は省略するシステムとなっているようです。

★優良法人と認定されれば、5年に1回程度の簡易な見直し調査が行われることとされています。

☆無駄の排除は役所も同じ

経済社会の革新は、あらゆる部門の効率化であり無駄の排除です。昔は、休まず、遅れず、働かずの代名詞であった役所も、効率化が呼ばれ、仕事はかなりきつくなっているようです。税務行政とて例外ではなく、費用対効果がやかましくいわれています。

税務職員1人当たりの徴収税額を、限りなく高くを実現するためには、空回りの調査事務は避けなければなりません。既に少し説明しましたが、そのためには税務署サイドでは調査先の選定は重要なポイントとなります。増差所得、税額を多くしようと考えれば、相対的に規模の大きなところや確実に誤りを発見可能な会社に調査を行うのが基本となります。

☆優良法人とは

以前に税務署では、法人を5ランクに分けて申告状況を管理していたようで、例えば、優良法人、準優良法人、循環接触法人、歴年接触法人、悪質法人のような名称を用いて対応していたようです。

優良法人というのは、申告納税状況が優良で過去の調査事績で非違事項がほとんどなく、特に税務調査を行わなくとも問題のない会社で、特別に税務署長名で優良法人と認定をされた法人。ただし、申告納税状況が優良でなければならず、赤字が続いたりすれば認定を取り消されることもあります。

準優良法人は、優良法人とほぼ同じクラスだが認定まではしていない会社。

循環接触法人とは、普通レベルの法人で、除斥期間の申告期限から5年間が

経過するまでの間に調査しておけば大外しはないだろうと見込まれる会社。

歴年接触法人は、毎年調査しておかないと何をしでかすかわからない会社。

悪質法人は、反税的思想を持つような会社で、特別の調査が必要な会社をいいます。

優良法人とは、このように特に税務行政上明確に認定を受けた優良法人とは別の意味で、法人を上、中、下にただ単に相対的に区分し、比較的上位ランクに入れる法人を云う場合もあります。

☆優良法人の調査はどうなる

そうした認定を受けている優良法人は、税務調査を行わなくてよい納税状況が優良な法人として取り扱っていますので、通常の調査を行っていたのでは意味がありません。

原則として、一般の税務調査はないようです。ただし、放ったらかしではなく、5年間経過すれば引き続いて優良法人と認めてよいかどうかを確かめる目的で、見直しの調査が形式的にあるようです。

この優良法人制度に関しては、以前から某政党辺りから調査を行わないことをオープンにするのは何をしてもかまわないと認めていることとなり、公正に反すると制度廃止の意見もあったりで、一応、上記の取扱いになっているようにいわれていますが、そのとおりに運用されないこともあるか、あるいはなくなることもあるかも知れません。

新規に認定しているかどうかも明らかではありません。

☆優良法人の継続等には苦労も

このように優良法人と認定されれば、通常の調査はないのが原則的な取扱いです。ただ、5年に1度は念のため、引き続き優良法人の認定を継続してもよいのかの判定の見直調査があるのは、既述のとおりです。

見直調査も、ごく形式的に取引記帳の一部を見たり、誤りがあっても大したことのない項目を確かめたりする程度のことが多いようです。しかし、優良法人というのは、帳簿記録や決算手続が適正で大口での税務不正や誤りはまずなく、なおかつ、法人税の納税状況が優良との条件となっています。

赤字が長年続いたりすれば、取り消される可能性があります。この辺が非常に窮屈で、納税額を弾き出すために粉飾決算等をすれば決算不正となり、かえって不利となったりすることもあり、その維持には苦労を伴います。

Q7　優良法人は調査省略ってホント　　27

Q 8	赤字申告をしていれば 調査はないってホント

Answer point

★国税庁統計では、赤字申告法人の割合は最近では61.7%となっていて、黒字の申告は38.3%となり、儲からない時代が続いています。

★赤字申告も内容は様々で、本当に役員報酬も貰えないような倒産寸前のものから、同族関係者への不動産賃料、報酬が高過ぎて実質的には十分に企業維持可能なものまで、幅広いものとなります。

★倒産寸前の法人へ調査に訪れ、ひたすら経営再建を哀願されたりしても困ってしまうこととなり、そんな法人へ行っても仕方がないこととなります。赤字法人に税務調査はないとはいい切れませんが、概ね調査省略となることも多いようです。ただし、業績が上向いてくれば逆に過去に遡及した厳しい調査となったりすることもあります。

★青色欠損金の繰越控除がほとんどなくなり、いよいよ法人税の納税をしなければならなくなってきたような、業績回復中の法人も旧事業年度の甘い決算を少し更正されれば、控除欠損金が消えてしまったりするところから、赤字申告だからと油断していては痛い目に遭うことがあります。

☆ 60%超の会社は赤字申告

　法人税と所得税は、共に申告納税制で、課税所得金額と申告納税額を自ら計算し、申告期限までに申告書を提出し、納税も済ませなければなりません。

　ところが、両税とも同じように所得金額を計算し、申告するのですが、所得税では原則として納税額がなければ申告の必要がなく、申告納税額が計算されて初めて申告をすることとなります。

　ただし、還付を受けるとか、損失の繰越しをする、あるいは税優遇の特典を利用する等特別の事情のある場合は、税額がなくても申告の必要はあります。

　これに対し、法人税では、たとえ所得金額がマイナス（赤字）であっても、必ず申告書と添付すべき決算書類は申告期限までに提出しなければならないこととなっています。

　したがって、所得税ではわからない赤字申告法人の数や割合が集計されて公表されています。

令和3年度（令和3年4月1日から令和4年3月31日までに事業年度が終了した法人）の欠損法人の割合は61.7％で、利益計上法人は38.3％となっています。

　この比率は、近年多少の上下動はあるものの、60％超の欠損割合が続いています。

　ただし、単年度の欠損でなく、繰越欠損金を控除後もなお赤字となっている法人の割合で、単年度のみの欠損割合はもう少し下がると思われます。

☆赤字にもいろいろある

　前述のように、赤字の会社はかなりのものです。最近の法人税の申告をしている法人数は285万社前後ですから、約175万社が赤字の会社ということになります。

　そんなに赤字会社が多いとなれば、もっとその辺で倒産が毎日のように出てきても当然なのに、そんなに倒産の情報もないようです。

　法人の課税所得の計算は、益金の額から損金の額を控除することになっています。益金はどんなものか、損金として認められるのは何とか難しいことは別にして、単純に考えれば売上から仕入と経費を引いたものが利益、すなわち所得と考えれば、ほぼ間違いありません。

　したがって、この経費に何が計上されているかで、中小同族会社の利益は大きく変わります。あまり儲かりもしないのに高額の役員報酬を計上したり、会社へ貸している不動産の賃料を市場相場どおりに高く取っていたりすれば、今日のような厳しい競争条件下では利益を出すのは難しいでしょう。

　このようなケースでは、ただ会社の資金が経営者個人のほうへ流れているだけで、倒産の危険はあまりありません。しかし、これが役員報酬を収受しない、会社へ貸し付けている店舗、倉庫工場等の家賃も貰わない等でなお赤字となれば、もう倒産への道を進むしかありません。

　このように赤字にもピンからキリまであって、どうにも手のつけようがない真っカッカの欠損企業から、やり方次第で収支トントンくらいにはなる等の赤字まで内容は様々です。

☆真の赤字会社をあなたなら調査しますか

　外部からはわかりにくい企業の内情を推定する手法として、伝統的なものに財務分析（あるいは経営分析ともいう）があります。

　これは、債権回転期間、流動比率、自己資本比率等の諸指標をはじき出し、

Q8　赤字申告をしていれば調査はないってホント

それにより資金繰りや収益性の検討を行うものです。

　税務署に提出された法人税の申告書や決算書類と内訳書、概要書ではそれらの分析はもちろんのこと、それ以外に役員報酬額をはじめ同族関係者間へどの程度費用が流出しているかどうか、経費の未払計上の有無、利益調整の大きな柱である減価償却の程度、償却不足の有無等々の種々の要素の補充により、真の赤字か大したことがないかどうかは、当然、税務署は見ています。

　調査に行ったとしても、資金繰り悪化で倒産回避手法でも教えてくれと泣き言を言われたりするばかりでは、効率化の面から無駄な行動となります。

　３日や５日もかけて調査に終日汗を流し、密度の濃い調査手続を調査官が行ったとして、罷り間違っても、１円の税金も取れないようなことを国（税務署）もさせることもないでしょう。

　このように考えてみると、赤字会社に税務調査は行われないと決め込むことは決してできませんが、概ね調査省略となることが多いようです。

　ただ、特別な資料せんの回付があったり、一般には公表もされていないので知っている人は少ないでしょうが、タレ込み、密告、投書の類はかなりあるようで、ほとんど取り上げられていないと思われますが、中には真実らしきものや放っておけないような内容なら、急遽税務調査を行うことになることもあります。

　また、課税所得は赤字であっても、消費税納税額の大口法人、課税売上の計算が誤りやすいような業種等では、法人税と消費税の併せた調査が行われたりもすることがあります。

☆累損解消が間近い法人は危険

　前述の大赤字続きで、青色繰越控除欠損金の期限切れを抱えている法人では以上のとおりですが、同じ赤字申告法人でも、赤字と黒字が繰り返されていたり、営業の立て直しや企業体質をスリムな体制に整えて、長年の赤字続きがやっとのことで収支均衡に漕ぎ着け、多少の黒字計上が可能な状態まで回復したような法人では、たまたま同じ赤字であっても、こちらは調査先に選定される可能性が高く、安心していてはひどい目に遭うことがあります。

　それは、当事業年度が多少累損が残っていてたとしても、それ以前の期において無理して黒字を創っていたりすれば、それが粉飾として否認され、累損を遡って更正されたりすれば、当期の欠損金控除額はなくなったりし、決算上赤字があるにもかかわらず税務申告は黒字申告となり、担税力が乏しいところに無為な法人税の負担となります。

第2章

税務調査の準備ポイント

Q9 税務調査リハーサルの仕方は

Answer Point

★税法上、原則として事前通知が行われることになっているところから、通常は事前通知があってから再度決算政策の理論づけ、重要書類の備置等を行えばよいと考えられます。

★リハーサル内容としては、決算申告手続の逆に、申告調整過程、B/S、P/Lと内訳書、関連する社内諸規定、各種計算表の再点検、主要簿、補助簿の記帳の正否へと重要処理事項の応答要領を検討します。

★書類相互の不整合、応答内容との矛盾等は取り消せません。質問に対する答弁の基本、方向性は十分税理士とも協議の上、頭の中に叩き込んでおくこと、変な言い訳や嘘は軽く言っても次が答えようがない展開になったりするので、控えるべきです。

☆税務調査リハーサルの可否

かなり以前の税務調査は、ほとんど無通知調査が多く、事前通知があるのは稀であった時代もありました。その頃は、突然の調査官の来訪で慌てふためいてしまい、特にいきなり現況調査で日常の記帳状態の不備を突っつかれることが多く、それが先制のジャブ攻撃となってダメージを受け、その後の調査局面で劣勢となり、終始受身で対処しなければならないこともよく見受けられたものでした。

現在は、原則として事前通知が行われることになっており、そうした心配は不要です。ただ、その頃は、それでそろそろ税務調査があるかも知れないという時期はある程度予測できたので、確定申告書提出後は多かれ少なかれ構えてはいたものです。

今のように事前通知が必ずあるとの前提で考えれば、通知があってから調査官の臨場日まで普通は税務署も納税者法人、それに関係税理士の都合がありますので、よほど特別の理由がある税務調査でない限り、10日や2週間程度の期間はあると思われます。その間に再度決算政策の理論づけ、契約文書等の重要書類の備置、日常の帳憑類の整備等の点検をする余裕はあるはずです。

万が一、前述の無通知調査があった場合は、業務の事情で十分な対応が無

第2章　税務調査の準備ポイント

理であることを説明し、最低限の現況調査までに止めてもらって、本格的な調査は後日改めて実施してもらうよう説得し、引き取ってもらうべきでしょう。

☆リハーサルの内容は

　会社の決算は、根拠なしにいきなり創り出すものではありません。日常の企業の経済行動（簿記の取引）→補助簿の記帳→会計処理（仕訳）→総勘定元帳への転記→試算表による検証→決算政策（決算修正）→決算書→税務調整→法人税申告書の流れに従って最終的に申告納税が行われます。

　決算申告調整までの各局面での正否を税務調査官は確かめるわけですから、それらを逆に１つひとつ合理性を説明できればよいことになります。

　決算申告調整から原始取引までQ10以降で順次説明しますが、遡って行けばおよそ図表９のようになると思われます。

【図表９　関連する帳表・手続】

処理項目	関連する帳表、手続	必要エビデンス類、留意点等
法人税申告書 申告調整計算	計算書 明細表	・法令に従った計算手順 ・税務特例適用証明書類、契約書類 ・各明細書間の整合性
決算書 内訳書	貸借対照表 損益計算書 資本等変動計算書 勘定科目明細書	・異常項目の根拠 ・連年比較値分析 ・P/L、B/S と税務資料向け明細の関連
決算政策	社内規定 契約書類 取締役会 株主総会	・退職金規定（従業員、役員）、賞与規則、福利規定 ・不動産売買契約書、登記関係書類、役所申請書類 ・許可書類 ・稟議書、取締役会議事録、株主総会議事録
税務政策	税額控除 特別償却 準備金、引当金	・特例適用要件の検討、証明類の完備 ・試算表、明細表、会計処理の適否
取引記帳	総勘定元帳 試算表 補助簿 組織図 （役員含む）	・決算数値との繋がり ・日常記帳の正否、帳簿改ざん有無 ・取引の根拠となる証憑（請求書、領収書） ・各部署業務の実態と財務数値の繋がり ・営業記録（日報、決裁書類） ・従業員出勤記録（タイムカード、履歴書等） ・源泉徴収簿、扶養親族控除申告書 ・役員担当職務と実績記録書類

Q9　税務調査リハーサルの仕方は

図表9は1例です。会社規模、業種等によりもっと多種多様の書類の備置を要します。

☆リハーサルの順序

何事も調べるとなれば、まず調査する側としては、その結果がどうして起きたのかをいくら疑ってみているにしろ、いきなり取引事象の深部へ入って白黒をつけるわけにはいきません。

こうした税務調査では、決算が帳簿の記帳記録に基づいて作成され、一定の税法固有の調整過程を経て申告所得が計算され納税額を確定されていること、すなわち内容の真偽より先ずそうした計算過程の形式的適否を確かめることから入ります。

次に、各契約書類、注文書、発注書、注文請書等の閲覧を行って、手続が適法に行われたか否か、最後に相手方との取引が本当に実在したのかどうかを請求書、領収書等で確かめるとともに、存在しないときはその提示不能の理由が必要ですし、紛失等なら重要性があれば先方へ照会するか、反面調査で相手方の処理を調べてくることもあります。

ルーズな法人の場合は、この最初の帳簿記帳そのものが不備のこともあり、決算と帳簿尻が一致していないものもあったりします。

したがって、リハーサルもそうした帳簿類と決算数値の合否を照会するところから始めなければなりません。そして、順次すべてのエビデンスを揃うようチェックを行い、不備のものは再入手、あるいは他の代替書類、状況証拠等で補完できないか検討していくべきとなります。

いずれにしても、日々の記帳が疑われるような事態や、公私混同的取引を思わせるものはないようにしておくか、相手調査官も本当の実態などわかる筈はありませんし、極論を述べればすべてが架空取引と疑ってかかっているわけですから、言い過ぎかも知れませんが、口喧しいと思われるくらい説得すべきです。

ただし、言ったことは取り消せませんから、後で矛盾した事実が出てくれば大変なことになります。

要は、灰色取引については、何度も言い方を研究して頭へ入れておくことです。真実は多少忘れても必ず元へ戻りますが、嘘は言ったことを忘れてしまいますので、その点は注意が必要です。

Q10 税務調査に備えた書類の整え方は

Answer Point

★税務調査の早期終了を促すとともに追徴課税を避けたいところから、こちら側の主張ばかりになり勝ちですが、相手は雇用されている国税庁一職員です。立場上、何がしたいかを相手の立場でまず考えねばなりません。

★準備書類には帳簿、各種証憑、その他があります。申告内容が正当であることの証拠には内部証拠と外部証拠がありますが、内部証拠より外部証拠のほうが強力です。内部証拠は社内の管理資料や各種帳票であり、外部証拠は契約書、請求書、領収書等です。

★日常の取引は、少々証拠が揃っていなくても種々の補充が必ず見つかりますが、対税手法として行った決算処理や申告調整は証拠力の弱い場合が多く、より説得力のあるものが求められます。

★場合によっては、法人対個人間のやりとりについて追及されたり聞かれたりします。法人と個人の関係書類は混同させず、一線を引いて別々に保管しておくべきです。

★規模は小さくとも、個人事業とは異なり、種々手続を踏んで調査を受けているのは、法的に人格を認められた組織体です。行動している様態を呈示するため、多方面の社内手続の根拠となる規定を多過ぎてもかまわないくらい、取り揃えておくことです。

☆調査官は何を見たいか

世の中、何事も相手側の立場になれば、何を考え、何をするかは、こちらとして先ず推しておくべきです。

相手の調査官は、国税庁約 55,000 人の組織の一員として仕事をしているのです。もちろん、通常の場合、ノンキャリア公務員の 1 人でいくら頑張っても国税庁、国税局のトップになれることはないし、よくいって退職前の一瞬税務署長ポストに 1 年でも座れれば最高のコースです。

そうしたコースを歩みたいと願っている若い署員も多いでしょうが、ある程度歳を喰えば自分自身の先をほぼ予測できるはずですから、元々調べることが好きな例外タイプを除き、通常なら苦痛を伴う調査事務を終日全力投球でしても労多くして功少なしも多く、寿命を縮めるのが関の山とわかれば、

手抜き作業で要領中心のわが身安全の生き方をするのが、頭のよい人種となるでしょう。

　調査事務の要点は、アラ探しです。白を黒と決めつけるためのあらゆる手法により外堀を埋めて、納税者法人の本丸を攻め続けます。表向き、形式的には申告内容が適正か否かを確かめるはずですが、申告を適正と見て仕事をする人は少数でしょう。まず、相手の納税者は不正をしている、誤魔化していると疑ってかからねば白を灰色、灰色を黒とするのは大変です。

　そうした面から見れば、法人内部の取引、対外部の取引すべてを調査官は確かめねばなりませんが、わずか２～３日間の短期間で、しかも３年～５年間の取引内容を調べなければならないので、どうしても視点を絞って事前に捉えた着眼点（不正のありそうな重要取引）中心になりやすいと考えられます。

　立場を変えてみることです、彼ら調査官は組織の１員として動き、日々の仕事を上司（課長）に監視されていますから、ベテラン調査官を除いて、日々の調査業務の経過や報告チェックを受けるはずです。担当調査官独自での裁量は高が知れています。よく仕事をしてきたと報告できるネタが必要だろうと思われます。

☆内部証拠と外部証拠

　年度決算、法人税の申告に至るその事業年度の取引については、そのすべてを帳簿と照合し、一取引ごとに請求書と領収書、契約書、注文書等と、年間の全部の記帳されているものを照合して正否を確かめることは、通常まずあり得ません。わずかな調査日数でそれをしていたのでは隅に入り過ぎ、全体を見通して大口の間違いや不正を見落とすことにもなりかねません。

　そこで、調査開始頃は、事前に準備調査である程度わかっていても、会社の歴史、社長の経歴、家族の構成、会社の現状、業績の動向、見通し等々をどちらでもよいようなことを質問します。この時点で事実と異なるようなことを好い格好で言ってしまうと、後で取り返しのつかない展開となることもありますので、あまり確定的に強く言い切るのは控えておくのが賢明です。

　そして、それらに合わせて帳簿の一部を見たり、契約文書、請求書、領収書から受注に至るまでの営業活動の記録や、取引相手方とのやりとりを聞いたりします。これらの調査手続でおよその内部牽制の精度の心証を得、次なる調査手法を選択するものと思われます。

　取引記録の内部牽制制度に不備が感じられれば、大口の取引を重点的に取

引の真偽の検証にいきなり入って行くでしょうし、逆に良好と見れば、まず帳簿記録を入念にチェックし、記帳が正確であることを確かめてから契約文書、その他の証憑によって調査側として税務否認に結びつけられないものであることを確定していきます。

　帳簿記録、営業、製造等の日報、出荷配送記録等は内部証拠で、契約書、請求書、領収書等は外部証拠です。

　内部証拠より外部証拠のほうが証拠力は強く説得力はあります。しかし、内部証拠でも、後日遡及してつくれない記録等は強力な証拠力を有していますし、注文書、契約書、請求書、領収書等でも偽造や改ざんも多く、必ずしも決定的な証拠となるわけでもありません。

　比較してみると図表 10 のようになります。

【図表 10　内部証拠と外部証拠、正否検証の手数】

証拠区分	内部証拠	外部証拠
性質	形式的（表面的）	実質的
証拠力	やや弱	強力
偽造改ざん	可	難
正否検証の対象	法人内役職員等組織内	取引先、場合によっては第三者
正否検証の手数	容易	日数を要し場合により不能のことも
帳票、証憑、名称等	・各種帳簿、帳票、発注、生産、出荷配送、検収記録、領収書控 ・予算書、原価計算書、出勤簿、従業員履歴書、給料台帳、作業日報、営業日報、実地棚卸記録 ・各社内会議録	・契約書、注文書、注文請書、請求書 ・領収書、官公庁諸届、許可書等、受取書、検収書、在庫預り証明書 ・振込依頼書、預金証書、通帳、当座勘定照合表、取引約定書、借入契約書、登記簿謄本
調査手順	優先的に検証	通常は後順位

☆書類の備え方は

　前述のように、書類には形式的なものとそうでないものがあります。中には、どうしても量が多くて廃棄せざるを得ず、残せないものもありますし、取り揃えているはずが保管場所を忘れたり等々で、必ずしも全部が整っていないこともあります。

Q 10　税務調査に備えた書類の整え方は

図表にあるのは一般的な法人の例で、業種、規模、業態により様々な別の書類も存在していることがあります。

原則として、すべてのものがあるべきですが、断片的で一部を証するものもあっても、例えば領収書はあっても請求明細書がないといった肝心のものが欠落していたりすることもあります。一般的に軽く考えている人や、余計な事を心配して部分的意図的に廃棄したりする人も時折いるようです。

特に、内部証拠に頼らざるをえないような取引、例えば人件費、役員報酬、役員退職金、期末棚卸等は、往々にしてその当否を証するものが何らないケースが見られます。

社員の実在性、給与類の正確性、給与賞与支給時期の正否等は履歴書、出勤簿、受取書、振込控等を準備しておくべきですが、小規模法人では全く存在しないケースもあります。

しかし、すべての取引がそうですが、とりあえずそれらしきことを説明するものは最低限準備し、どこまでいっても真実は1つひとつ追っかけて潰していけば証することはできるはずです。恣意性の人ったややこしい取引や、当初から見解の分かれると考えられるような事項以外は、多少の不揃いでも補充していけばよいのです。

ただし、虚偽、仮装の取引は論外ですが、役員人件費、福利厚生費等、また、決算政策で採り込んだような取引は問題となることが多く、説得力のある資料を十分に準備しておくべきです。

☆役員およびその家族の個人的な情報に注意

法人税の調査で法人の取引と関係のない役員や、幹部社員の個人的な情報まで提示を求められることがあります。

法人税の調査ですから、法人の事業に関する関係資料はすべて見せる必要はありますが、役員およびその家族の個人預金通帳や所得税の申告書等を出させたり、あるいは、幹部社員の机の中にあるものを見たりすることがありますが、本来、それらは法人の事業とは無関係であり、拒否することができます。

しかし、税務調査官は、金融機関の調査権限を有しており、不審を抱かせると、徹底的に調べようとしたりしますので、なぜ必要かのを一応尋ねて提示しておくほうがベターかと思われます。

幹部社員の机やロッカーの中を見るのも越権行為です。営業取引に関連する資料のみを提示し、個人的な私物は一切見せる必要がありません。

ただし、ここで注意しておくべきは、会社事業にかかる重要資料はすべて会社で保管しておくことで、重要契約文書だからと個人の居宅の金庫等へ個人の書類と一緒に入れておくことはしないことです。普段はそうでも、税務調査があるとわかれば、会社の保管庫へ持って来ておくことです。

　逆に、個人的なもの、個人の賃貸契約書、不動産その他の売買契約書、預金通帳、証券会社の報告書等々は、絶対に会社の金庫等に入れないで、自宅で保管しておくことです。

　調査官は、書類の出入れをすると、すぐ保管庫を覗いて全部提示させ、説明を求めてきます。本来、通常の税務調査は任意調査となっていますから、捜査権等はなく、そこまではできないこととなっています。

　しかし、そうしたことでトラブルとなり、調査深度が下がっていき、感情的になるのもマイナスです。ある程度応じる場合もあってよいでしょう。ただし、余計なものを一切一緒に置かないのが鉄則です。

☆形式的なものはすべて揃える

　法人税課税所得の基礎となった取引は、その収入、支出すべてについて相手方との事実があったことを、以上のような内部証拠、外部証拠によって立証する必要があります。

　それとは別に、それが発生した原因や必要性の根拠を明らかにしておく種々の文書等も不可欠です。これらはほとんど内部的なものとなりますが、例えば、図表11のような社内文書類となります。

【図表11　揃えておくべき内部文書類】

取引処理事項等	文書名等	
設備の改廃修繕等	大口のもの	取締役会議事録
	それ以外	稟議書、伺書等
役員報酬額	定款、株主総会議事録	
人件費、福利厚生費採用等	就業規則、退職金規定	
その他重要事項全般	取締役会議事録、稟議書、伺書、各種要望書等	

　これらは、小規模零細法人でも揃えておくことで、調査側にこの法人は、そんな必要もないのにやたら文書が多いなと感じさせるとともに、すべてまず形式があると受け止めさせ、何事もいきなり取引内容に直入し、否認しようとする調査手順にブレーキをかけ、遠回りさせることとなり、それなりの効果があるはずです。

Q 10　税務調査に備えた書類の整え方は

Q11 自社の処理方針とその伝え方は

Answe Point

★企業行動は、法令違反行為でない限り、自由で税務調査官に指図されることはありません。役員報酬が高い、交際費が多い等の指摘は税務否認すればよいことで、余計な話です。

★税法は法律ですが、会計は実務慣行で様々な処理法、中には会計理論とかけ離れた記帳決算処理もあったりします。要は、申告調整で所得金額を正しいものにしておけばよく、その辺についても記帳方法にクレームをつけられたりするものではありません。

★一時の損金となる支出か、将来の効果があるとしての資産計上するかの実質は計り知れないものです。適格な会計処理と、実態を説明する説得力や各種帳票の準備が必要です。

☆私企業の行為に税務調査官が嘴を挟めるのか

　税務調査官は、強力な否認権限等を有しているところから、納税者もつい崇め奉る傾向になりがちで、役人全般に頭を下げる姿勢は見られなくても、税務調査官に対しては特にそれが強いようです。

　税務調査の局面で、税務否認を納得させるためか、例えば「交際費を使い過ぎている」「役員構成を変えてください」「役員報酬が高いから下げなさい」「残業等の際の慰労費が多い」等々の要求めいた発言をすることがあります。

　そんな命令をする権限は全くないはずです。犯罪になるような行為でない限り、私企業の経営手法に国が介入することなど、この民主主義社会の中でできるわけがないのです。

　上記の例等は、単に決算処理とは別に申告所得計算上、交際費の限度オーバーであったり、損金として認めない役員給与であったりするだけのことで、法人の行為やその会計処理に文句を言われる筋合いはありません。

☆課税所得と決算利益とは同一にならない

　われわれが納付すべき税金は、課税標準に税率を乗じて算出したものです。

　例えば、課税標準は所得税や法人税では所得金額で、相続税、贈与税では課税財産価格となっていて、税率は比例税率であったり、累進課税であった

40　　第2章　税務調査の準備ポイント

り、税目によって違います。

　法人税は、そのように所得金額が課税標準となりますが、法人税法上、課税所得の計算は、単に益金の額から損金の額を控除した金額となっているだけで、何ら具体的に帳簿の記帳の仕方、勘定科目の設定等に規定はありません。益金の額、損金の額は、具体的には示されていませんが、それらは一般に公正妥当な会計処理基準に従って計算されるものであることが定められています。

　このように、会計処理方法については、公正妥当な会計処理基準となっていて、暗に通常の簿記会計の手法によって決算をしてくださいといっているのです。

　法人税で、税務所得計算用の別途決算は、具体的に決めて示すことはとてもできませんので、会計の技術に依拠しているのです。

　課税所得と決算利益の違いは、図表12のようになります。

【図表12　企業会計と税務計算の違い】

	企業会計	法人税法
①計算方法	収益－費用	益金の額－損金の額
②計算結果	純利益または純損失	所得（黒字または赤字）
③根拠	会計慣行 （企業会計原則等）	法人税法、同施行令、同施行規則（このほか法人税法基本通達、個別通達等あり）
④遵守義務	法令でないが斟酌義務あり	法令上の明確に規定あるものは遵守必要
⑤帳簿備付および記帳計算	必要	当然に必要

そして、この差は図表13のようにして調整することになっています。

【図表13　企業会計の利益を法人税法上の所得にするための修正】

　法人税法上、これらの会計処理は、公正妥当なものによることになっていますが、何も会計に詳しい者が決算を組むとは限りません。世の中にはひど

い帳簿記録や決算書が一杯溢れています。経済社会の変化につれ会計処理基準も複雑化、国際化が進み、今や旧来の簿記検定の二級程度ではとても会計実務は無理な場合もあります。

　年配の職業会計人や記帳代行屋の組んだ決算書には、旧態依然のビックリするようなものに出くわすこともあります。

　それでも違法でも何でもありません。税務は税務でそれに修正を加え、正確な所得金額に置き換えればそれでよいのです。どんな決算でもよいのです。まずそれがなければ所得計算への入口がないのです。

　税務調査官は、一般には誤解されていることが多いのですが、会計の専門家ではありません。

　常識レベルまでの簿記会計の研修は済ませていますが、今日の複雑な経済事象を会計的に捉えて処理する高度な会計技術ほどのものではありません。調査官のレベルにもよりますが、正当な範囲の処理までクレームをつける人もいることもあります。まず、これらのことをよく理解する必要があります。

☆唯一の会計処理法はない

　会計の国際化や経済社会の複雑化により、新時代の会計処理が溢れています。

　消費税の処理、リース取引、税効果会計、自己株式の取得処分、退職給付会計等々に本来の会計処理基準に従った方式、中小企業向けの簡便な処理法等が会計基準委員会辺りから示されていて、会計の素人にはとても理解が難しいものが数多く存在します。

　法人税法上に選択適用が認められている会計処理法には、およそ図表14のようなものがあります。

【図表14　選択適用できる会計処理法】

項目	会計処理法	
	原則法	選択可能処理法
①収益費用の 　計上時期	物品引渡し日等発生主義による期間計算	工事進行基準、固定資産の譲渡等は契約効力発効日、営業外の受取利子等は利払期日の計上がそれぞれ認められている。
②短期の 　前払費用	期間計算	1年以内の役務提供等の費用は支払日の損金処理可。
③特別減価償却	資産直接控除	剰余金処分による積立金処理も可。

第2章　税務調査の準備ポイント

④棚卸評価	取得原価、製造原価	低価法の適用ＯＫ（取得原価または処分時価の低いほう）。 劣化、陳腐化資産は処分時価評価。
⑤圧縮記帳	資産の直接減額処理	剰余金処分による積立金処理。
⑥資本的支出	使用可能期間の延長または資産価額の増加部分は資産計上	支出金額が20万円未満その他の形式基準で修繕費との区分処理。
⑦繰延資産	会社法上の繰延資産一時損金	繰延処理も自由。
⑧役員退職金の損金算入	金額が具体的に確定した年度	支払った日の事業年度の損金。
⑨リース取引	対象物件の資産計上と未経過リース料の負債計上	リース料支払時の損金処理。
⑩租税公課	不動産取得税、登録免許税は損金算入	資産の取得価額に含めれば損金とはならない。
⑪消費税	税抜処理 ※免税事業者は税込処理	税込処理も可。ただし、その場合は、たな卸評価は税込価額となる。
⑫従業員賞与	支払時の損金	各人別に事業年度内通知をする等一定の条件で未払賞与の損金処理も認められる。

　図表14は、単なる会計処理ですが、経営戦略として製品開発、研究、市場開拓、広告宣伝とそれらにかかる委託研究費、交際費、広告宣伝費等の支出については、損金として支出時処理が認められるか、繰延費用や前払金、あるいは在庫として計上しなければならないのかはよく税務調査で問題となり、調査官と鬩ぎ合いとなることが見られます。

　こうした類のものは、その実態がなかなか判別できず、互いに主張し合いを繰り返しますが、粘ったほうの勝利となることが多いようです。

　これらは、社内に形があるものでないことが多く、決め手が存在しませんので、当初から支出の相手側と契約文書、経過報告、期末日の実物のたな卸、現地視察報告、概算払資金の精算過程その他本来、経費の性質のものですから、とにかく資産性がないこと、将来のひもつき収益に結びつくものでないこと等の、根気強い説得資料をトラブルに備えて準備しておくことが肝要でしょう。

Q11　自社の処理方針とその伝え方は

Q12 調査官の準備調査のやり方は

Answer Point

★調査先の選定は、早くから行われ、担当調査官も年度変わりの時期は未定のこともあるようですが、通常は決められているようで、各調査官は選定理由もわかっていて、準備はしているはずです。

★調査官の能力にも個人差があります。手抜きしているような人種から、ひたすら息をつぐこともなく調べまくるような人もいます。真面目、几帳面な調査官ならかなりの情報を持って来ると思いますが、簡単にはわかりません。

★準備資料は、調査先として選定した理由により様々で、赤字が黒字化してきたとき、特別の資料せんが回っているとき、過去から繰り返し指摘がある項目等、それなりの準備調査をしているでしょう。

☆調査先の選定から実際の調査日までは

　随分以前は、調査先の選定は、申告書が提出されると総括部門、法人税なら法人課税第1部門で、その税務署の全法人の毎月次の申告の中から調査先を選定し、それを地域別、あるいは業種別等に担当を決められた第2部門以下の各部門へ割り振り、部門統括官が適当に担当調査官を決めていたようでした。

　現在は、1か月単位でなく、例えば6か月くらいの間の調査先を一括して各部門ごとに電算システムで予め要調査先を或る程度絞った上で回付し、さらに申告内容を書類上で見て最終的な調査先を選定しているようです。

　およその考えられる調査先の選定基準はQ5で説明したようなものではないかと思われますが、税務官署勤務経験のない筆者にはあまり詳しいことはわかりませんので、考えられる範囲のものです。

　そんな状況のようですから、早くから調査先そのものは決まっています。例えば、国税庁の事務年度は毎年7月1日から翌年6月30日で、年度末に調査事務を打ち切って7月初旬に人事異動があり、各部門の新編成で翌年度の調査事務が行われますが、要調査選定先の担当調査官が部門編成の人事が確定せずとも、調査の日程等準備は始めているようです。

　したがって、調査法人を割当てられた調査官は、かなり早くからその法人

44　第2章　税務調査の準備ポイント

の税務署として過去からの調査結果、調査対象期の電算システムの分析結果、収集されている資料せん、新聞雑誌等の情報、タレこみ情報等は与えられているものと思われます。

☆調査官には個人差がある

　筆者も長年にわたって税務代理業務を行ってきており、この50年余の間500回くらいは法人税、所得税、相続税、源泉所得税の税務調査に立会いをしていると思います。

　しかし、よく似た傾向の調査官はいますが、かなりのバラつき、個人差があるように見受けられます。全員税務公務員採用試験に合格して入ってきてるはずなのに不思議なものです。

　個人差というのは、つまり能力差ということになるでしょうか。そんな点からいえば、税務職員としての意識、つまりやる気、責任感、使命感に大きな差が見られます。1日、何とかして（楽して）終わらそうとしているズボラ人種から、臨場時より調査現場を退出するまでほとんど息を抜かず、世間話をする等無駄な時間は一切つくらず、ひたすら調査事務に没頭するような人も見られます。

　この辺は、どんな調査官が担当して来るか、多少運、不運の面もあることになるでしょう。

　ざっくばらんな課長（部門統括官）等は、部下の調査官のことをこぼすこともあります。「できの悪い奴を手下に持ったら仕事が1つもはかどらん、やたら日数ばかりかけて与えられた締切りに間に合わず、結果も出さず、出してきたと思えば見解の難しいものを強引に相手を脅かして決めてくるようなことばかりで、そんなのが多いときは難儀します」と笑い話を聞いたこともあります。

　余計なことが長くなりましたが、いずれにしても調査を担当する調査官は早くから決まっていて、真面目、几帳面な調査官なら自分の調査事績を上げるためには、前述のような署内に既に準備されている情報以外、個人的に法人や社長宅の付近を見て回って日頃の生活振り、業務の様子等を探っているかも知れません。

　対象が小売や飲食業の場合であれば、客を装って入店し、金銭やデータの処理の様子を把握したり、役員の個人的情報をいろいろな手法を駆使して収集したり、とにかくどんな情報を持って調査に来ているか簡単にはわかりません。

Q 12　調査官の準備調査のやり方は

☆選定理由にもよる

　Ｑ５でも少し説明しましたように、調査先に選定されたのは、長い間接触がなかったか、循環的な数年に１度の調査か、決算書中に異常項目がたまたまあって確認のためか、悪質、不正行為が繰り返されている要監視法人か、特別資料せんが回ってきての急遽調査に着手したとか、それぞれによって調査官の準備して来る内容は異なると思われます。

　赤字申告が長い間続き、ほぼ累積欠損金が消滅しかかった頃、あるいは黒字申告に転換したときは調査が行われますので、準備しておく必要がありますが、こんな場合はそれまでは赤字を減らす政策処理をしていて、欠損がなくなってくれば黒字を減らす方向に必ず変わりますので、最近２〜３期のそうした処理には十分答えられるよう準備しておくことが肝要です。

　期末になって慌てて減価償却資産を買ったり、あれやこれやの未払経費を捏造したり、売上の計上を遅らせたりしたとすれば、財務分析で異常値となって表れますのですぐにばれてしまいます。

　特別な資料せんが回って来た場合は、誤りのことも往々にしてありますので、こちらとしても準備のしようがありません。それ以外の循環調査等通常の定期的調査では前記のような準備資料を用意して来ている筈です。

　いずれにしても、調査の始めは、準備資料でわかり切っていることでも、さりげなく一般的な質問を振り向けて来ます。うかつな返答はできません。

　そして、調査官の質、レベルにもよります。大したことのない人種であれば準備資料もほとんどなく、本当に調査先の内容を知らないわけですから、これは楽です。それらの判定は、調査の半日くらい経過すればある程度推定もできると思います。

☆異常項目については情報入手済のことも多い

　各事業年度の申告所得が平準化している安定した法人と、毎期の業績の浮き沈みの激しい法人とでは、調査要点も異なるでしょうし、また、財務諸表上、あるいは財務分析値での異常項目は当然掴んできていて、ズバリ質問をすることもなく、さりげなく聞いてみて答え方に無理が感じられるようなときは、徐々に調査深度が下がって行くでしょう。それらについての情報を探してきていたり、考えられる原因を調査官なりに想定して準備しているはずです。

　例えば、それが大口事項なら、調査対象法人の取引先を拾い出し、取引先の所轄税務署へ照会し、法人税申告書や、法人税調査において不審点がなかったか等も照会していることもあったりしますので、注意しておくべきです。

Q13 調査理由の開示を求めることが できるのは

Answer Point

★調査理由を尋ねても、調査官は申告が正しいかどうかを確かめるためとし
か答えません。また、調査理由の不開示を理由に調査拒否もできません。

★調査先の選定も調査方法もすべて税務署が有していて、うかつに逆らえば
嫌がらせ的調査もやりかねないとも限りません。相手は組織で動いている
のに対し、納税者側は個人で立ち向かわなければなりません。理由不開示
を盾にしての抵抗は、結局は損をすることも多く、長い物には巻かれろ的
な面はやむを得ないかも知れません。

★調査理由の開示を求めることは無理でも、受忍できないような調査手法、
例えば捜索的なことはできないこととされていますので、その場合の理由
の開示要求は可能となっています。

☆大概の税務調査に具体的調査理由はない

　Ｑ５やＱ12で説明したように、税務調査先に選定されたのはそれなりの
理由があったからです。税務調査で、なぜ調査をするのですかとの愚問を発
する人が時々いますが、調査官は「申告所得金額が正しいかどうかの確認目
的です」としか答えません。

　中には、例えば、「循環的調査です」程度のことは答える場合もあります
が、ここがおかしいからとか、具体的なことはそうであっても絶対言いませ
ん。そんなことをすれば、調査過程でそこを何とか切り抜けるための帳票の
改ざん、廃棄、あるいは問題となっている取引相手との通謀等をして調べ難
くされては困るので、言うはずがありません。

　課税の公平、税務行政の公平、あるいは効率的税務行政の見地から納税者
すべてが調査理由の不開示をもって調査を拒否すれば、国民の誠実性を前提
にしている申告納税制度は成り立たなくなってしまいます。

☆税務官庁は強力な課税権を有している

　どの法人の申告を調査するかの決定は、すべて税務署長が有しています。
　実務的には、担当部門長および幹部調査官でしょうが、特定の法人に対し
て連年調査に出向こうが、調査官を多数動員して営業妨害的調査を行おうが、

Q13　調査理由の開示を求めることができるのは

何日もかけてしつこく調査をしようが、税務調査官の裁量であり自由です。

　それほどにまで極端な嫌がらせ調査は、通常はありませんが、それに近いようなものは時折耳にすることもあります。

　相手は、役人で、国税庁という組織で仕事をしています。調査官は、1年も経てば人事異動で他の部署へ行ってしまいますが、調査事案がトラブッたり、異議申立て等に進んだりしても、国側は入れ代わり立ち代わり誰かが事務的に担当します。しかし、納税者側は、税理士、弁護士が付いたりするものの、1人で立ち向かわなければなりません。精神的、肉体的によほどタフでないと持ちません。

　その辺をよくわきまえ、調査は受け容れ、是々非々で納得できないものは修正申告を勧奨されても拒否すればよいのです。その姿勢が大事です。

☆調査手法についての理由を求めることはOK

　税務調査官は、課税所得を把握するための質問検査権を有しています。しかし、それは犯罪捜査目的に認められたものではありません。したがって、法人の事業と関係のないプライベートな部分まで見ることはできません。

　よく金庫の中を開けさせて全部中に入っているものを見せて欲しいとか、事務所内の机の引出しからすべて順に入っているものを出させたり、役員の居宅へ押し入り個人のタンス、金庫等を開けさせたりするといった調査のやり方をする調査官がいることがあります。

　しかし、そうした調べ方は、捜索をしようとしていることになります。先ほどの調査官の質問検査権には、捜索権は認められていません。

　こうしたときは、なぜそこまでするのか、どうした理由でそれが必要なのかをまず聞くべきです。金庫の中、机の引出しの中、あるいは個人のタンスの中に、簿外の預金通帳や二重帳簿が保管されているといったような根拠がないと、通常の任意調査ではできません。

　そこで黙っていると承認したことになり、必要のない課税所得の計算とは無関連のプライベート部分、社内でもその場にいる従業員には知らせたくないマル秘情報部分がわかってしまう危険にまで繋がってしまいます。

　もし、見せる場合でも、調査官に触れさせる必要はありませんし、求められている資料のみこちらで取り出して提示すればよいことになります。

　いずれにしても、あまり抵抗一本で険悪の雰囲気の状態を続けると、どこかでしっぺ返しをくわされたりします。協力姿勢で、余計なものまで出さない対応がよいのではと思われます。

48　第2章　税務調査の準備ポイント

Q14 任意調査の任意の意味は

Answer Point

★税務調査には、犯罪嫌疑で行う強制調査と、納税者の協力を得て行われる任意調査がありますが、通常、税務調査と呼ばれているのは、この納税者の協力の下での任意調査を意味しています。

★任意調査ではありますが、税法では質問検査に対する不答弁や帳簿不提示、検査忌避についての罰則規定が設けられていて、実質間接的強制調査となっています。

☆強制調査と任意調査

　Q4で述べたように、税務調査には強制調査と任意調査があります。

　強制調査は、文字どおり納税者の諾否に関係なく、臨検、捜索、差押え等をすることができます。もちろん、予告なしとなっています。

　これに対し、納税者側の事情に配慮し、事前に連絡を行い、納税者の協力を得て課税資料を確かめるのが任意調査です。

　大きな違いは、裁判官の許可（令状）を得て、納税者宅および関係先を一斉に捜索等を一方的強制的にできるかどうかです。

☆通常の税務調査はすべて任意調査である

　強制調査は。全国12の国税局に設けられている査察部が実施するもので、税務署に査察部は置かれていません。したがって、一般に税務署から調査に来られたという場合は、それはすべて任意調査となります。

　中には、裁判官の許可を得ていない（令状を有さない）国税犯則取締法上の調査もあったり、無予告で突然法人事業所に数人で臨場し、営業の実態を細部にわたり掴んで、続いて申告内容の調査を徐々に進めるといった調査や、念入りに申告法人の情報を収集した後、多人数の調査官で集中的に厳しい徹底した調査を行う国税局の資料調査課の調査もあるようです。これらは任意調査ですが、強制調査に近いものといえるでしょう。

☆任意調査は拒否できる？

　広辞苑によれば、任意とは「その人の自由意思に任せること」となってい

Q 14　任意調査の任意の意味は　　49

て、自分の心のままにできることのように書かれています。

　そう解釈すれば、任意調査である一般の税務調査を受けるか拒むかは、全く納税者側の自由だということになります。もし、それでよいとなれば、成行き次第では、白を黒に強引にされかねない、叩けば埃が出かねない通常の納税者で税務調査を受諾する人はほとんどいなくなってしまいます。

　そうなれば、租税原則の基本である負担能力に応じて公平に納税するようなことは全くなくなり、国の税収は国民中有志の運営協力金と化してしまうでしょう。

　そう理解していけば、任意調査でも拒否することはできないと、自ずから結論となってきます。

☆任意調査も一種の強制調査

　このように、理屈として、自由主義社会の運営財源である税収確保の必要上、自主申告納税制、あるいは賦課課税制を問わず、公平の原則からも税務調査は行わざるを得ないのです。

　ただし、自由主義社会では、公益を高めていくための国の事業経費に充てるため、国民自らが能力に応じてそれを税金の形で、法律で定められた金額を自分で計算して申告し、納税することになっていますので、あくまでも強制的でなく自ら進んで納税してくださいとの形を建前上、採っています（申告納税制度）。

　しかし、その実は、申告内容の適否のレベルとは関係なく、法人税であれば課税事業を営む公益法人、その他、もちろん会社を含め全法人にとりあえず申告をさせて、その中から国税庁の調査能力の範囲内で調査先を選定し、相手の協力を得つつ、質問検査権を行使して強制的に実施するのが任意調査の本質です。

☆調査拒否のできない理由

　一般の税務調査は、任意調査であるから拒否することも認められるとの少数説もあるようですが、もし、調査拒否をしたとすればどうなるかを考えてみる必要性があります。

　図表15のとおり、税法上は質問・検査に対する不答弁、不提出には懲役刑、または罰金、さらには青色申告承認の取消しと推計課税と、不利な取扱いが行われ、結局は間接強制調査となっているのが任意調査です。

第2章　税務調査の準備ポイント

【図表15 調査受忍の担保規則等】

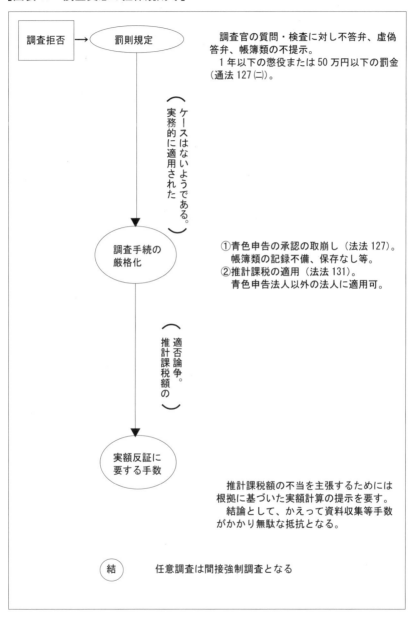

Q 14 任意調査の任意の意味は

Q15 進行年分の帳簿調査が あるときの対応は

Answer Point

★税務調査は、申告額の正否を確かめるのが目的であり、未だ課税期間が経っていない段階での調査は建前的にあり得ません。

★例外的に、現進行年度の帳簿等の一部について検査を行って、内部牽制状況を確かめたり、申告年度の数値の検証を行ったりすることはあり得ます。本来、見せても差支えないような記帳体制をしておくべきです。

★例外的に季節営業者等については、現況把握が適正課税に資するとして認められているようです。また、源泉所得税は、調査日直前の月度まで行うこととなっていて、進行年度も当然調査対象となります。

☆申告書の提出があっての調査

　所得税、法人税は、申告納税制度となっていて、納税者の申告があって第一次的に納税額が確定し、次に申告がない場合と申告があった場合にも税務署の調査によって正否を確かめ、そこで最終的に納税額が確定することとなっています（通法16①24、25）。

　したがって、未だ課税所得の計算期間が終わっていない、申告期限も未到来の進行年度分の税務調査は、あり得ないはずではあります。

☆事前調査は例外

　Ｑ４で説明したように、進行年度については課税期間が経過していませんので、この場合の調査は事前調査となります。

　実務的にも、事前調査は滅多に見られることはありませんが、調査対象年度の調査手続の一環として進行年度の記帳状態や資産の管理状況等、内部統制の精度を検証する目的で一部の帳簿を調べることはあり得ます。

　そこで、日常の記帳がかなりルーズで信頼できないとなれば、調査は厳しくなると覚悟しなければなりません。

　その程度のことであまりギクシャクしても後味の悪いものになったりします。なぜ必要なのかをよく聞いて、必要最小限のものは提示し、重要文書や後日でないと管理記帳等が完了しない類のものは、出すことはしなくてもよいと考えられます。

52　　第２章　税務調査の準備ポイント

☆事前調査が認められるのは

事前調査に対する国税庁の見解としては、「臨時営業者、季節営業者あるいは記帳不備、帳票の保管等の不完全な白色納税義務者については、営業期間中に調査、現況把握が適正課税に資する」として例外的に認められるとしています。

これは、反対解釈すれば、通常の営業者については事前調査は行わない取扱いをしていることになると思われます。

前述のように法的に根拠はありませんが、税務調査時の雰囲気を険悪にしても必ずよい結果になるとも限りません。円滑な調査の流れが任意調査の趣旨でもあります。よく理由を尋ねて、特にそれで不利になることもなければ、差支えのない範囲で応じることかと思われます。

それから、法人税調査と同時に源泉所得税の調査が並行して行われるのが通常ですが、こちらのほうは基本的に毎月次の徴収税額を翌月10日までの納付となっています。したがって、調査日時点近辺の給与はもちろん、報酬料金等の課税漏れの有無を帳簿によって確かめなければならないところから、進行年度の帳簿は当然に記帳されていなければなりませんし、提出は必要となります。

☆申告済法人税の調査を進行年度分帳簿等で行うのは

法人税の調査は、調査対象事業年度中の最終年度の翌事業中が普通です。

前述のように、未だ課税所得の計算期間が経っていない進行年度分の税務調査はあり得ませんが、直近事業年度分の調査で、特に期末近辺の取引で現進行期間中に最終的取引の決済が行われているような項目、例えば、期末計上未払金の支払い等は、進行事業年度中に行われます。そのため、進行事業年度分の帳簿の提示を求められることは考えられます。

これらも、課税期間が未了との理由で、一切の帳簿不提示が認められるかどうかです。調査手続の基礎となっているのは、既に過去の事業年度の取引であるものの、それが当期に跨っているが故に、その検証の必要から提示を求めることは可能と考えられます。

税法上は、会計処理面については、公正妥当な会計処理基準の適用、および日々の帳簿等の記帳義務が定められています。小規模法人であるため、系統だった複式簿記での総勘定元帳等、主要簿の記帳は未了であっても、日々の細々とした記帳は当然必要です。それが不存在で提示不能、または提示拒否をすれば、青色申告承認取消し等の問題に進み、一苦労を要します。

Q 15　進行年分の帳簿調査があるときの対応は

Q16 任意調査の対策ポイントは

Answer Point

★税務調査対象とは、単に決算処理や申告調整の検証だけではありません。申告内容は、日常の会計記帳処理から決算処理、計算書類作成、申告調整まですべてとなります。日常の取引記録も重要な対策の1つです。

★調査官は、さりげなく話しかけながら矛盾点を見つけ、追い詰めて最後逃げられないようにしようと、その根拠を全力で探し求めます。したがって、日常の一般的な取引も、特に税の合理化を考え行ったものも問われれば卒なく答える必要があります。

★問題となりそうな事項は、あらかじめ応答の台本でも用意し、相手の打ってきた球にどう反応し、どちらへ打ち返すかをある程度できるようにしておくことです。

★安易に考えて、税理士等にも相談せずした行為で大損することもあります。些細なことでも念のため、聞いてみておくことです。

☆日常処理がすべて対策

　本書は、中小企業の税務調査の受け方のバイブル的な内容を目差していますが、中小企業の税務調査とは、繰返し説明してきたように、任意調査を意味します。

　したがって、本書全般にわたり任意調査の対策のポイントでもあります。

　ところで、中小企業者が帳簿を記帳し、毎期自社または税理士等の手により決算を行っている目的は何なのでしょうか。大多数の中小企業経営者は、税務署の調査があるから、それ以前に税金の申告をして納税をしなければならないからと認識していると思われます。

　商業高校では簿記を学びますし、大学の経済・経営学系統でも簿記は必修科目となっています。書店にはそれらの参考書がずらりと並んでいます。

　なぜ、会計学がそんなに普及一般化したのかは、戦後の申告納税制度、青色申告制度による複式記帳義務が大きな原因と考えられます。会計帳簿の作成、記帳決算は、本来経営管理のツールとしての技術で、税務用は副次的なものなのです。

　簿記では、企業の財産の増減変化を取引と呼んで記帳の対象と捉えて仕訳

を行い、総勘定元帳に転記を行うこととしています。日常の会計処理です。

【図表16　会計実務の流れ】

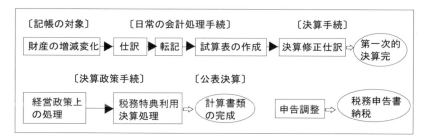

　日常の取引記録から税金の申告までは、図表16の流れになります。税務調査は、最終の申告書から記帳の対象となった日常の財産増減変化まで、各局面ですべて最終に至るまでの間の処理の正当性を立証できるようにしておくのが対策であり、基本です。

☆一般的な調査手順
　税務職員は、研修機関としての税務大学校等で税法、会計学、その他の関係法規等の研修は済ませてきています
　また、その間、随時研修もあるかと思われますし、自己啓発で勉強しているでしょう。しかし、肝心の調査技術は、そんなに系統的なものも存在していないと考えられ、結局、先輩職員からのOJTで身についていくのではと思われます。
　その調査手法は、調査先へ臨場したときにいきなり家捜し的な行動は社会的マナーにも反しますし、まずすることはありません。通常の世間話やら最近の業況等をそれとなく聞き、法人と代表者個人の経歴等を頭に入れながら調査の入口を探っていきます。
　そのほか、収集されている資料せんも持って来ているはずですから、概況を聞きながらそれらとの矛盾点等をどう追い詰めていくかの手を、秘かに練っているものと思われます。
　強制調査や任意調査でも、それに近い場合は、いきなりそうした証拠を基に核心に入ります。それが手数を要さない方法だからです。
　そして、徐々にいくつかの狂いをつけた部分へ質問と帳簿の照合を繰り返しながら入っていくのです。
　そして最後は、有無を言わずお手上げさせたいのが彼らの本心、目標です。

Q 16　任意調査の対策ポイントは

☆納税申告書から取引の発生まで遡及して考える

簿記での取引から記帳が始まり、決算を行い、納税申告書を作成までの過程については説明しました。これを遡って辿りながら調査官に質問を受け、帳票類の照合、書類文書の閲覧をされた場合、すべてそこに至っている金額の正当性を説明できるように、日常の処理も決算処理もそれを頭に叩き込んで準備しておくことです。図表17にいくつかのポイントを上げておきます。

【図表17 対策の主なポイント】

ポイント	留意事項
①架空取引は忘れてしまう	日常処理した一瞬は覚えているが、時が経つと忘れることが多い。 いずれ証拠物を入手するつもりが放置したままとなったり、指摘されても覚えのないことが多い。 公私混同的なものに多く、決してすすめられないが、自分で説得台本をつくり、暗記して証拠を整えておくくらいでないととても持たない。
②曖昧取引は矛盾を生じる	事実認定にトラブりそうな取引は、答弁が揺れたり、関係者と答が相違したり、その取引の必然性がどうしても甘い。 押し通すためには、外部証拠はもちろん、強力な計算根拠、社内規定、決裁文書等の内部証拠の補強整備が不可欠。
③真実は強い	請求内訳の不詳な支出であっても、真実であれば、相手先が存在している限り照会を求められるし、証拠に乏しくても経緯を明らかにする内部証拠類、担当者答弁等で説得可能。どこまで行っても最終的に訴訟に耐えられると思っている場合は強い。 可能な限り内部証拠で補完を。
④内部証拠も無視しない	慶弔関係費、ちょっとした謝礼等は、領収書は通常存在しない。 しかし、そうした連絡文書、経緯を明らかにする日報日誌、決裁書があれば十分である。
⑤見解が分かれる処理	役員給与、退職金、親族のみなし役員等は、支給給与額の当否、従業員か役員かの判定で見解が分かれる。 役員給与の一般水準は、税務署のみ情報を有していて、一般には不明である。これらは誰が見ても明白な過大報酬でない限り、認めないといわれても応じる必要はない。
⑥税理士等の専門家に相談	日常の経営活動は、会社役員、幹部で執行していて帳簿記録はその後追いである。 些細なこんなことくらいの日常の安易な判断が、税務否認を受けることが多々ある。 素人判断せず、何かを考えるとき、行動を起すとき、税務上の問題の有無を税理士等の専門家に先に聞くべきである。

図表17は、対策のポイントのほんの1例です。他にも多岐にわたりポイントはあると思われますが、各調査項目でも順次説明をすることとします。

56　第2章　税務調査の準備ポイント

Q17　銀行調査対策のポイントは

Answer Point

★最近の銀行は、産業経済の発展のための機関というより、単なる一営利私企業の性格が強く、金融商品のあっせん等、手数料稼ぎにかなりのウエートを注ぎ、取引先企業の保護育成等は後回しのように見えます。

★銀行調査では、法人の預金の動きを調べ、異常な動き、送金先、入金先をピックアップし、照会します。また、役員および親族名義のものも同様です。

★銀行調査は、国税庁と銀行協会の取決めで、銀行が拒むことはできません。双方とも財務省の所管です。

★要は、預金の動きに異常がないことです。入出金先、振込先は判明します。照会により芋づる式にすべてが出て来てしまいます。手許の通帳に日頃、それらはすべて理由をメモ書きしておくことです。

☆税務調査時の銀行は何者

　一口に銀行といっても、公的味を帯びた政策銀行から都銀、地銀、信金、信組、それに最近ではゆうちょ銀行から果ては農協も金融機関です。

　それらは、与えられた許可区分に応じて預貯金の受入れ、資金の貸出しから多様な金融商品のあっ旋、人材の招介、事業再編の提案等、様々な事業を行っています。

　金融商品のあっ旋等は、仲介手数料稼ぎかと思われますが、その他はほとんどが自行の取引量の拡大、要するに預金と貸出金の増大を目的とした手段となるもので、支店長、行員にとっては自身の人事考課の加点要素となるものだと考えられます。

　もちろん、建前は産業資金の貸出しを通じて企業の発展成長を図るものとなっているはずですが、あくまでも銀行も私企業、営利企業です。公的色彩はあるものの、なり振り構わず貸出し競争を行っており、絶対倒産しない企業への不必要な資金の貸出し先を探しての業務展開をしている側面もあります。

　取引先企業の成長発展につれて銀行も取引業務量を増やし続けられる、それが理想で、ずっと以前は堅い慎重な融資審査で、銀行業としての保守的融資姿勢が基本でした。したがって、取引先の中小零細企業といえども、銀行

には守ってやろうという態度がありました。

しかし、銀行間の競争の激化、組織のスリム化等により、銀行にも余裕はなくなり、取引企業の税務調査で不利な資料を隠してやろうというところまでとても手が回らないようです。

☆銀行調査があるのは

Q16でも少し触れましたが、税務調査の通常の進め方は、法人の概況を聞く等から徐々に具体的内容の検査に入っていきますが、会社の取引銀行はすべて始めにわかっていますし、家族構成も聞き出してその氏名、年令等も掴んでいます。

調査官も銀行へ出向いて行くまでは、どの程度の銀行取引があるのかの情報量は不明ですが、まず明らかになっている取引銀行で、法人名義金預金の動きを3〜5年間遡って調べます。そして、異常取引があればすべてピックアップし、特にその中で振込みの送入金については、相手先口座も控えて帰り、そちらの銀行、証券会社等へも照会、もしくは出掛けて行ってどんな取引先かを後日質問されます。

家族名義預金も、それが収入のないはずの子どもや、専業主婦である奥さんの預金は、何とかして法人の収入除外、架空仕入、経費とする証拠を探す調査へ進みます。

特に、不正申告が疑われるケースでなくても、この程度の銀行調査は大半の場合行われています。

☆銀行調査を止めることは

調査官が銀行調査を行うときは、通常は納税者にその旨を伝えてからですが、それもせずにいきなり銀行調査に着手することもあります。理由を開示せず無断で銀行を調べるのは、質問検査権の違法行使だとの考え方もありますが、国税庁も銀行を監督する金融庁も、どちらも同じ財務省の所管で止めることはできません。

国税庁は、銀行協会等の取決めで「金融機関調査証」を呈示することで調査先および関係者の預金、融資取引はもちろん、手形、小切手の使用内容もすべて見られることとなっているようです。

以上のことから、銀行取引は、結局はすべて判明すると思わなければなりません。

日常のすべての入出金取引を現金決済とし、銀行へは現金の預入れと引出

しのみとすれば、どこから突っつかれても何も変なものは出てこないとなります。しかし、現金保管持ち歩きの危険や相手先の了承等、手数、時間等も要します。現実には超小規模でもない限り難しいものです。

☆銀行取引の基本

　税務調査を想定した銀行との付合い方、取引の仕方はそうした通帳等の口座の動きにイレギュラーがないことが基本です。

　法人名義の口座は、銀行帳の記帳もあり、不自然な動きは帳簿上で取引内容が明らかであるはずで、証憑類もあると考えられます。しかし、代表者およびその親族、従業員名義の口座には、よく目に留まる入出金があります。ある意味では日夜止まることなく変動していて、何事が起るかわからない経済社会で動いている以上、そんなものは当然あり得るものです。

　しかし、通帳上は、綺麗に整然と入出金が繰り返される状態がベストなのです。

　法人役員の個人口座は、毎月一定の日に法人からの役員報酬や地代家賃収入が入金され、適宜生活費に引き出され、後は自動振落しの光熱費、税金、保険料等が出金されたり、自動積立定期預金の振替出金くらいの動き方が理想的なのです。

　個人口座へ通常は入ることのない小切手の取立入金があったりすれば、調べる側にとってはワクワクするようなネタが見つかったことになります。取引先から裏リベートを貰って入金したりしたものが多いからです。収入のない代表者の妻、未成年の子どもの預金等に入金が続いたり、高額の残高があったり、家族間の預金が入り乱れてどれが誰の預金か区別できないのも問題となります。気をつけなければなりません。

　担保がないのに借入取引があったりすれば、仮名預金の存在を疑われますし、特に仮名預金は最近は少なくなりましたが、仮名でなくても家族名を使用した預金は注意が必要です。「金融機関調査証」には、仮名であっても、実質代表者が管理している預金も呈示するように記載されているようで、隠すことは難しくなっています。

　もう１つ、実際には架空である経費等を、小切手を振り出して支払った仮装取引も小切手の支払地である法人の当座勘定で、手形交換所を経由して誰が取り立てたのかがその小切手が収録されて銀行に残っており、判明しますし、それを端緒にその他の不正も芋づる式に発覚することになります。

　まとめれば、図表 18 のとおりです。

Q 17　銀行調査対策のポイントは

【図表18　銀行取引対策のポイント】

銀行取引項目	留意事項
①法人名義 　普通預金	口座数は絞り込み、入金専用口座が望ましい。 入金性質により口座は使い分ける。 出金は、月次振込等および他預金振替えに限る。 銀行勘定帳は、整然と記帳。
②当座預金	入金は、普通預金等より振替え。 　頻繁に出金しない、月次支払時の小切手払い、手形の決済に限定する。 　当座勘定照合表と突合せされることも多い。普通預金もそうだが、入出金の余白欄にコメント等のあるもの、入出金種別記号の変なものは、立て板に水の説明をできるようにしておくこと。
③その他預金	設定目的、設定の経緯は明らかに。 　振り替えた原始資金（預金）等との繋がりが明確で不自然さがないように。 　簿外扱いの従業員預金は、目的、保管理由を明確に（裏預金と睨まれる危険）。
④解約済通帳、 　証書、計算書 　等	少なくとも7年は保存。資金の経緯を裏づけられる。
⑤手形、小切手	ヘタ（控）欄は、記入し必ず保存。書損もナンバーを切り取り控に貼付。不明振出しのないように。
⑥融資取引	金銭消費貸借契約書は、弁済完了後も保存。 資金使途、担保、保証人に不自然さはないように。
⑦個人預金	正常な入金、法人からの報酬、賃料、貸付金の弁済入金、年金支給等以外の不審な入金は説明根拠を整える。 過去の預金残高の増減は、収入と勘案して妥当か。 親族名義は、本人の収入に基づくものか。 使用済利息計算書、通帳、証書は、限りなく長期保存が望ましい。 最近（5～7年）のものは、特に不在でないこと。
⑧通帳保管場所	法人の金庫、代表者の机の引出し等に個人の預金通帳、証券等は絶対に置かない。 　個人（自宅）の重要書類保管庫、金庫には、逆に法人の預金通帳、証券等を置かない（少なくとも調査日前後の間は特に）。 　法人の契約文書も同様。

Q18	反面調査対策のポイントは

Answer Point

★調査官は、提示を受けた文書類に不審を抱いたとき、期末大口取引、不自
然取引については念のため、その相手方に出向いて真否を確かめます。こ
れを反面調査といいますが、反面調査は信用面でマイナスとなることが多
いと考えます。

★相手方は、領収書等の内容の変更には応じてくれても、自社帳簿の書変え
まではまずしませんので、反面調査で虚偽の文書はすべて判明します。

★反面調査は、担当調査官のみの判断によることは少なく、上司たる統括官
の指示、許可によります。いかにして上司にそれを許可させないような、
調査の展開に持っていくかがポイントです。

☆重要取引、期末前後取引等の反面調査は見据える

　契約書、請求書領収書、検収書等では事実がわからないとなったときには、
調査官は販売先、仕入先、下請業者、銀行等、取引相手方に直接出向いて行っ
て正否を確かめるという反面調査を行うことがあります。

　税務調査でそうした調査手法を用いた場合、被調査法人の信用に重大な影
響を与えることもありますので、反面調査はその必要性を説明し、了解の下
に行うべきとの見解もあったりして、突然行使されることは少ないようです
が、それでも無断で中には臨場するより以前に既に済ませていることもあり
ます。

　通常は、3期〜5期分の調査をまとめてしますから、長期間のすべて取引
を相手先へ行ってまで確かめてみるような手数はかけられません。ほとんど
の取引は備置している証憑類、文書類との突合せ、それもごく一部のみで完
了します。

　しかし、不自然、曖昧取引や、重要な期末、翌期首の売上、期末検収品等
は念のため相手側の帳簿、証憑類もそうなっているか反面調査ありと見据え
ておかなければなりません。

☆仮装取引はすべて判明する

　中小企業辺りで最も多い租税回避手法は、図表 19 のようなものです。

【図表 19　主な租税回避手法】

不正手法	内容、具体的手口
①資産の経費化	・償却資産とすべき 　機械設備購入→修繕費扱い 　備品の取得→少額の消耗物品購入 （手口） 　相手に請求明細を書き換えさせる。
②公私混同	・家事用支出の法人付込み 　家事用のテレビ、エアコン等の購入→法人の備品、法人の修繕費 　家事用の置物→法人の消耗品費、福利費 （手口） 　請求明細書の書換え。 　　法人業務無関連の飲食費→法人の交際費 　　観光旅行→法人の旅費、福利費、交通費 （手口） 　請求明細は廃棄、領収書のみ保存。
③売上の繰延べ	・期末近辺の帚卜取引 　翌期に記帳計上 （手口） 　得意先元帳の書換え、仕入納品伝票の書直し。 　出荷記録、完成工事、検収書、完了書の改ざん。
④仕入の繰上げ	・翌期初仕入の繰上計上 （手口） 　仕入先元帳の書換え、仕入請求書の書換え。
⑤架空仕入、外注費等	・架空外注費、一見仕入取引等の仮装 （手口） 　請求明細書、出面帳の偽造、支払いは現金。
⑥架空人件費	・非正規雇用従業員の水増し処理 （手口） 　出勤簿等の偽造、一時雇用に見せかけ証拠一切なしも。
⑦源泉所得税関係	・配偶者控除不適用の回避 （手口） 　給与、賞与の年間限度超分は架空名義従業員名、人件費以外のa／c処理。 　報酬料金等の徴収漏らし。 （手口） 　社会通念上の慶弔費、福利費扱い。

　図表 19 は、ごく一般にやってしまう例ですが、これらは相手先への反面調査をすれば、すべて全部が不正取引と判明すると考えておかねばなりません。

なぜなら、相手方も請求書や領収書の書直しくらいは応じてくれるかも知れませんし、電話照会でも恍けて覚えていないとか、そうだったとか口裏は合わせてくれると思います。

しかし、自社の帳簿や原始証憑、例えば生産日報、在庫帳、配送記録等まではとてもそれに合わせてつくり直すことはできませんし、そこまでやれば租税秩序犯として罰則規定により1年以下の懲役または50万円以下の罰金刑もあり、怖くて取引停止を攻められても応じないのではと思われます（通則法127（二））。

唯一反面調査でもわからないで済むのは、反面調査の不能な相手先、例えば、倒産し、関係者の行方や帳簿類の所在不明、住所を転々として定まらない労務者等が相手方の場合は、稀にあり得るかも知れません。

☆反面調査の回避は

反面調査は、銀行はもちろん、取引相手先（社内幹部、従業員も含む）との信用を落とすことはあっても、好くなることなど絶対ありません。

これを回避するには、調査官にそうした質問検査権行使をさせないことが一番です。

なぜ、手数のかかることも多い反面調査に至らなければならないかは、外部、内部を問わず、文書証拠力が弱かったり、代表者、経理担当者の答え方が論理力薄弱で、そんな馬鹿なことをするはずがないと思わせるような曖昧さが感じられるからです。

反面調査までする必要があるのは、それがある程度大口取引であり、かなり不正が強く感じられるものに限られると思われます。取引相手先との信用維持のためには、反面調査の手数をかけさせることなく、反面調査で得られる結果と同レベルの心証を与えればよいこととなります。したがって、反面調査の意向を出してきた際は、何を知りたいのかこちらの証拠でどこが不足しているのかを聞き、代替文書類を探したり、補強入手したりすることも交渉してみることです。

この点を十分に補強し、納得をさせられるものを調査途上で速やかにつくり出していくことに努力し、調査方針を転換させることでしょう。

調査期間や補充追加調査手続等は、担当調査官単独で決めるわけではありません。帰署後、上司と協議して指図を仰いでということになります。いかに上司である統括官辺りが無駄足となると考えて、反面調査を止めさせるような決定を下す状況に持っていくかでしょう。

Q18　反面調査対策のポイントは

Q19	現況調査対策のポイントは

Answer Point

★現況調査は、法人の日常の営業の実態、記帳の状態がどのようなものかを掴んでおく目的に行われるもので、事前通知を行う現在の調査方式の下では、例外的調査方法です。

★無予告の現況調査が行われるのは、過去の調査結果で不正行為がある場合や現金取引や不特定者との取引が多く、帳簿不整備の場合とされています。

★通常の法人レベルでは、無予告調査を拒否することは難しく、否応なしの調査は何かと不利な状況に追い込まれます。その対策は、

① 日頃から税理士よりその対応法を学んでおく
② 調査時の速やかな税理士への連絡を励行する
③ 現況調査の理由があるときは必要最低限の範囲に止めさせる
④ 日頃から日々正確な帳簿記帳をくれぐれも心がけておく

となります。

☆現況調査は例外的調査手続

本書において当然に根底を流れているのは、特別の調査でない通常の調査、いわゆる任意調査の対応です。

調査に関する法令上の規定は、原則として、任意調査である場合は納税者に予め通知をしなければならないこととなっています。代理人の税理士がいる場合は、税理士に対して行われます（通法74の9①⑤）。一般にこれを事前通知と呼んでいます。

現況調査とは、Q4のとおり帳簿類の検査等より先に日常の営業の実態や、その帳簿記録が日々どのように行われているかを確かめ、その後に調査を徐々に進めるか、ないしは現況調査のみに止め、実額調査は必要があると認められれば後日改めて実施するか、調査省略するかを決めるための手法です。

したがって、いずれにしても事前通知なしの無予告調査で、事前通知が原則として定められている面からは、例外的調査の方法となります。

☆現況調査が行われる場合

税務調査が事前に通知を行った上で実施されるのは、通知なしで突然臨場

64　第2章　税務調査の準備ポイント

しても、代表者、担当者が不在であったり、代理人税理士も都合がつかなかったりと、スムーズに調査事務が進められないケースが多いと考えられているからです。さらに、効率よい税務行政、あるいはまた、納税者と課税庁相互の信頼関係を維持した納税環境づくりを考えてのことと思われます。

　それでは、無予告の現況調査が行われるのは、どのような場合か考えてみます。

　抜打ち無予告の調査が行われるのは、図表20のような場合です。これらの場合は、原則、事前通知としながら無予告の現況調査を行うとしています（通法74の10）。

【図表20　抜打ち無予告の現況調査が行われる場合】

区分	理由
⑴右欄のような違法または 　不当行為が想定されるとき	①申告された内容から。 ②過去の調査結果から。 ③営む事業内容から。 ④税務署側の有する情報から。
⑵通常の帳簿等検査のみで 　申告適否判断困難なとき	現金取引、不特定多数者取引等が多く、かつ帳簿不整備。 　時期は、通常調査着手後に実施されることもある。

☆納税者は無予告の現況調査に耐えられるか

　突然の無予告調査ですから、調査官の臨場があっても、代表者不在で事情のわからない従業員や代表者家族しかいない場合もあります。税理士に連絡を入れても、すぐ駆けつけることは難しいことが多いと思われます。それでも営業の様子を見ながら帳票をチェックしたり、多分強引に家族、従業員に質問を行ったり、書類を出させたりするのに決まっているでしょう。

　力関係は、プロである税務職員が圧倒的に有利であり、恐らく代表者が在社していたとしてもオロオロするばかりで、言われるままに終日不利に扱われるような答弁をしてしまいがちです。

　現況調査は、前述の理由がない限りできませんので、理由を臨場時にまず質問し、具体的に説明させるべきですが、法人側にとてもそんな能力や切り出す勇気はないでしょうし、税理士にしても大半の人々は落ち着いて粘ることもなかなか難しいことかも知れません。

☆現況調査の対応は

　現況調査を受けないような日頃からの行動、申告内容を心がけるべきです

　　　　　　　　　　　　　　　Q 19　現況調査対策のポイントは

が、やむを得ず現況調査があった場合に備えてどうしておくべきかを考えて
みます。

① 税理士の現況調査についてのレクチャー

例外的調査手法である現況調査が稀に行われること、その対応について日
頃から税理士のレクチャーを受けておくことです。

内容としては、強制調査的ではありますが、無予告の現況調査も任意調査
であって、納税者の同意、協力の下に行われるもので、捜索権を有するわけ
でもなく、家捜しが行われることはありません。恐れる必要のないことを十
分に勉強しておくべきです。ただし、調査での不答弁は罰則がある点で、対
応が難しい面はあります。

② 税理士には速やかな連絡

慌てふためかず、まず代理人の税理士と連絡を取ります。可及的速やかな
来社を要請しますが、時間を要する場合は、電話ででも無予告調査理由の開
示を求めてもらいます。理由が明らかにならない場合は、調査拒否はやむを
得ません。税理士が短時間で到着可能であれば、その間調査の着手は待って
もらいます。

③ 税理士が立ち会えないとき

調査理由が開示され、やむを得ない現況調査となれば、とにかくその範囲
の必要最低限の帳票類は提示し、後日になっても差支えないものはすべて次
回の調査日以降にしてもらうようにします。

いずれにしても、無予告調査理由がある場合の調査拒否はできませんが、
法人側にも調査手続で不当と考えられるものを要求された場合は、拒めるこ
とになっています。

④ 正確な日々の記帳

現況調査理由で比較的多いのが、現金取引商売です。小売業に限られる現
金問屋的な業種も昔からありますが、特に売上は次から次へと一見の客が現
金引換えに商品を買ってくれるので、誰に売ったか何を売ったかは詳しく記
録できません。

ここでの日々の記帳とは、必ずしも簿記で教える現金出納帳のようなもの
を丁寧に書き上げることではありません。レジスターを正確に打ち、品種別
売上、その他分析可能な機能はついていると思われますし、打直しはできな
いはずです。レジ現金は絶対使用しないようにしておいて、トータル売上と
レジ現金が合えばよいのですが、差は少ないようにし、日々の売上が正確に
記帳されているようにしておくことです。

第2章　税務調査の準備ポイント

Q20 税務調査で否認されないためのポイントは

Answe Point

★税務官署は、強力な行為否認権を有しています。具体的に否認すべき取引項目がなくても、記帳状況全体が杜撰であったりすれば、いわゆる総額主義で修正申告を迫ったりします。

★否認項目は、事実の認定、会計処理法、申告調整手続、同族会社行為計算、合理性なき取引、税法令通達解釈、契約文書類等々多岐にわたります。

★中小企業の税務調査で、数多く見られる否認項目に公私混同的取引があります。家事費で支出すべき物品購入費、遊興飲食代等の法人つけ込みですが、これの延長線上には必ず会社の経費で個人的欲求充足をしたいとの浅ましさがあります。まずそれを没却することも肝心です。

☆税務官署は強力な否認権を有する

　税務調査において問題とされるのは、租税回避行為であるのは誰でも当然に理解しています。

　したがって、意識的な節税処理やうっかりミスは、指摘があればやむを得ないと思うでしょうが、中には租税回避の意図は全くないのに、否認項目に取り上げられるものも往々にしてあります。

　根拠は、税法の流れの中に単なる誤魔化し行為を認めないのは当然のこととして、そのほか、経済社会での秩序ある企業行動に反するようなものも認容しないようになっています。

　他の法律で許されていないもの、例えば株主総会等での決議枠を超えている役員報酬の支給や、会社法で認めていない平常時の資産の評価損益の計上等、あまり注意していない項目もあります。

　疑わしきは罰せずと刑法ではなっています。本来は、税のトラブルも疑わしきは課税せずであってほしいのですが、現実は必ずしもそうはなっていません。

　帳簿記帳、証憑の整備等々が杜撰であるとき等は、否認根拠が明らかでなくとも、ややもすれば記帳状態に甘さがあれば適正記帳者との間のバランス上、曖昧な否認理由で全体としてこの記帳レベルでの申告是認はできないとして、争点主義でなく、総額主義で疑わしきものの否認を迫るようなことも、

調査の進行状況如何ではあることもあります。

　現在の税務行政は、納得納税や納税者の申告納税制への協力を標榜しているところもあり、調査での否認項目は修正申告をさせるようになっていますが、修正申告は1度してしまえば更正の請求手続をしないと救済は受けられませんし、修正申告に応じなければ更正処分となります。

　そうなれば、審査請求手続から訴訟を経なければ処分の救済は受けられません。また、その場合の処分の取消し割合も申立件数の数パーセント程度と、難しいものとなっています。

　そして、その間、長期にわたって争うわけで、納税者の心労は大変なものです。しかし、相手方の役所側は何年かかろうが、次々と人事異動で担当者が変わったりします。とにかく、組織で動いているのですから、そうしたことで悩まなければならないことはなく、この差は大きなものです。役所の否認権は強力なものと思っておかねばなりません。

☆否認項目の種類

　税務調査にやって来る調査官の目的は何かといえば、それは調査対象法人の増差所得と増差税額を1円でも多く積み上げることです。彼らも人間ですから、調査途上いろんな話もしますが、そんなことはどっちでもよいことで、本当は調査事績を上げるためのことしか頭の中にないはずです。

　ところで、税務職員は、すべて公務員採用試験に合格し採用配属されていますので、能力的に均質と思われるでしょうが、各調査官に能力差はあります。図表21、22の否認項目をパターン別に考えたとき、優秀な調査官は否認種類の項目全般に絶えず注意を払っていますが、そうでないレベルの階層では事実認定一本槍程度で、あまり他の面に神経は回っていかないようです。

【図表21　否認項目の種類】

種類	ポイント	事例内容等
①事実認定	取引処理の事実の有無。	内部出荷データがあるのに売上計上がない。　計上日、金額相違等。仕入取引、経費計上、架空取引、過大計上等。
②会計処理法	会計理論上不当。税法上の強制処理法。	要資産計上を費用処理。　期間計算経費、保険料、地代、利息等減価償却計算方法、損金経理。税務特例（圧縮記帳、特別引当金）

68　　第2章　税務調査の準備ポイント

③申告調整 手続	加減算調整。 限度計算、控除額計算。	別表四、別表五の記入誤り。 別表明細書の記入誤り。
④同族会社の 行為計算	強力租税回避防止法。	同族会社ではあらゆる租税回避取引に適用可能。
⑤合理性なき 取引	非営利性。 個人的欲求充足もなし。 （裏目的有無疑義）	結果的に寄付金。 　（収益非関連交際費、出張、広告宣伝支出） 実質赤字受注 　不必要な書画、骨董の取得
⑥税法令解釈 レベル	益金加算、損金否認漏れ。 　消費税課税売上、仕入、特定収入。	交際費と福利費の区分。 貸倒損失処理要件、計上時期。 課税、非課税、不課税、特定収入の各区分の理解不足。
⑦契約文書等	社内各議事録、社内規定、契約書類。 　不在または契約等内容と処理の相違。	契約文書類は取引実態説明の根拠。 　金額が恣意的とみなされやすい 　相手方も確かめ難いことがある 　役員給与、旅費交通費、給与手当、各種使用料、料金等支払等々。

【図表22　項目別のポイントは】

否認パターン	ポイント
①事実認定	文書証拠のみでは弱い取引に留意する。 　経緯の合理性説得力。 　日々の記録の積上げが証拠力。 要注意 　請求内容が不明で領収書のみの支払。 　代表者等と他部門責任者の答弁に食違いのないこと。 　法人の支出は必ず相手方の収入で基本的に損金は先方の益金となっていなければならない。
②会計処理法ミス	税理士事務所の月次循環監査の徹底 　過去の指摘項目は再発防止のチェック。 　連年比較分析で異常勘定、異常発生月をチェック。 決算処理項目 　決算修正処理は決算対策が中心、急遽挿入処理は問題となる。相手方のあるものは相互矛盾を生じない準備 税法処理項目 　税務特例の適用期間の当否、証明書類、計算明細は完璧に整える。
③申告調整	申告書相互は、システム使用で誤りは少ないが、入力データの錯覚、勘違いに注意。

Q 20　税務調査で否認されないためのポイントは

④同族会社の 行為計算	同族、非同族の判定を入念に。 税負担が不当に軽減される行為は、税法上具体的否認規定がなくても税務署長は否認可能。
⑤合理性なき取引	なぜ営利企業が非営利的行為をしたか、コスト高の受注、不必要な研究支出等。
⑥税法令解釈	過大棚卸は水増し年度のみ損金（その後は繰欠控除）。 いつの年度でも可との錯覚多い。 不良債権、無価値有価証券の損金計上も事実の発生年度のみ損金算入。 従業員の過大飲食費支出（残業食事代等）は、福利費でなく交際費。

　結局、曖昧な取引処理は問題となる旨の理解に努め、答弁を必ず用意しておくことです。でないと突発的な指摘となれば、うろたえてかえって不利なほうへ引きずり込まれないとも限りませんので、十分注意しておくことでしょう。

☆浅ましい根性が否認につながっている

　法人の、重要な経営活動での税務上の取扱いの見解が異なり、課税官署・納税義務者双方とも、その結末をどうするかで面子がかかるような取引で、是否認問題となるような場合が本書の流れです。しかし、中小企業の税務調査の現場では、そうした本質的な問題でなく、小さな役員の公私混同的行為が取り上げられて、それが数期間に及んだりすれば、まとまった否認金額となることもあります。

　その辺の怪しい書籍の新聞広告でも「個人的経費を法人の損金に処理し、認めさせる方法」等のものも見られたりします。

　事業経営者にすれば、そうした巷の空気は何か役得的な、変な恩恵がなければ何の見返りもない、税負担だけ損をするという感情が湧いてくるのだろうと思われます。

　税務調査の開始に調査官に対し、自分が社会的にいかに活動し、名誉的地位についているかの誇大宣伝をしておきながら、いざ調査が進捗してくると、そうした団体の付合い経費や家事費のつけ込みがどんどん発覚し、声も出さず小さくなり、挙げ句の果てはどこかへ出て行って消えてしまったりすることもよくあります。

　結局は、少しでも会社の経費で個人が楽しみたい、従業員にも福利厚生を施している、自分も何かメリットがあって当然の浅ましさが垣間見えますが、それが否認項目に必ず挙げられることとなります。いやしさの没却が肝心です。

70　　第2章　税務調査の準備ポイント

Q21 税務証拠資料ってなに・その役割は

Answer Point

★税務調査は、提出された申告金額の正否を、権力により確かめることです。課税官署側は、誤りを見つけるのが目的ですから、法人側は、正しいことを主張することの立証が求められ、これらが税務証拠資料となります。

★法人税の申告は、公正妥当な会計処理法に基づいた決算書類に、一定の税務申告調整を加えて申告書が作成されます。したがって、会計処理上のものと税務処理上のものの双方を揃える必要があります。

★会計処理に関するものは、取引記録の根拠となるものとして総勘定元帳以下の帳簿、領収書等、証憑、決算処理上の棚卸表、議事録、各種社内規定等々が上げられます。税務処理上では、税特例適用の証明類、購入契約書、仕様書等の判別書類等となります。

★上記種類以外にも、税務取扱上の見解に際し、単に国語的解釈や形式的理解しているような事項に関し、それらの取扱いを念のため記述した文献等があれば、それも有力な税務証拠資料に入るでしょう。

☆税務調査の目的は申告額の正否検証である

　申告納税制度は、国民の誠実性の下に成り立っています。したがって、建て前としては、申告額はすべて正しいとして運営されています。しかしながら、多くの納税者の中には、意図的に租税回避を行ったり、税法の理解不足でうっかりミスをすることも必ずあり得ます。

　そこで、国としては、数多い申告書の中から一部を抽出して、その正否を確かめます。申告額、すなわち法人税では、申告金額がいかなる計算過程を経て弾き出されたのかを検証する手続が、法人税の税務調査となります。

　何度も繰り返しているように、法人税法では、申告金額の具体的計算規定は何ら明らかにされておらず、まず第一次的には企業会計、いわゆる簿記会計の技法にそれを委ね、それに税法独自の制限や益金除外項目、損金不算入項目を修正して申告所得金額を求めることとしているのです。

　こうした計算手順から、申告金額の正否検証は、会計処理側と税務修正面の2面にわたることとなります。言ってみれば、会計処理上と税務計算上の双方の立証の必要が納税者側にあるといえます。

Q21　税務証拠資料ってなに・その役割は　71

☆会計および税務計算双方の正確さを立証する税務証拠資料

　前述のように、申告額が正しいことは、会計処理計算時と税務修正の段階の二面で立証しなければなりません。証拠とは事実を証明する拠り所であり、証拠資料とはそれらの材料をいうものです。しかしながら、事実を証明するもののほとんどは、会計の日常の記録計算の中で発生するものであり、税務証拠資料とはいうものの税務処理固有のものは少ないものと考えられます。

　会計の記録計算は、簿記では取引があれば必ず仕訳を行い総勘定元帳に転記します。そして、取引とは企業の財産の増減変化をいいます。したがって、財産の動きがなければ、記帳は行われなくてよいこととしています。

　これは、企業が営業取引、あるいは営業とは無関係なロス、盗難、災害等による財産損失もすべてを含む対外部、内部間で起きた財産の増減変化を捉えて記録していくことを意味します。一般に財務会計と呼んでいます。

　ところで、今日では、激化する企業間競争に耐えていくため、素早い受注確保、生産指図、商品調達手配等の管理が、組織化されている中堅企業以上の規模クラスでは殆ど行われ、それらにもすべて簿記会計的手法で行われています。もちろん、原価計算制度、コストコントロール然りです。これらは、財務会計に対し、管理会計と呼ばれています。

　零細小規模企業を除き、こうした管理システムを会計機構の中に組み込んでいるのが通常の状態で、会計処理の証拠資料にはこれら管理会計の記録原因を証するものも当然含まれてくると考えねばなりません。

☆証拠資料の区分と役割

　証拠資料にどんな種類のものがあるか等についてはＱ22以降に回すとして、ここでは種々の証拠資料の役割について考えてみます。

　日常の記録の基となっている取引事実を証するものと、決算処理上の判断の基となった重要契約、それに税務特有の処理、特典の利用等に区分して表せば図表23のようになります。

【図表23　文書的証拠資料】

区分	対象	役割	資料名称等
会計処理上のも	日常の取引の記録計算項目	記帳の適否、金額の正否を明らかにする。	請求書、領収書等外部証拠。生産、出荷、在庫、出張報告等の内部証拠。総勘定元帳以下主要簿、補助簿。
	決算修正項目	会社の重要決定の基礎の存否、処理の	契約書、議事録、稟議書等重要決定文書。棚卸表、棚卸原票、残高証明書、預り証、

の		当否、決算数値を確定させる根拠等を明らかにする。	評価証明書等評価確定書類。
税務処理上のもの	税務制限項目	各種限度額計算の正当性を明らかにする。	各種通知書。 支払内容詳細判明証憑。 不良債権内容判明書類。
	税務特典利用項目	租税減免適用の当否を明らかにする。	購入設備の仕様書、証明書、不動産取得の契約書等。 関連する計算明細書（別表）、根拠条文等。

　図表23は、すべて文書的証拠資料ですが、証拠にはこのほか取引の状況を明らかにするものや、その事実の存否を明らかにするものも数多く存在します。いずれ後述します。

☆その他の証拠は

　経済社会の変化は激しく、特に最近ではデジタル化、ＡＩ化、グローバル化等が叫ばれ、とてもついていけないのではとまで感じさせるくらいのスピード感があります。

　それに合わせるかのように、税法改正が遅ればせながら少しずつ追っかけて対応し、特に国税庁長官通達は、とても理解困難と思わせるようなボリュームの改廃が行われています。これらは、その方面に関連した企業やその業界団体の人種でないと、使用されている用語の意味すらわからないような難題となっています。

　そこでは素早く、それに通暁した実務家が専門雑誌で解説を行い、その取扱いの浸透に努めていますし、ほどなく分厚い解説本も出てきたりします。

　税務調査官も、税法改正等には情報が与えられ、研修もあるでしょうが、各税務職員では、そのレベルは自己啓発如何もありバラツキもあるかと考えられます。誤解してしまっていて、無理難題的に強引に自分の見解を押し付けたりすることもあります。

　そんなときに役に立つのが、上述の雑誌解説であったり解説書となります。特に、見解が難しいような取扱いでは、答がないとして納税者有利な考え方でもよいとすることが多く、事がややこしい難問のときは、そうした甘い考え方のもとの解説文書も大きな証拠といえましょう。

Q 21　税務証拠資料ってなに・その役割は　　73

Q22 税務証拠資料の範囲・要件は

Answer Point

★税務証拠は、調査が課税漏れを探すのが目的ですから、損金算入項目はその確認を行うためのもの、また、益金算入項目では漏れや過少記帳のあることのものが必要です。納税者側は、益金計上漏れのないという証拠はなく、課税官署側が立証すべきものです。

★具体的には、益金算入項目の正否の立証は、内部証拠によることが多く、損金算入項目では逆にほとんどが領収書、請求書、契約書等の外部証拠によるところとなります。

☆資料の範囲は費用だけか、収益も含むか

　効率的税務行政の最たるものが申告納税制度であり、そのうち過少申告が疑われる納税者だけに税務調査を行うという手法です。このことから、前述のように過大申告は減額更正を行って税金を還付するのが本来のやり方のはずですが、行政効率上（税務調査コスト対追徴税額）そのようにはなっていないし、ある意味経済社会では当然のことかも知れません。

　このことは、税務調査では、仕入、営業経費といった損金項目は損金否認をするための調査手法を用いますし、営業収益たる売上や営業外収益の益金項目は過少ないしは除外されていて、漏れている取引の有無に調査のポイントが置かれています。

　税務証拠資料となれば、どうしても損金算入項目の証拠力が問題となります。益金算入項目の証拠資料については、法人サイドで計上漏れや遅れがないことを証する資料に外部証拠類は乏しく、むしろそれは調査サイドで立証すべきものがほとんどかも知れません。

　納税者法人としては、整然とした出荷報告記録、生産、在庫記録等といった内部証拠を可能な限り数多く正確に揃えておくことで、やむを得ない面もあります。

☆益金算入、損金算入項目別証拠資料と要件

　前述のように、税務調査上、証拠資料で問題となる事項は損金算入項目に多く、益金算入項目では少ないと考えられます。分類すれば図表24のよう

74　　第2章　税務調査の準備ポイント

になります。

【図表 24　税務証拠資料の役割と範囲】

益金または損金各項目	区分	税務証拠力の程度	補強する資料、注意点
益金算入項目	売上等営業収益	売上脱漏の有無、立証資料、やや難。 出荷、在庫、物品受領書、検収書等の整然記帳、収納等まで。 計上遅れ有無も同。	内部不正（着服等）が稀に発生するが、帳票管理を徹底しておく（売上伝票のNo.リンク制等）。 領収書は、計上収入以外絶対発行しない（売上計上漏れの指摘はないはず）。 法人預金、個人預金とも不自然入金の完璧排除。
	その他収入	預金、貸付金、有価証券、不動産等の雑収入。 対象資産のチェックリスト作成。 連年比較表の作成。 いずれにしても証拠力やや難。	（同上）。 特に、個人口座に注意。 資産保有目的を明確にし、雑収入の発生可否を予め検討。
	臨時収入	契約書、通知書、会議録等。 証拠力やや強。	
損金算入項目	仕入・営業費用	請求書、領収書、契約文書。 通常すべて外部証拠で強力、否定するには偽造の立証が必要。 外部証拠なきもの。 交際費、福利費、旅費等。 証拠力の乏しいものも多い。	状況証拠はすべて用意。 各案内、連絡文書、報告書等。 事実の存在を説得するものを補強。

　具体的税務証拠資料は、後で説明するとして、およそ図表24のような範囲、役割になるかと思われます。

　一般に組織的運営が行われている中堅規模以上の法人では、損金算入項目では外部証拠が問題となることは少なく、むしろ益金算入項目で計上時期をズラすため、相手方と共謀して外部証拠を事実と異なる内容にしたりするところから、この辺りがトラブル原因となりやすいようで、よく留意しておくべきでしょう。

Q 22　税務証拠資料の範囲・要件は

Q23 疑いを招く税務証拠資料は

Answer Point

★１法人当たりの臨場調査日数は、せいぜい２日か３日程度です。限られた
持ち時間で、３年〜５年分の調査を網羅的に行うのはかなり無理な面があ
り、帳簿、決算書の異常項目、準備資料や答弁で疑問を感じた点に的を絞っ
て検査することになります。

★振込払いのはずが現金決済であったり、翌月払いが即時払いであったり、
期末近辺での未払計上等、通常の商慣習とは異なる取引手法は、利益操作
を疑われます。領収書等は揃っていると思われますが、先ずそれらは偽造、
改ざんがないか等の視点でチェックされます。

★単なる帳簿上の記帳での疑問を感じるもののみでなく、領収書綴、契約文
書綴にも不審を抱かせるものが見られたりすれば、小口であっても徹底し
て追及されます、注意しておくべきです。

☆突っ込まれる取引

　税務署の調査の予定日数は、近年は土曜閉庁もあり、調査官１人当たりよ
くて月当たりせいぜい10数日程度と推定されます。そうすれば１法人当た
り２日程度が普通で、少し規模が大きくなればそれが３日間くらいに延び
るだけだと思われます。

　そうした限られた時間数の中で、通常過去３年〜５年分すべてを網羅的
に調べるには無理があると考えられます。

　そこで、予め机上分析で絞り出した項目、調査官の事前準備資料、臨場時
の法人の説明等での勘を働かせた項目に、調査の狙いは向けられます。

　これらは、法人側ではある程度構えてはいるでしょうが、避けられない面
があり、なるべく疑いを抱かれないような説明をすることが必要です。

　それとは別に、帳票類の検査に入ってから取り上げられるのは、すべて異
常項目だと考えておくべきです。総勘定元帳、試算表、月次損益表、各種補
助簿等を通査しただけで、目につくような取引項目は必ず質問されるでしょ
うし、それなりに問題となる内容のものであることが多いのが通常でしょう。

　したがって、まず帳簿そのものに目立つものは疑われるものとして構えて
おくべきです。

第２章　税務調査の準備ポイント

☆取引形態の異常

　例えば、納品から請求、代金回収までの期間が期末近辺の取引のみ、それまでのものと少し異なっていて早かったり遅かったりすれば、その取引の注文書、検収書等は、まず税務調査向けに改ざんされたものと疑われることは間違いありません。必ず先方への反面調査が行われます。

　営業経費でも、代表者所有不動産の従来無償借用していたものを期末に決算対策で地代家賃を遡及して賃貸借契約を締結し、現金残高が残っていればまとめ支払、残高不足なら未払金計上といった期末駆込み処理のものは疑ってかかられますから、契約書等の文書も証拠力としては弱く、租税回避行為とみなされ否認されないとも限りません。

　また、法人業務に特に必要とは考えられないような書画、骨董類を取得していたりすれば、調査当日現品は社内に存置されていても、評価額、処分見込価額の不明なそういう類のものは個人のもの、あるいは高価購入としていても、相手からバックリベートを取っていたりという疑いが持たれるでしょう。

　そのほか、大口の支払は、必ず定時振込払となっているのに、ある特定の１件のみ突如現金払をしていたりするような、例えば実態の判明しにくい請負工事業の労務外注費等にあれば、徹底して相手を追い詰めます。相手が実在していること、税務申告をしていること等が確認できなければ、当方、相手方のどちらかで課税しないと国として結果的に課税漏れを見逃すこととなりますので、単に領収書がある程度での認容は困難となるでしょう。

　本書でも、税務調査の応答態度として契約文書類や請求書、領収書綴、それも分厚いファイル一式を投出しての提示方法は厳禁で、相手が要求しているものだけを抜き出すか、開けて見せることとすべきと言いました。

　しかし、どうしてもその辺にファイルを放置したままのこともよくあります。そうすれば、ついでにと捲っていって、今必要でない領収書類にも目を通します。

　こうした時、やはり少し異常と感じられるものはどうしても放っておけなくなります。各種内外の契約文書類も同様で、用紙が綺麗で真新しく、いかにも古いはずのものが後創りで、会計帳簿に記帳処理が済んでからファイルに挿入したのではと感じられるものも同様です。

　これらは、金額が小口でも反面調査が行われたりします。なぜかといえば、それは偽造証拠で、悪質な仮装隠ぺい行為となるからです。重加算税もので、調査官にすれば嬉しい否認材料となるからです。してはならないことですが、むしろ領収書も何もなかったら出てこなかったのにとなったりします。

Q 23　疑いを招く税務証拠資料は

Q24 税務証拠資料の準備ポイントは

Answer Point

★請求書、領収書が揃っていれば、どんなものでも落とせると誤解していることも多いようです。しかし、それに至る事情や必要性は、説明と内部証拠、社員の情況報告等、疑いを解消するものを付加することが必要です。

★会計は、単に税務調査向けのもので、それをクリアできれば何をしてもよいと錯覚している経営者もいます。そうではなく、アカウンタビリティと呼ばれる企業行動の説明責任が課せられています。したがって、決算報告書や会計帳簿に表れた数値には、それぞれ必ず証する根拠が必要です。

★税務上も、項目により証拠の量や質が求められ、メインの益金項目については内部証拠を中心に量的なものが、損金項目では仕入、外注費といったものが質的に強力な外部証拠、製造原価や在庫品については量的な内部証拠が求められます。

☆請求書、領収書類がすべてではない

　ワンマン経営の中小企業では、代表者が独断で証拠資料の全くない小遣い銭欲しさや、利益圧縮目的で架空の仕入や経費支出を自ら記帳するか、事務職員に指示し出金させるような酷いものもたまにはありますが、それは論外にして、領収書があれば何でも落とせるとの誤解をされている方々も多いようです。

　しかし、単に請求書や領収書が揃っているかといって、すべてそれで通るわけではありません。その必要性や事実の存在を立証するものがなければ、種々の反面調査手法を駆使されて、最終的に認められず、最悪、重加算税等の罰科金を科されることもあります。

　結局は、いたずらに調査を長引かせて心労を費やし、挙句の果てにはとんだお釣りを払わねばならない破目になります。

　そんなことになる前に、一目瞭然、説明すれば調査官に了解して貰えて、かつ、調査日数も短縮して貰えるよう状況を示したり、事実の存在を認めさせられるような証拠を請求書、領収書に加えて、あるいは慶弔関係費のように領収書等の全くない支出もありますから、それに代えて連絡書、通知書等も残すようにし、場合によっては報告書も予め用意しておくことが最も重要

な税務証拠資料となります。

☆税務証拠資料の量と質

　既述のように、税務申告は、簿記会計の手法により決算を組み、税務特有の修正を加えて申告所得が計算されます。

　会計には、アカウンタビリティと呼ばれる企業の経営活動についての説明責任が元々課せられています。これは、会計帳簿に記帳されたすべての取引（財産の増減変化）の一つひとつが、正当な営利追求の行動に伴うものであることを説明するものといえます。

　中小企業は、オーナー経営であるため、代表者の頭の中には自分が納得すればよいので、税務さえクリアできれば何をしてもよいとしか考えない方々も一杯おられます。

　しかし、会計に課されている役割は、本当はそうではないので、何も税務調査対応のみでなく、会計処理された、またはすべきすべてのものにそれなりの根拠が必要なのです。結果的にそれが税務にも生きることになります。それらの量と質を考えてみます（図表25参照）。

【図表25　税務証拠資料の証拠力】

益金または損金	会計区分	科目	疑われる度合	証拠の目的（性質）とその量		証拠名称例
				事実の有無、発生状況	金額の正否	計上時期正否
益金算入項目	営業収益	売上等	強	・注文書、受注簿等 ・生産記録、在庫帳	・請求書控 ・取引約定書	・検収書 ・物品受領書 ・運賃請求書等
				◎	○	○
	その他の収入	副産物売上 スクラップ売上 社宅家賃 貸金利子	やや強	・不動産謄本、固定資産評価明細書 ・貸与願、貸出経緯稟議書、伺書、実地たな卸要領	・賃貸契約書 ・金銭消費貸借契約書 ・賃料等相場表 ・社宅家賃規定、計算書 ・計量計算書	左同
				○	○	○
売上原価項目		仕入 製造原価明細 外注加工費	強	・注文書控、検収記録 ・在庫帳 ・原価計算規定 ・生産日報、在庫帳 ・製造工程表	・取引約定書 ・請求書、領収書 ・見積原価表	・請求書、在庫帳 ・倉庫料請求書 ・実地たな卸表 ・在庫預り証
				◎	○	◎

Q 24　税務証拠資料の準備ポイントは

79

損金算入項目			証拠力			
	営業費	人件費	やや強	・組織図、履歴書綴 ・社会保険関係書類 ・住民税決定通知書 ・出勤簿	・就業規則、賃金規則 ・退職金規定 ・稟議書、伺書	・振込控 ・現金出納帳 ・銀行照合表 ・銀行通帳
				○	○	△
	販売費	旅費交通費 交際費 広告宣伝費等	やや強	・出張許可願 ・出張報告書 ・稟議書、伺書 ・参加者明細	・旅費規定 ・旅費精算書 ・請求書、明細書	左同
				△	○	△
	管理費	通信費 地代家賃 研究開発費 修繕費 租税公課 消耗品費	普通	・切手、印紙受払簿 ・研究委託契約書 ・劣化資産の写真 ・修繕見積書	・領収書、請求書 ・賃貸契約書 ・相当地代計算書等 ・賦課決定通知書	・貯蔵品在庫表
				△	△	△
	その他	減価償却費 除却損益 準備金 圧縮記帳	普通	・購入見積書 ・設備機能証明書	・請求書、領収書 ・評価査定書 ・買取証明書 ・債権届出控	・試運転結果報告 ・検収立会報告書 ・生産日報 ・運転日報 ・再生、整理等計画書 ・再生、整理等許可書 ・再生、整理等完了報告書
				○		
		貸倒損失 臨時損失	やや強	・会社更生、民事再生、破産等申立通知書 ・不渡手形現物		
				○	○	◎

※証拠目的欄の印　◎量が多いほうがよい　○量は複数　△少なくてもOK

　おおよそ以上のようになりますが、税務調査の本質は、税務署が申告を認めない項目の有無にありますから、本来、調査側に立証責任があり、否認理由となる証拠を示す必要があるはずです。

　しかし、第一次的に記帳決算を法人側がしていますので、逆にその処理原因の提示を求められることとなるところから、税務証拠資料を用意しておくべきとなります。

　何を用意すべきか決まったものはありません。立証できればよいのです。ただ、証拠力の強いものと弱いもの、補完する資料等は、例えば図表25のようになり、原則的に相互矛盾するものでない限り、量は多いほうがよいと考えられます。

第3章

税務調査の質問・検査の対応ポイント

Q25 調査官の質問・検査ってなに

Answer Point

★税務調査は、申告額の適否を検証するもので、そのためには納税義務者に質問を行い、物件を検査しなければなりません。したがって、通常は調査と質問・検査は一体のものともいえます。

★原則的にはそのとおりですが、申告書上の単なる誤り等があったときには、電話等でその旨伝え、了解の下に修正申告が行われたりします。なお、疑問が残る場合、原則的に臨場し質問・検査が行われます。

★税務調査は、建前的には申告額の正否検証ですが、税務行政の生の現場は否認行為の発見と、その承認をさせることにあります。したがって、証拠を収集し、納税者を追い詰めねばなりませんが、そのためには質問→回答→証拠提示→正否検査の繰返しとなります。不当な検査方法でない限り、納税者には受忍義務があります。

☆税務調査と質問・検査は通常は一体のもの

　所得税や法人税は、申告納税制であるところから、申告内容の適否を調査する必要があるのは繰り返しているとおりです（通法24、25）。

　税法では、申告内容を調査の上、誤りがあれば更正、無申告者には決定をするか、あるいは修正申告または期限後申告の勧奨を行うこととなっています（通法74の11）。

　これが税務調査の法的根拠であり、納税義務者には罰則規定が置かれていて、その受忍義務が課されています。

　税務調査とは、税務職員が法人の事業所へ臨場し、関係者に質問を行い、必要な関係書類を検査するのが当然予定されていて、両者一体のものと通常は理解されており、ほぼそのとおりで間違いありません。

☆質問・検査の伴わない調査も

　税務調査の対象となった申告のどこが問題で調査をするのかを調査官に聞いても、それは調べてみないとわからないと必ず答えます。実際には、一定の調査先の選定基準があって、それなりの調査の理由があるはずですが、その点についてはQ5で説明したとおりです。

第3章　税務調査の質問・検査の対応ポイント

したがって、更正や修正申告となるのは、調べてみての結果、申告是認か修正申告の勧奨に至るというのが税務調査の通常のパターンとなっています。
　ところで、更正や決定に関する規定は、必ずしも税務調査を行ってすることになっておらず、提出された申告書の記載に誤りがあれば更正することになっています。次に、申告書や添付書類等での表面上でなお疑義のある点があれば税務調査となり、さらに詳しく調べる必要があればそこではじめて質問・検査が行えるという流れになっているのです。
　このことから反対解釈すれば、税務調査イコール質問・検査にはならないことになります（通法24、25、74の2、74の11）。

【図表26　質問・検査を伴う税務調査】

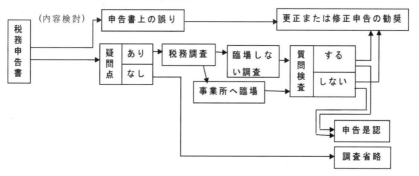

☆質問・検査とは
　税務調査には、通常は必然的に質問・検査がつきものであり、そうした意味で一体のものであることは説明しました。また、申告の適否は、調査してみないとわからないとの理由で、多くの申告の中から対象法人を選定して調査を行い、誤りがあれば更正、または修正申告の勧奨を行うこととされていますが、普通の国民の目で見れば極めて常識的なところです。
　そして、調査には、申告書上や添付書類上で誤りが判明し、その指摘を行うだけの質問・検査を伴わない調査も稀にはあって、厳密には税務調査と質問・検査は一体のものでないともいえない面もありますが、ここでは細かい理屈は省略します。
　調査先に選定された法人には、数年おきの循環的調査先もありますが、それ以外に異常項目があったり、資料せんの回付等、誤りの可能性が疑われるような理由のこともあります。
　本来、疑問がある項目のみに絞って調査が行われればよいのでは、とも考

えられるところですが、全般に渡って念のために調べてみるということになりますから、立場を変えてみれば、まず会社の全体像を聞いて確かめ、次に重要項目、例えば売上取引、仕入取引、決算たな卸といったような項目を潰していって、徐々に範囲、要点を縮めて問題事項を最後に追い詰めるという順序になるのではないでしょうか。

　これらには、すべてその入口に質問があります。そして、質問に法人が答えて、同時にそれを裏づける証拠資料を示し、調査官がその正否を検査する唯一の証拠で認否が決められればその質問は完了しますが、なお心証を得られないとなると、さらに次の質問を行い、追加証拠の提示を求められ、再度それを検査されるという流れが繰り返されます。これが調査手続としての質問検査権行使ということになります。

　ただし、法令の規定では、調査手続は必要があれば質問・検査を行うとなっていて、必ずしも調査イコール質問・検査とはなっていませんが、上記のとおりが現実です。

【図表27　質問・検査】

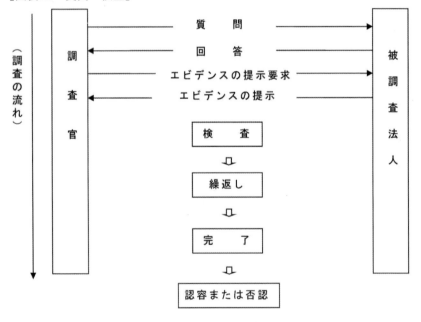

Q26　質問検査権の効力は

Answer Point

★判例による質問・検査の意義は、「調査の目的、帳簿記帳レベル、調査対象相手方の事業内容の具体的事情等に鑑み、客観的な必要性があると判断された場合にできるもの」とされています。具体的内容については、担当調査官の裁量に任されていますが、拒否不能の捜索と同視し、どんな調査でも受容しなければならないものではありません。

★国（税務署）は、強力な課税権を有していて、税務職員の中にはどんな質問・検査もできると思っている面もあります。しかし、質問検査権は、法人の帳票の管理レベル、規模、業態等により選択適用すべきで、納税者に心理的圧迫を与えることは、合理的事情が必要とされています。

★違法性を帯びた質問検査であっても、それにより非違事項が発見されれば、それが違法だと主張しても取返しがつきません。そこに至るまでにストップさせることが必要です。

☆質問検査権の範囲

　質問検査権とは、申告の適否を確かめるための税務調査手続をいいます。税法上では、法人税の調査の場合、税務署の担当職員は調査対象法人およびその法人の取引関係者に対し質問し、その法人の事業に関する帳簿書類その他の物件を検査し、またはその物件の提示もしくは提出を求めることができると規定されています（通法74の2①）。

　しかし、これでは具体的にどんな調査手続（質問検査）が認められているのか曖昧で、その内容についてはすべて調査担当職員の裁量で行われることとなります。

　判例等では、この質問検査規定を「調査の目的、帳簿記帳レベル、調査対象相手方の事業内容の具体的事情等に鑑み、客観的な必要性があると判断された場合には、質問、検査ができるの意味」とされ、さらに税務調査の実施日時、場所、事前通知の有無や調査の必要性等を個別的、具体的に法律上一律に規定されなければならないものでないと付言されています。

　どこまで行っても曖昧さの残る規定で、税務職員の裁量に任されているため、納税者の多くは税務調査即拒否不能の捜索と同視し、どんな調査でも受

容やむなしと思い込んでいるようでもあります。

☆違法性のある検査は拒否すべき

前述のように税務職員の質問検査権の行使は、税務調査の社会性、公益性との比較考量で合理的に選択適用すべきですが、対象法人の帳票の管理レベル、規模、業態等々の事情でQ 27以下のような、際どい調査が行われることもよく見受けられるところです。

無予告調査をはじめ、そうした調査対象相手方に心理的圧迫を与えるような質問検査は、その行使についての合理的な事情がなければならないと通説では解釈されています。そうであっても、それをその場その時点でストップをかけなければズルズルと引っ張ってしまいますし、それによって表れた会計処理誤り等を納税者側が認めないこともできません。

税務官庁は、強力な課税権を有しています。税務調査の現場では、圧倒的優位に税務職員は位置しています。違法性を感じたら、それ以上の調査深度に入らないよう、その時点で理由を明確に述べてストップさせることが重要です。

これは、国（税務署）と喧嘩する意味ではありません。任意調査はあくまでも納税者の了解、協力の下に申告額が適正であることを、自らも積極的に証してスムーズ、短期間に終了させて税務行政の効率化に資していくべきなのです。ただ、税務職員が立場上、どんな質問検査もできると思わせてはならないからなのです。

☆質問検査と処分の効力

通常の調査では、帳簿記録から重要取引について内容を質問し、証拠書類の提示を求めることになっていますが、中には臨場後間もなく事業所内の社員の机を片っ端から開けさせ、業務上、業務外無差別に取り出し説明をさせるといった手口の調査もあったりします。

前述の必要性、合理性には反しますが、そこで非違事項的な取引が出てきて、結局、更正が行われたとしたとき、いくら質問検査が違法だと主張しても取返しがつきません。非違内容としたのが間違いであると主張できる証拠がない限りどうしようもありません。どこまで行っても出てきてしまった非違、誤り処理を消すことはできません。そこに入るまでのタイミングでストップさせなければ更正は有効なものとなってしまいます。

第3章　税務調査の質問・検査の対応ポイント

Q 27	税務調査の事前通知は口頭だけ・書面要件削除の意味は

Answer Point

★近年の税務調査は、事前通知を行うことになっています。代理人税理士がいる場合は税理士に電話連絡が行われていますが、例外的に理由がある場合は、無予告調査が行われます。

★事前通知はかなり早い時期に行われ、内容も担当調査官の部門、氏名、対象税目、対象事業年度、準備書類名、およその調査日数、臨場時刻等、詳しく通知されます。

★法令上は、通知の方法は明記されておらず、すべて電話によっています。文書による連絡が法的に望ましいところですが、日程等の調整ではかえって手数を要したりするところからか、不都合との声は聞かれません。

☆事前通知の変遷

戦後、シャウプ勧告に従い、納税制度は賦課課税制から申告納税制へと大転換しました。

当初は、出鱈目な申告がかなり多かったようで、税務調査も手当たり次第というか、かなりの件数を税務署は行っていたようです。その後、経済が高度成長を始めると、申告所得金額もどんどん伸びて行き、法人税の調査も業績如何関係なく3年に1度の循環調査は必ず実施され、調査があれば更正が行われるケースがほとんどのような感がありました。

調査の事前通知など行われることは皆無で、調査官が現場に臨場してから関与税理士に「今、調査に来ています。来てください」というような無予告調査でした。

高度成長に陰りが見え始めた頃からでしょうか、だんだんと事前通知が調査対象法人へ電話で行われるようになり、法人のほうから関与税理士に連絡するようなことが多くなりました。

しかし、最近では、ほぼ100％関与税理士にまず連絡が行われ、その後調査対象法人へ都合等を聞いて、最終調査日時が決まるような流れに変って来たようです。

無予告調査も時折あるようですが、調査対象法人の代表者、担当者等が不在であったり、業務の都合上応答が難しい等もあったりして、効率の悪い調

査となったりするからか、例外的に行われているに過ぎないようです。

☆事前通知の現状

　国税通則法が改正（平成23年）される前までは、事前通知といっても、ただ単に税務署が調査先、あるいは関与税理士に調査を実施する旨と、調査予定日を電話で連絡をしてくる程度で、日程の多少の摺り合わせくらいはあっても、それ以外の調査税目、調査予定期間等は全く知らされないままのようだったと思われます。

　現状では、国税通則法の大幅な改正もあり、事前通知もかなり早い時期に行われるようになり、中には7月の人事異動の最中に担当調査官も決められない段階で調査の実施と、およその予定時期が連絡されることもあります。

　連絡されてくる内容も担当調査官の部門、氏名、対象税目、対象事業年度、準備書類名、およその調査日数期間、臨場時刻等、かなり詳しく通則法（通法74の9①）の規定どおりに通知が行われています。文書等による事前通知はなく、すべて電話によっていますが、税法上では通知の方法については触れられておりません。

☆通知の方式

　事前通知は、原則として必ず行わなければならないことに改正されました（通法74の9①）ので、法令どおりに運用されているようですが、調査実施予定日および臨場場所等については、納税者法人の都合や実状から見て、税務署が考えている予定日や事業場を変更したほうが合理的なこともあり、その協議調整も認められている（通法74の9②）ところから、電話による通知が最も便宜に適うからか、文書による通知は行われておりません。

　本来、厳格に通則法の規定どおりに通知が行われるためには、あるいは行われたことを証明するためには、文書による方式が最も秀れているはずです。

　国税通則法の当初改正案辺りではそうなっていたやにも聞かれましたが、電話による連絡でも実際の調査事務に差支えがなく、相互の協議が行わなければ前に進まないと考えられ、大した不都合もないところからか、文書による事前通知は時間と手数を要し、不効率な行政事務となる面もあり実施されていないようです。法律上の規定も存在しません。

第3章　税務調査の質問・検査の対応ポイント

Q28 従業員・家族も質問・検査の対象になるってホント

Answer Point

★法律上、調査にかかる質問・検査の対象者は、調査対象法人、調査対象法人の取引関係者とされています。対象法人とは、代表者が想定され、取引関係者については、反面調査対象者がその範囲ではと思われるところです。

★質問・検査対象の法人とは、中小企業なら通常は代表者ですが、経理部長、事務職員まで含まれるでしょうし、組織が大きくなれば担当役員、経理部長、経理課長等で、決算事務に携わった人物が入ってきます。

★法人の従業員は、法人に雇用されていますので、法人の許可なく応答は組織上できないはずです。代表者等の許可管理の下で、必要な事項についてのみの範囲に限られます。㊙情報が法人内部でオープンとなるなどの危険もあります。

★代表者家族は、それだけでは対象法人の取引関係者とはなりません。法人の従業員であったり、法人との資金取引があったりすれば取引関係者となり、質問・検査の応答者に入ります。

☆税法上の質問・検査対象者

　税務調査は、納税義務者の協力によって行われることが暗黙の了解となっていることについては既述のとおりです。この協力とは、税務職員の質問に答え、証拠の提示を行い、その検査を経て課税標準額が正しいことを相互に確認する手順を意味しています。

　では、質問に答え、証拠書類の提示や説明は誰がするのでしょうか。所得税の場合には、当然、納税義務者たる個人であることは誰もが解するところです。しかし、法人の場合は、株主も1人、役員1人といったような個人同様の場合もありますが、通常は多少役員、従業員で経営組織が形成されて、組織で動いているといったような言い方をされたりしています。

　所得税の場合でも従業員を雇用していることも多く、家族が事業に従事していて、物事によっては納税義務者だけでは質問に答えられなかったり、家族や従業員が関係書類を保管していることもあり得ます。法人ならなおさらのことです。

　税法では、質問検査の対象者を、法人税の調査の場合には、

①　調査対象法人
②　調査対象法人の取引関係者（その法人に対し金銭の支払いもしくは物品の譲渡をする義務のある者または受ける権利のある者）

となっています（通法74の2①二）。

　この規定は、①は常識的には法人の代表者を想定し、②については反面調査の対象者となる範囲だろうと漠然と思うところでしょう。

【図表28　質問・検査の対象者】

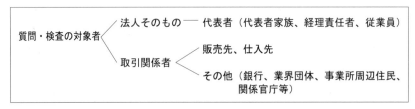

　およそこのような者がその範囲と考えられますが、図表28の（　）内の者はどう扱われるのか税法の規定では明らかになっていません。

☆質問・検査の対象となる法人とは

　前記のように、法人税の調査では、法人そのものに質問し、帳簿書類その他の物件を検査するとなっています（通法74の2①）。

　しかし、法人に質問をするとなっていても、法律によって人として擬制した法人が答えられるわけがなく、結局、代表者が対象者となりますが、超大企業の場合、もちろん代表者は何人もいるでしょうし、最高責任者が具体的な問題点にいちいち答えられることはないはずです。

　実務的には、例えば、規模に応じて取扱いは次のように異なってくることになります。

・非上場　中小企業の場合…代表者、経理部長、事務職員
・大企業　上場企業の場合…経理部長（場合により経理担当役員）、経理課長

　もっとも、これらのうち役員以外の職責者は、当然、決算事務に携わっていた人物に限られてくると考えねばなりません。

☆従業員は

　前述のような職掌の人は、形式的にも決算、税務申告にかかわっていたと推定されるところから、法人の中に入ると考えられますが、それ以外の従業

員は質問に答える必要があるかどうかが問題となります。

　税務署サイドの税務調査の本質は、ザックバランな話、あら探しでしょうから、関係の有無にかかわらず、法人内部、外部を問わず、更正を行うための証拠は欲しいものです。ですから、できれば従業員にも誰彼なしに質問したいところでしょうが、法令で調査手続が規定されている以上、それは許されるものではありません。

　従業員は、経営者から雇用されていますから、その管理下での職務が責任であり限界です。外部の質問に何でも答えるのはこれに反することになります。したがって、従業員が質問・検査に応じなければならないのは、代表者、あるいはこれに代わる責任者の応答では不十分な場合に限られ、なお、その管理下で質問に答え、資料の検査を受けることになります。

　注意すべきは、そうした断りなく質問をしたりすれば、質問内容如何で法人内部の㊙情報が明らかになったりのトラブルが生じます。したがって、税務調査官には、従業員への質問の必要理由を聞き、曖昧な場合は断るべきで、放置すれば承認したこととなり、取返しのつかないことになったりします。

☆代表者の家族の場合は

　法人税の調査において、税務調査官が質問し、書類の検査を行うことができる相手は、法人と金銭、物品の授受等の取引がある者だけで、他に税法上では規定されておりません。

　従業員は、法人で業務に従事している以上、場合によっては限られた範囲内で質問・検査の対象となることは前述のとおりです。

　では、代表者やその他の役員の家族についてはどう考えるべきでしょうか。常勤、非常勤にかかわらず、役員、または従業員として法人に籍がある家族は、従業員の場合と同様、一定の範囲内で対象となると考えられます。しかし、法人とのかかわりが全くない場合は、対象外となります。

　ただし、よくある例では、小企業の場合、家族名義の借入金があったりして、資金のやりとりがあることが少なからず見られます。そうなりますと、その家族名義の預金通帳の提示は求められるでしょうし、預金の原資や資金の出入れ、法人への実際の資金の授受の様子等を細かくしつこく聞かれることもあります。

　そうした資金取引的なことでもない限り、家族のことを聞かれても、預金関係を質問されても、一切応じる必要はありませんので、質問・検査を受けなければならない理由をただし、理由がなければ断ってよいと考えられます。

Q 28　従業員・家族も質問・検査の対象になるってホント

もっとも、銀行取引関係は、すべて見ることができるように国税庁と銀行関係団体の間でなっているようで、既にその情報を持って調査に来ているか、断っても調べることが可能にはなっています。

【図表 29　法人税における質問・検査対象】

法人または法人関連者	税法での区分	対象者か	備　考
代表者、担当役員	法人	○	
経理責任者	法人	○	
その他の従業員		△	代表者等応答で不十分なとき。
販売先、仕入先	取引関係者	△	取引関係範囲に限られる。
銀行、所管官庁、業界団体その他	取引関係　有 取引関係　無	△ ×	取引関係範囲に限られる。
役員家族		×	法人との資金取引等があればその範囲で△。

　注意しておくべきは、図表 29 の従業員と役員家族の取扱いです。経理専担の従業員は、決算や申告調整内容について聞かれれば、答えないわけにはいきません。しかし、それでも営業部門や製造部門の業務のやり方について、必ずしもフェアでない面を感じれば見解を言わせたりして、不当業務として否認に結びつけたりすることもあるかも知れません。また、その事業場内でちょっとうろつきながら、関係のない他の部門従業員に「○○さんはきょうは来てますか」とか、「何の仕事をしていますか」とか、さりげなく尋ねたりして人件費に架空の者が入っていないかを確かめたりもします。

　代表者家族も、従業員や役員をしていれば応答する対象者に含まれますからやむを得ませんが、担当している業務以外のことまで答える必要はありません。要は、そんな機会をつくらないことです。調査官が事業場内をうろついたりし出したら、必ず代表者自ら、あるいは部長クラスの人がついて回ることです。複数の調査官で調査が行われているような場合は、こちらも経理部門以外の人員もその場に残すようにして、一挙一動に目を光らしているくらいの緊張感を持っていないと、ひょんな質問からとんでもない展開となったりします。

　役員親族の場合も同様ですが、なるべく喋り過ぎないようにし、質問にのみ単純に答えておくことです。相手を気遣い余計なことを言うと、これもどこへ話が飛んでいくか知れません。この辺は、税務調査の受け方の基本中の基本です。

92　　第 3 章　税務調査の質問・検査の対応ポイント

Q29 事前通知なしで税務調査されるときの対応は

Answer Point

★平成23年の国税通則法改正までは、事前通知の税法上の規定はなかったのですが、改正以降、詳しい調査内容についての事前通知が、例外を除いて行われることとなりました。

★ただし、理由がある場合には、無予告調査が行われることもあります。無予告調査の対応は、①事前通知なしを理由に調査を拒否する、②調査官の言うとおりの調査を受ける、③税理士に連絡を取りすべてを任す、④無予告の理由開示を求め、正当理由がなければ調査拒否をする、の対応の仕方があります。

★いずれにしても、日頃から無予告調査があることも想定し、社内体制や代表者は心の準備をしておくことと、税理士も的確な対応がわからない人もおられます。よく勉強しておくことが肝心です。

★対応順序としては、

税理士連絡→無予告理由の開示要求

(1) 理由なし→調査拒否

(2) 理由あり→①理由不当→調査拒否

　　　　　　→②理由正当→税理士の到着を待つ

となります。

☆税務調査は事前通知が原則

前述しましたが、戦後、申告納税制が採用されて以来、当初は無予告調査が普通でした。かなり長い間その状態が続いていたのですが、徐々に事前通知が行われるように変わってきました。

これは、税法上には事前通知に関する規定は存在せず、ただ税理士法上に納税義務者本人に事前通知を行う場合は、代理人税理士にも事前通知するとなっていただけでした（税理士法旧32）。

それが、平成23年の国税通則法大改正と、その後の部分改正で、現行は事前通知が原則で、かつ「税務代理権限証書」の提出がされている場合は、代理人税理士に事前通知が行われるように変わりました（通法74の9①⑤）。

現状の税務調査は、完全な事前通知制で運営されており、無予告調査は例

Q29　事前通知なしで税務調査されるときの対応は　　93

外中の例外ではないかと思われます。

　無予告調査が行われる場合については、Q34で詳しく説明することにしますが、主として申告や過去の調査結果と事業内容および税務署の保有情報を検討した結果、違法不当な行為を容易にし、正確な所得や税額の把握を困難にする恐れがあり、税務調査の適正な遂行に支障を及ぼす恐れがあると認められる場合には、行われることになっています（通法74の10）。

☆突然の調査があったら

　事前通知が行われる通常の任意調査では、およその調査の時期はボチボチ来る頃かなと予めの心づもりや、帳票整理の準備はすることができます。税務調査慣れした法人では、悠然と構えているところもあります。

　しかし、無予告調査では、調査時期を予想するのはかなり難しいと考えておくべきです。長期の間隔を空けて突然来られる場合もあるし、前期にも調査があったにもかかわらず、連年の調査となることも十分にあり得ます。

　税法の改正で事前通知が原則となったこととは関係なく、近年は、事前通知は行われて来ましたので、無予告調査には税理士でも戸惑うことが多いと思われます。

　では、どんな対応の方法が考えられるでしょうか。いくつかの採るべき方法を考えてみます。

①　事前通知がないので調査拒否をする

　税務調査とは、税金を取るか取られるかの鬩ぎ合いですから、どうしても感情的になります。業務中に来られたのでは、重要な取引の最中であったり、業務の繁忙時刻であったりもしますと「相手はできない、帰れ」といった調子になりがちですが、ここでは注意が必要です。

　一方的な調査拒否は、質問・検査の不答弁、忌避となり、罰則規定があります（通法127二）。

②　調査官の言うとおりに調査を受ける

　無予告調査ですから、調査官も調査の遂行は少々難しいのはわかっています。したがって、あの手この手で言い含めて、とりあえずどこかから手をつけて中へ入ろうとするでしょう。当然、とりあえず現況ということで、関与税理士がついていても、少し調査を開始してから連絡をとらせるかも知れません。

　こうした曖昧な態度は、1度とったらもう元へ戻ることはできません。税理士でも、かなり強固に無予告調査の理由開示を求め、納得できなければ

94　第3章　税務調査の質問・検査の対応ポイント

続行させないくらいの態度で出ないと、ジリジリと後退させられてしまうでしょう。

　納税者には、物事を穏便に、税理士にも中立な立場の維持や他の関与先の税務調査でのことも考えて、また、税務署寄りの税理士グループに所属していたりして、物腰の柔らかい人もいます。

③　税理士にすぐ連絡

　最も多い対応方法かと思われます。税理士の速やかな到着を待って、調査理由を質問してもらい、理由が正当でそのまま調査を受けてもかまわないとなれば、調査進行となります。しかし、なかなか無予告調査の理由がそのまま当てはまるケースは少ないと思われます。

　税理士によりますが、理論派税理士なら、理由の開示を求め、納得できない、あるいはその日はどうしても受けられない事情があれば調査日時を変更してもらいます。

　ただし、法人にも代表者、経理担当者が留守であったり、税理士も遠方へ出張していたりして来られない場合もあります。丁寧に事情を説明し、また、税理士には電話で理由の開示を求めてもらうべきでしょう。

④　無予告調査理由の説明を要求

　なぜ事前通知がないのか、それが税法の規定に反していないかの説明を言わさしめ、正当な理由がない限り当日は帰ってもらう。最もとるべき態度ですが、法人側にそこまで税法を熟知して言い切れる人はあまりいないと思われます。

☆日頃の準備が肝心

　前述のとおり、任意調査である通常の税務調査は、事前通知が行われることとなっています。強制調査である査察以外はすべて任意調査の範疇ですから、査察まがいの調査方法で有名な国税局の資料調査の調査（いわゆるリョウチョウ）も同様です。査察であっても「臨検、捜索、差押え許可状」に記載されていないものは、調べたり押収したりはできません。

　しかし、いつ無予告調査がどの法人にあるかも知れません。税務署もガセネタで動くこともあります。納税者はそのことを知っておくべきで、関係している税理士は顧問先によく熟知してもらっておくべきでしょう。

　万が一、わけのわからない無予告調査理由で調査が開始されたとしても、余計な被害の及ばないよう、日頃から帳票類の整備等はしておく必要があります。

Q 29　事前通知なしで税務調査されるときの対応は

95

☆無予告調査に備えての流れ

　税理士は、日ごろから図表30の流れを顧問先に指導を行い、不当な税務調査が行われることのないようにしておくことが最も重要です。

【図表30　無予告調査に備えての流れ】

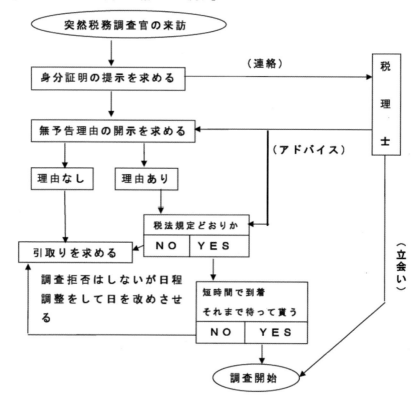

　事前通知をしない無予告調査が行われるのは、Q34のように事前通知を行えば違法不当な行為を容易にし、正確な所得、税額把握を困難にする場合に税法上限られており（通法74の10）、滅多には出てこないものです。

　通常は、過去に何度も悪質な不正行為があったりし、それが一向に改まらないような法人の調査に限られていて、ひょっとすれば慣れてしまっていて、特別に対策を考えることもないかも知れません。

　しかし、それ以外にタレコミやガセネタが基で突然飛び込んでくることもありますが、こちらは、不正行為的なものは全く身に覚えのないところです。ここに説明したとおりに、相手もかなり疑っているのですから、強い態度で対応してもよいと思われます。

Q30 反面調査先への事前通知は

Answer Point

★反面調査は、調査対象法人での調査のみでは証拠不十分であったりした場合に、取引相手方へも質問・検査を行ってその当否を確かめるもので、そのため調査対象法人の取引関係者への質問・検査が可能としています。

★調査手順としては、まず調査対象法人の調査をあらまし済ませてから、反面調査の理由を説明した上で移るはずのものですが、中には理由を明らかにしなかったり、調査着手前にしていたりすることもあります。

★反面調査先への事前通知規定は見当たりませんので、無予告のこともあり得ます。

★反面調査は、その取引先との信頼関係を損なったり、驚かせたりすることもありますので、可能な限り避けるべきで、反面調査がなくとも納得させられる物件、書類を準備、または用意すべきです。それでも中止はしてくれないでしょう。したがって、相手先へは関係を傷つけないよう、丁寧に事情を説明することです。

☆反面調査の必要性

　税法上において、反面調査そのものについての具体的規定はありませんが、法人税の調査の場合、税務職員の質問検査権が及ぶのは法人および法人との取引関係にある者となっていて、この法人との取引関係者に対する質問・検査が反面調査といわれています。

　反面調査は、本来、納税義務者本人（法人税の場合は法人）への調査だけでは十分な回答を得られなかったり、帳簿類のみでは証拠力が弱かったりした場合に、直接取引の相手側の帳簿等を検査することにより確かめる調査手法です。

　そうしたことが当然通常起り得るだろうとして、取引関係者にも質問・検査が可能と税法では規定しているものと思われます（通法74の2①二）。

☆本人調査と反面調査の順序は

　反面調査の必要性から見れば、法人の調査があって、その途上取引先へ事実関係を確かめる目的で行われるものであるところから、法人の調査の後に

取引関係先へ不明、あるいは不信な点のみを調査すべきものであるはずです。

しかし、税法上では、その点についての規定はなく、法人税の調査における質問・検査は、法人と取引関係者は同列に扱われています（通法74の2①二）。

税務調査の現状は、法人の調査がある程度進んでから反面調査を行う旨、その理由を告げてから資料照会、または直接反面調査先へ出向いて必要と思われる資料を入手していることが多いように思われます。しかし、中には反面調査する理由も明らかにせずに行うこともありますし、法人はもちろん、代表者個人の取引銀行等に調査着手前に資料照会等を行って情報を入手しているようなケースもあります。

☆反面調査先への通知はどうする

Q29のように、現在、税務調査は、原則として調査先へは事前通知を行い、日程調整をしてから実地の調査が行われることになっています（通法74の9①②③）。

しかし、この事前通知規定は、納税義務者本人（調査先法人）のみ行われるものであって、取引関係者には調査先法人の税務調査に際し、必要があるときは質問・検査の及ぶ対象として同列に扱われながら（通法74の2①二）、事前通知規定では全く取り上げられておらず（通法74の9①）、基本的に事前通知の必要はないことになります。

☆反面調査は避ける調査対応を

法人の取引関係者は、突如税務職員が反面調査にやって来たりすれば、自社の税務調査と同じくらい驚いてしまうこともあるかも知れません。また、反面調査をしなければならないということは、何か税金の誤魔化しでもしているのではないかと勘繰ったりして、信頼関係をなくしたりしかねません。

したがって、できれば反面調査をさせないような説明資料や証拠書類を準備しておき、必要に応じそれの補完資料を速やかに取り寄せることです。

それでも税務調査官のほとんどは、もともと記帳内容が真実でないと疑っているので、反面調査を中止しないことが多いでしょう。

そのため、取引先、銀行等へはよく問題内容を説明して、取引内容の正当性を説明して貰えるよう、やましい点はないことも説明し、信頼関係の維持を心がけることが大事です。

第3章　税務調査の質問・検査の対応ポイント

Q31 反面調査を止める方法は

Answer Point

★通常の税務調査は、政治的圧力を講じたりしてもストップさせることは、突発的事情でも生じない限りできません。逆効果のケースもあります。

★反面調査も同様ですが、ただ、調査途上必要に応じて行われる調査手法であるところから、代替的証拠等で中止されることもあり得ます。ただし、そのために力み過ぎると、逆に疑いが強くなり、逆に強行されたりもします。

★質問・検査の応答で、やましそうな取引について質問されれば、余計に声を張り上げ、喋り過ぎることが人間には多く、反面調査に関しても同様です。応答は、簡単な説明と証拠書類のさりげない提示でよく、反面調査はご自由にどうぞとすすめるくらいのほうがかえって"無駄だろう、止めるか"に向かわせるかも知れません。

☆税務調査をストップさせることは

　税務調査は、税務署が提出された申告書に不正や誤りがあって、申告額を更正するために行われるものです。

　提出があった数多くの申告の中から調査先に選定したのですから、それを中止することはしませんし、よほどの理由、例えば、調査直前に倒産したり災害が起きて調査をするのが無理な状況が生じたりしない限り、止めることはできません。

　種々の政治的、その他の圧力を講じて税務調査のストップを試みても無駄かと思われます。

　わが国も、申告納税制度が創設されて以来70年近く経ちます。行政制度全般にわたり先進国だと考えられ、そうした後進性の手法がまかり通れば、一挙に国全体が何十年前か以前へ逆戻りしてしまいます。

☆反面調査の場合は

　税務調査先の選定は、申告書の提出後早い時期に行われるようで、前述のように役所内部の特別の事情や税務調査をしなくてよいか、しても無意味となるような内容の資料でも回付されてこない限り、Q30のように中止されることはまずないと思われます。

Q31　反面調査を止める方法は

しかし、反面調査の場合は、ちょっと事情が異なるかも知れません。それは、反面調査は、税務調査が開始されて後、必要に応じてとられる調査手法であるからです。

　したがって、必要性がないかなくなれば行われませんし、中止となることもあり得ます。

　中には、そんなことは無関係に実地調査に来るまでに手回しして、先に反面調査をこちらも知らない間に済ませて来ることもありますので、必ずしも途中で止めてしまうとは限られません。むしろ、補充、補完証拠資料で反面調査を回避しようと力めば力むほど、相手を逆に疑いを強くし、何が何でも行って来て見てきてやろう気分にさせるかも知れません。

☆説明と証拠資料はさりげなく

　反面調査を嫌がることが多いのはもちろん、相手先との信頼関係が崩れる危険もあることはありますが、それよりも相手先の資料や答弁が、こちらの記帳内容と異なる結果となったり、相手先、または当方のいずれかが記帳されていない架空の取引であったりすることが、明らかになってしまう点だろうと思われます。

　明らかな架空取引については、もう論外ですが、取引日の相違や事実の表現が微妙に食い違うくらいのことは、その処理の正当性についての理屈をこねまわすことです。世の中、声の大きいのが必ず粘り勝ちします。筋道立った理論が通るとは限りません。強情で自分の主張を曲げない人には、みんなお手上げで引き下がる場合が多いものです。

　税務調査で最もよくないのは、調査の早期切上げを哀願することです。税務調査官は、理解を示しますが、代わりに何かを出せ、要するに土産を出させるとか、少し無理な課税も交換に呑ませたりします。絶対タダでは引き揚げません。追徴税額をなるべく少なくしよう、あるいはなしにしたいのならば粘ることです。「調査はいつまでかかってもらっても構いません、ただし、都合のよい日のみに限らせてください。いくらでも協力します」の態度を通すことです。

　逆を行くことです。反面調査を減らしたいならば、「どうぞ行って来てください。こちらではここまで資料は用意していますが、念のため再度どうぞ」くらいのさりげない態度で対応し、調査官の懐疑心を柔らかくほぐし、調査は延々と続いても平気であるくらいの表情で終始することが、調査対応のコツだと思われます。

第３章　税務調査の質問・検査の対応ポイント

Q32 事前通知の対象となる 代理人の範囲は

Answer Point

★代理人とは、通常、任意代理人を意味し、委任による代理と呼ばれています。弁護士が依頼者から受ける委任の範囲は、本人に代わって相手方からのすべての質問に答えますが、税務調査での税理士の代理は申告内容等の税務官署への主張、陳述を代行するのみで、質問・検査の相手方にはならないとされています。

★しかし、税法上、事前通知の規定が入ったことにより、一定の要件を満たせば、代理人宛に通知すれば納税義務者には通知を省略してもよいとされています。

★要件とは、税務代理権限証書を申告書と併せて提出している税理士等に限られ、納税義務者への通知は税務代理人に対して行われることに同意するとの記載（チェック）があることです。

☆代理人とは

　法律行為は自らすることもありますが、特に難しいことは代理人に委任することが多いと思われます。代理人は、法定代理人と任意代理人があるとされ、弁護士が一般に依頼人から引き受けるのは任意代理人で、委任による代理と呼ばれています。

　税理士が納税義務者から代理人として依頼を受けるのは、任意代理人として、申告書内容等について税務官公署に対し主張、陳述を代理、代行するとなっています（税理士法2①）。

　弁護士が依頼人から委任されている範囲は、単なる代理、代行でなく、依頼人本人に代わって相手方からのすべての質問に答える権限を有していますが、税理士の税務代理は、単に申告内容について本人に代わって答弁したり、主張したりする範囲に止まるとされています。したがって、弁護士が税務代理を引き受けている場合は質問・検査の対象者となりますが、税理士の場合は税務職員の質問・検査にまでは及ばないということになるようです。

☆代理人に対する事前通知

　平成23年の国税通則法の改正までは、税務調査に関する規定は所得税法、

法人税法、相続税法等の各税法ごとに別々に質問・検査の範囲について定められていました。

しかし、それら各税法の税務調査規定では、事前通知に関する事項は全く存在せず、税理士法旧32条にのみ、納税義務者に通知を行うときは関与税理士にも事前通知を行うとされていただけで、それが守られているかどうかわからない状態で来ていました。

実務的には、法律の規定に関係なく、事前通知は納税義務者本人、あるいは関与税理士のいずれかに行われていたようです。

しかし、今回、国税通則法に新たに税務代理人がある場合には、納税義務者本人と併せて税務代理人にも事前通知をする規定が創設され、なお、一定の場合には税務代理人に通知すれば、納税義務者に通知は省略してもよいとされています（通法74の9①②二⑤、通規11の2）。

☆税務代理人の要件

納税義務者に直接事前通知を行い、かつ、代理人税理士にも併せて通知するとなれば手数を要し、日程調整も手間取るところから、代理人税理士を通じてすべて税務調査の進行を調整できれば、課税官署も便利となります。

税理士法ができた昭和26年頃から暫くの間は、法人税の申告書には関与税理士に代理をさせる旨の委任状を税理士は添付していました。それが、そのうちに法人税では申告書第一表の枠外に関与税理士の自署欄が設けられ、委任状の提出をすることなく、それで自動的に税務代理の取扱いとなっていたようです。

ところが、前述のとおり、国税通則法の新規定では、税務調査の事前通知規定が設けられ、なおかつ代理人税理士に通知すれば足りるとなったところから、代理人の規定が少し細かく入ることとなりました。

税法での税務代理人の定義は次のようになっています。

「税理士法第30条の書面を提出している税理士若しくは税理士法人、又は税理士法第51条1項若しくは3項の規定による通知をした弁護士若しくは弁護士法人」となっていて、必ず税務代理権限証書を申告書と併せて提出している税理士、または弁護士に限られることとなっています。

税務代理権限証書の様式は法定されていて、図表31のようになっています（税理士法30、税理士法施行規則15）。

この中で、納税義務者への調査の通知は納税代理人にする欄のチェックの入っている場合とされていますので、注意が必要です。

第3章　税務調査の質問・検査の対応ポイント

【図表31　税務代理権限証書の様式】

税 務 代 理 権 限 証 書

※整理番号

受付印			
令和　年　月　日 　　　　　　殿	税 理 士 又 は 税理士法人	氏名又は名称	
		事務所の名称 及び所在地	電話(　　)　　－ 連絡先 電話(　　)　　－
		所属税理士会等	税理士会　　　　　　　　支部 登録番号等　　第　　　　　　　号

上記の　税 理 士／税理士法人　を代理人と定め、下記の事項について、税理士法第2条第1項第1号に規定する税務代理を委任します。　　　　　　　　　　　　　　　　　　　　　　　　　　　　　令和　　年　　月　　日

過年分に関する税務代理	下記の税目に関して調査が行われる場合には、下記の年分等より前の年分等（以下「過年分」といいます。）についても税務代理を委任します（過年分の税務代理権限証書において上記の代理人に委任している事項を除きます。）。【委任する場合は□にレ印を記載してください。】	□
調査の通知に関する同意	上記の代理人に税務代理を委任した事項（過年分の税務代理権限証書において委任した事項を含みます。以下同じ。）に関して調査が行われる場合には、私（当法人）への調査の通知は、当該代理人に対して行われることに同意します。【同意する場合は□にレ印を記載してください。】	□
代理人が複数ある場合における代表する代理人の定め	上記の代理人に税務代理を委任した事項に関しては、上記の代理人をその代表する代理人として定めます。【代表する代理人として定める場合は□にレ印を記載してください。】	□

依 頼 者	氏名又は名称	
	住所又は事務所の所在地	電話(　　)　　－

1　税務代理の対象に関する事項

税　目 （該当する税目にレ印を記載してください。）		年　分　等
所得税（復興特別所得税を含む） ※　申告に係るもの	□	平成・令和　　　　　　　年分
法　人　税 （復興特別法人税・地方法人税を含む）	□	自　平成・令和　年　月　日　至　平成・令和　年　月　日
消費税及び地方消費税（譲渡割）	□	自　平成・令和　年　月　日　至　平成・令和　年　月　日
所得税（復興特別所得税を含む） ※　源泉徴収に係るもの	□	自　平成・令和　年　月　日　至　平成・令和　年　月　日 （法定納期限到来分）
税	□	
税	□	
税	□	
税	□	

2　その他の事項

※事務処理欄	部門		業種		他部門等回付　・　・　（　　）部門

Q 32　事前通知の対象となる代理人の範囲は

103

従来、確定申告書には納税者本人やその申告を代理する税理士が押印することとなっていましたが、令和3年税制改正により押印義務が廃止されることとなり、確定申告書等への納税者本人や税理士の押印、税務代理権限証書への納税者本人の押印は不要となります。
　税理士への事前通知が行われるのは、図表32の流れになります。

【図表32　税理士宛に行われる事前通知の流れ】

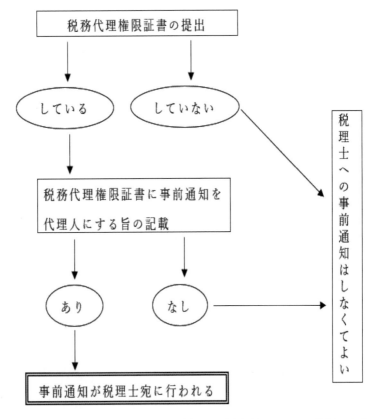

　代理人税理士が、1人または税理士法人で長年関与している状況であれば、通常はこれで税務調査の事前通知から、終了までそれで終わりとなります。しかし、往々にして税理士が交代することもありますし、また、複数の税理士が代理人に名前を連ねている関与の仕方も見られます。
　そうしたときには、法人側にその場合の対応方法、旧事業年度の申告については誰が担当するのか、複数税理士の場合も事前通知をどの税理士にするべきかを、代理権限証書上で明らかにしておくことが必要です。

Q 33	調査日時の変更ができるのは どんなとき

Answer Point

★税法の事前通知規定で最上位の事項に掲げられているのは、実地調査開始日時となっていますが、納税者側から合理的な理由を付して変更を求められれば、協議するとなっています。しかし、実務では、何が何でも税務署側の都合に従わせる運用ではなく、ある程度柔軟に対応しているようです。

★任意調査は、納税者の協力を得て行うものである以上、合理的理由が生じた場合の変更は認められるはずですが、納税者側業務の成行きで度々変更されるようでは、効率的税務行政に支障を来たすところから、行き過ぎた変更要求は調査忌避行為とされ、罰則適用の危険もあります。

★法律上は、調査日時、調査場所について合理的理由を付して変更要求があった場合は協議するとされており、代表者や代理人の病気、怪我等での入院、親族の葬儀等の一身上や業務上のやむを得ない事情がある場合は、認める例示がありますが、基本的には決定事項を尊重して進めるべきでしょう。

☆調査日時の調整

　われわれ私人間の約束、特に経済社会での事業者間の会合等の日時を決めた場合では、重大な事情が生じて変更することは時々あり得ることです。

　しかし、そうした行動を軽々しくとるようでは、信頼を損ね、信義に反することで、避けるべきものです。

　税務調査の事前通知では、いくつかの通知事項の一番目に掲げられているのが、実地調査を開始する日時とされています。

　そして、納税義務者側から合理的な理由を付して変更を求められた場合は、協議するよう努めなければならないとされています（通法74の9①一、②）。

　この規定を見る限り、税務署の担当官が役所側の税務行政の効率を図る目的から、自由に日程を決めて納税義務者にそれを呑ませ、どうしても無理な場合に限って多少の変更はしてもよいとした風に読むこともできます。

　しかし、それでは反税感情を抱かせることにもなりかねませんので、円滑な税務行政、納税者の協力を得ての納税といった観点から、実務的には事前通知の段階で税務署の調査希望時期を言ってきますが、一方的な押付けはあまりないように運用されているように思われます。

Q 33　調査日時の変更ができるのはどんなとき

☆調査日時確定後の変更は

調査の事前通知に関する規定では、税務署が一方的に役所都合に合わせた日時、場所等を通知するとなっていますが、本書でいう調査は任意調査で、納税者の協力を得て行うものである以上、納税義務者側の事情を考慮しながらそれを決めるのが本来の趣旨であるはずです。

そうしたところから、実務上は、事前通知の段階で税務署の希望日時をいくつか提示し、納税義務者の業務状況と擦り合わせた上で調整が行われています。

したがって、1度そうした調整後での決められた調査日時である以上、大したことのない理由で変更を要求できるものではないと考えられます。

納税義務者側業務の、日々の成行き次第で行政側がそれに合わせているようでは、膨大な申告数を限られた国税庁職員の手で調査事務を効率よく処理しなければならない税務署の目的業務が果たせなくなります。

あまり調査日程をいじるのは一種の調査忌避行為と看做され、罰則が適用される危険もあります（通法 127 二）。

☆調査日時変更は例外的に可能

基本的に当初の事前通知に際し、双方が了承し確定した調査日時、場所の変更は上記のように簡単にはできないことになっていますが、納税義務者が合理的な理由を付して調査日時、調査場所の変更要求があった場合には、協議することに努めることとなっています（通法 74 の 9 ②）。

ここでいう合理的な理由とは何かについては、個々の税務調査事案により異なると考えられるところから、事案ごとの事実関係に即して当該納税義務者の私的利益と、実地の調査の適正かつ、円滑な実施の必要性という行政目的とを比較衡量の上判断するとして、具体的事例として納税義務者（税務代理人を含む）の病気、怪我等による一時的な入院や親族の葬儀等の一身上のやむを得ない事情、納税義務者の業務上やむを得ない事情がある場合が示されています（通法個別通達 4-6、平 27 課総 9-1）。

こうしたところから、本通達の例のような場合はもちろん変更が可能ですが、それ以外の業務上のやむを得ない事情とは、よほどの急を要する重大な決定、契約等で遠方出張が必要となり、代表者自身が手を空けられないことが生じたり、災害で混乱している等となったりすれば、あるいは該当するかとも考えられますが、基本的に既に決定している調査を優先して業務を遂行すべきとなると考えるべきでしょう。

第 3 章　税務調査の質問・検査の対応ポイント

Q34 事前通知を要しない場合は どんなとき

Answer Point

★税法改正により、税務調査は事前通知が原則となり、それまで当たり前だった無予告調査は例外扱いとなりました。

★しかし、不正行為に走る納税者は必ず存在するところから、脅し目的な面もあり、一定の要件に該当すれば、無予告調査が行われます。

★要件とは、事前通知を行えば違法不当な行為を容易にし、正確な所得、税額把握を困難にする恐れがある場合とし、具体的には以下のことが起き得ることが合理的に認められる場合です。

　① 質問・検査に対する不答弁や偽りの答弁、検査拒否、妨げ、忌避を行う、帳簿等物件の不提示、虚偽記載を助長させる。

　② 調査困難を意図した逃亡。

　③ 帳簿類の破棄、改ざん、変造するとき。

　④ 過去の不正発見を困難とする目的での現状の適正な記帳状態の創造。

　⑤ 使用人、取引先、第三者等へ①～④の行為をさせたり、調査非協力の要請。

★以上のほか、調査事務そのものの支障を来たす恐れとして次の例示があります。

　① 事前通知により第三者の立会を求め、それが調査遂行に支障を来たすと合理的に推認される。

　② 事前通知での応答拒否や無応答。

　③ 事業実態不明で、実地臨場しないと事前通知先が判明しない。

このような場合も無予告となりますが、一般にはあまり該当しないと考えられ、特殊反税団体に所属するような納税者を対象にした規定のようにも読み取れます。

☆無予告調査は税務調査の例外

　税法上、税務調査に関する規定については、以前は所得税法、法人税法等、各税目ごとにそれぞれ存在し、事前通査に関しては何ら触れられていませんでした。それが、国税の共通事項を定める国税通則上で、第7章の2に税務調査の規定として一元化され、各税法の規定が集約されました。その上で、

Q34　事前通知を要しない場合とはどんなとき　107

税務調査は、それまで示されていなかった事前通知項目が新設されて、原則として任意調査である一般の税務調査は事前に通知（実務的には日程等の調整）を行った上で、実地の調査を行うこととなったのです。

したがって、それまでは、どちらかというと無予告調査が建前となっていて、調査事務を納税者の協力の下に円滑に進めるため、実務的には電話等で連絡をとり、日程協議、即ち事前通知を行っていたということになります。

実務の現場でも、事前通知なしの無予告調査は、最近ではほとんど見られなくなっているのではないかと思われます。

しかしながら、税務調査はもともと不誠実な納税者がいるという前提で、そうした悪質納税者に厳しい調査を受忍させ不正行為を戒める、いわば脅しの目的もあるところから、時には不意突然の調査を行う規定も反対に設けられています。

☆事前通知をしない場合は

では、例外の無予告調査は、いかなる場合に行われるのでしょうか、考えてみます。

Q29での説明を再度取り上げてみますと、無予告調査の規定は、申告や過去の調査結果と事業内容及び税務署の保有情報を検討した結果、違法不当な行為を容易にし、正確な所得や税額の把握を困難にする恐れがあり、税務調査の適正な遂行に支障を及ぼす恐れがあると認められる場合に行うとなっています（通法74の10）。

法律上では、このように一読すれば、要するに悪質納税者には事前通知はかえって不正を容易ならしめることとなるときは、不意打ち調査を行って不正行為の証拠を固め、有無をいわさない更正や決定を行って懲らしめるようになっています。

具体的には、どんな場合が違法不当な行為を容易にしてしまうのでしょうか。

☆違法不当な行為を容易にし正確な所得、税額の把握困難にする恐れとは

要は、悪質納税者が対象とされることになっていますが、その程度がどのくらいであるのかは、なかなかわからないところです。通達の例示では、事前通知をすることにより、次のようなことが起き得るだろうと合理的に認められる場合としています。

① 調査での質問・検査に対し、不答弁や偽りの答弁、検査の拒否、妨げ、

忌避を行うこと。

　帳簿書類その他の物件の不提示、偽り記載の帳簿の提示等を助長させること。

② 　調査実施を困難にすることを意図して逃亡すること。

③ 　調査に必要な帳簿書類その他の物件を破棄、移動、隠匿、改ざん、変造、偽造すること。

④ 　過去の違法不当な行為の発見を困難にする目的で、調査時点での適正な記帳、記載と保存状態を作出すること。

⑤ 　使用人、従業者、取引先、その他の第三者に対し①〜④までの行為を行うよう、または調査への非協力を要請すること（税務調査個別通達4-9）。

　示されている内容は、かなりその程度が酷いもののようになっているように見えますが、一般の善良な納税者でも多少は無きにしも非ずのところはあるかも知れません。

　しかし、例示のような場合とは、それが何度も繰り返されているとか、㊙情報で税務署が掴んでいるとか、具体的詳細な投書等があったときとかに限られると見てよいかと思われます。

☆税務調査の適正な遂行に支障を及ぼす恐れとは

　前述のような税務調査における質問・検査での不答弁、帳簿書類の改ざん等の行為とは別に、調査事務そのものの遂行に支障を来たす恐れとして、次のようなものが例示されています。

① 　事前通知を行えば税務代理人でない第三者の立会を求め、それにより調査遂行に支障を及ぼすことが合理的に推認される場合。

② 　事前通知を行おうとしても応答拒否、無応答の場合。

③ 　事業実態が不明で、実地臨場しないと事前通知先が判明しない場合

　これらを見る限り、特殊な反税団体に所属するような納税者を対象とした規定のように思われ、一般にはあまり該当しないことが多いのではないかと考えられます。

　したがって、Q29でも触れたとおり、もし万が一無予告調査に来られた場合、このようなケースに該当するのかを質することです。通常の納税者であれば、あまりこうしたことはないはずで、何かの誤情報によっていることが多いと考えられ、弱腰にならず毅然とした対応が必要です。

Q34　事前通知を要しない場合とはどんなとき

Q35 質問・検査で提示・提出を求められたときの対応は

Answer Point

★実地調査の手順は、まず、事業内容等の質問から始まり、答弁についての当否、申告計算過程に繋がっているかを物件の提示・提出を求めて検証します。

★提示とは、物件の内容を調査官が確認し得る状態にして示すことをいい、提出とは、求めに応じて遅延なく物件の占有を移転することとされています。

★物件の提示・提出は、法律上、調査手続として定められているところから、拒むことはできません。ただし、調査上必要なものに限られており、物件のファイルをすべてそのまま丸投げで渡す必要はありません。要求されている部分のみを外し、提示または提出を行い、できれば返却を受けるまでその場で見ているくらいにすべきです。

☆提示・提出、留置は質問・検査の手続

税務調査に関する規定は、現在、国税通則法に一元化されているのは既述のとおりです。

それまで所得税、法人税等の税目ごと各税法に定められていた旧規定では、税務調査では質問・検査について規定はあっても、その具体的内容については明らかにはされていませんでした。それが、国税通則法に各税法の共通規定として集約されてから提示・提出、留置なる調査手法が文言として挿入されたところです。

税務調査は、税目如何にかかわりなく、税務職員は実地調査に臨場したときは、まず事業の内容や経営状態、取扱品や資金の流れ等を聞くことから始まると思われます。要は質問をするわけです。

それから帳簿や関係書類、その他の物件を実際に質問に対する答弁のとおりかどうか、それが課税標準の計算過程に繋がっているかどうかを調べます。それが検査であり、具体的には提示や提出、あるいは留置ということになります。

☆提示・提出とは

担当の税務職員は、税法上「調査について必要があるときは、関係者に質

110　第3章　税務調査の質問・検査の対応ポイント

問し、事業に関する帳簿書類、その他の物件を検査し、または当該物件の提示、もしくは提出を求めることができる」とされています（通法74の2①）。

　ここでは検査をすることと、物件の提示・提出とは別の行為のように書かれていますが、区別するほどのことはなく、検査手続の中に提示や提出も含まれていると解すべきで、深く考えなくてもよいと思われます。いずれも検査手法の中に含まれるもので、具体的意味は国税庁側も示していますので、調査の流れに沿って示すと、図表33のとおりです（調査手続通達1-6）。

【図表33　質問・検査調査の流れ】

	調査手続		対象者等	内　　容	物件等の占有権
（調査の流れ）	質　　問		関係者（代理人を含む）	会社の沿革、経営組織、取扱商品、帳簿組織、物品資金管理等。	
	検査手続	提示	帳簿その他の物件	担当職員の求めに応じ遅滞なく当該物件の内容を当該職員が確認し得る状態にして示すこと。	納税者側
		提出	同上	担当職員の求めに応じ遅滞なく当該職員に当該物件の占有を移転すること。	税務官署
		留置	同上	提出を受けた物件を税務官署の庁舎において占有すること。	同上

　所得金額等の調税標準の計算が各種帳簿に合致しているか、また、帳簿記入は関係書類に基づいて正確に記帳されているかを確認する目的で上記手続が行われますが、提示→提出→留置と進むにつれて、証拠書類等の調査深度が増すことになります。

☆提示・提出要求への対応

　法律上、提示・提出が申告金額の正否を調べる手続として定められているところから、拒むことはできません。しかし、それらは、あくまで調査上必要があるときに限られていて、必要のないものまで提出することはしなくてもよいと思われます。

　したがって、多くの場合は、税務職員が目で確認することができる提示でよく、提出までしなくてもよいはずです。

　この辺りのことは、法人の代表者や経理担当者は心得ておくべきです。

　しかし、代表者は、それほどでなくてもよく、応答する経理担当者やさら

Q 35　質問・検査で提示・提出を求められたときの対応は　　111

にその下の従業員は他の事務も離せないからか、契約書や稟議書のファイル、請求書、領収書綴等を提出を求められているのはその中の一部にもかかわらず、全部丸投げで調査官に投げ渡し、その場にいなくなることがあります。こんなことをすれば、必要以外のものまですべて提示でなく提出している状態となり、調査はいらぬ方向までどんどん進み、広く深くなって行ってしまう危険があり、気をつけなければいけません。

　調査官が調べている間は一時も席を空けず、しかも他の業務も放っておいて、調査の現場で調査官の一挙一動を見つめることです。1人でなく、会社の複数の人がいるほうがいいと思われます。契約書も稟議書も領収書もファイルしてあっても、その部分のみを開いて相手に渡さず示すことでよいのです。それで法律上の提示の要求は満たしています。

　相手に気味悪い、落ち着かないと感じさせるくらいでもよいのです。そうすれば、ここよりもっと調べやすい会社に重点的に調査時間を割こうという気持ちにならせられるかも知れません。

　提出もその部分のみファイルから外して渡し、相手が見ている間、横で返却を待ちます。そして、直ちにファイルをし直し、奥かどこかの保存場所へ持ち去るといったことでよいのです。ただ、これもさりげなくテキパキとしないと調査忌避（通法127）とされるので、注意しておくべきです。

　ここでのまとめをしておきますと、税務調査を受けること、一般的に調べられることは、どんな人間でも嫌なはずです。調べる側は権限を有し、調べられるほうは受忍義務があり、劣位であることは否めません。

　しかし、ここでの税務調査は、繰り返すとおり任意調査であり、納税義務者の協力により、申告内容の当否検証をスムーズに済ませようとするものです。双方全く対等の立場であり、調査を受けている法人が恐れをなして必要以上に怖がることもありません。犯罪の取調べとは異なります。

　本来はそうなのですが、やってくる税務職員は、言葉使いは別にして調査態度を見ていると、ひたすら何が何でも不正を見つけ出してやろうの気持ちが、ギラギラ表情に見られることも多いのです。結局は、最終的に税務職員はそうなのかとなってしまうと、あえて調べやすくし過ぎるのも考えものということになります。

　抵抗するというほどでもありませんが、多少とっつきにくい得体の知れない人種であってよいではないでしょうか。

　一概にはこれらのことは言い切れません。要は、来た相手によることにもなりますが、基本はこのような流れでいく姿勢を保持すべきです。

第3章　税務調査の質問・検査の対応ポイント

Q36	提示物件の留置きを 求められたときの対応は

Answer Point

★物件の留置きについても、法律上の規定が設けられましたので、提示・提出と同様、拒むことはできません。留置きとは、提出を受けた物件を税務官署の庁舎において占有することをいいます。

★具体的には、調査途上で提示を受けた必要証拠物件を何らかの理由で役所に持ち帰ることで、当然その必要理由があるはずです。したがって、その必要性、合理性についての説明は受けるのが条件でしょう。

★留意事項としては、必ず預り証を入手することと、法人側で日常使用するようなものは、返却が何時でも請求可能な状態を条件とし、なお、提出と同様、必要部分のみとし、ファイルごと渡す等は避けなければなりません。

★留置きも法律上、拒否が簡単にはできないような書き方になっていますが、いきなり税務証拠物件の留置きがあるわけではありません。一般的な提示・提出による検査後、さらに留め置くことにより税務否認の可否を検討されるべきで、調査の現場での対応は慎重を要します。

☆留置きとは何

　Q35で述べたとおり、税法では、調査において必要があるときは、提出された物件を留め置くことができることになっています（通法74の7）。

　この留置きは、改正国税通則法で提示・提出と同様、新しく採用された手続で、従来はどこにも書かれていませんでした。

　ただし、実務上は、調査の現場では従来から納税者の了解を得て、帳簿その他の物件を預かることはよく見られたものです。

　それが法律上に表されたものと解されますが、規定では留置きは何かということについては、「担当の調査官が提出された物件について税務署（あるいは国税局）の庁舎において占有する状態」をいうとなっています（調査通達2-1(1)）。

　このように、通達では役所言葉で厳格に表現しなければならないところから、難しそうな風にも読めますが、従来からの了解を得ての帳簿類の税務署への持帰り、預りと同様と考えてもよいではないかと思われます。

Q36　提示物件の留置きを求められたときの対応は　　113

☆あらゆる物件が留置きできるか

　Q35でも説明しましたとおり、新しく国税通則法に調査手続として提示・提出、留置が規定されました。いずれも質問・検査を具体化したもので、提示・提出、留置と進むにつれて、調査対象物件をより時間をかけて慎重に、深く検査をする手続と進むものであるといえると思います。

　数多い納税者に公平な税負担を求めるためには、可能な限り税務調査対象者を数多く選定しなければなりません。必然的に調査対象を広げるためには、１納税者当たりの調査日数を逆に少なくしなければ、それは難しくなってしまいます。

　そうした面から、納税者の帳簿書類等の証拠物件は、短時間で数多く確かめる手法であるべきであるはずとなります。そうなれば、物件を見て記帳等の正否を確かめるのは基本は提示であり、少し時間をかけて検討する場合に提出させるということになります。

　本来、臨場した実地調査の現場で必要証拠物件のすべてを検証して調査事務を終えるべきなのに、その中の一部を何らかの理由で役所に持ち帰るというのは、それだけの理由がなければならないこととなります。

　いうまでもなく、それらの物件の所有権は納税者にあり、何時必要となるかわかりませんので、長期にわたっての留置きはできません（通法令30の3②）。さらにまた、物件の紛失や情報の漏洩というリスクも伴いますので、なるべく避けるべき手続のはずです。

　これらを勘案すれば、自ら留置き物件は限られてくるはずであり、留置きの要求があれば、その必要性、合理性を十分に説明を受けるべきでしょう。恐らくは、その必要量が多く書き写せない、あるいは調査時間の臨場事業所と役所内での配分や、役所内での検証がどうしても必要等々をいうでしょうが、なぜ提出では駄目なのか提示・提出も併せ、弱腰でなく、毅然とした態度で対応すべきでしょう。

　何も偉そうにするのではありません。是々非々をはっきりするべきで、そのためにはあまり際どい申告等はしない、不正をしない正しい申告をすべきなのは当然のことです。

☆留置きの際とその後の注意

　このように、留置き対象物件は、納税者に所有権があります。何時必要となるかわかりませんし、特に過去の取引履歴や単価等を調べなければならない帳簿類等は、なければ困ることがありますので、何時でも返却を求められ

第３章　税務調査の質問・検査の対応ポイント

るようにしておかなければなりません。

　必ず預り証を入手することも忘れてはなりませんが、預り証をこちらが紛失しても大変です、慎重に保管しておく必要があります。

　それと、対象物件のみに留置きは限られるべきで、他の物件を付着させないことです。何かと他の物と一体になっていたり、ファイルされていたりしても、必要物件のみを外して渡すようにするべきでしょう。

　また、預り証には、詳細に、具体的に物件を記載させておくべきで、大量の物件を持ち帰られると紛失されてもうやむやになる危険もあり、注意しなければなりません。メリハリをはっきりと、要するに留置きのように他人の所有物を持ち帰るようなことには、厳しい態度で臨む心掛けで対応すべきです。

☆留置きの必要理由はあるか

　税務調査の手続は、帳簿書類について関係者に質問し、税務証拠物件の提示・提出を求め検査するとなっています（通法74の2①）。

　したがって、通常では、実地調査の場において物件を見て確かめることの繰返しが行われますが、重要な税務判断を要するような物件は、担当調査官の下に占有を移し、物件そのものの真偽から取引行為の適否等に至るまで、慎重に検討するものとされています。

　しかし、それが留置きとなれば、法律上の別個の規定でさらに国税の調査で必要があるときは、当該調査において提出された物件を、税務官署に留め置くことができるとされています（通法74の7）。

　したがって、留置きの手続は、税務証拠物件の提示を受けて、表面上を単に見て記録されている内容かどうかを確かめたり、提示された物件をより詳しく検討を加えるため、さらに、提示物件を調査官の手許に占有を移し確かめようとする手続が済んで、なお提示・提出では心証を得られない面を補強する必要性がある場合にのみ認められる、例外の特別調査手続となります。

　そうしたところからは、提示や提出では何が不足するのかの説明を求め、納得してからと順序的になりますが、法律上「必要があるときは提出された物件を留め置くことができる」と強行が可能な書き方となっています。十分な理由の開示を要求すべきですが、あまりそれなりの理由は乏しいはずです。

　通常考えられるのは、ボリュームが多くて書き写しやコピーが無理であったり、物件の改ざんが行われたりする危険がありそうなときに限られると思われ、持ち帰られても法人側に何ら支障を来たさない範囲の物件に限り、やむを得ないかと考えられます。

Q 36　提出物件の留置きを求められたときの対応は

| | Q37 | 経理担当者の机の中や自宅の金庫などの開示を求められたときの対応は |

Answer Point

★法人税の調査対象者は、法人、法人と取引関係のある者とされています。このことから、調査場所は法人の本店、管理部門の所在地、必要に応じて支店、工場となります。しかし、事業場のすべての人、物件が対象となるわけでもなく、基本的に応答者は代表者であり、細部については代表者と雇用関係にある従業員も、代表者の管理下での答弁も必要となります。

★ただ、任意調査では、税務職員に捜索権、立入権はないとされていて、従業員の机の中まで調べられるのかは疑問です。机の中を見なければならない合理的理由について十分に説明を求め、なおかつ調査官に自由に引出しの開け閉め等は認めず、担当者が取り出し、業務関係物件についてのみ説明させるようにすべきです。

★法人の本社と代表者の自宅等が同じ場合等は、自宅の中まで見ようとすることがあります。しかし、任意調査での法人税の調査は事業場に限られ、代表者宅や金庫は、法人の所有物である場合は別にして対象には入りません。この場合も、それが合理性のあることの十分な説明を求め、必要物件に限定し、従業員の机の中の場合と同様の提示の仕方に徹すべきと考えます。それより、個人の金庫に法人の書類等を保管しないことです。

☆質問・検査対象の人と場所は

　所得金額が課税標準である所得税や法人税では、税務調査の対象となる人について図表34のように定められています（通法74の2一、二）。

【図表34　質問・検査の対象となる人と場所】

所得税	イ）	所得税の納税義務がある者。 もしくは納税義務があると認められる者。 準確定申告書等を提出した者。
	ロ）	支払調書等の提出義務がある者。
	ハ）	イの納税義務がある者から金銭、物品の給付を受ける権利がある者。
法人税	イ）	法人。
	ロ）	法人に対し金銭の支払、物品の譲渡する義務のある者、またはその権利があると認められる者。

116　　第3章　税務調査の質問・検査の対応ポイント

また、実地調査の場所については、特に規定はありませんが、納税義務者の事業場、法人であれば通常は本社か管理部門の所在地であり、必要に応じて工場、支店等に出向くこともあります。この辺は、納税者の了解の上で、課税官庁の合理性ある判断によることとなっています。

☆事業場内外すべての人や物件が対象となり得るか

　Q28で説明したように、所得税の納税義務者や法人税の場合の代表者は、当然、質問・検査に応じる必要がありますが、従業員の場合は、法人、正しくは経営者たる役員から雇用されているわけですから、代表者の承認の下に業務の範囲内の説明を求められれば答える必要があります。

　そうなれば、従業員である経理担当者には特に立場上かなりの面で質問・検査が行われるのは仕方がないところです。しかし、応答の範囲は、あくまでも担当業務の内容であり、重要な判断や経営面のことは範囲外となります。

　そこで、机の中を見せるかどうかですが、任意調査における担当税務職員に捜索権や立入権がないことは既に記してきたとおりです。かといって、そのことを理由に拒否を続けてもギクシャクしてしまい、その後の対役所関係において必ずしも有利になるとも思われません。

　ただ、机の中まで見るというのは捜索に近いものなので、通常の調査手法の限界を超えています。そこで、なぜそうしなければならないのか、机の中に不正をした証拠となる帳票が存在しているから等の説明をさせる必要があります。

　調査官は、恐らく、何もやましいものが入っていないのなら見せられるはず、あるいは会社の机やロッカーに私物は入れられないはずだから見てもよいというでしょうが、論理が逆転しているような感がします。

　机の中を見るだけの合理的理由、経理担当者のメモ帳や手帳に他の帳簿に記帳される取引等の経過が書かれている可能性がある、あるいは記帳までの下書きやインプット資料等があるようだ等、十分に説明をさせ、なお、それでも見せる際には、丸投げ的に調査官が自由に開け閉めすることを許さず、経理担当者が取り出し、業務無関係品はその説明をして開示しないようにし、関係書類のみそれだけを提示、または提出するようにすべきであると思われます。

　その場面で代理人税理士が立ち会っている場合には、税理士がまず手に取って確かめ、それを調査官に提示するような手順を踏むのも1つの応じ方です。

Q37　経理担当者の机の中や自宅の金庫等の開示を求められたときの対応は

117

【図表35　机の中等を見せるときの流れ】

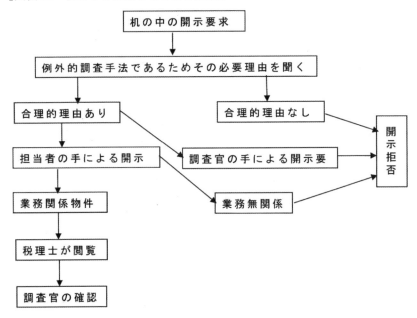

☆自宅の金庫の場合

　事業場外に所在する代表者宅の金庫は、基本的には法人には関係のない場所であり物品です。

　したがって、事業場内の従業員の机、ロッカーと異なり、見せなければならない物件からは外れます。一方的な開示要求は捜索に当たると思われます。

　法人では、通常、契約書やその他の重要文書を法人のロッカーや机の引出しに保管していると、盗難、紛失等の事故リスクを考え、代表者個人の自宅に持ち帰っておくことがあります。

　そうしたところから、調査進行中に契約書等の閲覧を要求され、自宅に取りに帰ったりすると邪魔くさいからそこへ行かせてもらう等と言って、金庫を覗きに行くことがよくあります。1度これを許すと、関係あるなしにかかわらず個人の㊙文書まですべて全部見せてしまうこととなり、調査官はおろか、その場に居合わせることになった税理士や従業員、家族にまで見せては具合の悪いものが出てきたりします。

　ただし、自宅で使用している金庫が法人の所有物であったりした場合は、拒否をし続けるわけにはいきませんが、できるならそうした理由で見せないのが望ましいのです。

Q38 社長などの個人情報の提供を求められたときの対応は

Answer Point

★法人税の調査においては、法人業務と関係のないことは答える必要はありません。ただし、中小企業では、個人資産も法人資産も業務上使用したり、親族が関係していることが多く、個人的な事情も説明してしまうこともあります。

★個人情報も、中小企業では法人業務に関連することも多く、必要に応じての説明もやむなしとなります。ただし、調査開始冒頭で聞かれるまますべての個人情報を明らかにする必要はなく、よけいなことは喋らないのが鉄則です。

★調査官は、既に個人情報も入手してきていることも多く、表面的にオープンになっている部分については、それが不利に働くことがない限り積極的開示でなくとも、法人内での㊙事項的な部分以外は、差支えのない範囲で答えてもよいと考えられます。

☆法人の業務と社長の個人情報

　個人事業者は、税法上、日常の経済行為は消費生活行為をしていると見ていて、事業等による経済行動部分のみを取り出して収支計算をし、種類ごとの所得を計算する考え方をしています。したがって、個人情報の多くは、所得計算と関係があり、税務調査ではかなり開示することになると考えられます。

　しかし、法人で事業をしている場合、法人の業務と個人の生活とは一線を引いて区別されていることになっています。税務調査においても、法人業務と直接関係のない面は経営者の個人情報となり、安易、無差別に開示することはありません。最近は、個人情報保護がやかましく云われる時代になり、官、民問わず厳重に取り扱われ出しました。

　中小企業の場合は、個人事業者と経営手法は変わらないところから、親族が事業に関係していることも多く、個人資産も法人資産もすべて一緒くたで使用しながらの経営形態が大半で、何が個人情報か明確でないところもあります。

☆税務調査での個人情報はどこまで開示

　税務調査の実務では、よく臨場間もなく、代表者の家族構成や家系図的な

Q38　社長などの個人情報の提供を求められたときの対応は　119

情報を聞かれたり、調査表に記入を求められたりすることがあります。

　また、代表者個人の金融機関取引情報、不動産の所有状態、さらに個人の生立ちや経歴、諸団体の役職、その他の交友関係等の質問を受けたりもします。

　いうまでもなく、家族構成等や金融機関取引状況から家族名義の預貯金を調べ上げ、不当な、不審な預金を洗い出し、表面的調査手続では発見し難い脱漏所得を手軽に摑み出そうとする目的だからです。

　その他の個人情報もすべて金融取引との関連、法人、個人の資金移動等に異常な変化があれば関連づけて、帳簿や関係書類で発見されない不正を見つけるための1つの手法です。

　では一体、個人情報をどこまで開示すべきか考えてみることにします。

　前述のように、中小企業では、個人資産も家族もすべて法人業務に関係していることが多く、法人と個人とを完全に線を引いて分けていることはむしろ少ないと思われ、税務調査の進捗により、それらはある程度聞かれなくても判明して来ることが多いのは、やむを得ないところです。

　しかし、税務調査の開始直後に、聞かれるままにすべての個人情報を明らかにすることもまた必要はないかと思われます。

☆質問・検査の必要上に限られるが原則

　税務調査の開始直後から、広い範囲の個人情報をすべて調査官が収集するのは警察の取調べのような、洗いざらい調べ上げて不正を発見する手法に似たように思われます。

　調査の進行に従って、関連するやりとりで、個人情報的な面の説明となることもあります。そうしたときには必要な範囲で個人情報を開示することもやむを得ないでしょう。

　社長個人の調査対象法人からの役員報酬以外の他の所得の有無、金額、個人資産の運用や利用状況、もちろん金融機関取引、他に経営する法人があれば、その状況等すべて調査対象法人との関係で関連した部分の説明はしなければなりませんが、ことさらこちらからよけいななことをいうこともありません。

　税務調査着手前に既にそうした資料は回付されていたり、調査官が収集してきていることもあります。また、金融機関は、国税庁との協議で、要求があればすべてを見せることとしているようですし、社長を兼ねている他の法人の経営内容や個人所得等は、税務署内部で調べることは可能で、要求を拒否しても、ある程度の情報は知り得ていると考えられます。したがって、表

面的にそうしてオープンになっている部分は、開示しても特に不利になることもないと思われます。

　中には、個人の経歴、各界での業績等、どこで収集したのかと思えるようなものを出してこられるようなケースもあり、拒んでもわかっていることもあります。しかし、積極的に開示することは避けるべきですし、必要理由を聞いて納得してからにすべきです。

☆個人情報質問の狙いは

　法人税調査で、個人情報まで突っ込んでしつこく聞いてくるのは、相手が資料を持って来ているからです。

　個人的に、不動産や金融資産を動かしていたりしているからで、その資金の動きを追っていけば、何か法人業務に関連した収入、あるいは個人の一時、雑所得に申告すべきもの、さらには他の誰かの所得の申告漏れに繋がっていたりするからです。

　事業者は、金儲け的なことは何でも好き、興味ありのことが多く、証券投資、その他の資産運用、流行りの金融商品に秘かに手を出していることもよくあります。もちろん、法人でも個人でも同一金融機関相手に、しかも同一種類の金融資産を運用していたりします。余計なことですが、損をしていることも多いようです。

　問題は、このときに損失は法人で、利益は個人側へ取り込むといった始末の仕方をしたいところがある点です。今日の証券業務の事務は、各種税務資料提出義務が課せられていたりするところから、後づくりで損と利益を個人、法人で使い分けるのは難しいはずですが、あえて仮装して損と益を使い分けしたりする人もいます。

　また、個人で誰かと組んで裏金融で小遣い稼ぎのこともあったり、法人の取引先の役員へ資金を融通することもあります。

　これらは、すべて個人のサイドビジネスのはずですが、やはり利益は個人に、法人へは損失取引のみ持ち込んだりする人もいます。調査官は、遠回しに金融機関名等を言って、取引の有無を聞いたりすることもあります。個人的運用取引があると睨んでかかるのですが、全容がわからず、できたらすべてを白状させたいところから、不明部分を聞き出そうとしているのです。

　個人所得、あるいは法人収入とすべきものは当初から取り込んでハッキリしておくべきですが、相手が持っている資料の範囲は修正申告に入れて、調査の終結へ進むべきでしょう。

Q 38　社長などの個人情報の提供を求められたときの対応は

Q39 電子帳簿のときの対応は

Answer Point

★電子帳簿とは、会計ソフトなどで電子的に作成・保存した帳簿や国税関係書類を電子データのまま保存されたもの、紙で受領・作成した書類のスキャンした画像データ、電子取引の取引情報のデータが該当します。

★令和5年12月31日までに行う電子取引データについては、保存すべき電子データを書面等にプリントアウトして保存し、税務調査等の際に提示・提出できるようにしていれば差し支えありませんが、令和6年1月からは、保存要件に従った電子データの保存が必要となります。

★電子帳簿等保存を採用した場合、その他の帳簿では、税務調査でダウンロードの求めに応じる必要がありますし、優良な帳簿であっても不備が見つかればデータ提出を強制されることが考えられます。

★今のところ、国税局や税務署での電子帳簿専門の取扱い部門はなく、通常の調査部門が担当しています。通常は、紙方式の帳簿検査と同様、必要な部分を選んでパソコン画面や、プリントアウトした帳票を見てのやり方となっているようです。

★法人のコンピュータ担当者も税務調査の法的知識の理解をしておくことが必要です。調査忌避とならないようにはすべきですが、自由に操作を認めるのは避けるべきでしょう。

★帳簿書類のファイリングや保管コストの削減のために電子帳簿等保存を採用するかどうか考えている法人は、自社の会計システムの整備運用状況が税務調査で対応可能であるかを十分検討してみることが必要です。

☆電子帳簿と紙の帳簿

そもそも、個人事業者の所得税の申告や法人税の申告には、その所得金額の計算の基礎となる決算書類が必要です。そして決算書類を作成する為には、会計帳簿による記帳計算がその前提となります。

法的には、会社法では適時に正確な会計帳簿を作成し、10年間はその保存を義務づけています。税法上も一般に公正妥当な会計処理の基準に従って計算するものであること、そして具体的な帳簿書類の備付けと7年間の保存の義務づけがされています。

第3章　税務調査の質問・検査の対応ポイント

ここでの帳簿とは、文言からは伝統的な紙製の帳簿への手書きが想定されますが、今日ではすべて手書きの帳簿方式の企業は珍しく、ほとんどがパソコンから打ち出された帳票であろうと推定されます。

紙に打ち出して帳簿を保存するとなると、少し企業規模が大きくなると、かなりの分量となってきます。納税者の帳簿書類の保存の負担軽減を図るために、記録段階からコンピュータ処理によっている国税関係の帳簿書類については、電子データ等により保存することを認めることが必要であるとして、平成10年に磁気的方式による帳簿方式が認められることとなりました。

☆電子取引データの保存

電子帳簿保存法の区分は、図表36のとおり3つに区分されます。

【図表36　電子帳簿保存法の区分】

区分	内容	具体例
①電子帳簿等保存	電子的に作成した帳簿・書類をデータのまま保存	会計ソフト等で電子的に作成した帳簿 電子的に作成した国税関係書類
②スキャナ保存	紙で受領・作成した書類を画像データで保存	請求書や領収証などをスキャン・読み取りしたもの
③電子取引	電子的に授受した取引情報をデータで保存	電子メールで授受したリネットからダウンロードして取引情報

令和3年度税制改正により、①電子帳簿等保存、及び②スキャナ保存は任意ですが、③電子取引については強制されることとなり、電子的に授受した取引データについては、データで保存しておくことが必要となりました。

この改正への対応は、当初は令和4年1月からとされていましたが、2年間の猶予期間が与えられました。令和5年12月31日までに行う電子取引データについては、保存すべき電子データを書面等にプリントアウトして保存し、税務調査等の際に提示・提出できるようにしていれば差し支えないということですが、令和6年1月からは、図表37の要件を満たした形で電子データの保存が必要となります。

これは、法人の規模に限らず、すべての法人が対象となります。法人税のみならず個人所得税に関しても帳簿書類の保存義務がある納税者は全て対応する必要があります。

Q 39　電子帳簿のときの対応は

【図表37 電磁的記録による区分】

要件	具体的な方法
①改ざん防止のための措置をとる	タイムスタンプ付与や履歴の残るシステムで授受・保管する。 改ざん防止のための事務処理規程を定めて守る。
②日付・金額・取引先で検索できるようにする	専用システムを導入する。 索引簿を導入する。 規則的なファイル名を設定する。
③ディスプレイ・プリンタ等を備え付ける	―

☆電子取引データ保存不備による青色申告の取消し

　電子取引の情報をデータ保存することが強制されることについて、令和3年7月に公表された「電子帳簿保存法一問一答【電子取引関係】」問42で、「電子取引の取引情報に係る電磁的記録については、その電磁的記録を出力した書面等による保存をもって、当該電磁的記録の保存に代えることはできません。したがって、災害等による事情がなく、その電磁的記録が保存要件に従って保存されていない場合は、青色申告の承認の取消対象となり得ます。」というQ&Aにより、電子取引をデータ保管しなければ青色申告が取り消されるのではないかという不安が、納税者や税理士の間で広まりました。

　これに対し、国税庁から「お問い合わせの多いご質問」（令和3年11月）に対する回答として、「その取引が正しく記帳されて申告にも反映されており、保存すべき取引情報の内容が書面を含む電子データ以外から確認できるような場合には、それ以外の特段の事由が無いにも関わらず、直ちに青色申告の承認が取り消されたり、金銭の支出がなかったものと判断されたりするものではありません。」と説明があり、しばらくは書面による保存も容認されるようです。

　ただし、いつまでも書面による保存が容認されるとは限りません。中小企業においても、電子取引のデータ保存に取り組む必要があるでしょう。

　なお、青色申告を取り消すと言われたときの対応については、Q131で詳しく説明しています。

☆優良な電子帳簿とその他の電子帳簿

　中小企業等でも電子的に帳簿作成している企業が多くなっていることから、令和3年税制改正で、要件を緩和して、一定の要件を満たす場合には電子帳簿として電子データのまま保存できることとなりました。

　従来の要件を満たす電子帳簿は「優良な電子帳簿」とされ、緩和された要件を満たしている電子帳簿は「その他の電子帳簿」と区別されています。優良な電子帳簿とその他の電子帳簿の違いは、図表38のとおりです。

【図表38　優良な電子帳簿とその他の電子帳簿の違い】

要　　件	優良な電子帳簿	その他の電子帳簿
訂正・削除の履歴が確認できる	○	―
帳簿相互間の関連性が確認できる	○	―
システム関係書類等を備え付けている	○	○
ディスプレイ・プリンタの備え付けている	○	○
検索機能が確保されている	○	―
税務調査でダウンロードの求めに応じる	―	○

　なお、優良な電子帳簿の適用を事前に届け出ることによって、申告漏れなどが発生し修正申告があったときに、過少申告加算税が5％軽減できるという措置があります。

☆電子記録のダウンロードの求めに応じなければならない場合

　その他の電子帳簿の場合、図表38の最下段のとおり、税務署員の質問検査権に基づく電磁記録のダウンロードの求めに応じることができるようにしていることが要件とされています。

　また、「電子帳簿保存法取扱通達の制定について」（法令解釈通達）によると、優良な電子帳簿と届け出ていても調査の過程で「その他の電子帳簿」にあたると判断された場合には、ダウンロードの求めに応じ、税務職員の求めた状態で提出する必要があるとされています。

☆紙帳簿と税務調査の異同

　今後電子帳簿等保存の利用者の増加が見込まれ、国税局・税務署もそれなりの方策を講じているものと思われます。しかし今のところ、それなりの専門官はいるようですが、電子帳簿担当部門は設置されているように見られません。電子帳簿によっているからとしても、コンピュータ屋的調査官が来て

Q 39　電子帳簿のときの対応は　　125

特別に厳しい調査方法がとられるといったことはなく、心配する必要はないと考えられます。

　帳簿記録はパソコン処理するとしても、取引契約から商品の受渡し、代金決済まで何も機械が取って代わって自動的にする訳でなく、人間の意思に基づいて経済行為が行われます。このことから、電子帳簿だから特別の調査手法があるとか、対応が難しいとかの留意点はありません。

　一般論でいえば、紙への印字や手書きがなく、すべてコンピュータ内に収められていますので、調査官としては必要な部分を選んでパソコン画面、あるいは紙にプリントアウトさせて見るしか仕方がありません。帳票類の一覧性が乏しく、調べる側からは厄介で手数を要するものだろうと思われます。紙の帳簿のように1冊にファイルされていたり、年度別、月次別にまとめていたりすれば、1冊すべてを提示してしまうことも多いです。電子帳簿では部分的に提示するだけですので、調査範囲が狭められ、楽に働く面もあり得ます。

　一方で、電子帳簿保存法では、電子化した帳簿と紐づけした資料を相互に確認できるようにすることが保存要件となっています。帳簿間の照合作業、帳簿と原始資料と紐づけが効率的に進められ、調査の時短につながります。さらに、要件として検索要件を備えていることも求められています。適切な検索条件によって、問題の潜んでいそうな取引を抽出することが可能となるものと思われます。紙帳簿であればそれなりの時間を要する帳簿間の照合や帳簿と証憑書類との照合、取引の抽出が短時間で確実に行われ、本格的な調査に多くの時間を割けるようになり、調査の範囲が広がるというようにも思われます。

　結局は、調査担当者の能力によるもので、紙帳簿・電子帳簿の有利・不利ということではないと思われます。

☆電子帳簿等保存を導入している法人の調査準備や調査対応

　ここでは、電子帳簿等保存を導入している法人において、通常の調査対応とは異なる、特に準備が必要となる事項を取り上げてみます。

　まず、電子帳簿の要件を満たしているかどうかの調査を受けることになると思われます。備付けを求められているシステム関係書類等（システム概要書、システム仕様書、操作説明書、事務処理マニュアル等）が整備され、最新の状態になっているかを確認しておきます。

　調査を受ける場所に、パソコンやプリンタの設置が求められます。経理担当者のパソコンは、メールも含め調査が余計な範囲に及ぶのを防ぐため、利

用しないほうが無難です。普段使っていない予備のパソコンがあれば、税務調査に関連する会計帳簿や会計書類に必要なソフトやサーバーにアクセスできるだけの権限を設定し、調査用パソコンとして用意しておくことが望ましいです。調査に関連しない営業や研究開発など㊙情報が漏洩したり、誤ってデータが変更されたり削除されたりする危険を回避するためです。

　調査の現場では、法人の利用している会計システムと会計サブシステム（固定資産関連、給与関連など）および営業系システム（売上、仕入、在庫など）の関連性や各システムの仕様など、備付けのシステム関連書類に基づいてシステムの概要を説明することになると思われます。

　税務調査に慣れた経理担当者がシステムについて理解していれば説明できるでしょうが、経理担当者では不十分な場合、システム担当者や各システムを導入・運用している部門の担当者が対応しなければならない可能性もあります。税務調査に慣れていない担当者が調査に不要な情報やデータを提供し、余計な範囲に調査が広がらないように、応対する担当者とは事前に打ち合わせを行っておくことが必要です。

　調査現場では、調査官にパソコンを貸与して自由に閲覧してもらい、経理担当者は日常業務を実施するという対応も考えられます。ただし、アクセス権を制限しているとはいえ、データを自由に操作されることに抵抗があれば、調査官の求めに応じて経理担当者等がパソコンを操作し、必要な情報をパソコンやモニター上で表示して見せるといった対応をすることができます。

☆電子帳簿等保存を導入するかどうかの検討

　電子的に帳簿書類を保管することができれば、プリントアウト、ファイリング、保管に要するコストと手間がかからなくなりますし、わざわざ古い資料を倉庫まで取りに行かなくても検索機能を生かして簡単に取り出すことができます。電子データ保存は、コストと利便性の面から非常に魅力的です。

　ただ、中小企業であれば、帳簿書類の量もまだ紙ベースで保存可能かと思われます。何年かに１度あるかないかの調査ですので、倉庫から帳簿や書類を取り寄せて、求められた資料を提示するといった対応も、過度の負担にはならないように思われます。

　先に述べたように、電子帳簿等保存をとった場合、データ提出を強制されることが考えられます。現時点では、安易に電子データによる保存を採用することは避け、適切にプリントアウトした帳簿や紙原本を保存するのが適当だと思われます。

Q 39　電子帳簿のときの対応は

	Q40	自発的な見直しを 求められたときの対応は

Answer Point

★税務調査手続が税法上明記され、何かと準備、終了の手続に時間を割かねばならず、調査法人件数が減ってきているやに感じられます。そうしたところから、質問・検査をしない税務調査や行政指導としての、申告書の見直しをされるケースが増えているようです。

★申告書の見直しは、少々の不審点がある程度判明している申告書については、少し電話連絡等で指摘すれば、それを放置すれば実地調査があるだろうと予感させる点で効果があります。また、小口で件数が多くなりそうな棚卸漏れや、売上の繰下げ等が実地調査上散見されれば、同様に見直し要求をしたほうが効率的として、以前から税理士辺りへ依頼してきました。

★見直しは、申告書の明らかなミスや矛盾点、収集資料との不符合、添付資料不備、実地調査中で手数を要する少額多量の検査項目等となります。それら以外のこともありますが、内容点検を納税義務者側へ任せているわけですから、想定金額と大幅に異ならない限りそれで終了のはずです。再度調査官が調べることはないと考えられます。

☆提出した申告書の見直しパターン

　以前から、税務調査では、既に提出した申告の見直しを求められるケースがよくありました。最近では、それに税務調査手続が具体的に税法上事前通知内容から調査終了手続に至るまで明記され、法律の規定に従った厳格な運用を期そうとするところから、調査着手前後を含め、かなり時間を割かなければならず、職員1人当たりの調査件数が減って来ています（Q5参照）。

　そのため、どうしても国税庁の運営方針として、収集した各種資料数を多用し、それを基に行政指導として見直させることも増えてきているようです。

　したがって、見直しといっても質的には様々で、分類してみれば図表39のようになります。

【図表39　申告書の見直しが求められるケース】

見直し事項	性質	処理手続等	加算税
① 完全な申告書上の誤り	質問・検査を	修正申告書の	自発的修正申告。

第3章　税務調査の質問・検査の対応ポイント

の指摘（電話または文書）	しない。	提出	過少申告加算税なし。
	税務調査および行政指導。	更正の請求（過大申告となった場合）	—
②　各種資料、明細書、計算書等の不符合からの照会（電話または文書）	同上	同上	なし
③　添付書類不備、粗雑等による見直し（文書が多い）	行政指導。	修正申告書の提出	なし
④　実地調査時の調査項目の一部不符合部分について詳細計算の見直し（担当調査官の依頼）	質問・検査を伴う税務調査。	修正申告書の提出	過少申告加算税が賦課される。

☆見直し要求の意図は

　税務調査を税務職員が臨場して行う実地調査のみと狭義に解すれば、図表39のように見直しは、性質的には行政指導といえるものも含まれます。

　しかし、税法上、調査と質問・検査は別のものと規定されているところから、単なる電話や文書による指摘も調査の一種で、単に質問・検査を伴わない調査ということに正確にいえばなると思われます。

　前述のように税務調査のより効率化を図る目的から、少々こうした不審点のある申告については、あえて実地調査に回すことなく、自発的見直し修正を行わせしめることで、同程度の効果を挙げようとする手法といえます。

　見直し要求を放置すれば、後々は実地調査にやってくるだろうと納税者側に一種の恐怖を与えることになる面や、あるいは現実に指摘事項はまずそのとおりのことが多く加算税を免れるメリットもあり、当然に修正申告をしてくるだろうとの読みが繋がっています。

　また、実地調査中に期末棚卸や売上の繰下げの検証等で誤りが比較的多く見られて、調査予定時間からとても全部の検査が無理かも知れないとなったとき、税理士に全部自発的見直しを依頼しますが、効率的に質問・検査を終了しようとのことで多少甘くなる結果となっても、やむを得ないとして任せてくるものと考えられます。

☆見直し結果はどの範囲まで

　見直しを要求されるケースも種々あることは説明したとおりですが、すべ

Q 40　自発的な見直しを求められたときの対応は

てがワンパターンで対応できるわけではありません。ケースにより、どの程度まで掘り下げて調べるか、指摘点のみで修正計算をすればよいのか幅があると考えられます。

【図表40　見直しの範囲・程度】

ケース	手順	見直し内容
①　申告書上の誤り等	具体的な検討項目の問題点の説明を十分に受けポイントを把握。	表面的な記入誤り点すべてを訂正し、申告書、計算書、明細書を完全なものにする。 　その他の部分の見直しは言われない限り必要なし。
②　各種収集資料との不符合等	見直しの根拠となったそれぞれの資料等を質問し、それらの関連する取引資料の照会を行う。誤資料からのものがないかも確かめておく。	指摘項目に関連する面は全面的に修正が必要。 　非関連事項は見る必要はない。
③　添付資料不備等	個人の所得税に最近比較的多い収支計算明細書添付なしまたはラウンドナンバーでの記入等。	当初から粗い計算によっていたためと考えられ、精緻なものに訂正する。 　必ずしも増差所得金額が多くなるとも限らないこともある。
④　実地調査中の一部項目の点検	該当項目について誤りが起こりやすい対象期間等を、ある程度協議決定するが、範囲は成行き的に任されるよう依頼。	点検しても不詳個所等は当然にあり得る。同種多量の保有、反復取引等はファジーで仕方がない。

　必ずしも図表40のようなことばかりではないことも多いと思われますが、見直しとは納税者側に内容点検は任されているわけですから、指摘項目は想定しているだろう金額、内容の修正は必要ですが、完璧なものに何もしなくても非関連となる点等は見直しから外しても、再度改めて実地調査が行われることはまずないと考えてもよいと思います。

　結局は、調査官側にしてみれば、調査事績としては金額的に大したことにならない点については、時間を割いている余裕がないところから、こちら側に振ってきているわけです。その辺の狙いをよく判断することが肝心で、真面目な税理士事務所職員が必要以上に手間をかけて、たな卸漏れ、売上の期ズレ等を期末前後全取引を照合したりして喜び勇んですべて合わせました、これだけ漏れていましたと先走って、相手調査官に報告してしまうようなケースもあったりしたことがありますが、何を考えているかといいたいところです。

130　　第3章　税務調査の質問・検査の対応ポイント

第4章

税理士との連携ポイント

Q41 税務調査での税理士の役割は

Answer Point

★税理士の業務は、税務代理等の独占業務、財務書類の作成等、付随関連業務がありますが、税務調査に立ち会う税務代理業務は最も重要な業務です。税務調査時に立ち会い、申告内容の応答をしなければ何の役にも立ちません。

★税理士法では、「税務官公署の調査に対し、税務官公署に対してする主張につき代理する」となっていて、申告内容に限って質問に応答するとなっています。しかし、実務では、全面的に納税者の代理折衝を行い、最終の修正金額もすべて任されているのが実情です。

★税務調査においては、調査日時の調整、臨場調査の立会い、問題点の事情説明、証拠の提示、調査終了時のポイント整理、修正申告または更正の受否等、最終処理協議について常に納税者を護る姿勢をもって代理、対処します。

☆税理士の仕事は

税理士の業務は、図表41のように定められています（税理士法2①一、二、三、② 2の2）。

【図表41　税理士の仕事】

	業務の分類	内容
独占業務	①税務代理	租税に関する申告、申請、請求、不服申立ての代理。
	②税務書類の作成	上記書類の作成。
	③税務相談	①、②の相談。
非独占業務	①財務書類の作成 　記帳代行 　財務に関する事務	記帳決算の代行。
	②税務訴訟の補佐人	訴訟争点等の意見陳述等。

図表41が税理士の業務領域ですが、この中で税務訴訟の補佐人業務以外は、多くの場合、その他がほとんど入り混じった状態で税理士の仕事として

132　第4章　税理士との連携ポイント

行われています。このほか、もちろんコンサルティング業務もありますが、例えば、資産税コンサルティングのようなものは別にして、一般コンサルは税理士としての固有仕事からは外れると考えられます。

この中で、まず最初に掲げられている税務代理こそが本書の目的である、税務調査での税理士立会いの最たるものといえます。

申告書の代理権限証書を提出しても、申告書に税理士が自署押印していても、納税者側から見れば肝心の税務調査時に立会いし、代理して申告内容について応答してもらわなければ、何の役にも立たない不要人種となってしまいます。

☆代理の範囲は

税務代理とは、税理士法では、「税務官公署に対する租税に関する申告につき、税務官公署の調査に関し税務官公署に対してする主張につき、代理すること」となっています（税理士法2①）。

つまり、何でもかんでもお任せしますからと、納税者から任されて税務調査での調査官の質問に対しすべて代わって答えるものでなく、申告内容についての見解や意見を述べることになっています。

弁護士の受任の場合のように、本人に代わってすべてを代理して質問に応答し、最終的な決済内容も任されているのとは異なります。

税務調査の場合、終了時で修正申告内容を税務署と協議決定するようなことは現実には行われているようですが、本来はそこまでの権限は有していないと解されているようです。

正確にはそうなりますが、現実問題として、大半の依頼納税者は税務に関しては素人です。答弁如何による有利、不利の判断は無理ですし、実務経験から税務行政にも通じている税理士に全面的に代わって折衝、答弁をしてもらわないと、申告内容についてのみ答えたり、主張したりする代理ではまるで他人事のようで、無責任も好いところとなります。

納税者の権利侵害がないよう、根拠の乏しいような否認内容の修正申告の勧奨等があっても安易に応じるのではなく、依頼納税者ともども納得するところまで徹底して説明を求め、場合によっては更正やむなしくらいの強力な援護をするのが、税理士業務の本質ではと筆者は理解しています。

☆税務調査での税理士は

Q32で説明したとおり、改正された国税通則法では、税務調査の事前通

Q41　税務調査での税理士の役割は

知が規定されましたが、改正当初は納税者と代理人税理士の双方に通知するようになっていました。しかし、それであまりにも不便であるところから、税務調査通知に関して同意する旨を記した税務代理権限証書を提出している税理士がいる場合は、その税理士宛に事前通知を行えばよいこととされました（通法74の9③二⑤）。

そうした場合の税務調査の進行は、およそ図表42のようになるのではと思われます。

【図表42 税務調査の進行】

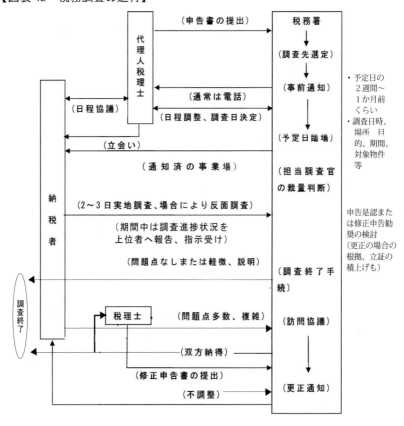

図表42のように、税理士はすべての局面で必ず関係し、日程調整から調査現場でのやりとり、物件の提示、提出、留置きでのアドバイス、調査終了時での最終処理についての意見開陳等には重要な役割を担っています。事前通知から調査終了まで息を抜くことなく、精力的に依頼納税者を護る姿勢で対処する事を心掛けなければなりません。

第4章 税理士との連携ポイント

Q42 税理士との連携はどうやればいい

Answer Point

★通常の顧問契約を交わしている税理士は、依頼企業との関係は密にし、事業経営面の事情、財務と税務の詳しい過去と現状、代表者個人の経歴等、情報を熟知しておかなければなりません。

★依頼者と税理士は、絶えず一枚岩になっておくことが重要です。税務調査では、調査官が強硬な税理士だと感じていたりすれば、税理士不在時に代表者に税理士の悪口を言ってまけてやるから修正申告に応じるようにと迫ったりすることがあったりします。席を外さないようにすべきです。

★税理士も、代表者や役員親族の性格的な面の非難を調査官にしてはいけません。そこに付け込み、強烈なお灸を据えるべく、本来、修正追徴税は軽減させる立場の税理士に、役所側に加担させてしまう危険があります。依頼者の裏面には税理士は目をつぶるべきです。

★依頼者も、気の合わない税理士では所詮長続きはしません。税理士にも出身経歴や事務所運営方針に様々な型があり、千差万別です。どんな税理士を選任するかも大事なこととなります。

☆税理士の知っておくべきことは

　Ｑ41のように、税理士は何から何まで依頼納税者に代わって税務調査時に質問検査すべて応答を任されているわけではありません。しかし、少しでも不利な取扱いを受けないよう注意して行動すべきことは、いうまでもないところです。

　税理士に頼むのは、大概の場合、単に顧問報酬や記帳代行料金が安いからとかの表面的なことや経営者の業務上のことだけでなく、個人的な懐勘定まですべてを曝け出して相談し、経営面等でアドバイスを受けなければならないところから、誰かの紹介を通じて信頼のできる人を選んでいると考えられます。

　このことから、逆に受任した税理士側としては、ある程度依頼者の人となりを知っておかなければ息が合わないこととなります。

　したがって、図表43のようなことは、日頃から頭の中に当然置いておくべきかと思われます。

Q42　税理士との連携はどうやればいい　135

【図表 43　税理士が知っておくべきこと】

区分	関与項目	内容
依頼対象関連項目	事業経営面	・事業の沿革 ・代表者経歴 ・代表者家族構成 ・最近の業況 ・事業の展望 ・事業承継者の有無 ・組織内トラブルの有無
	税務関係	・金融機関との関係　預貯金、借入金 ・資金繰り状況 ・株主構成の現況　過年度からの変遷 ・過年度の申告実績 ・繰越欠損金の存否、金額 ・過年度調査結果 ・最近の決算政策 ・最近の決算所得金額の調整の有無、項目
業務非関連項目	依頼人個人	・略歴 ・健康状態 ・性格関係等 ・資金計数面の感覚 ・本人、親族の資産状態 ・本人、親族の資金とその管理状況 ・個人的系争関係 ・重要問題解決事項の有無 ・公職その他の役職就任等

　ただし、これらは、すべて職員数人くらいの標準的規模の税理士事務所のケースで、職員数何百人の大規模形態の事務所では、所長税理士がこんなことをできるはずはありません。担当職員と、その上司たる統括税理士の守備範囲となるでしょう。

☆依頼納税者と税理士は一枚岩

　税理士は、前述のような予備知識を有していて欲しいと思われますが、これは依頼者の多方面の情報を共有していることで、税務以外の相談事項のアドバイスを含め、依頼者のある程度生き方をサポートしていくという、サービス業としての機能を果たす意味もあると思うからです。

　なぜそうなのかといえば、税務調査では、納税者と税理士は強い一枚岩でなければ、油断すると調査官に付け入れられる危険がなきにしもあらずだからです。

136　第4章　税理士との連携ポイント

立場を代えて自分が調査官で少しでも調査事績を上げたいとすれば、なかなか完全に否認項目とその理由づけが税理士の反論で難しい場合、税務には素人の納税者を理屈にならない理屈で落とすのも人情としてなりやすいものです。

　調査官は、よく税務調査進行中に税理士が席を外したり、不在中にその税理士の悪口を言います。税理士の処理は少し疑義がある、あるいはこうしておけばもっと得をしたはずとか、あんな人に頼んでいたら損をする等々で、納税者に信頼感を落とすように仕向けます。そうしておいて、だから今回、貴方のほうのこの件については本来不正と看做すべきだが、誤びゅうということで少しまけておいてやるから、これだけ追徴税金を払って欲しいといい含め、税理士には本人が納得しているから修正申告をしてくれ等と強引に進めたりすることもあります。

　納税者と税理士は、互いに不在中に相手の悪口や愚痴をこぼしてはなりません。税理士の側も帳簿記帳、帳票保管が杜撰だと指摘されても責任の一端は指導不足にあるのですから、併せて非難するのではなく、今後指導を徹底することを強調し、付け入れられる隙を見せないことが最重要なところです。

☆依頼納税者の嫌な面は目をつぶる

　依頼を受けた税理士としての予備知識として少し細々としたことを先に記しましたが、依頼納税者の性格、例えばズルい、ケチ臭い、経営感覚が低い、気遣いをしない等々、人にはいろいろな、あまり誉められないような癖の持ち合わせがあります。

　常日頃、そのことを嫌だと思っていると何かの機会に口に出したり、態度に表れたりするものです。税務調査時に問題事項が出てきて、納税者本人の性格や考え方も多少起因しているようなケースで、ここぞとばかり依頼者の悪口雑言を吐きまくる類の言動は絶対慎むべきです。調査官はここぞとばかり税理士を引っ張り込み、こらしめにお灸を据えるべく、本来、修正申告額があった場合、軽減の方途を考えるのが筋でありながら、役所側に加担してしまったりし兼ねません。

　世の中にはいろんな人がいます。完全無欠な人間は存在しないと考えていなければ今日の税理士業はできないと思うべきで、依頼者の裏面には目をつぶる必要があります。

☆納税者側からの税理士選び

　税理士の出身はまちまちで、業務の仕方もいく通りかのパターンがありま

Q 42　税理士との連携はどうやればいい　　137

す。分類すれば、図表 44 のとおりです。

【図表 44　税理士の実像】

出身経歴等	税理士登録
主に民間、前職なし。または会社員、税理士事務所職員	・税理士試験の合格
主として税務官署。国税局、税務署元調査官	・会計学の研修実績 ・税務職員として一定の経歴による試験免除
弁護士	・税理士登録なく国税庁通知により税理士業可
公認会計士	・公認会計士資格で税理士登録可

【図表 45　税理士業務方針】

税理士観	行動
行政協調型	税務署等との情報交換のある団体に所属
納税者権利、擁護、標榜型	独立独歩、税務調査では或る程度の抗戦
公認会計士、弁護士	是是非非、理論的、妥協はしない

　どんな税理士を選定するかは、これもまた納税者の生き方、考え方によります。気が合わなければいずれ契約解除となりますが、頻繁に税理士を取り替えるのも抵抗があるでしょうし、場合によっては税務署から調査先選定に入ってしまわないかと気になることもありますので、慎重な行動が必要かも知れません。

　最近の税理士業界も、主要な顧客である中小企業の数がどんどん減少してきて、資格にあぐらをかいて、楽勝で事務所運営が行えるような時代ではないように思われます。本Qでは、税務調査で如何に対応するかを中心に、税理士選びや連携を取り上げています。しかし最近、新聞等でも税理士の広告が目立つようになりました。内容的には、特殊な相続税対策やＯＢ税理士の税務調査での切り抜け方、また、税理士業界向けコンサルティングも盛んで、その教え通りの受け売りで、特殊指導技法を看板にする税理士事務所もあったりします。

　結局は、依頼する側の業種、規模、到達目標、経営者の人生観等で、どんな税理士を選定するかとなります。こと税務調査では、問題事項のもみ消し的解決を図りたいのか、フェアな考え方で主張することはとことんでも押し通したいのかによっても異なってくる話となります。

第４章　税理士との連携ポイント

Q43 税理士の調査立会いの要件は

Answer Point

★立会いする税理士は、申告書に添付した代理権限証書にその旨の記載された税理士に限られます。

★代理権限証書には、代理権限を全面的に委任していることと併せて、過年度は他の税理士が代理人となっていた事業年度分についても代理させること、さらに、税務調査の事前通知を代理人宛に行うことの各欄への記入が必要です。

★代理権限証書が申告書に添付されてなければ、納税者に代わって主張等はできません。申告書の税理士自署押印欄に署名押印しただけでは、代理権限証書を提出したことにはなりません。

★税務調査の立会いは、法律上の税務代理そのものですが、一般にその呼び方は使われていません。また、立会いも後日の証拠のため、その場に出席することと辞書ではなっていて、主張や代理とは異なっています。しかし、長い間立会いが税務代理の意味で使用されてきましたし、代理権限証書の提出がなくても、後方から納税者にアドバイスは可能とされています。

☆代理権限証書の添付

既にQ 32でも省令による代理権限証書の雛形を掲示しましたが、中央やや上部には図表46の記載があります。

【図表46　代理権限証書の中央上部の記載】

上記の 税理士／税理士法人 を代理人と定め、下記の事項について、税理士法第２条第１項第１号に規定する税務代理を委任します。　年　月　日			①
過年分に関する税務代理	下記の税目に関して調査が行われる場合には、下記の年分等より前の年分等（以下「過年分」といいます。）についても税務代理を委任します（過年分の税務代理権限証書において上記の代理人に委任している事項を除きます。）。【委任する場合は□にレ印を記載してください。】	□	②
調査の通知に関する同意	上記の代理人に税務代理を委任した事項（過年分の税務代理権限証書において委任した事項を含みます。以下同じ。）に関して調査が行われる場合には、私（当法人）への調査の通知は、当該代理人に対して行われることに同意します。【同意する場合は□にレ印を記載してください。】	□	③

図表46の①欄は、納税者の税務申告以下全般事項に関し、委任をしている旨の当然の記載事項です。

②欄は、仮に過年度分については他の税理士が代理人に就任していて、近年、あるいは直近年度から添付代理権限証書の税理士と交代したような場合、

過年度分についても代理を委任する旨の記載で、税理士が代った場合等は注意が必要となります。

③欄は、既述の事前通知先の税理士の同意欄で、ここの記入がなければ事前通知が税理士抜きでいきなりある日突然納税者宛に行われ、びっくりされることがあるかも知れませんので、記入を怠らないよう注意しておかなければなりません。

これらのことが税法上定められていますので、税務代理権限証書各欄の完全記入と申告書と併せて必ず添付しておかねば、税務調査立会いを否定されても仕方がないこととなってしまいます（通法74の9③二⑤　通規11の3①）。

☆代理権限証書の添付がないとき

前述のように、税法上、税務代理人とは、税理士法第30条の書面（代理権限証書）の提出をしている税理士、税理士法人、または弁護士、もしくは弁護士法人と規定（通法74の9③二）されている以上、実際は関係している税理士で仮に提出を失念していたりしたときは、いかに対処すべきかということになります。

税務調査には、上記の税務代理権限証書の提出されていない税理士は、代理人にはなれないことは前記の税法上の規定から明らかになっています。また、税理士法上も、税理士は税務代理が本来の業務であるとともに、当然に税理士以外の者が税理士業務を行ってはならないことが法律上明記されています（税理士法2①二.52）。

このことから、税務調査において納税者に代わって主張することができるのは、税務代理権限証書を提出した税理士だけということになります。Q32のとおり、申告書の税理士自署押印欄に署名押印しただけでは、代理権限証書は提出したことにはなりませんので注意が必要です。

☆税務代理と税務調査立会い

税理士法上では、このように税務代理が税理士の業務だとしています。どこにも税務調査立会い等という文言は表れて来ませんし、税法上でも同様です。しかし、税務調査においては、税務代理などという堅苦しい言い方は通常はまずしません。慣用語としては、それは税務調査の立会いと呼んでいます。

では、代理と立会いはどう違うのでしょうか。広辞苑によれば、立会いと

140　**第4章　税理士との連携ポイント**

は「後日の証拠の為、その場に出席すること」となっていて、どこにも代理するとか主張するとかは入っていません。日本語の解釈では全くそのとおりであって、税務の世界では誤って使用されているようにも見えますが、逆に考えれば、もともと税理士の税務調査の立場は代理でなく、立会うだけくらいにしか取り扱ってこなかったのかも知れません。

区別してみれば、図表47のようになると思われます。

【図表47　税務代理と税務調査立会い】

代理 立会	意義	税務上	
		これまでの一般的な使い方	本来の意味、使われ方
代理	本人に代わって事を処理	納税者に代わって申告、税務調査対応。	代理権限を有し、納税者に代わって申告内容の証明、応答、主張。（代理権限証書提出要）
立会	後日の証拠のため等、その場に出席	納税者に代わって申告、税務調査対応。	黙ってその場にいる。代理主張はしない。（代理権限証書不提出の税理士） 税理士以外の第三者は、立会いが認められないケースがある。

このように、税務調査の現場において、調査開始から最終の調査終了の手続時まですべて成行き状況を見ながら適宜応答し、必要証拠物件の提示や提出するため納税義務者にそれを説明し、用意させるのが税理士の立会いと呼ばれているものですが、法律用語どおりでいえば、代理権限を有する税理士となります。

時々、税務調査では、税理士でない特定団体の事務局から当該団体の職員が来て、納税義務者と一緒に応答したりするようなこともあるようです。

しかし、これは、税務職員のほうも税理士資格のない方は代理人として認められていませんといって、立会いを拒否しているようです。

しかし、税理士以外の人間が立ち会うことを禁止するという、法律上の規定もないようです。このことから、代理権限証書の提出を失念してしまっていたり、申告書提出後、税務調査開始時までの間に関与税理士が変わったりする場合も考えられます。

この場合、正式にはその税務調査では、納税義務者に代わっての応答や主張はできませんが、側についていてアドバイスをすることは認められていると解されているようです。

Q 43　税理士の調査立会いの要件は

Q44 税理士への立会いの依頼・内容は

Answer Point

★税理士のメイン業務である税務代理業務は、代理業務で、財務書類の作成や記帳代行は、請負的代行契約によるものです。現実の実務は、双方含めての依頼をしていることが多く、特に顧問契約を文書により交わしていることは少なかったようです。

★規模の少し大きな法人では、複数の税理士に依頼していることもあったりしますが、その場合は契約文書により引き受ける部分を明らかにしておくべきです。税理士会でもその指導を行い、標準文例を示しています。

☆依頼納税者と税理士の契約

　税理士は、ここまでの繰返しの説明のとおり、納税者の税務申告の代理、書類の作成、相談が主たる業務で、そのほか財務書類の作成、記帳代行等があります。性質的には、メインの業務は納税者とは委任の関係で、その他の業務は請負的代行契約となると考えられます。

　税理士制度が昭和26年に創設されて以来、依頼者とこうした業務契約を文書によって交わし、業務を行ってきた税理士もあるようですが、口頭による約束で顧問契約を結び、業務の限界を曖昧にしたままやってきた税理士が多かったように見られます。

　税務調査での立会いも、最重要の依頼業務と当然に双方認識してきたはずです。今日でもその流れは続いていますが、業界の競争も激化していて、税理士会も文書による契約を指導しています。

　税理士がどの辺まで申告書の作成、税務調査の立会いをするかは、結局契約内容如何によることになると考えられます。

　これは、通常、小規模事業者が依頼者の場合等は、すべて丸ごと記帳集計代行から税務調査立会いと修正申告まで一切任せているため、明確な契約内容を明らかにする必要も特にありません。しかし、少し規模もあり、取引や税務処理も複雑で取扱いに研究を要するような内容の多い依頼納税者のケースでは、複数の税理士関与があることもよくあります。

　そこでは、試験合格の税理士が決算書類の作成から申告調整まで一切切り回し、税務申告書の提出から、あるいは税務調査の立会いのみ役所OBの税

142　第4章　税理士との連携ポイント

理士が担当するような形の契約もあります。

　したがって、その場合は、税理士の引き受ける仕事の内容は契約上、明らかにされているパートによることとなります。

☆税理士の税務代理契約

　税理士の主たる業務は、委任契約であって、その他の付随業務は請負業務になると説明しましたが、税理士会等の業務参考文書で示されているものを図表48に掲示します。

【図表48　税務代理契約書の例】

業務契約書

　委任者株式会社　　　　（以下「甲」という）と受任者税理士（又は税理士法人）　　　　（以下「乙」という）は、税理士の業務に関して下記の通り契約を締結する。

第1条　委任業務の範囲

　税務に関する委任の範囲は、次の項目とする。

　　1甲の法人税、事業税、住民税及び消費税の税務書類の作成並びに税務代理業務

　　2甲の税務調査の立会い

　　3甲の税務相談

　会計に関する委任の範囲は、次の項目とする。

　　4甲の総勘定元帳及び試算表の作成並びに決算

　　5甲の会計処理に関する指導及び相談

　前記に掲げる項目以外の業務については、別途協議する。

第2条　契約期間

　令和　　年　　月　　日から令和　　年　　月　　日までの　　年間とする。

　ただし、双方より意思表示のない限り、自動継続することを妨げない。

第3条　報酬の額

　報酬は、当事務所（又は税理士法人）が定める報酬規定に基づく別紙計算明細書による。

　　1顧問報酬として月額　　　　　円。

　　2税務書類及び決算書類作成の報酬として　　　　　円。

　　3税務調査立会い報酬として1日当たり　　　　　円。

　　　上記各報酬額には別途消費税が付加される。

　　4報酬の額は、第2条に係わらず改訂することができる。

第4条　支払時期及び支払方法

　　1顧問報酬の支払時期は、毎月　　日締の同月　　日までに乙の指定口座に振り込むものとする。

Q44　税理士への立会いの依頼・内容は

2 税務書類作成及び決算に係わる報酬等は、乙の業務終了後　　月以内に乙の指定口座に振り込むものとする。

　　　振込口座
　　　口座名義　　　　　　銀行　　　　支店　　　　預金　　　　口座番号

第5条　資料等の提供及び責任

1 甲は、委任業務の遂行に必要な説明、書類、記録その他の資料（以下「資料等」という）をその責任と費用負担において乙に提供しなければならない。
2 資料等は、乙の請求があった場合には、甲は速やかに提出しなければならない。資料の提出が乙の正確な業務遂行に要する期間を経過した後であるときは、それに基づく不利益は甲において負担する。
3 甲の資料提供の不足、誤りに基づく不利益は、甲において負担する。
4 乙は、業務上知り得た甲の秘密を正当な理由なく他に漏らし、又は窃用してはならない。

第6条　情報の開示と説明及び免責

1 乙は、甲の委任事務の遂行に当たり、とるべき処理の方法が複数存在し、いずれかの方法を選択する必要があるとき、並びに相対的な判断を行う必要があるときは、甲に説明し、承諾を得なければならない。
2 甲が前項の乙の説明を受け承諾をしたときは、当該項目につき後に生じる不利益について乙はその責任を負わない。

第7条　設備投資などの通知

消費税の納付及び還付を受けるについては、課税方法の選択により不利益を受けることがあるので、甲は建物新築、設備の購入など多額の設備投資を行うときは、事前に乙に通知する。甲が通知しないことによる不利益について乙はその責任を負わない。

第8条　その他

本契約に定めのない事項並びに本契約の内容につき変更が生じることとなった場合は、甲乙協議のうえ、誠意をもってこれを解決するものとする。

第9条　特記事項

本契約を証するため、本書2通を作成し、甲乙各々記名押印のうえ、各自1通を保有する。

　　　　　年　　　月　　　日

　　　　　委任者（甲）住　所
　　　　　　　　　　　氏　名　　　　　　　　　　　　　　印

144　　第4章　税理士との連携ポイント

受任者（乙）事務所所在地（又は税理士法人所在地）	
税理士氏名（又は税理士法人名）	印

　図表49の例では、法人税の申告代理が中心の契約内容で、法人税いわゆる税務会計、申告調整の基となる企業会計の決算を記帳代行からすべて代行し、税務代理全般まで一切を委任するという契約内容となっています。

　中小企業では、事務能力が必ずしも十分でないところから、総勘定元帳の記帳代行から決算、申告調整まで税理士が担当するという形がほとんどのようで、こうした契約が妥当すると思われます。

　モデル版の契約によっていれば、特に税務調査立会い云々は問題とはならないはずですが、依頼する法人に自計能力があり、決算書の作成はもちろんのこと、税務調整もある程度計算は可能なレベルでは、申告調整の内容チェックと、肝心の税務調査立会いが契約内容となります。

　そうしたケースでは、立会いに関する詳細な内容について、料金から、無予告調査があったときや、追徴税額が生じた場合の損害賠償等まで決めておいたほうが、後日トラブルを回避するためにもベターではないかと思われます。

　税理士サイドから見れば、税理士業務の合理化、効率化からはクライアントに記帳指導を行い、法人自身で複式記帳による財務書類が可能な状態にまでレベルアップを図ります。

　そして、日常は、月次の記帳状況のチェックと重要事項を聞いたり、処理法の指導等を行うことに徹しておれれば、税理士1人でもかなりの受嘱先を担当することができて、割のよい職業となります。ところが、実際にはそうはいかず、税理士には毎月顧問料を払っているのだから、何か仕事をさせないと損をしていると考えるような人もいたりし、そうもいかないことが多いのが実情です。

Q 44　税理士への立会いの依頼・内容は

Q45	税理士資格のない 税理士法人職員の調査立会いは

Answer Point

★税理士事務所の形態は様々で、職員は置かず、税理士本人1人が依頼者の すべての事務代行や申告代理のみを行うやり方から、数百人の職員を雇用 し、社員税理士も数十人、拠点数か所の大規模型税理士事務所も存在しま す。

★税務代理は、税理士のみに認められた業務ですが、立会いを広く解釈して、 ただ黙って見ている意味とすれば、税理士以外の者も立会いは可能です。 ただし、代理して主張することはできません。

★税理士以外の、第三者の税務調査立会いを禁ずる法律上はなく自由です。 したがって、税理士事務所職員による税務立会いも可能です。通常は、税 理士本人と担当職員が一緒に立会うでしょうが、そうできない場台もあり ます。税理士法では、使用人に対する監督が厳しく義務づけられていて、 職員への管理が十分であれば職員による立会いは問題ありませんが、可能 な限り税理士本人も最終局面は同行し、不利な妥協を職員任せで呑まされ ないように注意すべきです。

☆税理士事務所の形態は様々

世の中には数多くの専門的職業があり、その中に弁護士、公認会計士や税 理士のように国家試験に合格して資格を得た者に限られている職業もありま す。もとより、そうした資格は、資格を得て業務を行う者を保護するもので はなく、国民が無資格者に依頼することにより、思いがけない損害を被った りすることを防止する目的から設けられているものです。

その趣旨からは、専門資格を有しているからとして特に経済的に有利にな り、高収入を得る事等があったりすることは好ましくないことで、どちらか といえば清貧に甘んじるくらいのほうがよいのかも知れません。

今日、グローバル化が進み、資格職業も法人化が認められ、巨大事務所が どの資格世界にも出現し始めています。税理士業務もかなり以前から盛大に 展開している方々もおられましたが、昨今、聞くところでは、何百人の職員 を雇用し、社員税理士も数十人、拠点数か所のような事務所形態をとってい るような例もあるようです。

146　第4章　税理士との連携ポイント

一方、使用人は一切置かず、税理士本人たった１人が依頼者の事務すべての代行から申告調整までを切り回す、あるいは自計可能なクライアントのみに絞って主に申告代理のみを行っておられるような、いわゆる純顧問形式の方々もおられるようです。

　こうした事務所の形態如何は税務調査時の対応も当然に異なって来ることとなります。

☆調査立会いは税理士に限定されているか

　既に説明したとおり、税理士の業務は納税者本人に代わり申告書類の作成や提出、税務調査での応答、主張をすることとなっています。しかし、ここには税務調査の立会いは税理士の独占業務で、税理士以外の者がやってはならないとはなっていません。

　つまり、図表49のように税務代理と税務調査立会いは少し違うものだと解されます。

【図表49　立会いと代理は】

	解釈	調査時の態度	税理士	使用人等 （第三者含む）
立会い	広く解釈 （代理を含む）	黙って見ているだけ（真の意味の立会い）	可	可
		計算過程の説明等	可	可
		主張	可	否
	狭く解釈 （主張のみ）	依頼者に代わって主張 （税務代理）	可	否

　このように、税務調査の立会いをどのように捉えるかで、誰でも立会いは認められるのかどうかが分かれることとなります。

☆税理士以外の立会いは

　立会いの意味も既に述べましたが、後日の証にその場にいることであり、何も代弁したりすることではありません。黙って見ているだけ、聞いているだけのことでしょう。

　もともと税務調査は、税理士が立ち会わず、納税者本人が対応してももちろん構いませんし、税理士以外の第三者を立ち会わすことについても、どこにも法律上、禁止規定はなく自由です。

Q 45　税理士資格のない税理士法人職員の調査立会いは

147

税理士以外の者に立ち会わせ、アドバイスを受けて、不利な取扱いを受けても、依頼者の責任ですから何の問題もないのです。

しかし、立会いだとそうなりますが、依頼者本人に代わって税理士以外の者が主張をすることは税理士法違反となり、できませんし、調査官も認めないと思われます。税理士事務所の職員たる使用人の税務調査立会いも、法的にはこれとほぼ同じと考えてよいでしょう。

結論からいえば、税理士法人や税理士事務所の職員が税務調査に立ち会うことは可能です。

むしろ、本Qの冒頭にも少し触れましたが、税理士事務所の規模が大きくなりますと、税理士そして古参番頭事務員から補助職員と組織的運営となっていて、顧問先の細々とした事情等は職員のほうが詳しく、納税者から見ればあまり経営内容を知らない税理士本人よりも、担当職員のほうが安心していられるといった面もあります。

通常の税務調査では、担当職員と税理士が一緒に立ち会うものと思われますが、何かの事情、例えば同時に複数の顧問先の調査があったり、税理士が病気等で立ち会えなかったりすることもあり得ます。

税理士法では、使用人等に対する監督が厳しく義務づけられ、税理士会でも会則で同様に定められています（税理士法41の2）。

したがって、税理士が事情でたとえ立会いができなかったときでも、職員への管理が十分である場合は問題はないといえます。また、依頼者の中には税理士でなく職員の立会いを要求するケースもあろうかと思いますが、原則として職員と税理士本人が同行すべきです。

納税義務者たる法人から見れば、日頃の接触が少なく、もう何年も顔も見たことのない税理士本人よりも、事情をよく知っている担当職員が何もかもすべて代弁してくれるほうが嬉しいことでしょう。

しかし、事務所職員は所詮、無資格人種です。耳学問でくだらない細かい点は人よりよく知っているところもありますが、資格を取れないのは、やはり基礎理論の理解不足です。

通達に書いてあるような細かい点に、すぐ引き込まれて負けてしまいます。もっとそれ以前の基礎理論のところで、おかしいと思うところの原点にまで遡って突いてやり合うことができないのです。

少なくとも、税務調査の最終結果については、特に修正申告が勧奨されるケース等では、不利な妥協を呑まされないためには、職員任せは調査官には都合のよいことが多いでしょうし、危険です。注意してください。

Q46　税理士への事前通知は

Answer Point

★平成23年の国税通則法改正まで、税務調査は事前通知をしないのが原則で、理由のある場合に限り通知することとしていました。現在は、原則的に通知を行うこととし、例外的に理由がある場合は通知しないこととなっています。

★当初の国税通則法の改正では、事前通知は納税義務者に行うことになっていましたが、現在は、事前通知も代理権限証書を提出している税理士にのみ行えばよいとなっています。

★代理人税理士に事前通知が行われるためには、代理権限証書の提出以下、その記載事項、複数税理士の場合の代表指定、申告書への自署押印等の要件もありますが、理由あっての無予告調査では一切事前通知はありません。

☆税理士への事前通知規定

　国税に関する共通的事項を定めた国税通則法が平成23年に大改正が行われるまでは、税務調査の事前通知に関する規定は何処にも存在していませんでした。

　つまり、無予告、不意打ち調査が原則のようにも実務界では受け止められていたようで、現にかなり以前はほとんどそうであった時代が続いていました。

【図表50　平成23年国税通則法改正（通法74の9①）】

	改正前の税務調査規定	改正後の税務調査規定
原則	事前通知なし	事前通知あり
例外	理由のある場合あり	事前通知が行われないことがある

　税法上は図表50の様な取扱いとなっていて、改正前は事前通知は規定もなく、あれば儲けもののような感じであったかと思われます。

☆その他の事前通知の法律規定は

　税務調査は上記のように、原則、事前通知なしが基本のような税法上の規

Q46　税理士への事前通知は　　149

定でしたが、唯一税務調査における最重要役を担当する税理士の基本法、税理士法上にのみ「納税義務者に対して調査の通知を行う場合には併せて税理士に対しても行わなければならない」とされていました（旧税理士法32）。

したがって、税法上原則事前通知なしであったため、税理士に対して税務調査の事前通知を税務署も行う必要性は全く持っていなかったともいえます。

税法上も、国税通則法の当初の改正では、事前通知は納税義務者に行えばよく、その場合は併せて税理士にも行うという内容となっていました。

それが、再度の改正により、現在では税理士のみに通知すればよいような形となりました（通法74の9⑤）。

☆税務代理権限証書の提出等

紆余曲折を経て現在は、代理人税理士にのみ通知を行えばよいところまで来ています。ただ、無条件で税理士に税務調査の事前通知が行われるわけではありません。

図表51の要件が必要です。

【図表51　代理人税理士に事前通知が行われる要件】

要件	留意事項
①　税務代理権限証書の提出	財務省令に従った様式によること（税理士法30　税理士法施行規則15）
②　税務代理権限証書の記載	事前通知を代理人にする旨の記載があること（チェックを挿入）。
③　複数の税理士関与時は代表を指定	代表税理士を代理人として記入（チェックを挿入）。
④　申告書に自署押印	複数税理士の署名も可。

図表52の要件を充足している限り、必ず税理士宛の事前通知が行われるはずですが、事前通知をしない理由があり、無予告調査が行われる場合には、これらの要件に関係なく事前通知はないこととなります。

第5章

税務調査中の対応ポイント

Q47 調査中の会話で注意することは

Answer Point

★法人の業務概略説明は、法人代表者の出番です。しかし、一般的に調査官に好印象を与えたいあまり、つい冗長になり勝ちです。うっかりすると、後で困ることを言ってしまっていたりします。

★質問にはイエス、ノー、あるいは右です、左ですの答のみで、余計なことは喋らないのが基本です。

★調査の早期切上を哀願する類のことは絶対口にしないこと、何時まで続いてもかまわないとの態度を維持することです。平然とした姿勢は、逆に非違事項は出て来ない、早く打ち切ろうの心理が働くものなのです。

★対話のポイントは、
- ・基本的心構え…無言…不答弁とならないよう注意
- ・一般的対応…質問にのみ答弁…調査進行中はこれに終始
- ・説明方式…答弁は簡潔に…持って回った説明はしない
- ・問題点の判断…結論は最後…問題点は聞き置き、最終段階まで留保。

☆調査時応答の基本は冗長な話をしない

　税務調査の対象となる調査先の選定については、Q5でも述べたところですが、それなりの理由があって税務調査が行われているはずです。

　また、税務署の机上分析でも、担当調査官の手による予備調査においても、ある程度ポイントは絞ってきていると考えられますが、いきなり、例えば売上取引の関係帳簿を出させるような言動はまずしないと思われます。

　通常は、経営の現状や会社の生立ちから歴史といったようなことをさりげなく聞きながら、徐々に本丸を攻めるための外堀を埋めていくような手法が通常はとられます。

　これは、納税者の協力の下の税務調査であり、互いの信頼関係の維持が必要ですし、納税者を安心させないと本当のことが聞けないのではといったことがあります。

　いずれにしても、概略的な会話から入っていくと思われますが、この辺の応答は、代理人税理士の守備範囲ではなく、納税義務者本人の出番です。

　いろんなタイプの経営者がおられますが、押し並べて口数の少ない人より

冗長な話をする人が多いように感じられます。

　これは、税務調査官に好印象を与えて、私は不正行為をしませんよ、こんな好人種ですよと信じ込ませたいという、本心からだろうと思われます。

　税務調査時の基本は、あまり喋らないこと、もっと端的にいえば、質問されたことにイエス、ノー、あるいは右です、左ですといったような答のみでよく、余計なことは何一つ喋らないというのが基本だと考えます。

　もちろん、それでも関連することを少し付け加えたりは当然ついて回りますし、それくらいで不答弁になるわけでもありません。また、礼も失していないと思われます。

　むしろ、相手調査官にこの人は無気味だなと感じさせるくらいでもよいのです。

☆喋り過ぎによるプラス、マイナス

　たった１つの質問に十ほど答えるような人もいますが、自分の行為、事業活動の正当性のみを誇張したく、不正をしない人種と思わせて、一時も早く税務調査を終了して欲しいからなのです。

　ところがどっこい、彼ら税務調査官は、行くところ行くところでほとんど同様の話を聞かされているのです。耳にタコができるくらいに。ハイハイ、そうですかと言うでしょうが、すべて聞き流しだと思うべきです。

　調査を受けるときの応答でもう１つ大事なのは、調査を早く打ち切って欲しいというようなことは絶対言わない、態度に出さないことです。いつまで続いても結構ですの表情を維持することだろうと考えます。そうすることで、ここは平然としているな、ちょっとやそっとで非違事項は出てこない、逆に早く打ち切ろうとの心理が働くものなのです。

　それでは、なぜ喋ってはいけないのでしょうか。

　それは、聞かれていない別の話で調査が徐々に掘り下げられていく過程で、それまでに喋ったことが取返しのつかないような展開となることもあるからです。

　私は、このくらいいろんな公職に就いていて、私的に多忙を極めていると力説する人がいますが、そのくらい社会的にいろんな方面で奉仕しており、税務でもその分配慮を受けたいという嘆願目的なのでしょう、目に見えない私的経費がかなりかかると繰り返したりします。営業経費の会議費、交通費、交際費、雑費を見ていると飲食費、タクシー代、百貨店外商請求にかなりの件数の支出が出てきます。少額ですから覚えていられないものが多く、全部

Q 47　調査中の会話で注意することは

の説明はもともと難しい支出です。

しかし、1つひとつ聞かれると、曖昧な返事、誘導尋問的にほとんどがそうした私的経費であると、状況から詰められてしまったりすることなど、あまり始めから余計なことを言い過ぎないようにしておけばよいのに、好人物と印象づけたいため、つい漏らしてしまうのでしょう。

調査官は、前述のように、普通あちこちの調査先で嫌というほど聞いていて、まともにそんなものを聞く耳など持っていません。目指すのは不正発見のみです。そんなことをまともに聞いていたら相手を疑わなければならないのに信用してしまうことになり、行政効率は上がらないこととなります。同じ調査官とは、2度と出会うことなど絶対ありません。互に自分をよく見せようとしても何もならないはずです。

しかし、ほとんどの納税者は、このことがわかっていません。相手の立場で何事も物事を考えないと駄目ということです。

【図表52　税務調査の対話のポイント】

	態度	留意点等
①基本的心構え	無言	すべて無言では不答弁で罰せられる（通法127）。
②一般的対応	調査官の質問にのみ答弁	調査進行中はこれに終始（調査妨害にならない限りセーフ）。
③答弁の説明方式	答弁は簡潔に	持って回った経緯説明は余計なことを喋ってしまうので注意。
④問題点の税務判断	結論は最後	白黒を急がない、調査官の調査途上指摘事項は聞き置いて問題点の是非は最終段階まで留保。

税務調査中は、図表52の4点がポイントですが、余計なことはあまり喋らないことです。もし喋るとするなら、全く関係のない相手調査官のこと、例えば、役所経験年数、出身地等々、答えないでしょうが、たわいないことを愛想で話しかける程度でよいでしょう。

中には、この法人税の申告は本当は赤字決算だったのだけれど、甘い決算で少々無理して黒字にしているので、いくら調べても何も出てきません的な意味のことを言う人がいますが、禁物です。あまり強調すると、どこで調整したかと開き直られたりし、逆に粉飾決算だとして、翌事業年度の黒字から控除ができなくしたり、旧年度の青色欠損金の繰越控除をストップされたりすることとなり、危険です。黙って見ているだけにし、出てくればそれはそれで税理士と協議の上、対処するとの心構えで臨むことです。

Q48　問題を指摘されたときの対応は

Answer Point

★経営者心理は、規模の大小、公開、非公開の如何にかかわらず、利益が出なければ決算は粉飾気味となり、出過ぎれば利益を繰り延べようとします。問題点のない決算は少ないのです。

★問題項目が認識されていれば、早くからその心づもりはしています。不当と気づかずした行為が、税務上問題となっても準備はされていません。税理士も気づかない場合があります。

★何が問題となるかは、なかなか予断できません。問題意識のあったものは言い分は考えたはずですから、それを論理的に述べ、考えていないことで不正目的でないようなものは善意行動ですから、抗弁する理屈はあるはずです。資料せんの不符合、内部統制の不備等によるものは、必ずしも否認項目となるとは限られず、謝る必要もありません。

★調査官のレベル次第ですが、ゴリ押しをする人もいますので、軽々しくお手上げしないことです。必ず抗弁方法があるはずです。

☆問題点のない税務申告は少ない

　景気変動や業種特有の市場環境、流行その他で企業業績は短期的には1〜2年、中期、長期的にも3〜10年間くらいを比較すれば、かなり変動します。

　大多数の企業は非公開同族ですが、それでも決算はある程度安定平準化させたいのが経営者の心理です。

　そのため、利益の出ない年度はどうしても甘い決算になりますし、逆に出過ぎると何とか将来に利益を繰り延べて余裕を持っておこうと、種々の節税手法を講じようとします。

　利益を水増しするために翌期売上の繰上処理をしたり、在庫を膨らませたりすれば粉飾決算となり、発覚すれば大変なこととなる場合があります。逆の利益の圧縮も、早めから作戦を練り、期中に対策を講じておけばまだよいのですが、いざ決算になっての手法には限りがあります。

　いずれにしても、そうしたことを常々やっていること自体、始めから問題点が存在している決算であり、それを受けての税務申告書であるといえます。

☆問題項目の認識はあるのか

　決算数値を弄ると問題項目があるのは当然のことで、納税者も意識しているでしょうし、決算や申告書類を作成した税理士にしても認めているはずです。

　しかし、それとて、決算を終え、申告書の提出も済めば、日に日に忘れてしまっている人も多いものです。むしろ、税理士のほうがそれを気にしているといってもよいほどかも知れません。

　こうした問題は、決算で急に処理した場合、もしかすれば証拠資料が完備されていないことも多く、決算完了後に早期に揃えておくことが必要となります。

　ところで、素人で税務には疎い納税者は、日頃何の気なしに行っている様々の行動や会計処理について、それが特別に犯罪を構成するようなものでないため、不当な処理だとは全く気づかず、税務上問題となるような行為をすることがあります。

　例えば、利益が出たから経営者も賞与をとってもよいだろうと出してみたり、多忙時に従業員がよくやってくれたからと豪勢な慰安会や旅行に連れて行ってみたり、自由に使えとお金を渡したりしたものについて、それが税務上損金にならなかったり、現物給与扱いを受けたりすることは全然考えていません。

　これらは、全く意識のない問題項目ですから、税理士もそこまでよく見ていなかったといったような場合は、調査中に突然表れたりします。もともと、納税者に税金を回避しようとの意図でしたことでも何でもない行為によるものです。

☆問題項目別対処法

　問題項目は、多方面でいろいろなものがありますが、比較的納税者側も日頃から経理に慎重なタイプである場合はその数は少なく、無頓着な人は多くなります。

　確かにそうはなりますが、各納税者間では相対的なもので、帳簿記帳が整然と秩序的で正しい申告部類に入るときは、内容的に大したことでない点まで抽出され、逆の場合はあり過ぎますので、軽度なものは捨象、重要度の高いもののみになりがちで、一律にはいえない面があります。いい切れるわけではありませんが、必ずしも平等、公平であるかは少々疑問のあるところです。

第5章　税務調査中の対応ポイント

【図表 53　問題項目別対処法】

種類	指摘への対応	応答と関係書類
①　当初から問題予期項目	かねてよりの答弁準備どおりに答える。 　誤答は禁物、むしろ思い出せないときは暫し沈黙。	忘却防止を日頃注意しておく。 　書類（形式）は整えておく。
②　問題と認識していなかった項目	それに至った事情をむしろ正直に。	善意での行動であるから、どこかで理屈はあるはず。 　救済を受ける方法を考える。
③　資料せん不符合、内部統制の漏れでの不請求、過払等	納税者のその後の対応処理で変るもの。 　税務否認項目になるとは限らない。 　謝る必要もない。	対象相手と協議。合意文書の入手。

　何が問題となることがあるかは、わからないことが普通です。指摘があっても、納税者側にその認識があれば問題項目の処理時に言い分を考えたはずですから、それを論理的に述べることです。

　そうでなく、取り上げられるなどとは考えもしなかったようなことであれば、調査官が税務通達等から無理矢理に妥当しない事象に当てはめて押しつけているかも知れません。要は、調査官の能力次第、どうしてもレベルの低い調査官は事績が上がらないため、何でもかんでもアウトにしようとゴリ押しの傾向があります。彼らはどんな手法でもよく、不正項目、誤り項目を創り出せばよいのです。

　不正事実や理論面で完全にお手上げの指摘項目でない限り、軽々しく降参することはありません。必ず抗弁方法があるはずです。

　税務調査において出てきた問題項目は、全く予期していなかった、そこまで考えねばならない程度のことでないものもあります。

　ただ、その問題は、既に一般には周知されていて、税に素人の法人側が知らなかったことは当然にしても、どうも公平感、正義感から調査官の指摘は解せないようなことも中にはあります。

　本書終盤の Q 136、Q 137 で不服申立てについて少し説明していますが、どうしても応じられないような問題と思えば、最終的には、そうした制度を利用して争うくらいの気持ちで、目一杯主張を続けるべきです。

　最終的に争っても、こちらの主張が通ることはあまりありませんが、その迫力が相手の譲歩を引き出すこともあるかも知れません。

Q 48　問題を指摘されたときの対応は

Q49 電子メールの中身を見せるよう求められたときの対応は

Answer Point

★あらゆる業務が電子化され、メールのやりとりですべて済ませられる便利な時代になりました。同時に、情報が簡単に取り出すことも可能となり、危険極まりない世の中となっています。

★税務調査に必要な情報も、パソコンの中身を見ればわかることが多く、税務調査官からは、メールのやりとりを追いかければ手数のかかる反面調査等をしなくても判明することも多く、非常に効率のよい調査手法となります。

★法人で使っているパソコン類は、法人の所有物であり、中身の情報も法人のものです。勝手に触れたりはできません。従業員の机の中を見せろと同様で、理由を聞き、法人業務に関する部分のみこちら側で取り出して提示すべきで、丸投げて放り出してしまうなどしないことです。

★電子帳簿保存法を適用している会社では、メール本文やメールの添付書類の保存や削除について、一定のルールを設けて必要とされるデータを消去してしまわないように注意が必要です。

☆電子機器の中身は一目瞭然の情報で一杯

　今日、帳簿はおろか、注文書、受注書、領収書、請求書、送り状その他すべての書類はパソコンを使用し、紙へのプリント帳票も多くなりましたが、大量のデータがパソコン内に収納されていて必要な時に画面照会したり、打出すことで事務が行われています。対社内、社外とのやりとりもほとんどメールのやりとりで、簡単に済ませられる便利な時代になりました。

　その一方で、便利な機器を使用した犯罪はどんどん巧妙化し、増えていっています。情報が漏れることも多く全く安心などしておられません。いつ資産を失うかわかりません。我々個人もそうですが企業も同じです。それと㊙情報が簡単に触るだけで取り出すことができ、危険極まりないともいえる時代となりました。

　あらゆる情報がパソコン内に収納されているとしたら、税務調査官からすればパソコンに触れることができれば、生々しい一覧性のある証拠がたちまちのうちに収集することが可能で、調査の効率を著しく向上させられます。

　そうしたことから、最近ではパソコンの中身を見たがることが多くなって

第5章　税務調査中の対応ポイント

きているようです。

一昔前までは、税金の誤魔化しは単純に売上の一部を除外したり、仕入を架空で計上したり、利益を減らしたいだけの金額をつくり上げて偽造の請求書、領収書で形式を装っていました。

売上除外など納品書、請求書をすべて破棄し、何の証拠も残されていません。現金で回収すれば全くわかりません。調査側からは反面調査や資料せん、それに加え仕入数量または製造数量と販売数量（インプット量とアウトプット量）の差異等で整合させ、なお納税者にそれを認めさせないとなかなか否認するところまで行かず、手間暇のかかるところでした。

これらの発見と詰めは調査官にとって苦労、苦労の積み上げの外の何ものでもありません。

しかし、仮にメールのやりとりを1年間追いかけたとしたら、時間を要するものではありませんし、異常送受信先について内容を確かめればよいだけです。売上漏れなどもその相手先に反面調査や資料照会すれば簡単にバレるか、何か変なものが現れるかも知れません。また、何もなくても見るだけなら手数を要するものでなく、効率が悪くなることもあまりないと思われます。

電子メールの検索機能を使えば、怪しい取引が浮かび上がる可能性はあります。例えば、「利益」「税金」「調整」といったキーワードで検索すれば決算操作に関するメールにヒットするかもしれません。特に社長や経理部長が受発信しているものは怪しまれるでしょう。

関係会社や取引に異常点が見られる取引先で検索すると、絞り込んだメールから問題のある取引の実態が明らかになるかもしれません。決算日前後に税理士とやり取りしているメールがあれば、決算に対する会社の姿勢（会社主導か税理士任せか、節税対策への関心度合など）や、決算手続の概要を知ることができると思われます。

税務調査は犯罪調査ではありませんから、メールを片っ端から探るということはできないと思われますが、不用意に調査官にパソコンを操作させると、このような手続が行われかねません。パソコンそのものを提出してしまうことのないように気をつけたいところです。

☆パソコンや中身の所有者は会社か個人

今日、パソコンなしの企業はごく少ないものかと思われ、メール通信は小中高生、個人でもスマホ等で盛んにやりとりが行われています。前記の如く、税務調査ではそれを提出させ中身を見ていけば、調査したい異常送受信がさ

Q 49　電子メールの中身を見せるよう求められたときの対応は

159

も簡単に取り出せます。

　パソコンは企業で使っているものはまず会社の所有物でしょう。したがっ
て、残されている中身についても情報の所有権は会社にあります。丸投げで
提出させたり留め置けるものではありません。必要な個所のみ、その理由を
言って提示を求めるもののはずです。

　「不正はしていないし証拠資料は全部提示しています。必要な部分を言っ
てもらえば打出します」と説明しても、そうかどうかは見てみないとわから
ないと返ってくるでしょう。会社のパソコンのメールは、業務に用いるだけ
でなく私用で用いることも多く、会社内のパソコンの中に私的なメールが混
じっていることもあるでしょうが、私的なメールが混じっているということ
で提示を拒むこともできないでしょう。

　代表者、従業員の机の引出しやロッカーの中を見せろというのと理屈は同
じです。

　ここは押し問答です。ねばり勝負となりますが、通常の良心的な納税者や
税理士は断り切ることはしないと想像します。相手は強力な課税権力を有し
ています。ねばってもとても耐え切れず、圧力に屈することも多いかと思わ
れます。仕方のないところでしょうか。

　しかし、機器も中身の情報も被調査側のものです。渡し切ってしまえば誤っ
てデータが消えることもあるようですし、特に事業に関係のない個人情報が
入っていることもあり、メールの痕跡から経営者は従業員各個人に、従業員
は他人に知られたくないものがはからずもオープンになってしまったりし、
取り返しのつかない事態になったりする危険もあり注意が必要です。

　要点は触らせないことと、問題になっている項目をきちんと示してもらい、
必要な企業取引関係に限りこちらで操作し提示説明することです。

☆電子帳簿保存法で保存しなければならないメール情報

　授受した電子メールすべてが電子帳簿保存法の保存対象というわけではあ
りません。あくまでも電子取引に該当するものになります。「電子帳簿保存
法一問一答」【電子取引関係】では、図表55のとおり解説されています。

【図表55　電子帳簿保存法で保存しなければならないメール情報】

> **問4　電子取引には、電子メールにより取引情報を授受する取引（添付フ
> ァイルによる場合 を含む。）が該当するとのことですが、全ての電子メー
> ルを保存しなければなりません か。**

第5章　税務調査中の対応ポイント

【回答】この取引情報とは、取引に関して受領し、又は交付する注文書、領収書等に通常記載される 事項をいう（法2六）ことから、電子メールにおいて授受される情報の全てが取引情報に該当するものではありません。したがって、そのような取引情報の含まれていない電子メールを保存する必要はありません。具体的には、電子メール本文に取引情報が記載されている場合は当該電子メールを保存する必要がありますが、電子メールの添付ファイルにより授受された取引情報（領収書等）については当該添付ファイルのみを保存しておけばよいことになります。

　メールの保存に関しては、関税法の「電子メール等の保存について（Q&A）」でも詳細に説明されており、「（略）電子メールによる取引が普及しておりますので、課税の公平などのため、事後調査等では電子メールを確認させていただくことも多くなっています。（略）電子メール本文 に記載したり、添付ファイルとしているものが保存すべきものとなります。注文書や見積書などの内容に相当する事項を添付ファイルではなく、電子メール本文に記載して授受するときなど電子メール本文に取引内容が記載されている場合には、電子メール本文が保存対象になりますので その電子メール本文を破棄しないよう気をつけてください。（略）」とあります。

　メールの本文で削除してよいものと削除してはならないものの区分、添付ファイルの整理保存のルールを定め、ルール通りに処理しなければなりません。

☆メールの削除

　パソコンやサーバーからメールやデータを削除しても、削除したメールやファイルの復元などは比較的簡単にできるらしいです。税務調査があるからといって、慌ててメールを削除するのは危険です。調査前にメールを削除したということがわかれば、それだけで不信感をもたれてしまいます。

　電子帳簿保存法の適用会社では、上述のとおりメールの保存義務があります。税務調査で問題となるようなメールが削除されていたと判明した場合、それが隠蔽となるのかという疑問があります。

　電子メールを削除することによりサーバーの容量を軽減したり、機密情報や個人情報漏洩のリスクを軽減したりするという合理的な理由がある場合には、隠蔽には当たらないと思われます。とはいえ、電子メールの復元等によって、問題となる電子メールが発覚すれば隠ぺいかどうかが問われることとなります。隠蔽といわれないためにも、社内ルールに従って運用しているという事実を明確にしておく必要があると考えられます。

Q 49　電子メールの中身を見せるよう求められたときの対応は

Q50 大量の電磁的データの中身を見せるよう求められたときの対応は

Answer Point

★任意調査に捜索権はありません。納税者の協力の下に行われるもので、納得できない調査は出来ないはずで、基本的には必要部分のみ紙にプリントして提出するべきものです。

★電子帳簿等保存を採用している、いないに関わらず、調査事務の効率アップの必要性から、事前または調査期間中に、帳票類の一部をまとめてデータでの提出を求められることが増えています。電子帳簿等保存制度の適用がなければ、調査対象はあくまでも紙ベースとなりますので、必ずしもデータ提出に応じる必要はありませんが、データ提供により調査が円滑に進むというメリットがあるかもしれませんし、下手に提出を拒んで印象を悪くする必要はないという判断もあるでしょう。

★調査用パソコンを貸与して自由に閲覧してもらうといった対応も考えられますが、データを自由に操作されることに抵抗があれば、調査官の求めに応じて経理担当者などがパソコンを操作して必要な情報をディスプレイの画面上で見せたり、プリントアウトするといった対応でも構いません。

★電磁的データを提供する場合には、どのような調査が行われるのか想定し、自社でも同様のテストを実施し、異常な取引や分析数値を把握し、その原因を分析してみることも必要です。自社の内部管理にも税務調査への対応にも役立ちます。

★電子帳簿等保存を採用した場合、その他の帳簿では、税務調査でダウンロードの求めに応じる必要がありますし、優良な帳簿であっても不備が見つかればデータ提出を強制されることが考えられます。

☆事業に関係するものか

　パソコン使用が当り前の時代ですが、計算や保存、送受信は便利な反面、データの消滅や㊙情報の漏洩など危険な面もあります。

　手数を要せず大量のデータが保存出来るところから、税務調査においてもパソコンの中身を追いかけて行けば、異常取引や数値があっと言う間にわかります。

　パソコン内のデータを見るのも質問・検査の一部ですが、任意調査である

第5章　税務調査中の対応ポイント

以上、納税者の協力の下に納得して、しかも事業に関係するもののみ提示し、求められれば、必要部分は紙にプリントし提出するのが基本的態度でしょう。

したがって、何の情報が入っているかわからないままですべてを放り出してどうぞという態度はとるべきではありません。事業に関する部分のみに限ってまず提出を行うべきです。

☆中身を見ないとわからないはどうする

事業に関するものかどうか、調査の目的となっている法人税や所得税の課税所得の変更に関連するものかどうかは、調査側が見て判断するといわれると思います。

しかし、事業に関係するかどうかは本来、納税者が一番判っているものですから納税者側で操作し、説明すべきはずです。

パソコンを放り出して自由に見させないことが基本ですが、なかなか断りにくい面もあります。しかし、パソコンと中身の所有権は企業のものです。了解なしで調査官が触ることはできません。

【図表55　データ閲覧要求の流れ】

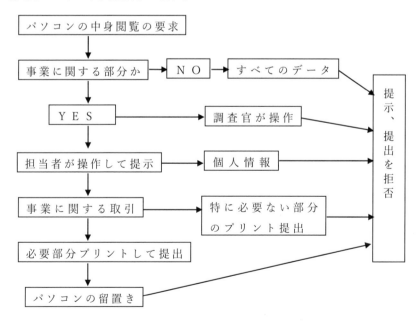

電子帳簿のところで説明しましたが、電子帳簿等保存制度の適用がなけれ

Q50　大量の電磁的データの中身を見せるよう求められたときの対応は

ば、紙製の帳票が電磁化されて保存されているだけの話ですから、紙に印字されているものがある場合はそれを見せることで足ります。電子帳簿の中に収納されている記録部分については、上記のように法人の担当者が操作し必要部分を画面で、あるいは紙に印字して提示するようにします。

　法人内部でも部署間、従業員間で互いに漏れれば不都合な情報がある場合もあり得ます。人前で質問されては、気まずいこととなるかも知れません。そうした理由を述べて、調査官がデータを自由に見ることは遠慮願うようにしておくべきです。

　こうした対応の仕方は、調査忌避的に思えるかも知れませんが、これは、パソコンのような機器が発達したため起きてきた事象で、以前の手書き帳票の時代でしたらそれが当然だったので、不当な行為でも何でもありません。当然の対応法と考えるべきです。

　納税義務者側は煩わしい税務調査を一時でも早く終わらせたく、すべて投げ出して見るだけ見せたら終わるだろうとの意図から、得てしてそうなりがちです。どっこいそうはいきません。時間があれば調査範囲は深く、広くなっていきます。初めからの調査予定日数枠までは調査は続きます。早く終わるとは必ずしもならないことを解っておくべきです。

☆データ提出に応じるかどうか

　税務調査が始まる前に、事前に総勘定元帳のデータや仕訳データなど会計取引のデータの提出を求められることが多くなりました。

　電子帳簿保存法を適用している場合は、電子データを適用する義務がありますが、電子帳簿保存法の適用がなければ、調査対象はあくまでも紙ベースとなりますので、データ提出に応じる必要はありません。

　データ提出により、調査が円滑に進み、余計な時間や場所をとられないというメリットがあるかもしれません。日々の会計処理が問題なく行われていれば、下手に提出を拒んで心証を悪くする必要はないという判断もあるでしょう。

　一方で、事前に帳簿の照合や突合せを済ませて、調査現場でより多くの時間を本格的な調査に時間を費やすことができるようになるため、調査の範囲が広がり深度も深まる可能性も考えられます。

　データ提出を求められたときに応じるかどうかは、留め置きに応じるかどうかと同様の判断になるかと思われます。

　データの事前提出、または調査段階でのデータの留め置きを要求されたと

きは、通常の提出物件の留め置きを求められた時と同様に、その必要性、合理性について十分な説明を求めるとともに、留め置き不向きのものは現場での提示にとどめるといった対応をとるきです。

☆会計ソフトを利用して会計処理をしている場合

電子帳簿保存制度の導入により、一般的な市販の会計ソフトは、電子帳簿の要件を満たすようなプログラムとなっているものと思われます。仕訳データの作成・変更・更新の各日付や、起票者・承認者、取引記録によらない残高修正の履歴などが記録・保存されているでしょう。

税務調査時に、会計ソフト閲覧用のパソコンを提供したり、会計ソフトからCSVやEXCELの形式で全仕訳データを提供したりすることにより、通常のプリントアウトした元帳や仕訳帳では明らかにされない、更新日付や金額・摘要欄の修正変更、起票者・承認者などの情報も提供してしまうことになると思われます。特に問題にはならなかったとしても、余計な質問調査を受けることになるかもしれません。

データ提供の際には、要求されているデータの範囲について必要十分なものであるか、法人のコンピュータ担当者や当該システムの担当者も交えて検討し、余計なデータまで提出してしまわないように注意しておくのがよいでしょう。

☆データ分析への対応

なるべく調査は穏便に済ませたい、調査官が強硬姿勢であるなどの理由で、データを渡すほうを選択するかもしれません。

データの範囲や形式によりどのような調査が行われるかわかりませんが、会社の会計システムや営業系のシステムの一定期間の生データをCSVやEXCELでダウンロードすれば、特にシステムの専門知識を持っていなくても図表56のような手続によって、異常な取引を抽出することができます。

データを提供する場合には、このような分析が行われるということを想定して事前に自社でも分析をし、抽出された取引について異常となった理由をきちんと説明できるようにしておくことが必要です。

紙の帳簿であれば、経営者や管理責任者が、異常な取引がないか目で確かめる習慣があったと思います。また、システムで処理していてもアウトプットして紙で保存している場合には、帳簿間の一致を確認し、もし不一致の場合には差異の原因がメモ書きされていたり、差異調整表を作成したりしてい

Q 50　大量の電磁的データの中身を見せるよう求められたときの対応は

るのを見てきちんと整合が取れているかを確認することができたと思います。

　しかし、電子帳簿の場合、帳簿書類は会計システム等の中に目で見えない形で保存されていることから、担当者が勝手に処理していても、経営者や管理者はそのイレギュラー処理に気づくことが難しい面があります。

【図表56　データ分析の例】

区　分	実施する手続	不正が疑われる異常点
全般的事項	帳簿間の記録の整合性の確認	不一致 つじつまの合わない照合記録
	利益率や回転期間など指標数値の推移	異常な増減
会計システム （仕訳データ）	①　合計チェックにより入手したデータの完全性を検証	
	②　更新日付に異常はないか	決算操作の可能性 摘要欄の書き換え
	③　起票者・承認者に異常はないか	通常起票しない経理部長や取締役が起票
	④　摘要欄の異常	空欄や不正の疑いのあるコメント
	①　特権ID（管理者ID）利用した強制入力	残高修正など業務フローに基づかない上書き記録
営業系システム （売上、仕入、在庫）	①　異常な利益率	異常に高い利益率や利益マイナスの取引
	②　異常な取引先	通常では見られない取引先諸口やその他
	②　異常な入力	同一金額やラウンドナンバーの連続など
	③　決算日前後の異常取引	決算日後における多額の取消記録
	会計システム①〜⑤と同じ	

　上記はシステムに関して素人であっても簡単にできる手続です。将来的には、代表的な市販の会計ソフトに応じた調査手続がマニュアル化されたり、異常取引の抽出にAIが活用されたりして、調査手続がどんどん高度化・効率化していくのではないかと思われます。

☆電磁的記録の提示・提出方法

　質問検査権に関しては、調査官は「その者の事業に関する帳簿書類その他

の物件を検査し、又は当該物件（その写しを含む。）の提示若しくは提出を求めることができる」（通法74の2抜粋）とされています。

　提示・提出を求められた帳簿書類が電磁的記録の場合の対応については、国税庁からは、「税務調査手続に関するFAQ（一般納税者向け）」が公表されています。

【図表57　帳簿書類が電磁的記録である場合の提示・提出】

> 「問5　提示・提出を求められた帳簿書類等の物件が電磁的記録である場合には、どのような方法で提示・提出すればよいのでしょうか 。」
>
> 　帳簿書類等の物件が電磁的記録である場合には、提示については、その内容をディスプレイの画面上で調査担当者が確認し得る状態にしてお示しいただくことになります。一方、提出については、通常は、電磁的記録を調査担当者が確認し得る状態でプリントアウトしたものをお渡しいただくこととなります。また、電磁的記録そのものを提出いただく必要がある場合には、調査担当者が持参した電磁的記録媒体への記録の保存（コピー）をお願いする場合もありますので、ご協力をお願いします。
>
> （注）提出いただいた電磁的記録については、調査終了後、確実に廃棄（消去）することとしています。

　このように、調査官から「パソコンを触らせてくれ」と要請されても、パソコンを貸与して自由に閲覧させる必要はなく、「必要なものがあればパソコンの画面で見せます」、「必要があればプリントアウトして提出します」と答えればよいということなのです。提出についても、原則としてプリントアウトしたものを渡すという対応でよいとされています。資料の提示・提出を求められたときの対応については、Q35を参照してください。

　「調査担当者が持参した電磁的記録媒体への記録の保存（コピー）」については、「ご協力」となっています。重要データ、とくに顧客の個人情報や事業のノウハウなどの情報が含まれているデータなどは、企業外部への持出しは避けてもらいところです。まずは、なぜデータ提出が必要なのか具体的に説明を求めるといった対応が必要です。

　一部のデータ等の留置きを要求された時は、既述の留置き時の対応Q36のとおり、留置き不向きのものの時は現場での提示に止めることと、詳細、正確な預り証の入手を忘れないことはいうまでもありません。

☆電子帳簿等保存制度を適用しているときの提示または提出
　「電子帳簿保存法取扱通達の制定について」（法令解釈通達）では次のよう

に定められており、電子帳簿保存制度で「その他の電子帳簿」の採用を届け出ている場合、もしくは優良な電子帳簿と届け出ていても調査の過程で「その他の電子帳簿」にあたると判断された場合には、電子記録のダウンロードの求めに応じなければならないということかと思われます。

【図表58　電磁的記録の提示または提出の要求に応じるとき】

（電磁的記録の提示または提出の要求に応じる場合の意義）

4－14

「国税に関する法律の規定による……電磁的記録の提示又は提出の要求に応じること」とは、法の定めるところにより備付け及び保存が行われている国税関係帳簿又は保存が行われている国税関係書類若しくは電子取引の取引情報に係る電磁的記録について、税務職員から提示又は提出の要求（以下4－14において「ダウンロードの求め」という。）があった場合に、そのダウンロードの求めに応じられる状態で電磁的記録の保存等を行い、かつ、実際にそのダウンロードの求めがあった場合には、その求めに応じることをいうのであり、「その要求に応じること」とは、当該職員の求めの全てに応じた場合をいうのであって、その求めに一部でも応じない場合はこれらの規定の適用（電子帳簿等保存制度の適用・検索機能の確保の要件の緩和）は受けられないことに留意する。

したがって、（略）要件に従って保存等が行われていないこととなるから、その保存等がされている電磁的記録又は電子計算機出力マイクロフィルムは国税関係帳簿又は国税関係書類とはみなされないこととなる（電子取引の取引情報に係る電磁的記録については国税関係書類以外の書類とみなされないこととなる）ことに留意する。また、当該ダウンロードの求めの対象については、法の定める　ところにより備付け及び保存が行われている国税関係帳簿又は保存が行われている国税関係書類若しくは電子取引の取引情報に係る電磁的記録が対象となり、ダウンロードの求めに応じて行われる当該電磁的記録の提出については、税務職員の求めた状態で提出される必要があることに留意する。

　改正後の電子帳簿保存法での取扱いの詳細は、今後明らかにされるかと思いますが、電子帳簿を採用する場合には、会計システムがしっかり構築され、法人自らが異常取引を抽出して分析するようなモニタリングが働いていることを示せなければ、データ提供を迫られるようになるかもしれません。

Q51 答弁拒否ができるのはどんなとき

Answer Point

★憲法上、黙秘権が認められていますが、刑事上の権利とされています。納税者の協力の下で行われる任意調査では、不答弁の罰則が定められ、受忍義務が課せられています。

★しかし、不答弁や物件の不提示は、税務調査において必要とする質問・検査に関連する範囲のものとなっていて、それ以外のことは答えたくなければ拒否してもよいはずです。

★趣味娯楽に関することや、家族関係、代表者経歴等は答えなくてもよいのはもちろん、いい加減な答でもかまいません。ただ、申告内容に関しての不答弁や不提示は、前述の罰則適用や推計課税を受け、不利となることがあります。

☆税務調査での黙秘権は

憲法では、「何人も自己に不利益な供述を強要されない」として黙秘権が認められています（憲法38）。

自己に不利益とは、刑事責任を負わされまたは加重されることとされ、刑事訴訟法では具体的にそれが規定されています（刑訴法146、198、311）。

黙秘権は、刑事上の権利で、民事上の責任を負わされることは含まれないと解されているようですが、では税務調査で黙秘権の行使、不答弁は認められるのかどうかとなります。

税務調査でも、本書の対象としている任意調査でなく、強制調査である国税犯則取締法に基づく調査、いわゆる㊝国税局が所管する査察事案の場合は、犯罪捜査としての調査であるところから、黙秘権の行使が認められるとされているようです。

逆にいえば、納税者の協力の下に行われる任意調査では、税務調査において必要な場合の質問・検査手続に対し、その受忍義務として罰則規定が用意されていて、税務職員の質問に対する不答弁、偽りの答弁または検査、採取、移動の禁止もしくは封かんの実施を拒み、妨げ、もしくは忌避した者、帳簿書類や関係物件の提示要求に対し理由なく応じず、または偽りの記載帳簿を提示・提出した者には、懲役または罰金刑に処するとされています（通法

Q51　答弁拒否ができるのはどんなとき　169

127 ①②③）。

　したがって、黙秘権の行使は、質問に対する不答弁に該当し、罰則が適用される危険があります。

☆質問・検査の範囲

　国税職員は、課税権の行使という強力な権力を有していて、税務調査を必要とする納税者の事業場に臨場し、質問・検査を行うことができます（通法24、74の2①）。

　しかし、この質問・検査権の行使は、調査上必要なときと限定されていて、必要がなければ行使ができません。

　前述のように不答弁、不提示には罰則もありますが、質問・検査、提示・提出は、納税申告の基となっている計算過程に関連する、課税標準や納税額が間違っていないかを検証するのに必要なものでなければなりません。それ以外のことは、答えたくなければそういって拒否しても構わないと考えます。

☆不答弁とならないのは

　税務調査の現場では、余計な事は一切喋らない調査官もいますが、或る程度経験を積んだレベルの調査官の場合、雰囲気をやわらかくする意図もあってか事業に関連するものは勿論、趣味やスポーツの話題等も時折交えて口数の多い人も見かけます。

　そうした事業非関連で課税標準や税額の変更に関係のない問題は、もともとどうでもよい他愛無いことですから適当な返答でもよく、不答弁でも何ら差し支えないでしょう。プロ野球はどのチームのファンですとか、ゴルフの腕前はどの位、ハンディキャップはいくつ等と尋ねられても、好い加減に答えて後で違うことがわかっても何の問題もありません。

　ただ、申告金額の当否を調べるために必要な帳簿、書類に関する不答弁、偽りの答弁はもちろん罰則もありますが、課税権を有している税務行政側はそのままではお手上げとなりますので、不答弁かつ、検査対象物件の不提示となれば、推計課税による課税標準と税額に移ることになってしまいます。

　例えば法人税に関してなら、代表者の生い立ち、経歴、家族構成は勿論、株主構成、異動等も課税標準の計算とは無関係ですから、答えなくても不答弁ではない筈です。

　代表者個人および家族の銀行取引についても同様ですが、こちらのほうは調べればわかるもので、拒否してもよいかも知れませんが結果は同じです。

170　第5章　税務調査中の対応ポイント

Q52 調査範囲が広がったときの対応は

Answer Point

★実地調査では、各種資料せんが用意されていたり、事前分析等で準備してきます。しかし、最初からそれを出すことは少なく、追い詰めていく過程で用いることが一般的です。調査の入口は狭く、提示された物件の一部を検証する試行錯誤の繰返しで進みます。

★帳簿、証拠資料の照合等の形式面の調査では、簡単に不正、誤びゅうが出て来ないこともあります。調査日数の余裕と勘案してとなりますが、調査範囲を広げるかどうかは、対象法人の実態に応じて次のようになります。

帳票管理の整備良好法人	ほとんど行わない。あるとしても少し横に広げる程度。	調査官は調査終了を匂わせたりする。
灰色部分が散見される法人	さらなる調査続行。縦に深く入って行く。	何をしようとしているか不明のことが多い。
不正部分が多く程度がよくない法人	係争に至った場合の証拠固めのために縦にも横にも広げる。	

★対応は、落ち着いてゆっくり、少しタイミングをとるくらいがよく、上記法人区分により異なりますが、良好法人でも早期終了を急ぐと土産を出してしまいます。状況により証拠力のあるものを追加したり、問題は何かを聞いてみたり、見解の問題ならとりあえず反論はせず聞き置きます。

☆税務署の調査先準備資料等

　申告納税制度は、徴税コストをできる限り低く抑えるため、申告の必要な納税者にとりあえず納税申告を行わさしめ、その中から不適正の疑いのある申告のみを選別し、取り出して調査先とし、通常は実地調査を行って不正や誤りを指摘し、修正申告の勧奨、または更正を行う仕組みともいえます。

　そして、税務調査をより行政効率の高いものにするため、税務署の事情や都合にもよりますが、通常は各種資料せんの多用、事前の分析等を行って調査に臨場する前にかなりの準備をしてくることがあります。この辺のところはＱ12で触れたとおりです。

　彼らが持ってくる各種資料や情報の中には、申告誤りがまず確定的に押さえられるものもありますが、通常、それを持ち出すのは、調査が最終局面に

Ｑ52　調査範囲が広がったときの対応は　171

入って、徐々に締め上げていって、最後に有無をいわせない項目、あるいはいくつかの非違項目にとどめの追加の一発を見舞う材料に残しておきたいものです。早々からそれを出して来たりしないものです。

☆質問・検査の入口は狭いもの

　前述のような決め手の資料があるとしても、それだけを頼りにしているだけでは、調査能力での否認項目は拾い上げることはできません。

　どうしても調査での質問・検査は、事業内容の流れを掴み、何でもよいのです。

　関連して派生してくる取引の一部を検証してみて、税務上の問題がありそうなものを少し掘り下げて検討してみて、箸にも棒にもかからないものはすぐさま取り止め、不自然的な現象のみ奥へ入って行こうとします。

　調査官としても、長年の経験からこの辺ではよくこんな問題があるはずの勘は働きますが、なかなか奥へ進む入口が探せず、試行錯誤の繰返しが多いのではと思われます。

　この途上で不正とまではいかなくとも、何らか税務上の取扱いでは問題となるものや、不正の匂いがするものが現われたりします。その先を1つ引っ張ってみれば、たちまち芋蔓式に大量に、調査官にすれば美味しい獲物のご馳走になることができるのです。

　これが、調査範囲の広がって行く通常のパターンかと思われます。

☆調査範囲の広がるのは

　税務調査は、課税標準や税額の変更をするときに行われるものですが、形式的に申告書と帳簿の突合や帳簿と関係書類の照合をしただけでは、簡単に不正や誤りは発見されることは多くありません。

　本来そうした形式的チェックを押し進めて行って、何の問題もなければそれで申告是認をすればよいのですが、税務署や担当調査官にすれば、そんなことでは商売になっていないことになります。前述のように、調査先は、問題のありそうな申告について選定しているので、何もないでは格好がつかないことになります。

　形式的調査手法で何も出てこなかったとすれば、調査日数の余裕と勘案しながら、調査範囲を広げ、事績を上がるようにしなければなりません。そこで、種々の物件の提示、提出で不審な事項をピックアップし、現品照合や相手先等への反面調査等に進みます。こうして調査範囲が広がるのは、図表59の

第5章　税務調査中の対応ポイント

ような理由からになると考えられます。

【図表 58　調査範囲が広がる理由】

①　帳簿類の検査結果不符合、不審点の有無	ほとんどない	処々に不符合（灰色部分）が散見される。	課税標準の変更が必要（黒）と思われるが証拠が弱い。
②　調査範囲の拡大	しないか、横に広げる	否認項目とするかどうかさらなる調査の続行。縦に深く入って行く。	係争に至った場合の耐えられる証拠の入手。縦にも横にも広げる。
③　調査官の態度	調査終了に近いことを表す	最終的に何をしようとしているのか曖昧なことが多い。	

☆対応方法は

　調査範囲が広がるのは、図表 58 のように大した問題がないときは、調査事務の効率化のため、調査を打ち切り、その分他の調査先の調査時間に振り向けることも調査側の選択肢です。あるいは、調査を当初の予定日数まで続行し、少し範囲を広げますが、この場合はもともと日数の余裕はあまりありませんので、手をつけていない項目や期間に広げる程度で大したことはありません。

　そうでなく、決め手を探すため、否認に至る筋道をつける目的からその取引の矛盾を突くための論理を構成しようとするときは、その根拠をつくりたいでしょうし、完全に否認項目としたものでも、なお修正申告提出を納得させるためには少し証拠が弱いようなケースでは、最悪の場合更正に持ち込むことを考えて、それを補強する物件類と取引関係先への反面調査を行ったりすることになるでしょう。いずれにしてもハッキリした事は云わないことが多いと思われます。

　こうした調査範囲の拡大は、調査の中盤から終盤に近づいてからのケースが多く、1～2 人の調査官による調査においては、調査の初日にいきなりというのは、まずないと考えられます。日を空けてもう少しということもあります。

　納税者側にすれば、それまでに答弁や提示・提出に追い回されて気分に余裕がなくなっていますから、さらに深く入られそうになると、早く終わって欲しい一心から何でも言うとおりになり勝ちですが、ここでは落ち着いて少しタイミングをとるのがまず肝心かと思われます。冷静な気持ちでそれからの対応を考えるようにしなければなりません。

　対応方法について、図表 59 のケース別に考えてみます。

Q 52　調査範囲が広がったときの対応は

173

【図表59　ケース別対応法】

対応順序 ＼ 問題点	ほとんどない	灰色部分がある	黒と思われる項目がある
①	タイミングをとる。		
②	追加要求された帳簿、書類を提示。対応は無言か（説明には時間をかけ、ゆっくりを心がける）。 　早期終了を考え急いではダメ。時間目一杯までやられ、何かお土産的なものが現れたりするので注意。	主要帳簿は検査済のはずだから、補助簿、任意の管理資料等の要求が多くなる。 　提示には時間を要するから、猶予をもらう。できれば日数を空ける。	左同。 　反面調査用の資料等が多くなり勝ち。 　資料探しの日数を求める。
③	問題事項のうち、微細な点については、全部合わせても大したことにはならない。納得しておき、大口の問題点を徹底して言い分を主張する。	何を目差しているのかよく検討。 　問題は何かを聞いてみるのも一法。 　ハッキリすれば、不審部分の説明と具体的証拠を用意（後日でも）する旨の答弁。 　見解の問題なら、一応調査官の意見を聞き、返答は留保。後日協議とする。	争点を絞り集中する。 　事実認定なら、より証拠力のある物件を考える。 　見解の問題なら、反論はあるがとりあえず聞き置く。 　最終結論は出さない。

　問題点がほとんどないようなケースでは、いくら否認理由を積み上げても高が知れているでしょうし、相手調査官も何とか調査事績を挙げたいところからのものも多く、放っておいてもどうもないと思われます。

　しかし、図表60の灰色部分があるような場合は、もう1つ最後の決め手を探るための展開ですから、しつこく1点で足りなければ、さらに補強すべく、次から次へとないような物件の提示を要求したりすることもあります。そして、本来、反面調査を行うほどの重要項目でなくとも、それをちらつかせ、何とか軽い証拠物件を根拠に修正を迫られることもあります。

　図表60の、右欄のような不正項目があるような場合、既に資料箋や反面調査により確実に否認することが可能な場合、さらにそれが悪質であって、重加算税の賦課決定へ持っていくための、納税義務者法人の悪意があった証拠を入手したり、代表者にそれを認めさせる確認文書を書かせようとしたりするかもしれません。たまたま手違いでそうなってしまった、あるいは軽く考えて処理を誤った等の理由を述べることかと思います。

第5章　税務調査中の対応ポイント

Q53 守秘義務を盾に帳簿の提示拒否が できるのは

Answer Point

★事業の種類によっては、顧客の㊙情報が質問・検査対象物件となります。 しかし、法人の事業の実態を検証するには、個人情報も検査が必要となり ます。

★公務員には、守秘義務が課せられており、それを盾にすべての物件提示を 求めます。しかし、そうした情報は、すべて納税者の所有物であり、何ら かの手違いで情報が第三者に漏れれば、大変なこととなります。

★顧客の個人情報も、事業に関連して作成されているもので、質問・検査の 対象です。税務行政の公平運営の面からも、拒み通しはできません。納税 者の厳重な管理の下で、提示に応ずべきでしょう。

☆公平な税務行政と守秘義務

　世の中には数多くの事業があり、不特定多数の顧客や仕入先業者と取引す るものから、数少ない取引先としかも相手方の個人的事情、秘密情報を知ら なければ事業とならないものもあります。

　弁護士は依頼者の秘密、医者なら患者の疾病情報は、事業用の帳簿には記 帳していなくとも、事件簿やカルテ等には㊙の個人情報が記入されています。

　最近では、個人情報保護法がやかましく言われ、うかつに住所、氏名程度 でも人に教えたりできない時代です。

　納税申告の基礎となる主要簿には、そうした個人の秘密に関する部分はあま り記載されていることは少ないと思われますが、補助簿では取引相手名は明ら かでしょうし、顧客名簿等のような一覧性のある帳票類があることもあります。

　どこの誰が顧客なのかを一切守秘義務を盾にオープンにしないままでは、 売上高の正否を検討する場合、日々の売上の記録と顧客の来訪記録を照合し てみて明らかになるはずのものが、できないままで終ってしまいます。

　これでは守秘義務を主張したことにより、そうでない業種との税務行政が 公平に行われなくなってしまいます。

☆公務員と守秘義務

　公務員には、「職務上、知ることのできた秘密を漏らしてはならない。そ

Q 53　守秘義務を盾に帳簿の提示拒否ができるのは　175

の職を退いた後といえども同様とする」とした守秘義務が課せられています。

したがって、税務調査で必要な範囲において質問・検査ができることとなっていますので、調査事務で知り得た㊙情報が他に漏れることは建前としてはあり得ません。

しかし、どこかで税務調査資料を紛失したり、見られたりで漏れることがあれば大変なこととなります。

立場を変えて調査される側からは、なるべく見せたくないのが当然でしょう。それでは前述のように、公平な調査事務が行われにくくなります。弁護士等の中には、以前、守秘義務を盾に一切調査そのものを断ると言っていた人もありましたが、それが今もまかり通っているとは思えません。

租税理論からは少し無理かと考えますが、それでは無差別にすべて放り投げて自由にさせてもよいかといえば、それはNOとなります。

結局は、今まで何度か説明してきましたように、それらの情報はすべて納税者の所有のもので、他人はいくら質問検査権があるといっても、自由に隅から隅まで無差別に見せるわけにはいかないはずです。ここのところが大切です。

☆課税の公平上の範囲で合理性のある部分

調査の過程で売上の記帳に疑問があったり、予め準備資料せん等と記帳内容が違う等があれば、それらの部分に限って個人名や取引のあったと思われる日や期間を制限して提示をするのは、やむを得ないと思われます。これを拒否すれば検査忌避となって罰せられるかも知れません。

そうした㊙の個人情報と関連を照合しない限り、検査の完了しない部分については、事業に関連して当然作成されるものである限り、質問・検査の対象です。拒み通しはできません。ただ、納税者の管理の下に見せるようにすべきで、通常は提出でなく提示で、その間ずっと横でついていて厳重な管理姿勢を貫くべきです。

いずれにしても、前述のように、取引先の個人情報が明らかになるような物件を見なければ、帳簿記録の正否を検証できないとなれば、個人情報を盾に提示拒否を押し通すか、相手税務職員にも公務員の守秘義務が課せられていて、どちらを優先させるかとなります。

地方税の場合等で、多分地方公務員の口からどこかで出てしまったのでしょう。滞納の情報を、その法人だけ知られていないと思っていたのに、近隣の住民の多くが知っているというような話もありました。くれぐれも、調査官には㊙であることを言っておくべきです。

第5章　税務調査中の対応ポイント

Q54 帳簿などのコピーを 求められたときの対応は

Answer Point

★税務調査において、帳簿等のコピーを求められるのは、署へ帳票を持ち帰って上席者への報告や説明をするか、後日、法人が帳簿の改ざん等をしたりしないようにすることが目的です。

★税法上は、物件の提示規定に「写しを含む」とされていて、コピー要求ができるように思えます。さらに、コピーを認める、認めないでギクシャクしても、調査全体の流れで不利な扱いとなっても困ります。

★最近は、コピーやカメラを持参してくることも多くなりました。しかし、法人のコピー機によったものは、法人の所有物であるはずです。その場合は断ることは可能となりますが、調査拒否的で、そこまでする必要はないと考えます。

☆コピーの提示・提出

改正国税通則法では、調査の具体的質問・検査手続が規定され、法人税の調査においては、法人および関係者に質問、帳簿その他の物件を検査またはその物件（写しを含む）の提示、もしくは提出を求めることができるとなっています（通法74の2①）。

ここでは、物件の写しを求めることができるとされていて、この写しとは必ずしもコピーを意味するのか、手書きで写しとることも入るのか明らかではありませんが、提示・提出を求められれば拒むことはできないこととなっています。

税務調査の検査対象の帳簿その他の物件は、本来最も証拠力の強い原本を確かめて検証するはずです。それを既に済ませてからコピーを要求するのは、署へ持ち帰って審理検討や上席者に説明するのに具合のよいように、あるいは、後日、法人が帳簿の改ざんを行ったりして証拠を隠滅させないようにするためであることは、誰の目にも明らかです。

☆コピーを断れるか

筆者の随分以前の経験ですが、ある法人の税務調査で、社長の机の引出しからロッカー等まで捜索に近い調べ方をされ、かなり強く抵抗はしたのです

が、火花を散らすような展開となりました。先方は、少しベテランと若い調査官の２人で、ある局面で個人の預金通帳や机から出てきた証券取引資料のようなものを若いほうの調査官が何冊もあったのを見て、これを全部コピーして欲しいと要求してきたのです。

私は、「コピーはできません、自分で写し取ってください」と断りました。渋々相手は書き取り出したのですが、ボリュームがあり、とても10分や20分では無理で、１時間半〜２時間くらいかけて写し終えました。

このように、本来、コピーのない時代等、手書きで書いてそれが帳簿と相違ないことを納税者に確認させていました。コピーはしなくても通ると考えます。

しかし、実際問題として、そこまでギクシャクしての調査進行では、双方とも疲れてしまいますし、必ずしも得をするとは限らず、軽く流してしまえるような問題点もすべてイチャモンつけで０か100かとなってしまい、灰色部分まで黒とされる危険があり、税理士としては面子もあり頑張りたいところですが、納税者によっては不安がることもあります。

税務調査の実務では、ザックバランな話、問題点のみを争う争点主義でなく、トータルで決着をつける総額主義で運用されていて、要は総額がなるべく少なく抑えられればいいという面もあるからなのです。

☆コピーは誰のもの、コピー代は授受でよいか

前述のように、税法では、写しの提示・提出が正式に認められるようになりました。これは、それまでも実務的に調査官がそれを要求して持ち帰っていた現実を、法律上に明記したに過ぎないものかも知れません。

コピーについては、よく代金を払うという場面もありますが、それでは原本そのものは納税者の所有物なのに、コピーは国の物とみることになります。

相手が写し取った場合は向こうの物ですが、最近はよく携帯コピー機を持参してくる調査官を見受けます。この場合、納税者の了承の下にコピーをしても仕方がないと考えられます。写しの提示・提出が認められているからです。

しかし、本来、納税者の事業場でコピー機を使用してのコピーは、国（税務署）の物でなく納税者の所有物かも知れません。このところは極めて曖昧です。とりあえず断ることは可能だとは考えます。

第５章　税務調査中の対応ポイント

Q 55	威圧的・高圧的な調査官への対応は

Answer Point

★通常、法人税の調査を行うのは、ノンキャリアの国家公務員です。新聞報道にも見られますが、非行癖のある人種もいることがあるようです。

★暴力団まがいの口の利き方をするのは、納税者側には時々いますが、国税職員には最近ではあまり見られません。しかし、どうしても納税者の低姿勢に慣れきっているためか、見下し気味の態度がある感は否めないところです。

★納税者は、調査がスムーズに進み、税金の額が合理的となればよいのであって、相手が威圧的であっても、1歩下がって冷静に対処することです。耐え切れないほどひどいときは、税務署の上司、あるいは署長辺りへ直訴するくらいの態度もよいと思われます。

☆調査官も様々

　税務職員は、国税局に部長級以上で赴任して来るキャリア公務員を除いて、国家公務員のⅢ種職採用や、国税専門官試験合格者の事務官や専門官のようです。

　納税者の信頼を落とさないような真面目なタイプの人物が望ましいところで、現に多数の税務職員はその傾向のように感じます。

　ところが中には、税務調査の現場で激しく抵抗され、泣き出す年輩の調査官にも出くわしたこともありますし、定年間近の老調査官が納税者からすすめられるままにワインを2〜3杯飲んだような人もありました。新聞等でも時々税務職員の収賄行為が報道されることもあります。納税者も税務職員も互いに人間です。いろいろな人がいるのは当然のことです。

☆荒っぽい納税者と威圧的調査官

　面白いもので、税務調査で税金の追徴があるかも知れないことで怯えたり怖がったりする納税者のほうが、おとなしく無抵抗に近いような光景が浮かびますが、中には調査官に暴力団まがいの暴言を吐いたりする納税者もあると聞きますし、納税者が女性であったり高齢のときには、何となしに高圧的態度の調査官もいるようです。

荒っぽい納税者に対して調査官は、暴力でも振るわれない限りやり過ごすでしょうが、暴力に遭い怪我をして帰宅して来たことがあったと、今は税理士をしている元国税職員の奥さんから随分昔の話ですが、聞いたこともあります。

　威圧的、高圧的態度の調査官も減ってはきていますが、中にはいるようです。経歴的に国税局の査察部辺りを経験した人でしょうか、生来の性格とそのときの癖が残っているのでしょうか。

　納税者は、調査官を選んだり、調査途上で気に入らないからと税務署へ抗議して調査官の交代を要求することは法的に保証されていませんので、困ったものです。

☆丁寧な対応と怯まない態度

　相手が横柄な態度だからと、納税者側も喧嘩腰で応答するのも考えものです。ますます相手の思う壺にはまってしまいます。調査忌避とされては何もなりません。

　興奮を抑えるべく、逆に1歩下がって丁寧に対応しましょう。できるなら、暫し冷却期間を置いてから続行して貰うように頼んでみることです。しかし、怖がったりして、決して怯まないことです。万が一それが続くなら、税務署の上司、統括官なり署長辺りに直訴すると言ってみてもよいかも知れません。本当に怖いと思うときは、警察に連絡する手もあります。

　しかし、今日の税務行政は、納税者の協力を得て納得して納税が標榜されていて、トラブルのようなことは官民とも避けたいところです。ここでは、税理士が、その調整に可能な限り努めるべきです。

　いずれにしてもスムーズな調査の続行に気を配り、喧嘩をするのは最後の最後でよいのです。それで不当な課税がなく、逆に言うことを聞いて、調査結果が思ったよりよければよいとの考え方もあります。

　余談になりますが、公務員が怖がる役所は警察であるといわれたりします。なぜかといえば、警察官は尾行したり、家宅捜索をする権限を持っています。いくら税務職員が納税者に対し税務調査の権限を有し、物件の提示・提出を求められるといっても、警察官ほどのことはありません。前述のように、非行癖のある調査官もいますし、ＯＢ税理士辺りと繋がって役得のようなものを利用したり、受領していたりしていることも報道されていることもありますが、表に出てこなくても微妙なことはまだまだあるようです。そんなときに、何か情報を持った警察官に付け回されたりしたら、恐ろしいはずです。したがって、警察へ連絡するとでも脅せば、逆に相手は怯むかも知れません。

Q56	コーヒー・昼食・お茶などは 出さなくてもいいってホント

Answer Point

★調査担当で来た税務職員は、納税申告の適否を検証する目的で来訪した法人にはお客様です。特別のもてなしはしなくてもよいと考えますが、飛込みセールスマンのような扱いはするわけにもいきませんので、そこのところをどう捉えるかです。

★服務規律が維持されている今日、税務職員が調査先で歓待を受けるようなことは滅多にありません。しかし、通常の来訪客にはお茶くらいは出すでしょうし、食事時間になればすすめるのはマナーとしては当然のような気がします。ただ、夜の食事、ビール等の提供は、完全な接待の範囲となると思われます。

★最近では、昼食提供は絶対受けないようですが、法令上の規定はありません。要は、来客へのマナーのあり方で、お茶、コーヒー、昼食の提供を考えてみることでしょう。飲食店の存在しないような事業場であれば、出前の食事を提供し、適当な代金を少し受け取っておくことも、別に贈賄にはならないと思います。

☆税務調査に来た調査官は何者

　ヨーロッパやアメリカのような民主主義の先進国ではそうでもないようですが、島国で他国との交流が乏しかった日本では、それが遅れていて未だ馴染めず、どうしても御上崇拝の国民性が抜けません。

　公務員は、国民全体の奉仕者で、主権者である国民のほうが本来地位が上でもよいはずですが、官尊民卑の風潮が強く、国民や企業は役人にすり寄って得をしようとする姿勢はどこででも感じられるところです。

　そのためか、日頃は偉そうに、他人はおろか、役所のこともボロクソに言っている人が、いざ自分のところに税務調査があったりすると、ひたすら平身低頭で、こちらがいろいろ問題となっている項目について擁護しようとしても、「先生、もう結構です、全部税務署のおっしゃるとおりに直します。税金は払います」とびっくりするようなことを言う、全く呆れてしまって次の言葉がこちらも出ないといったようなこともありました。

　このように、税務職員を持ち上げるくらいの扱いが多いのは、最近は減っ

てきたように思いますが、底流にはあると思われます。

☆食事・飲物の程度、接待か否か

　戦後、申告納税制度が採用され、納税者人口も増えました。国民の感情も荒んでいて犯罪も多く、税金の申告レベルも低いもののようでした。

　税務職員も不足していたようで、新卒採用では間に合わず、戦後で外地から復員してきた人々の中途採用も多かったようです。

　そんな時代でしたから悪徳職員もいたようで、調査に税務署を出て調査先では半日くらい調査事務を行い、昼食を供してもらい、午後はパチンコや映画鑑賞といった仕事振りもあったようです。

　今日は、服務規律が維持され、そんなケースは絶対といっていいほどありません。

　ところで、そうしたお茶やコーヒーのサービスはどの程度が礼儀で、どれくらいから接待となるのでしょうか。

　例えば、通常の来客に提供されるのは図表61のようなものですが、接待度は一般的な感覚ではグラフのようになると思われます。

　主観的なもので人により相違しますが、接待、供応と思われるのは横の点線のライン辺りではないでしょうか。

☆提供するサービスと調査のサジ加減

　物を貰って嬉しくない人は変人で、あまりいないと思います。そのくらい、世の中では中元や歳暮を始め、様々な物品の贈与や飲食の供応が行われがちで、逆にいえばそうした行為ができれば有難いものだといえます。

　ということは、税務調査官にも、何がしの物を受け取ればそれで税金を負けてやるということはしないでしょうが、心が柔らかくなり、穏やかな調べ方をする可能性はあるでしょう。ただ、前述したように、随分以前は平気で飲み食い、物もらいをするような人種もいましたが、最近はそんな調査官はいませんし、国税監察官も厳しく取締まっているようで、できない状況になっているようです。

　少し以前には、調査先で紅茶は出されて飲んでもよいが、コーヒーは駄目というような御達しが出た時代がありました。これは、紅茶は自家製だが、コーヒーは取り寄せなければならないし、少しお金がかかるといった意味があったようです。

　昼食も一緒に食べた頃がありましたが、今は絶対食べなくなっています。

第5章　税務調査中の対応ポイント

【図表60　接待となるもの・ならないもの】

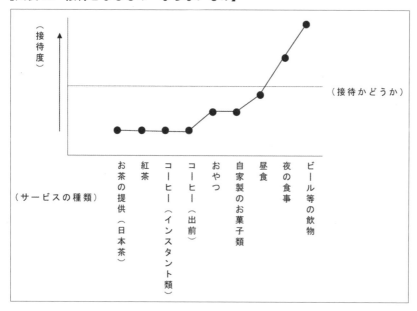

もし食べたりして、それが署にわかったら具合が悪いのでしょう。

☆歓待は駄目、儀礼の範囲で提供

　このようなことから、昼食は食べないでしょうし、それ以上の接待供応は受けるはずがありません。その気遣いは、もちろんする必要はありませんが、逆にそうしたことで有利に取り計らって貰おうと考えても、それも無理です。

　それまでの範囲、これはその法人の常識に結局はなると思われますが、ごく普通の家庭や企業ではどんな来客にでもお茶くらいはまず出しますし、時間帯によればコーヒーくらい今日では自家製で沸かすこともできますので、出せばよいかと考えます。

　結局は、どんな来客であろうとお茶位は提供し、時間時になればコーヒーも出すくらいはするのがマナーのように思います。要はマナーを外さず、食事時なら食事でもご一緒と誘うのがマナーに適っています。断られればそれまででよいのです。ただ、彼らも法人の近所に外食店がないときは難儀するでしょうから、何もありませんからと出前を取り寄せ、少々の料金（1,000円の弁当でも500円ですという）を受け取れば、双方差障りはないと考えます。

Q 56　コーヒー・昼食・お茶などは出さなくてもいいってホント

Q57 いわゆるお土産を 用意することのメリットは

Answer Point

★減速経済が長引き、赤字申告法人が70％弱となっていて、なお、過大申告気味のものもあります。割り当てられた調査先法人がすべて業績不振で非違事項があまりないときは、調査官も困ってしまいます。

★人事異動での昇格や栄転は、担当案件の調査事績も唯一のものではありませんが、1つの基準となるでしょう。それだけに、納税者側からよく調べもせず、不正をしていますと土産を出されれば助かることは確かでしょう。

★しかし、警察や検察の取調べのように、自白が罪を軽くするようなことはなく、逆に、それはそれとしておいて、調査は通常どおり進めていきます。税務調査は、担当調査官1人で判断するのではなく、税務署の組織で動いて上司の指図如何によります。そこで手を打つのでなく、より深く調べられたりすることもあり、かなり隠している項目がある場合で、少し出せば終了が見込めるケース以外は、用意することはかえって危険な気がします。

☆調査官の心理

　税務署所管の一般中小企業の税務調査は、法人税なら申告書が提出されてからいくつかの部門がある中で、各部門へ振り当てられ、そこで調査先を選定して部門の職員4〜5人に割り当てられているようです。

　本書の始めの部分で説明しましたが、国税通則法の改正で税務調査手続が厳格になり、特に事前通知や調査の終了に関し、法律どおりに運用しているせいか手数がかかるようで、調査率が低くなってきています。

　昔から、法人税部門では、調査官1人当たり月間4〜5社の調査先が割り当てられるように聞いていました。それが、最近の統計では、わずか2〜3社程度に減ってきているようで、極めて効率の低いというか、一部の法人にしか調査が行われていない不平等な結果を招いている様相です。

　そのわずかな担当先も、彼らも臨時の業務が入ったり、内勤の事務もすることもあり、調査先へはそんなに日数を振り向けられない事情もあるようです。

　しかも、簡単に調査先ごとの結論が出ないまま日数が経過していき、国税庁の事務年度始めの7月〜8月は手持ち件数はないようですが、後半の

3～4月頃になってくれば未決の案件をいくつも抱えて大変なのです。上席からは早くと急かされるし、各人の調査能力如何ですが、未処理を一杯抱えて焦っている人も多いようです。

　特に不景気が続き、納税者側も金融機関との関係から利益を無理に捻出した決算をしたりし、簡単に不正行為等出てこない時代になっていて、何か出てくるまでといたずらに引っ張って延ばしている案件もあるようです。

☆勤務評定は事績か
　どんな世界でも、好かれる人物もいれば嫌われる人もいます。役所でも企業でもどんな仕事もできるけれど、どこへ行ってもみんなから嫌がられ、上の人は使いたくないし、下の者はその人の部下にはなりたがらない人もいます。

　こういう人は、いくら頑張っても駄目なことが多く、税務職員もいくら調査事績を上げていても、人事異動でいつまで経っても同クラスのポストしか与えられず、何をしているのかわからない仕事振りの人が、知らぬ間にどんどんポストを駆け上がっていくこともあります。

　そういう状況の中で、彼らにしてみれば、何も不正を見つけ出してこなかったりすれば「お前は何年調査官をしているのだ。何もないような納税者はいるはずがない」というように、統括官辺りから怒鳴られたりすることもあるようです。

　しかし、これは運の面もあります。あてがわれた調査先が良好な納税者で、帳簿関係も綺麗に整備され文句のつけようがないような法人ばかりに当った期間は本当に大変で、行けども行けども何も獲物が現れなければ仕方がありません。ただ焦るばかりです。

　そんなときに、たまたま否認項目が出てくれば「ホッ」とするようですし、それが始めに納税者側から持ち出されれば、本当に有難いものだろうと想像されます。

☆お土産で調査は終了するとは限らない
　バブル経済崩壊以降の中小企業は儲からなくなり、赤字申告のほうが黒字申告よりずっと多いのです。むしろ、対金融機関への信用維持等の事情から役員報酬を低く抑えたりして、利益捻出に四苦八苦しているくらいが現実です。

　そんな中小法人の実態からいえば、税務署の職員が調査に行っても、なかなか否認項目を探し出すのは大変なところです。必死で相手調査官が調べて

Q 57　いわゆるお土産を用意することのメリットは

もなかなか不正はもちろん、指摘するような誤った処理もあまりない状況が普通のような下で、何の苦労もせずお土産を貰えば、これほど楽なことはありません。

　もし仮に、これは土産になっても仕方がないと考えていた処理があったりすれば、相手調査官が焦っているような場合、調査終了の際にちょっとさりげなく出してやることくらいでしょうが、それもごく僅かな内容とすべきでしょう。決して初めから出してしまわないことです。

　調査官の心理からすれば、前記のようなことになりますが、それが何も出て来ない連続の最終段階で、納税者側から「ウチはこんなちょっとまずいようなことをしています。ただし、これだけで他はすべて正しく記帳し、申告しています」と美味しいものを出されれば本当に嬉しく、やっと大きな顔をして署へ帰れるものです。もちろん、納税者が差し出したとは言わず、自分が見つけ出したような顔です。

　しかし、これが調査の初期であれば、調査官は時間に余裕がありますから、「うん、そうか。それはそれとして置いておいて」となり、何らそんなものを配慮しないで普通に調査を進めます。納税者は勘違いをしているのです。警察や検察の取調べで、早期に自白すれば刑が軽くなるのと混同しています。税務調査では、そんな取扱いは絶対ありません。馬鹿正直もよいところとなります。

　自らそんな自白的なことをしないのが鉄則です。どうせ調べていけばわかるような手法の節税か、軽い誤魔化しでしょうから、調べられて出てくればそこで少し抵抗を試み、後はどうせ修正しなければならないのです。

　あるいは、しつこい調査をしながら何も出て来ず、調査官が「何かないのか、俺も何もないで役所へ帰れるか。何か出してくれればこの辺で打ち切るが、そうでないとまだまだ来るぞ」といった脅しセリフを吐くこともありました。そんな露骨に言わなくても、暗にそういう意味の泣落としを言うこともあるかも知れません。来てもらって本当にヤバイ項目があって、危険を感じていたら大したことのないことなら妥協してもよいでしょうが、それでも署へ帰って上司から、それならもうちょっと調べればまだ出るぞ、出して来よるぞと指示され、元へ戻ったりする可能性もあります。

　相手は個人で動いているのではありません。納税者は、代表者の意思次第で物事を決められますが、役所という組織で動いて管理されているのです。どう転ぶかわかりません。

　土産の用意も、出すことも基本的に不要と考えます。ただ、バレもとくらいはあっても仕方がないかなとも思われます。

186　第５章　税務調査中の対応ポイント

Q58 調査資料をコピーしたときの 代金請求は

Answer Point

★国税通則法の規定では、物件の写しの提出を税務調査官は要求できるように なりました。原本の改ざん防止や持ち帰っての検討、上司への説明目的 です。

★納税者側のコピー機によるコピー物件は、法律上明記はありませんが、納 税者の所有物であることは疑いのないところです。コピーの原価は、直接 費、間接費合計で1部当たり数円から十数円くらいかと推算されます。大 量のコピー数の場合は別にして、数枚程度のものにコピー代を請求するの も、その場の雰囲気上し辛いものです。もし仮に、コピー代を求めるなら、 調査最終の局面で無理な課税には妥協しない姿勢の中で、僅かな代金をど うするか判断すべきでしょう。

☆検査対象物件のコピー要求

　Q54の辺りで少し採り上げましたが、改正国税通則法では、物件の写し も提出を求めることができることとなりました。なったのではなく、それま でから納税者によくコピーを要求していたものを、調査手数を省くため、提 出させられるよう明確にしたのだろうと思われます。

　コピーそのものは、つぎはぎで偽造も可能です。役所の戸籍関係の証明書 類のようにコピーした謄本、抄本は必ず「これはコピーです」と表示される ようなものは別にして、通常の印刷物は、原本とコピーの区別は全然つかな いようなコピー機の性能になっています。

　上の部分と下の部分、肝心な数字や文言の部分を繋ぎ合せて別の物に偽造 してもわかりません。コピーは、完全な証拠と必ずしも決めつけることも場 合によってはできないこともあり得ます。

　それでもあえてコピーにこだわるのは、まさかそんなことはしないだろう し、コピーと異なる原本が出て来るはずがないと見込んでいるからなのです。

☆コピーは誰のもの

　写しを含めて提示・提出を求めることができると法律上に規定されている 以上、拒むことはできないと考えられますが、コピーした物件の所有者は税

Q58　調査資料をコピーしたときの代金請求は　　187

務職員、即ち国のものなのか、コピーをとった納税者、法人のものなのかがどこにも書かれていません。

通常の検査対象物件である帳簿類は、納税者の所有物であることは疑いのないところで、提出させられ、留置きされても、いずれ返還を受けられます。しかし、それの写しを提示・提出となれば、戻してもらうことは無理なはずです。納税者の所有物であれば、買い取ってもらうべきです。しかし、コピーの瞬間から自動的に国側の所有物となると解すれば、そうもいきません。

法律上、明らかではないので、こうした問題が起きてしまうのでしょう。

【図表61　コピーの所有権は】

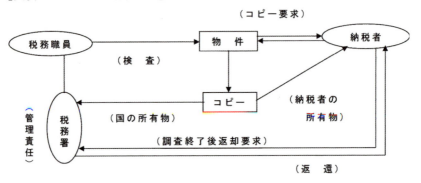

☆コピーの価値

コピーの品質も最近はかなりよくなり、インクが薄れたり、画像がボヤけたりしないようになってきています。

コピー機の利用方法は、リースであったり、買い取ることもありますが、コピーに直接かかる費用はトナー代、用紙代、カウンター料金等で、1枚数円程度を要します。

間接費としてリース費や減価償却費、コピー作業の人件費、コピー機のメンテ費用等が発生していて、これも1枚当たり数円になるかと思われます。

原価はその程度ですが、国側にすればいちいち調書に詳細に写し書きし、原本と相違ないとの記入を求めることを考えれば、かなりの価値があり、1枚5円や10円どころではないはずです。

常識的には、コピーは納税者の所有物と判定するのが妥当でしょうが、それであけばそれなりのコピー料金を要求してもよいはずです。

☆コピー代の請求は

このように考えてみれば、それ相応の料金を請求可能なはずです。特に、

何十枚何百枚にも達するようなケースでは、なおさらです。

　しかし、税務調査の実務で、調査官がコピー代支払いの意思表示をすることは少ないようです。当然、無料と思っているのではないのでしょうか。

　そんな状態ですから、何もないのに突然コピー代の要求は、その場の雰囲気としてはし辛いこととなりますし、あまりやりとりも見掛けません。

　何百枚もの量なら、ひょっとして調査官側も気遣うかも知れませんが、数枚程度なら多分言い出すこともないと思われます。

　本来、当然請求してもよいものですし、調査官も請求されれば払うと思われますが、僅かな金額がほとんどかも知れません。仮に請求するならば、最終的に調査の結末を協議する場において、ついでにというのが無難な持っていき方ではないでしょうか。

　調査進行中の態度は協力的にスムーズに。無理な課税には絶対妥協しないとの基本姿勢の中で、僅かのコピー代金請求をどうするか判断すべきで、理屈とは別のものではないかと考えます。

☆昨今のコピーは

　コピーも、最近では携帯式の小さなものや、また、カメラで写し撮ることもできるようになってきています。

　コピー代金を請求するか、その理由、金額をどう決めるかの前に、コピー要求があれば、そうした携帯式やカメラといった手法をなぜ使われずに、こちらのコピー機に頼るのかをまず質すことが順序かと思われます。

　その上で、それなら「大したコストにはなりませんが、代金は戴けるのでしょうか」くらいのことも言ってみて、簡単に何から何まで写しを取ろうとする調査のやり方を牽制するのも別に構わないと考えます。むしろ、代金を切り出す目的はそこにあるはずです。

　通常の税務調査で、コピー代を払うといった調査官に出会ったことはありません。また、こちら側から言い出したこともないのが私のこれまでの経験ですし、一般にも聞いたことがありません。ただ、前述のように、代金を請求したとしても僅かなものですし、その場の雰囲気上も和やかさがなくなってしまいます。どうしても馴染みにくい態度の調査官の場合以外は、実際問題として出しにくいと思います。

　コピー機の性能が進化していけば、いちいちコピー料金のような細かいことを持ち出さなくても済む時代に進むでしょうし、調査結果の結論との兼合いでどうするか決めることと考えます。

Q 58　調査資料をコピーしたときの代金請求は

Q59 事実関係の確認書の提出を 求められたときの対応は

Answer Point

★調査事務の手数を省く目的から、以前は不正であることの明らかな証拠も ない段階で、更正内容を白紙に書いて、納税者側にその承認をさせる確認 書なるものが多用されました。

★本来、修正申告の勧奨や更正は、課税要件となる証拠が揃っていれば不必 要なものです。したがって、法的には意味はないとされていますが、文面 は犯罪者扱いのような微妙な言い回し方になっています。

★最近は、確認書なる文言のものは姿を消し、新たに「質問応答記録書」で 運用しているようです。これは、以前の確認書に代わるもので、いわば供 述調書のようなものとなっています。ただ、実際の現場で客観性を持たせ るため、必ず2人以上の調査官を配置し、記録者と立会人に分かれて作成 することにしているようです。

★税法上の根拠はなく、確認書の提出は仮にそれがあってもなくても、結果 が同じ場合に限り、妥協する程度のものです。重加算税の決定時等に、そ の他の曖昧部分を外す等の条件ならば、提出の合理性があるとなります。

☆確認書とは

　税法上、確認書なる用語は存在しないと思われます。税務以外の一般的な 用いられ方としても、ただ単なる確認書というのは少ないでしょう。辞書に よれば、確認とは「確かに認めること」となっていて、「×××についての 確認書」といったようにある事実が曖昧になっているものを、あえて補強さ せる目的で交わすようなものだろうと考えられます。

　税務調査においても、随分以前から確認書が盛んに使用され、帳簿の記帳 不備、証憑類の欠落、個人預金の不審な増加等々があれば、それが不正があっ たかどうか明らかにならない段階にもかかわらず、以後の調査を省略すると の交換条件で「確認書」と標題がある白紙に、例えば「××年××月×日年 度、たな卸漏れ××××円、売上除外××××円」と書かせて、末尾に署名 押印させたりしたようなことがありました。

　その頃は、税務調査の結末は、更正処分が行われることが多く、また、調 査件数も今よりかなり数が多かったのか、処分を行うための証拠が課税要件

190　第5章　税務調査中の対応ポイント

の充足性を欠く事案でも、確認書の入手で済ませていたようです。

　その後、更正でなく修正申告の慫慂が中心になり、納税者自身の自発的修正申告となり、納税者側も更正請求の期限もないことが多く、それで一件落着となり、確認書は必要性が薄れていました。

☆確認書の性質は

　前述のように、税務調査における確認書は税務署が修正申告を勧奨する時も更正をする時も、課税要件を充足する証拠が揃っていれば必要がない文書の筈です。

　では、確認書を納税者から入手することによって課税要件が充足、補強されるのでしょうか。これは、以前からそれを要求する税務職員が、法的に意味がないからといって書かせているくらいのものですから、いざ最終的に審査請求や税務訴訟で争ったときには何の証拠にもならず、「税務調査のプレッシャーに耐えきれず、やむなく書いてしまった」と弁明すれば、始めからなかったのと同じになると考えられます。

　だからといって、書いてもよいものではありません。むしろ、絶対書いてはならないくらいのものなのです。

　なぜなら、税務職員にとって、どれだけ忠実に公務員としての職務を果たしたかを明確にしておこうとする文書だからです。どうしても納税者が犯罪者的と見られるような、いかにも不正行為をしていたというような微妙な言い回し方になっています。直接悪事を働いたとは表現されてはいませんが、てにをはが、そうなっているのです。

　租税行政罰としての重加算税が科されても、仕方がないと取られそうな代物となってしまうのです。

☆最近の確認書の取扱いは

　長年、税務の実務に携わっている筆者も、若い頃はこの確認書を求められたケースも何度かありましたが、近年はほとんどお目にかかった覚えはないような気がします。

　税務調査の解説書等では、調査官に「上申書」の自署を求められたらどうするといった記事があったりしますが、この「上申書」も「聴取書」「質問てん末書」もすべて確認書と同じようなものとみてよいでしょう。そんな風に、どこかで形を変えて時々使われては来たのかも知れません。

　ところが、ここにきて国税通則法が改正され、新たに税務調査手続の規定

Q 59　事実関係の確認書の提出を求められたときの対応は

が設けられ、平成25年1月から施行されています。それに併せて、国税庁では、職員向けに「質問応答記録書の手引」がつくられていて、その手引書には、どんな場合に書かせるのかが具体的に示されているようです。

この「質問応答記録書」こそが、確認書に代る書類かと思われます。

手引の詳しくは、有償で入手可能（日税連の保有情報）のようですが、これは以前の確認書、あるいはその後の「質問てん末書」等も同様、いわば供述調書のようなものなのです。

税務調査の際に、調査官が少し課税充足に必要な証拠が弱いと判断した場合、納税者から取引の事実関係、特に取引相手方と通謀して簿外の裏取引等をしていたような、何1つ証拠文書の存しない不正行為を決めつけるような流れを、少しオーバーに書いて署名を求める書類のようです。

これが全国統一で使用され始めたのです、安閑としてはおられません。

一般の税務調査は、任意調査で、拒むことは可能です。ただ、国税庁としては、この「質問応答記録書」の客観性を持たせるため、納税者に自署させることもさることながら、必ず調査官2人以上を配置し、1人を記録者、もう1人を立会人として作成することになっているようです。

☆確認文書の提出はどうする

こうした「質問応答記録書」の類は、証拠の補強や意図的不正行為を認めさせ、重加算税の賦課決定を容易することが目的と考えられます。

課税処分は、すべて証拠が揃っていれば、その他の文書は不要のはずで、税法上どこにもこうしたものが必要だとは規定されていません。

自署してよいでしょうが、これがあってもなくても結果が同じ場合に限り、妥協する程度のものです。

ただ、以前から税務職員は、事績を強調するため、重加算税を取ろうとする傾向があります。税務調査の最終段階で多少無理な課税でも、何でも強制にやってしまいたいタイプの調査官も中にはいますが、白、灰色、黒、種々問題点のある中で、明確な黒を限定し、その部分は重加算税対象としても曖昧な部分はすべて引き下げさせ、トータル納税総額が低く抑えさせられれば文言の不細工な点は修正を行わせしめ、あえて提出もやむを得ない、それが唯一書くとすれば合理性がある場合かも知れません。

第5章　税務調査中の対応ポイント

第6章

貸借対照表項目の調査ポイント

Q60 「現金預金」調査の対応ポイントは

Answer Point

★取引決済のキャッシュレス化が進み、現金預金のウエートは軽くなっています。しかし、現金決済は、お金の有難みを最も感じられる手法です。ただし、紛失、盗難、誤支払い等のリスクがあります。

★以前の税務調査では、無予告調査であったところから、突如臨場し、冒頭に現金出納帳の現金残高と金庫の手許現金の有高を照合させ、管理状態の不備を理由にＱ59の確認書の提出を求め、それだけで更正を行う等もありました。

★小売業等の現金商売では、予め客を装って買物や飲食をしたり、通りをうろついたりして現金の受払状況を見ていたりします。調査時は帳簿上、日々の記帳管理がそれを反映しているか検証します。

★現金のやり取りは、追っかけることは難しいですが、預金の場合はすべて銀行に元帳があり、記帳不備でも調べるのに問題はありません。振込入金、振込送金、小切手入金、小切手払いもすべて相手先は判明します。不審を感じ、相手先を追っていくと、税務署に有用な情報がいくらでも集まることもあります。

★異常な預金増加で記帳が甘い場合等、即、売上脱漏と迫られたりしますが、それまでのタンス預金を預金入金しただけと押し通すくらいしか（子供じみていてすすめるものではありませんが）、説明方法はないでしょう。

☆現金は日々の管理対象資産

　帳票類のＩＴ化が進み、管理すべき情報は自社一企業を遥かに超え、取引先や銀行等も巻き込み、経済社会を駆け巡っていきます。

　1960年代からの急速な経済の拡大は、取引の形態を随分進化させました。それまでは、せいぜい手形取引で、手許現金が少なくても取引量を増やすのが精一杯でしたが、その後の取引の複雑化は、キャッシュはおろか、手形さえかなり省略された電子取引が大口取引の決済手段になってきました。

　しかし、それ以前は何といっても、企業、家計とも現金が一番大切で役に立つ資産だったのです。

　お金（現金）でやりとりをすると、払うほうには高い支払い、貰うほうに

194　第６章　貸借対照表項目の調査ポイント

は沢山の金額であることを感じさせる目的で、支払日にはわざと現金を用意して集金人に番号札を持たせて並ばせ、順番にお札と硬貨で支払ったり、従業員賞与を給料封筒に入れて順次社長が呼び出して、直接手渡す習慣の会社もあったりしました。

現金は、何でも買うことのできる貴重な交換手段用資産ですが、その代わり、紛失、盗難、誤支払い等のリスクがあり、内部牽制上なるべく保持を避けるのが基本とされます。

そのように、以前は現金は貴重なもので授受する機会も多く、中小企業では店頭現金売りや、問屋で一見現金仕入も時には必要なこともあったりし、案外多額の金庫現金を有していました。

そして、装てい式の現金出納帳に手書きし、金庫現金と適時照合し、現金管理を行っていました。簿記の書物にも、まず最初に取引の仕訳を説明するのにその辺から入っていたはずです。

しかし、中小企業の実務では、事務能力不足、記録専担者不在、経営者の公私混同等でなかなかそのとおりにいかず、現金出納帳尻の残高は多額であっても金庫（あるいは銭箱クラス）の中はカラッポのような管理不在もまた多かったのです。

☆現金調査の変遷

その頃の税務調査は、今と全く逆で、まず通知等はありません。ある日突然、無予告で臨場して来るのです。身分証を見せるや否や、いきなり金庫を持って来て中を開けさせ手許金を確かめます。

次に出納帳の提示を求め、金庫残高と符合するかを検算してみるのです。現金管理を厳重にしているような企業でも、瞬時、瞬時の現金残高が現金出納帳と金庫現金が一致していないときもあります。それは、ほんの一時的に仮払出金したり、預り現金があったりするからです。

現金の量を多く動かす形態の事業では、営業現金の現物と帳尻を合わせることは大変な作業です。

そんなところから、調査官が手始めに行った現金調査は、合わせるのに手間取ります。

しかし、記帳管理の徹底しているところでは、追っかけていけばまず合わせられます。

ルーズなところでは、帳簿の記帳すら遅れているし、金庫など放ったらかしで、社長のポケットに個人資産も一緒に入ってる、つまりお金の残高を全

Q 60 「現金預金」調査の対応ポイントは

然把握していないこともありました。

　そうなれば、もう調査する側は先制のジャブ攻撃で納税者にかなりのダメージを与え、以後の調査展開を税務署主導で進めます。

　この場合、現金管理の不備を理由に帳簿が信用できないと決めてしまいます。そして、青色申告の取消しをチラつかせたりして根拠をでっち上げ、前述の確認書のようなものを書かせ、更正をするということもよく見られました。

　最近は、そんな手法は、業種にもよりますが、通常の業態では採られることはまずありませんし、管理対象資産としての現金のウエートは低くなっていますので、そんなことで帳簿の記帳状況が信頼できないとはいえなくなっています。

☆現金取引で問題となるとき

　現金の重要性は薄れてきましたが、依然として現金を多く取り扱う企業、特に日々の記録が現金収支の正否がすべてを左右する飲食業、小売業、現金問屋業等では、現金調査をいかに問題なく進めさせるかが税務調査のポイントです。

【図表63　現金調査の手法留意点】

①　業種で見た場合

調査手法	日常の対策、指摘時の対応	業種等
前日ないし数日前に客を装って買物や飲食し、調査時にそれがレジ等に記録の有無を検証。	記録が残り、打変え不可のレジスターを使う。 　日々レジ残高と現金残高の照合、不符合の検討経過を日誌形式に保存。	飲食業 小売業
通りを一見仕入客風に数回程度ブラつき、対象企業の繁忙時間の客入り、およその売上や取扱品目別の商い量を推算。	レジスターを置くべきだが、難しいこともあり、仕入量、加工量等の記録品別取扱量、マージン率等をシーズン区分別に売上の正当性を明らかにするような資料を作成。	現金問屋等
多額の現金払外注費について相手先所在へ実在の有無調査。	現金払取引は減らし振込制にする。 　物品の仕入先は信用調査するも、外注費の支払先は仕事に瑕疵がなければ相手が架空を名乗っていてもこちらの知ったことでないことを徹底。	建設業
振込先口座の動向を照会、口座のATM使用人物のフィルムを見る。	役員、管理職から頼まれても給料振込口座に関知しない。	管理職の人件費支出等

第6章　貸借対照表項目の調査ポイント

② 帳簿記録で見た場合

留意点	どこへ影響	問題の重要性
・現金出納帳の不備、不在	公私混同、内部牽制の不備、帳簿組織全般不信で他の不明点が何かあれば弱い。	現金取引のウエートの低い場合、重要性なし。
・現金出納帳の記帳 　残高のマイナス 　計算誤り 　入出金欄の誤り 　二重記帳	内部牽制の不備、事務能力不足。 　他の帳憑の正否も同等と決めつけられやすい。	同上。 　現金取引のウエートが高い場合、重要性あり。

☆預金の場合

　現金での取引は追いかけることはできませんので、収支が何処かと繋がることはありません。いくら問い詰められても後は知らぬ存ぜぬで押し通せます。しかし、預金取引の場合は銀行に歴とした元帳がありますから、預金勘定元帳が無かったとしたり記帳がルーズでも、あまり問題にはなりません。

　逆に、預金や借入金を関係させる取引は架装記帳はできません。

　特に振込みでの入出金、小切手のやりとりはすべて相手方を掴むことは可能ですから、僅かな入出金が関連口座を追って行くと、大口の裏取引がどんどん出てくる等が以前はよくあったことです。もっとも今は口座開設に本人確認が必要なところから、そうしたことは減ってきています。

　しかし、税務調査では必ずといってよい程調査途上で不審と思われる取引があると、銀行を通して追っていきます。架空、除外等や相手方の無申告、過少申告情報も同時に収集できることが多いからです。ポイントは図表58のように絞られます。

【図表64　預金取引調査のポイント】

取引の形態	調査手法	結果
①振込送金	振込先銀行へ預金者名、所在地、業種等を照会。	架空、実在の検証。 　相手の税務申告状況、資料せんの回付時は、その相手方へ反面調査。
②振込入金	振込人の情報収集、所在地、名称商号収集。 　個人預金の場合…現金入金以外はすべて相手先を確かめて法人の除外収入、裏リベートを疑うか発生原因をしつこく追及。	除外取引の有無、相手先へ反面調査。 　裏リベートで相手、当方共に不正を認定方向へ。

Q 60　「現金預金」調査の対応ポイントは

③小切手入金	振込送金入金と同じ。 個人の場合…振込と同様、個人口座は給料、収入家賃、年金等以外の入金は通常発生せず、金額の大小にかかわらず臨時的収入とみられるものは追跡。	左同。 法人の雑収入漏れ。 個人の雑所得（裏リベート）漏れとなることが多い。
④小切手払い	振出銀行でフィルムを辿り帳簿上での相手先が自社銀行で取り立てたか否かを検査。	異常は、架空支払いと決めつけるための証拠収集へ。
⑤異常な預金の増加	理由を質問（しつこく）。 必ず収入除外（過去も含む）とみて入金先を探る。	更正可能な５年間（場合により７年間）内の所得漏れに結びつける。
	（対策） 　徹底してタンス預金を銀行預金に移したを押し通すより説明方法なし、証拠もなく仕方がない。	

☆日々の記帳が大事

　中小企業でよく見られる状況に、帳簿上、または日々現金出納帳の記帳不十分の法人では、試算表上の成行き任せ現金残高が、異常に高額のことがあります。

　聞いてみても、「おカネはそんなにありませんよ」と平然としている経営者も見受けられます。それなら個人で持っている現金を入れてくださいとなりますが、そんなお金はあるはずがなく、放置しておくと、存在しない現金と帳簿現金がどんどん乖離して、手がつけられなくなってしまったりします。架空現金部分を、仮払金や貸付金処理で何とか収めてしまうこともありますが、問題を先送りしているだけで、未収受取利息を無理に計上せねばならず、儲かっているような法人では、いずれ代表者の報酬を引き上げて返済させて埋められますが、業績のよくないところでは、放置すれば計算上、潰れない企業が突然倒産したりします。

　日々記帳を怠らず、帳簿現金と金庫現金は一致させておくことです。すべての企業のロスは、そんなところから始まって、積り積って破たんにまで繋がっていくのです。注意しなければなりません。

　また、代表者個人の預金も、多少大口の入出金があると必ず質問されます。法人の帳簿ではありませんので、答えられなくても構いませんが、「何かおかしい、あるいは何かを隠しているな」との見方でその後の調べ方を決めたりします。スムーズな調査完了のためには、そうした細かい面も気をつけておくことがのぞましいところです。

第６章　貸借対照表項目の調査ポイント

Q61 「受取手形」調査の対応ポイントは

Answer Point

★手形取引は、企業間信用を創造する代表的な決済手段でしたが、近年、電子商取引が進み、手形の授受や割引は少なくなってきているように感じられます。

★取引決済に、手形を収受した相手先が現金払いを希望したりすれば、振出法人の代表者が個人で高利子で割引いて、割引料を裏収入としたりすることがあります。割引依頼をした納入業者は、ポケットマネーで支払えず、帳簿上支払手数料としていたりすると当然否認され、相手側も双方とも不正追及の深い調査となります。

★手持手形や割引手形が不渡りとなっても、それをもって全額損金算入とはならず、貸倒引当金の繰入れをしておくべきとなります。

☆手形取引とは

　手形取引とは、通常、約束手形や為替手形で商取引の代金決済を行う方法です。それ以外にも、金銭の貸借に手形を使用することもあります。

　約束手形は、本来、遠隔地間取引の決済に用いるために使い始めたもののようですが、現在では単なる支払時期の先延ばしの目的で使用されています。

　また、為替手形は、三者間取引を一気に決済するため、手形上に振出人、引受人、名宛人の3名が記名するところ、現実には手形に貼り付ける印刷代を振出人ブランクのまま発行し、最終取立人に回した時点で振出人を記入し、印紙をそこで貼り付けて、銀行取立てに回す使い方をします。引受人（支払人）の印紙代節約手段です。

　わが国では、長い間、手形発行量の増加と支払期日が1～2か月だったものを、3～4か月と長くしたりして企業間信用が随分膨らみました。しかし、ここに来て手形発行に代え、依頼者が期日振込払いやファクタリング決済方式を採り手形印紙代を合理化したり、電子取引時代となり、債務者の取引銀行、あるいは債権者側の取引銀行に一定の取引約定を行って、手形割引と同じような売上債権の早期資金化可能に代えたりで、手形取引量は減ってきているようです。

Q 61 「受取手形」調査の対応ポイントは

☆受取手形が問題となるのは

　受け取った約束手形や為替手形は、手形種類に関係なく受取手形勘定で処理しなければならないのは、簿記教科書で教えているところです。

　企業財務で受取手形で不正が行われるケースは珍しく、あまり聞くこともありません。あるとすれば銀行以外での手形割引、手形割引料の処理、事故手形の処理等くらいが多少考えられる程度かと思われます。

　資金繰りが困窮しているような企業では、取引先がその足許に付け込んで銀行で割引の難しい支払期日の長い手形を振り出したりし、現金が欲しいと言わせ、ならば振出人（代表者個人）が割り引いてやろうと高利で割り引いて、割引計算書も何も出さず、仕方なく手形金額を相手は入金処理し、割引料は振出人個人が裏収入で懐に仕舞い込むようなことがあります。

　こちらには文書の証拠が何ひとつなく、負担した割引料は代表者のポケットマネーでということになってしまい、割引料を経費処理していると否認され、追徴税金でますます窮地に追い込まれてしまったりします。

　こうした場合の対処方法はありません。企業業績が回復するようなビジネスモデルに改め、強い企業になるより仕方がありません。

　もう１つ、手形が不渡りとなることがあります。収受先がそのまま約束手形の振出人であった場合、不渡りと原因となる手形交換所の取引停止が決算期日以降なら、貸倒処理は無理です。

　また、決算期日以前でも最大50％までしか貸倒引当金の繰入れは認められませんので、決算での税務調整は同様に注意が必要です（法法52、法令96①、法規25の3）。

【図表65　受取手形をめぐる税務調査留意点】

手形取引時期等	内容	結末
手形収受時	振出人（相手先代表者）が個人で高利で割引計算書等は出さずそのまま手形払いを仮装。 　当方は、代表者のポケットマネーで割引料負担か値引入金処理かいずれかしかないが、それを裏づけるものは何も存在しない。	最終的に取立銀行の口座を調べれば誰が不正をしたかは判明するが、調査範囲が拡がったり、長引いたりすることがある。 　相手は、取引停止等をチラつかせたりする。
手形の不渡り	手形交換所の取引停止処分が決算日後に発生、債権額の50％を貸倒引当金繰入れしている。	貸倒引当金の繰入額（50％相当）は翌期の損金。

第６章　貸借対照表項目の調査ポイント

☆事故手形等の処理は法的手続を踏み最終決着を経てから

　受取手形処理では、取引代金として受取った手形を支払期日までの期間が長いため、うっかりその辺に置き忘れたりし、紛失してしまうことがあります。相手先や回り手形の場合は受領先を通して振出人に連絡し、取立請求はしないし、また、誰か他人が紛失手形を取得し、そんなことをする人はまずありませんが、手形交換所へ取立ての提示があれば、こちらが責任を持つから支払期日に振込みか、小切手で払ってほしいということがあります。

　相手がすんなりとそれに応じて支払い決済をしてくれて、その後も手形所持者が現われたりせず、何事もなかった形で終われば、何ら問題はありません。

　しかし、手形満期日までに手形所持人が現われて、手形の善意取得を振出人に主張した場合は、厄介なこととなります。請求してくるのは、恐いような分類に入る人種がほとんどだからです。

　当然こちらへの手形代金は支払ってもらえないでしょう。手形所持人も、正規に銀行を通じての手形代金の取立て等はしないし、何がしの金になればと迫って来るだけでしょうが、簡単には済みません。そんな事態になれば、単に不払いだから取立不能の貸倒れとはとても認められないと思われます。

　困ってからではどうしようもありません。手形支払場所でもある銀行にも相談し、弁護士を通して当初から紛失届を警察並びに支払銀行に届け出、しかるべき手続を踏み、その最終結果に基づいて税務上の処理が決まると思われます。慌てふためいての損失処理は、認められません。あるいは手形代金を契約違反取引を理由に、供託され入金されないこともあります。そんな場合も同様で、正規に法的手順を踏んでから日がかかるかも知れませんが、処理を急いでも認められないことも多いと思われます。

☆手形の割引について

　従来、手形の割引は、受取手形を担保にして金融機関等から資金を借り入れているということで、手形割引料は割引日から満期日までの利息相当額の前払いであるというように処理されていました。

　しかし、金融商品に関する会計基準によって、手形の割引は、債権の譲渡つまり手形の売却であると処理されるようになりました。これを受けて、法人税法上も、手形の割引は、金融資産の売却にあたるとして、手形割引料は手形売却損として、当該年度の損金の額に算入することとなりました（法基通2－1－44）。

Q 61 「受取手形」調査の対応ポイントは

Q62 「売掛金」調査の対応ポイントは

Answer Point

★クレジットカード払いが普及し、小売現金販売業でも売掛金は必ずといっていいほど発生します。

★売掛金取引での調査ポイントは、売上計上のタイミングが正しいかどうか、次に売上計上漏れ等、簿外売掛金の存否、最後に売上取消し手続、値引、貸倒処理の当否の３点です。

★売掛金調査は、メイン事業の売上計上管理の状況を検証するものですから、受注、出荷、商品の受払管理、代金回収までの一連の流れが適正かどうかが狙いとなります。

★期末売上取引や、貸倒処理も併せて検査されますが、それぞれ売上高調査、貸倒損失調査の項目で説明します。

☆売掛金のない企業取引は少ない

　簿記の書物では、始めのほうに商品を販売すれば（借方）売掛金／（貸方）売上と仕訳すると教えています。

　基本的、典型的な企業会計での収益の実現のパターンとなっています。

　しかし、現金商売の場合には売掛金は比較的少なく、以前は皆無の小売業もあったと思われます。ただ、今日は、その辺の路地裏の小規模店でない限り、それもないかも知れません。

　小売専門店は、今やスーパー、百貨店、大手コンビニ等、飲食業にしても大規模チェーン店化していて、利用者はカード払いでいくらでも買物やランチ、ディナーが楽しめる時代となりました。

　それらのクレジットカード利用代金は、店側ではすべて売掛金となります。

　したがって、売掛金は、小売業では減るどころか、逆に増加し続けていると考えられます。

☆調査ポイントは

　売掛金は、企業収益の中心たる売上やサービス収入等の収益実現の検証項目に該当します。

　したがって、収益即ちメインの益金の当否検証に必ず売掛金が関連してく

202　　第６章　貸借対照表項目の調査ポイント

ることになります。

　ポイントは3つほどあります。1つ目は、売掛金の計上タイミング、当期末までに発生した益金算入すべきすべての売上が、正確に期末売掛金に計上されているかどうか。

　もう1つは、売上収益と認識するに至っていない等で法的に債権として成立していないとして、不計上の簿外売掛金が存在しないか。

　そして、最後に、売上の取消処理や値引き、割引、貸倒れ等の当否が問題となります。

【図表66　売掛金の税務調査ポイント】

分類	検証ポイント	狙い、問題点
①網羅性	期中の出荷済、製品商品はすべて売上伝票が起票され、売掛金に計上されたか。 　期末前後の出荷品の売上計上漏れ、未出荷。 　預り品や仮納品の処理如何。 　翌期初売上の検証。	売上伝票の管理の当否、無伝票での現品の持出し等はないか。 　現品と伝票は必ず同時に処理されたか。 　年間の売上伝票、出荷伝票の管理状況の検証。 　甘いと必ず売上計上漏れや内部不正ありと疑われる。 　売上の繰下げ有無を翌期売上をチェックして確かめられることもある。
②値引、返品処理	値引に根拠はあるか。 　計算書、支払明細書等と売掛金と一致しているか。 　返品された現品の処理は仕入元へ返したか、在庫計上か、製造工程ラインへ差し戻したか。 　処理過程を明確に。	先方との違算照合で不一致。 　売掛金を追いかけられず、不明部分を適当に落としていないか。 　タイムリーな売掛金の違算管理ができてないと役員給与とされかねない。 　返品は不良品、良品様々だが、必ず現品処理があるはず。 　スクラップ処理等は、基準に従った手続を明確に。
③貸倒れ	税務上の貸倒れは注意を要する。 　貸倒れ時期、貸倒れ金額、貸倒れ事実の検証、これらの立証根拠が必要。	適宜な貸倒れは否認される。 　黒字の年度に落とすのは駄目。 　支払いが遅延しているだけでは難しい。 　全額貸倒れ、一部貸倒れの金額根拠が必要。 　担保があれば尚更。

Q 62　「売掛金」調査の対応ポイントは

Q63 「有価証券・関係会社株式・子会社株式」調査の対応ポイントは

Answer Point

★法律上、有価証券は手形小切手、株券、債券、船荷証券等も含みますが、会計上は金商法第2条の規定によるものに限られます。

★有価証券の保有目的は、通常、余資の運用、本業収益のカバー目的の積極的投資、M＆A手法の一部、取引関係上の持合いに分けられます。

★保有目的が上記と異なり不明の場合、証券会社にすすめられて保有のときは、代表者個人も同時に取引があることが多く、損失は法人に、儲けは個人となっていたりすれば、役員給与扱いとなったりする危険があります。不当な運用でない説明が必要です。

★売買目的保有有価証券以外のものの期末評価は、原則的に取得価額となっており、評価損を出すことはできません。売買目的有価証券も、一般有価証券と区別して専担者配置、元帳の区分記帳等、特別管理が必要です。

★同一銘柄を繰返し売買している場合の損益は平均法となっていますが、うっかり個別法計算したりすることもあります。売却損益は、売買約定日となっています。また、期末日売却等は、手数料引きの手取金の未収計上処理を要します。

★消費税の取扱いは非課税となっていますが、課税売上割合計算は売却収入の5％を分母加算します。また、売上認識は約定日でなく、引渡し日となっています。

★評価損、売買損益、消費税の注意点は、税務調査前に売買計算書や評価損の根拠等を整備、明瞭にしておく必要があります。

☆有価証券の範囲

　有価証券なる用語は、一般に深い意味も考えることなく使用されることが多いようです。法律上は、有価証券は権利を表彰するものとされ、手形、小切手をはじめ株券、債券、船荷証券、倉庫証券も含まれます。

　しかし、会計実務で使用されている有価証券の意義は、財務会計に関する規定である金融商品取引法第2条、有価証券の定義に示されているものに限られています。数多い有価証券が列挙されていますが、株券、公社債券等の投資家保護を必要とするものに限られています。

204　第6章　貸借対照表項目の調査ポイント

ここでは、金融商品取引法上の有価証券に限って取り上げることとし、似て非なるそれ以外の権利は、その他の投資の範囲に含まれることとします。

☆有価証券の保有目的は

中小企業が通常、有価証券を法人として保有することは本来あまりないはずです。しかし、時として意外に多額の投資や運用をしている場合もありますが、その理由を考えてみれば図表67のようなことになるのではと思われます。

【図表67　有価証券の保有目的】

保有目的	投資対象	処理勘定	リスク
①余資運用	上場株式、公社債、投資信託、リート、デリバティブ等	短期保有目的有価証券	大
②本業収益のカバー	同上	同上	大で時には倒産に至りかねない
	本業関連上場銘柄株	投資有価証券	中程度
③異業種進出企業再編共同事業	株式出資、持分会社出資	同上関係会社株式	小
④取引関係上	仕入先、販売先、取引関係の円滑化	投資有価証券	ほとんどなし

☆保有目的は妥当か

中小企業での有価証券の保有は少ないといいましたが、時々かなりの運用のケースも見られます。あまり本業での余裕もなく、余資のないときはしていないようですが、比較的業績好調な企業は、証券会社にすすめられるままに手を出すこともあります。そんなときは、大概代表者個人も個人資金を運用しています。

株式会社のような営利目的会社では、儲かるものなら何をしても構わないのが当たり前ですから、もちろん証券投資は制限されませんが、頻繁な株売買は会社の事業目的に掲記しておかないと、税務とは別に、役員が何かのとき、責任を追及されることもありますので注意が必要です。

しかし、個人も併行して資産運用をしていて、損失は法人に、儲けは個人にというような操作を証券会社と通謀して行っていたりすれば、それが判明

Q 63　「有価証券・関係会社株式・子会社株式」調査の対応ポイントは

すれば手痛い目に遭うこともあります。何度か既述のとおり、預金や有価証券は、法人口座も個人口座も併せて調査が行われます。簡単に個人取引も判明しますので、そうした操作をした形跡はつくらないことです。

☆評価の適否は

有価証券の評価は、売買目的保有有価証券の決算評価は時価、即ち期末相場によります。したがって、含み損が生じていても評価損として落とせます。ただし、注意しておくべきは、期末評価は洗替法となっていますので、翌期初には取得価額に戻しておく必要があります。

なお、売買目的有価証券として特別に取り扱うことができる条件として、運用専担者の配置や有価証券元帳もその他の有価証券と区別し、別管理しておかなければ認められないこととなっています。

その他の有価証券の評価は、取得価額となっていて、少々の評価損が出ていても処理することは認められません。時価が２分の１以上下落した場合で、回復の見込みがない場合は、評価損計上が認められることとなっていますが、たまたま事情があって相場が下がったとかでは認められないこともあり注意しておくべきです。

評価損を計上する場合は、回復見込みがない根拠を、市場株等では相場の見通し、発行会社特有の事情等の説明資料、非公開株等では発行会社の経営状態、資産内容、取り巻く環境等の資料を準備することが必要でしょう。

なお、評価損を計上するため、その他の有価証券から売買目的有価証券へ、あるいはまた、その逆の取扱いをしても、それはすべて主観的なもので、運用銘柄が売買目的であったのに、企業支配目的株式になってしまったといったような、やむを得ない客観的事情がなければ、区分変更は認められないこととなっています。

☆売買損益の計算は

同一銘柄の有価証券を繰返し売買したりした場合の評価方法や売買損益の計算はどうするかですが、税務上は原則として移動平均法によることになっています。特に届出がなくても総平均法によることも認められているようです。

同一銘柄の有価証券は、取得時期が異なっていて、取得価額も大きく違っていたりすることがありますが、その証券に表彰されている権利はすべて同一ですから取得価額は平均すべきで、移動平均法や総平均法によるのは当然

第６章　貸借対照表項目の調査ポイント

ですが、中には取得時期が異なっていると管理方式と混同し、個別法的感覚で安い購入価額のものを売却し、高値のものを残している処理をする人も時折見掛けることがあります。

あるいは、今日のように証券現物を直接保有しないシステムになったため、金庫内で個別管理もできないところから、一方的に平均原価を出さず、先入先出原価で売買損益をしたりすることもあります。売却時の原価は、それまでの平均取得原価で継続して同一計算方式によらねばならないので、気をつける必要があります。

☆売買の認識時点は

証券市場で有価証券の売買をした場合、売買の委託をした証券業者がこれを取り次ぎ、売買の成立（約定）があってから4日後に現物の受渡しと、代金の決済を行う仕組みになっています。

買付（取得）時の会計処理は、約定日であっても、通常の費用収益の認識基準である引渡し基準により受渡し日に有価証券の計上処理をしても、会計上特に大きな影響を及ぼすことはありません。しかし、売却処理については、約定日と受渡し日に4日間の期間を置くこととなり、その間に決算日が到来すれば、売買損益は当期か次期かで当期損益が変動することとなります。特に、益出し損切り処理は決算を意識して期末に行われることも多く、注意が必要です。

そこで税務では、売買の認識、特に売却は市場での約定日と定められ、会計処理は取扱手数料も差し引いた損益を、手取り金を未収入金で計上しなければならないことになっています。

なお、有価証券の売却については、消費税は課税されませんが、課税売上割合を算定する際、売却額の5％相当を分母に加算します。この場合も、通常の証券市場において行う証券なし売却では約定日基準、相対売買、その他で証券を引き渡しての売買では引渡し日基準となっています。法人税、消費税の使い分けに注意しなければなりません。

いずれにしても、税務調査前に売買計算書等を整備し、明らかにしておく必要があります。

簿記の教科書等では、有価証券元帳の記帳例等が説明されていることがありますが、保有している有価証券類の数量が多くなれば個別銘柄ごとに保有理由、取得価額、買付方法、追加取得、売却状況を詳しく記入し、有価証券元帳上、経過をわかりやすくしておくべきです。

Q 63 「有価証券・関係会社株式・子会社株式」調査の対応ポイントは

Q64 「棚卸資産」調査の対応ポイントは

Answer Point

★棚卸資産は、期末の在庫調べを行ってそれを資産とするもので、中小企業では他の項目と異なり日常記帳が行われ、それにより誘導的に計算されることはそう多くありません。

★在庫商品は、日々の仕入、売上で刻々と動くもので、その正否は検証しにくいものです。中小企業では、棚卸手続はルーズになっていることが多く、次の点で問題となります。

実地棚卸の存否	期末に実地棚卸をしていないことが多い
網羅性、実在性	手持ちの全品を棚卸の対象としたか
不良品、過大な除却	良品を回転不良で不良品や不計上としていないか
評価の適否	事情のない限り取得原価で評価しているか

★棚卸の存否については、実地棚卸を行ったことを立証する棚卸原票（メモでもよい）が必要です。ないときが多いようですが、代わるものとして、期末前後の入出荷等から、多少誤りはあっても、ある程度の立証できるものを用意しなければなりません。ただ、棚卸は、翌年度原価となって認容されるので、問題にしないことも多くなっています。手続に不備があっても、網羅性のあることを説得すればと思います。

★中途半端な恣意的低価評価は問題です。いっそのことスクラップ除却品として簿外扱いのほうが無難です。スクラップ品は、期末に売上原価処理で将来損失を当期に早期回収しておこうという会計処理で、税回避目的でない限り当然の処理です。現品処分は、多少翌期にズレ込んでも期末に対象品リストアップを行い、その理由を明記し、説明資料として準備しておくことがベターです。

☆「棚卸資産」とは

　棚卸資産とは、一口にいえば在庫品のことであり、販売する商品や使用見込みの消耗物品、工場の原材料、仕掛品、半製品、製品等を指します。

　棚卸とは、倉庫の棚に保管されているこれらの在庫品を棚から卸して一品

一品数える、いわば在庫調べをすることで、その対象品を棚卸資産といいます。

　会計関連の書物や税法規定において、この棚卸資産についての帳簿とその記入方法等について詳しく説明しているものは少なく、税法も評価についての規定はされていても、その計上方法や棚卸手続等はどこにも出てきません。

　それであるにもかかわらず、棚卸資産は、ほとんどの事業体で保有しているとされていて、資産計上は当然しなければなりません。しかし、他のすべての決算項目は、日々の取引の仕訳記帳から修正項目はあるものの、最終的に誘導されて決算書類の数値に変わっていきますが、棚卸資産は在庫帳がある場合でも期末棚卸イコールとはまずなりません。

　つくり出す資産項目です。そんなことから逆にいえば、根拠なしのことも多く、棚卸資産をめぐる税務トラブルは、昔も今も絶えることがありません。

☆棚卸資産の問題点は

　何をさておいてもまず問題とされるのは、正確性となります。この正確性は、単に帳簿記帳が整然とされ、他の証憑類とも整合しているといったようなものでなく、前述のように実際の在庫高を検数や評価計算を行ってつくり出すようなもので、棚卸の瞬間存在していても受入れ払出しで増減変化し、棚卸有高の正否は検証しにくく、小規模企業等では実地棚卸すら行われていないケースもあったりして、極めて多方面での正否如何のものとなります。

【図表68　棚卸資産の正確性】

棚卸の検証項目	実地調査でのポイント	要求される帳票等
①　実地棚卸の存否	棚卸手続が不在でないか（中小零細企業では多い）。	棚卸原票、棚卸明細表、集計表。実地棚卸組織図、立会、検査記録。不良品、過剰品、滞留品の取扱い。現品の保管状況の検査。
②　網羅性、棚卸モレの有無	在庫場所を全部網羅した実地棚卸か。預け品、加工委託品、未着品、試送品等は把握しているか。	棚卸マニュアル、棚卸区域図。修理受理簿、外注委託伝票。出荷記録、運賃請求書。倉庫会社請求書、翌期売上伝票。
③　実在性	資産として実在しているか。預り品の混入、重複計上。	修理受理票。期末仕入伝票。
④　不良品の存否	良品を不良品扱いあるいはその逆はないか。	現品の視察。現状の把握。

Q 64 「棚卸資産」調査の対応ポイントは

209

⑤ 除却処理の適否	不良品の不計上、除却損処理、会計処理なしの除外の存否。	在庫帳の閲覧、照合。スクラップ売却との照合。
⑥ 評価の適否	届出または法定評価法か。	仕入単価の算定根拠。仕入単価リスト、仕入伝票。

　およそ図表68のような点が問題となります。最もトラブルで多いのは、実地棚卸の証拠である棚卸原票の不在です。また、棚卸原票はおろか棚卸明細表すらもなく、決算の棚卸金額はどこから持って来たのかを問われることもあります。

　おそらく実地棚卸はされておらず、棚卸金額は答からの逆算方式によるものと考えられます。要するに、当期の純損益を決めて売上高、仕入高は与えられていますから、棚卸金額は逆算で創るのです。何も存在しないのは当然です。

　しかし、棚卸資産のウエートが高く、金額如何で申告所得に大きな影響を及ぼすような場合は、棚卸不在を理由に推計課税が行われる危険もあります。

　必ず多少粗っぽいものでも実地棚卸を行い、棚卸原票を残し棚卸表の中身を精査し、規模、人員の都合で最善のものである説明を行えるようにすべきです。

　また、小規模で実地に調べるほどでないような場合は、実在現品と期末仕入、翌期初売上からでも或る程度の正確性を保証可能な棚卸表にしておくべきでしょう。棚卸資産は多少誤りはあっても、すべて翌期の売上原価吸収認容項目となりますので、最近では他に問題点の全くないようなケースは別にして、調査官も大してこだわらないことも多くなってきているようです。

☆評価の適否
　棚卸資産はボリュームもあり、およその全棚卸金額の異常性を検討するくらいのチェックしか税理士もしないことも多く、細かい棚卸表を見ず、商品知識は法人のほうが詳しいので放っていることもあります。さすれば税務素人の代表者は、自身の独断で売れにくい品物を低価額の単価にしたりしていることもあります。棚卸評価は原価でなければなりません。単に滞留しているのみでの評価減は出来ないことになっています。例外は季節商品の売残り品、型崩れ、損傷劣化の場合のみです。

　商品価値が下がっていると判断すれば、いっそのことスクラップ除却処理とし、棚卸表からは外しておく方が計上の要否の見解の土俵での勝負となり、

恣意的評価減で完全なアウトになるよりましです。

☆除却処理

　劣化品、不良品、滞留品、過剰品等で除却処理が行われたりします。

　除却は、大抵、決算棚卸でそうした品目が発見されてまとめてスクラップ廃却等の処理が行われ、タイミング的には翌期になってからになります。

　問題となるのは、期末時点では資産価値があったはずで、処理は翌期だから当期の損金としては認められないとの見解争いが行われたりすることです。

　純粋に資産の期末時点存否からすればそうなりますが、棚卸を行って翌期以降で回収可能な部分を原価の塊として当期の売上原価から控除し、翌期以降へ繰り越し、不良在庫等の回収不能部分は、当期の売上原価として当期売上収益の中から回収しておこうとする現代動態会計理論から見れば、決算で棚卸を行い、そうした部分を把握処理をするのも決算および棚卸手続の目的です。

　さすれば、現品の廃却手続は翌期になったとしても、期末棚卸手続でそれを計算し、除却処理手続を決算棚卸集計の際にとっていれば認められるべきと考えられますので、その辺の過程を立証する決裁書、スクラップ引渡し依頼書等を整備しておくことが肝要です。

☆関連項目との整合性は

　正確性のところで少し触れましたが、棚卸調査では、期末仕入実績、翌期初売上との照合がよく行われ、計上漏れの検討が行われています。

　実地棚卸は現品のみに終り、積送品、試送品、未着品、外注預け品等が抜け落ちてしまっていることもあります。頻繁にそうした入出荷のある業態では、受払書類を調べられると考えられます。整備を怠らない注意が必要です。

　棚卸資産は、重要な資産の中に入りますが、翌事業年度以降それを販売して収益として回収され、いずれ費用化する経過的資産です。仮に数事業年度間の調査が行われ、古い事業年度の棚卸計上漏れを更正したとしても、翌事業年度ではそれを通常は減算認容しなければならず、所得金額を年度間で少し移動させるだけとなり、細かくいえば加算税、延滞税が僅か国に入るだけで、正否検証の調査手続が大変手数を要する割には、効率の悪い項目となるところから、最近では棚卸資産の調査は、資産としての重要性が高い場合の直近事業年度で少し行われているのが現状のように感じられます。

Q 64　「棚卸資産」調査の対応ポイントは

Q65 「支払手形」調査の対応ポイントは

Answer Point

★支払手形の不正行為パターンは、期末に期中遡及した架空仕入取引を挿入し、支払処理では手形支払いで繰り延ばし、手形期日に手形ジャンプを適当に仮装する等のやり方で、好況期の決算で緊急避難的処理としてやったりしました。

★通常、手形取引ばかりを調べることは少なく、仕入取引の検査で臭いと感じたら、振出銀行に保管されている取立銀行、取立人名等をマイクロフィルムで調べたりすることも稀にはあります。

★支払手形の管理は、資金繰り管理の一環ですから、振出枚数の多い法人等では手形記入帳を完備し、月次資金繰り表と整合させているはずです。そうした一連の管理帳票と銀行帳、当座勘定照合表が前記不審取引があったりすれば、片っ端から潰されます。整然と並んでいる状態でなければなりませんが、イレギュラーがあったりすれば、説明内容をよく検討しておくことです。

☆支払手形と不正行為のパターン

　受取手形とは逆で、約束手形を振り出して支払時期を引き延ばすのは、少ない資金で取引量を増やす一手法です。しかし、振り出した手形は、期日が到来すれば決済しなければならず、安易な手形振出しは禁物で、うっかり慣れてしまえば、何かの事情で一時的に資金繰りが逼迫したときに難儀しますので、慎重な取扱いが多くなってきているようです。

　手形取引による税務不正の典型は、以前はよく行われた決算で利益が出過ぎたことによる架空過大仕入取引を期中まで遡及して挿入し、手形振出しをしたかのような仮装を行い、翌期、別口座で手形取立引落しするか、さらに手形期日の延期で先延ばしした風に装い、その後どこかで誤魔化し、記帳を行って消去してしまうような悪質なものも、中小企業の業績が好調な時代に見られました。今日ではあまり想像できないことです。

☆支払手形の調査手法は

　取引資料せんで、特に不審があると睨んで回付されてきているようなもの

212　第6章　貸借対照表項目の調査ポイント

を調査官が持っているような場合には、いきなり支払手形取引ばかりを徹底して追いかけることもあり得ますが、そうでない場合は、仕入関連取引を系統的に調べる中で手形決済があれば、念のため総勘定元帳の支払手形勘定、手形記入帳等の帳簿、さらに手形用紙控や銀行当座勘定照合表により振出手形がどう決済されているかについて、一連の調査手法によることとなります。

中には、これは臭いと感じたりすれば、振出銀行へ出向いて手形交換所から戻ってきている手形の取立裏書き欄の様子を、マイクロフィルムで調べたりして架空の振出しでないかを確かめたりすることはあります。通常はそこまでやっている余裕はありません。

☆支払手形調査に備えるには

小規模企業では、取引相手先、この場合は仕入先の数も少なく、今現在使用されている銀行の統一手形用紙25枚綴、あるいは50枚綴が1冊あれば半年や1年使えることも多く、手形記入帳がなくてもノートに資金繰り予定を兼ねてメモ書しておいても管理可能でしょうし、もっと少ない取引先件数なら手形のヘタ（控）をバラして決済手形、未決済手形に分けて保管しておくだけでも十分でしょう。

そんな例は別にして、通常は手形記入帳を記帳し、月別、期日別決済予定を集計し、資金繰り予定に利用しています。ＩＴ化が進み、コンピュータ管理でパソコン内でシステム化し、一覧性のある帳簿が画面表示やプリントアウトで処理していることもあります。

一連のそうした手形管理帳票を整備しておくことと、手形用紙の管理が必要です。

手形用紙には、一連ナンバーが付されていますので、ナンバーが欠落しないように書損であっても、控欄に書損手形用紙のナンバーを切り取って貼付しておく等で、不正、架空使用がないことを証すようにしておかなければなりません。

それと、銀行の当座勘定照合表では、手形決済期日にすべての手形が取り立てられて、整然と秩序的にそれが表示されているのが普通のはずですが、何かのトラブルで相手先と手形返却依頼とか手形代金の供託等のあったときは、当座勘定照合表では特別の表示か支払いと、その取消し等が重複して記入されていたりすることもあります。

とに角、そうしたイレギュラーがあったりすれば、事情説明可能な証拠類を準備しておくことが必要です。

Q 65 「支払手形」調査の対応ポイントは

Q66 「買掛金」調査の 対応ポイントは

Answer Point

★仕入取引は、簿記では仕入先元帳、総勘定元帳で記帳管理を行うとしています が、今日超小規模法人でない限りそうした原始的記帳方式はなく、パソコンで 自動システム化し、月次仕入を資金繰りと併せて集約的に管理しています。

★仕入の個別取引を、１つひとつチェックするような検査手法は通常行わず、 月次一括管理の帳票からイレギュラーのもの、例えば赤残、特定月の多額、 少額取引、滞留残高等について質問・検査となります。そうした取引先が あれば、当然質問があります。根拠資料を用意し説明可能にしておきます。

★一般によくある例では、買掛金明細表に鉛筆記入のメモ、滞留残高では不 請求、過大仕入等、赤残では過払い、返品や資金援助の前渡金、支払方法 の異常、手形払いを振込みに、特別の現金引出し払い、仕入先個々の買掛 金差異表の不明部分等々があります。理由は様々と考えられますが、少額 を除き、それぞれに不自然でない理由が必要です。

☆買掛金の記帳手続は

　簿記教科書では、買掛金については仕入先元帳を記帳し、適宜総勘定元帳 の残高と照合を行って記帳の正否をチェックすると説明されたりしています が、そうした原始的記帳方式は今ではあまり見られません。仕入関係の帳票 を工夫し、補助簿化し、月次締切り時に仕入／買掛金の発生高および支払予 定表等を作成し、種々様々な形に自社用に工夫し、買掛金管理および資金繰 りの管理に利用されています。

　これらの記帳状況は、毎月次金額や件数の増減は多少あっても、ほぼ一定 のパターンで反復記帳されています。帳票は税務調査に備えて記帳している ものではなく、仕入のミスや不正が生じないよう帳簿組織を構築し、担当者 が不当、過大な仕入がないことを一連の仕入伝票、仕入請求書と集計表等の チェックを行っていると思われます。

☆仕入取引についての全般的留意点

　最近の買掛金調査は、前記記帳について、調査対象年度のうち、最終年度 の１年間くらいをそれらの総括集計表を通査してみて、イレギュラーな動き

214　　第６章　貸借対照表項目の調査ポイント

の有無を探して、その点を質問してくるはずです。ある月度のみ多額の仕入計上や支払ストップがあったり、赤残や動きのない滞留残高等はその理由を聞かれます。不正や不当な処理でない限り、ありのままを説明すればよいでしょうし、税務的に問題にされると思われる動きについては、重要なものは予め前もって普段から答を考えておくべきで、しどろもどろすれば、よいものも悪いほうへ持っていかれる危険があります。

☆問題事項として考えられるのは

どんな勘定、取引でも全般的に概括調査をしてみて、とに角異常点、イレギュラーな動きがあれば、それをきっかけに深く入っていき、僅かなことから大きな問題事項が現れたりします。

買掛金取引で考えられるのは、図表69のような場合かと考えられます。

【図表69　買掛金取引で問題となる項目】

異常が発生するような項目	原因	準備または答弁要領
①　担当者が訂正を入れたりメモ書き等、何か加筆しているような取引先	請求誤り（重複請求、相殺漏れ、誤支払い、＠相違、計算ミス、検収未済、不請求等々）。	先方請求が誤りとしているのであるから当社計算の正当性を明確に答えること。
②　滞留残高	相手先の不請求、過大仕入計上、未検収扱いが経理へ連絡未済。	過大買掛金の可能性が高い。 決算時に訂正しておくべき。 債務が存在しているなら先方と協議で決着をつけておくべき。 単なる不請求でも時効債務免除益を認定されかねない。
③　赤残	過払い、返品＞仕入、前渡し。	貸付金の付替えとされて、長期にわたって請求すべき利子の認定が問題となることも。 理由を明確に。
④　買掛金差異（請求不一致）	先方計算誤り、＠相違、未検収等様々。	月次差異明細表、処理結果を毎月次整備しておく。
⑤　支払方法 ・原則手形→振込み（その逆） ・値引、歩引の異常値	先方または当社の資金事情、特売期間等仕入。	架空を疑われる相手先の資金事情の文書の入手、特売案内書等の備置き等。

要は月次仕入計上、翌月支払時全額決済の秩序的な買掛金の回転があることで、それから外れている口座は、注意しておくことだと結論づけられます。

Q 66　「買掛金」調査の対応ポイントは

215

Q67 「貸付金」調査の対応ポイントは

Answer Point

★法人で貸付金が発生する相手先は、役員、従業員、取引先程度に限られます。それ以外へは、資金目一杯で事業を行っている法人に貸付ける余裕等はなく、不当な貸付けと考えるべきです。

★税務上、問題とされるような貸付金の調査手続は、貸付契約の内容、貸付けの必要性、利子約定と授受、回収可能性の検討となります。

貸付契約	契約文書の存否、貸付理由、回収可否、利子の有無について。
貸付必要	従業員、役員、取引先別に正当性があるか。
利子	利率の当否、無利子の場合の理由。
回収可能性	回収不能時は、相手によって処理は異なる。

★立替金、前渡金、買掛金の先払い等に、実質貸付金が混入されていることがあります。貸付金と看做しての当否判断が行われますので、注意しておくべきです。

☆法人の貸付金種類

　金融業のような業種の場合は別にして、通常は、自己資金一杯の経営資源を運用しながら企業経営が行われています。したがって、あまり人にお金を貸すような余裕もなく、貸付金が発生するのは、経営上やむを得ない場合に限られていると考えられます。

　日常的なことでなく、そうした例外的に発生する企業の貸付金です。相手別に分類すれば、図表70のようになると思われます。

【図表70　貸付金と貸付理由】

相手先	発生理由
役員	生活費、役員個人の資金事情、小遣銭不足、親族関係の住宅購入、結婚、入学、開業等。
従業員	住宅の購入、不慮の事故、病気入院、子供の入学、結婚等。社員貸付金規定のある場合も多い。
取引先、縁故関係	仕入先の事業拡張、資金繰の逼迫、先方取引先の倒産等。

第6章　貸借対照表項目の調査ポイント

これ以外に貸付金があるとすれば、資金の運用等が貸付形態をとっている場合等で、ここでは取り上げないこととします。

☆貸付金が税務上問題となるのは

本来の仕入や販売取引でなく、資金の貸付は、経営目的とは直接関係のない取引ですから、営利目的とは逆に回収不能のリスクが伴うところから、貸付金にはそれなりの正当性を主張できるものでなければなりません。

税務で、たまたま発生した程度の少額貸付金が問題となることはあまりありませんが、それでも無条件で貸出しすることは何かとトラブルに進みかねません。

問題となる恐れのある項目は、①貸付契約の内容、②貸し付けることの必要性、③利子の約定と授受、④回収可能性のような点でしょう。

それぞれの点について貸付種類別に検討してみます。

☆貸付金契約はどうなっているか

貸付金契約について見ると、図表71のとおりです。

【図表71　貸付金契約の検討】

項目	ポイント	役員	従業員	取引先その他
①契約文書	金銭消費貸借契約書または借用証。相手が企業等の場合は約束手形のときもあるが、これらが揃っているか。	◎	規定とマニュアル等があればOK。	◎
②貸付理由	相手先との関係、義理の有無。代表者の個人的知人でないのか。	◎	－	◎
③回収見込み	担保は、保証人の有無は。弁済期限は定めているか。	○	－	○
④利子	原則として収受すべきで会社の実質調達レートは最低限。	◎	○	○

☆貸付の必要性

相手別の貸付の必要性・当否については、図表72のようになります。

【図表72　貸付の必要性の検討】

種類	貸付の当否
①役員	役員は通常、個人資産もすべてリスクに晒されている面から必要時はある程度やむを得ない。

Q 67　「貸付金」調査の対応ポイントは

| ②従業員 | 福利厚生面から資金使途によっては援助が必要。特に職務上の技術、知識等の習得目的なら積極的支援も。 |
| ③取引先、縁故関係 | 貸付が企業のためになるのか、援助が商品開発等に寄与する等であれば、好条件もＯＫ。
代表者の縁故等は、役員個人が貸すべきで、法人が貸し付けて貸倒れになれば役員給与と認定される。 |

☆利子の約定

利子の約定の検討ポイントは、図表73のようになります。少なくとも、その法人の実質調達金利相当以上の利子は収受する必要があります。

【図表73　利子の必要性の検討ポイント】

種類	検討ポイント
①役員	無利息貸付は、利子が益金認定される。 利払期には、未収があっても益金計上を要す。
②従業員	無利息は、通常は経済的利益を給与に加算、源泉所得税の課税関係発生。
③取引先、縁故関係	無利息の場合、利息相当額を寄付金支出として認定。限度額計算が行われ、損金不算入がある場合も、利払期に未収計上が原則。

☆回収の可能性はあるか

回収の可能性の検討ポイントは、図表74のとおりです。

【図表74　回収可能性の検討ポイント】

種類	回収不能は
①役員	役員給与（損金不算入）とされる。 役員退職慰労金規定の金額を算定し、その部分を役員退職金として充当も考える（処理しておく必要）。
②従業員	給料、賞与との相殺も考えられる、発生すれば経済的利益の給与加算で源泉所得税の課税関係が発生。
③取引先、縁故関係	貸付理由のない場合、貸し付けた役員の責任となり、役員給与と認定される。

☆雑勘定科目の実質貸付金に注意

ほとんどの企業では、仮払金や立替金、前渡金、あるいは買掛金の先払い等がよく発生します。

これらは、多くの場合、実質貸付金ですから、特に貸付金としての勘定処理が行われていなくても、上記貸付金と全く同様の取扱いを受けます。

218　第６章　貸借対照表項目の調査ポイント

Q68 「前払費用」調査の対応ポイントは

Answer Point

★前払費用とは、期間計算上の未経過項目で借入金利息、保険料、地代家賃等、将来期間分の一括先払いした部分が該当します。

★会計原則上の重要性の原則を受けて、税務上も支払日から1年以内に提供を受ける役務の提供にかかわるものは、継続処理要件で一時の損金算入を認められるとなっています。消耗品類の購入も同取扱いとしています。

★継続適用および金額重要度のないものに限定していますので、①本来月払いのものを、任意一方的に1年分を先払いしたとき、②メイン収益対応費用についての処理、③金額的重要度が高く、当期所得金額が処理いかんで著変する等、④1年超分の先払い、⑤消耗品以外の減価償却資産で、棚卸貯蔵品として計上すべきもの等については認められません。そうでない説明を考えなければなりません。

★長期の前払費用については、税務上の前払処理が強制されているものもあります。処理方法についてよく検討し、過大計上とならないよう注意しておくべきです。

☆前払費用というのは

会計理論上、前払費用とは、一定の契約に従い、継続して役務の提供を受ける場合、いまだ提供されていない役務に対して支払われた対価をいうものとされています（企業会計原則注解5）。

決算では、この前払費用については、貸借対照表の翌日から1年以内に費用となるものは貸借対照表上流動資産に、1年を超える期間を経て費用となるものは固定資産の投資その他の資産に掲記するとしています（同注解16）。

なお、前払費用中、重要性の乏しいものについては、経過勘定科目（前払費用）と処理しないこともできる（同注解1）としています。ここでいう役務提供とは、借入金利息、保険料、地代家賃等の将来期間分の一括先払いの取引が該当することになります。

要するに、決算で当期費用中に翌期以降の期間分のこれら費用が含まれていても、重要なものでない限り、あえて面倒な前払処理をしなくともかまわないとしているのです。

Q68 「前払費用」調査の対応ポイントは　219

☆税務上の取扱い

そうした会計理論の考え方を受けて、税務上も短期の前払費用の特例が次のように定められています。

前払費用の額で、その支払った日から1年以内に提供を受ける役務にかかるものを支払った場合において、継続して支払った日の属する事業年度の損金に算入しているときは、これを認める（法基通2-2-14）。

次に、似たものにもう1つ消耗品等の棚卸資産は、それを消費した日の属する事業年度の損金算入を原則とするが、取得に要した費用の額を継続して取得日の事業年度の損金に算入している場合も、これを認める（法基通2-2-15）としています。消耗品等の例示として事務用消耗品、作業用消耗品、包装材料、広告宣伝用印刷物、見本品等で、各事業年度ごとに概ね一定数量を取得し、かつ経常的に消費するものとしています。

この定めは、文面からもわかるように、会計原則の重要性の原則を受けての具体例を示したものです。したがって、まず、提供役務については、法人の基本的業務に関する重要度の高い費用は当然除かれますし、購入消耗品類も期末直近に大量の発注取得したものについては、認められません。

あくまでも、会計実務の便宜性を考慮してのもので、ごく経常的に反復して発生する費用の先払い処理のみについて、認められているものです。

☆否認される可能性のある例

否認される可能性のある例を上げると、図表75のとおりです。

【図表75　否認される可能性のある例】

問題項目	具体的内容	対応方法の有無
①継続適用されていない	従来、月払方式によっていたものを任意一方的に向う1年分を先払いしたようなと。 利益の多寡如何で前払い、年度損金適宜処理。	契約書類は改定し、継続処理する社内規定の作成。 損益の調整は他の手法を考える。
②メイン業務の収益対応費用	金融業者の金融機関借入金の先払利子等。	重要性の原則適用から外れている。 問題外。
③当期損益（申告所得金額）に対する重要度の高いもの	会計原則での重要性原則が適用されるのは、費用の前払処理が行われてもそうでなくとも当期損益が決算書上著変せず、第三者の判断を誤らせない範囲のもの。処理法如何で黒字→赤字　赤字→黒字。 純損益1億円→0円等は認められない。	損益調整には他の手法で。 たまたまその年度のみ損益が僅少額の年度等なら認められるであろう。

220　第6章　貸借対照表項目の調査ポイント

| ④1年超の前払い | 1年以内と制限されていて1年超の前払いは対象外。1年超前払いで1年分のみ損金計上処理ももちろん認められない。 | 契約期間を1年以内にしておくべき。 |
| ⑤消耗品でない物品の購入貯蔵 | 工場で使用する切削工具等で10万円未満のものは減価償却資産として計上しなくてもよいが、使用開始後の話であって、新品の未使用品を貯蔵している場合は資産計上を要す。 | 現場へ払い出して使用を開始すべし。 |

☆長期の前払費用は

　本Qでは、将来、期間の役務の提供を受けるための費用を、前払費用として、本来、経過項目の資産として会計上計上しなければなりませんが、税務上も含め、重要性の乏しいものについては、支出時の費用としてもよいとの処理についての留意点を説明しました。重要性の有無については、支出日から1年以内に、役務の提供期間が経過する短期のものとの条件が最低限となっており、1年超の場合は問題外です。

　会計上、前払費用は、何も1年以内のものばかりではありません。保険料や借入金の利息、保証料、地代等では、5～10年といった長期契約のものも見られます。しかし、それでも種類は少なく、金額的重要度の高いものもさしてあるわけではありません。そこでは契約に従って、正確な期間計算で各役務提供期間の費用に計上すれば、税務上で問題となることもありません。これらの長期前払費用は、通常、想像しているような利息、保証料や地代といったものより少し異質のものがあるのではと推定されます。

　それは、税法上の繰延資産や本来資産性が乏しいにもかかわらず、課税の公平見地から長期にわたって費用処理をさせる、生命保険契約の定期保険料等も含まれていたりするからです。例えば、公共的施設の負担金等は、設備に対する所有権があるわけでもないのに、税法上、繰延処理を要することとなっているため、会計処理上、会社法が認めている開発費等の疑似資産5項目に該当せず、正規の繰延資産計上は認められないところから、やむなく長期前払費用として処理をしているのです。

　それらもすべて前払費用ですが、重要性の原則で支出時損金の認められている短期の前払費用とは、会計処理、税務調査対応は異なります。細かな税務上の取扱いに従い、処理対応が必要ですが現実には不詳な面も多く、こんなのはおかしいと感じればよく調べ、不当な処理の強要には簡単に引き下がらないことでしょう。

Q 68　「前払費用」調査の対応ポイントは

Q69 「立替金・仮払金」調査の対応ポイントは

Answer Point

★立替金・仮払金は、本来、取引先や従業員の負担すべきものを一時的に代払いしたり、処理勘定科目や最終的な精算額が明確でない場合に使用されるものです。

★中小企業の経理の現場では、そのほか役員の私用での持出しや、精算のあてのないような不当な出金も入り混じって処理されていて、乱脈経理に便利のよい処理科目にされていたりします。

★実質、役員や取引関係者への貸付金である場合は、未収利息の認定が行われたり、回収不能部分があれば役員給与扱いとなったりします。また、一時的に期間損益を弄る目的で費用を翌期繰り延べたりすれば、粉飾決算となり、損金認容が行われないことにもなったりし、困ることがあります。

☆立替金や仮払金が使用されるのは

簿記で立替金や仮払金の使用について、仮払金ではたまたま一時的に資金の出金があり、それが何のための支出が明らかでなかったり、使途はわかっていても、その金額がいくらになるのか不明であるところから、領収書等により精算が行われるまでは、支出勘定科目と金額が確定させられないので、やむを得ず短期間一時的処理に使用するものと一般的には教えています。

また、立替金に関しては、従業員や取引先が負担すべきであるも、やはり一時的に支出先の要請によって代払いしたり、福利費関係の経費を後日従業員から給料天引きで精算するような場合の使用が想定されます。

【図表76　立替金と仮払金の違い】

a／c	性質	処理例
立替金	取引先や従業員の一時的代払い	仕入先、販売先負担の商品発送運賃の一時立替払い、雇用保険料、生命保険料等の一括払い、給料天引控除時まで一時的先行払い。
仮払金	処理勘定科目、金額未定の支出	出張旅費の帰社精算時までの概算払い、種々目的の支出に持出す概算出金、所得税、法人税等の予定納税額、誤出金の一時的処理等々

第6章　貸借対照表項目の調査ポイント

☆実務での乱用が多い

　中小企業では、代表者や有力役員が会計担当者に有無を言わさず頻繁に少額の現金を持ち出したり、営業担当者や建設業での現場管理者が後日精算を約して、現金の持出しをすることがよく見られるところです。

　あるいは、役員が私的必要資金を法人の運転資金から借用してみたりしますが、正規に借用証を交して資金を貸し付けるほどでなく、暫くの間ということで、処理を少額なら仮払金、少し多額になれば立替金でやむなく一時的に処理したりして、経理担当者が困っているようなケースも時々見受けられます。

　このように、立替金や仮払金は、本来考えられているような機能を全然果たすことなく、乱脈経理に非常に便利のよい処理科目に現実には姿を変えてしまっているやに感じられるところです。

　中規模クラスの企業では、本来の立替金、仮払金に加え、そうした不当な資金取引の処理についても誤用されているところから、未精算のこれら雑勘定の残高把握に頭を痛めているといったことが非常に多いのが立替金、仮払金の特徴です。

☆税務調査では

　立替金や仮払金の多い企業は、資金管理がルーズで持出し厳禁、早期精算が徹底されていないところが問題です。

　当然、税務調査でもそういった甘さに着目し、仮払金残高、大口仮払金精算には目を光らせることとなります。

　しかし、費用処理をしているわけでなく、債権として資産計上しているわけですから、処理そのものがいきなり損金不算入と決められることでもありません。

　税務で問題となるとすれば、過大仮払金等の回収可能性、勘定科目の偽装の有無等、逆に立替金処理の欠落等に絞られると思われます。

　役員に対する立替金、仮払金で少しまとまった金額のものがあると、支出内容を聞かれ、特に経営上必要性のないような立替金等であれば、それは実質貸付金とみなされます。

　したがって、未収利息の認定が行われることがあります。また、その立替金等が長期間固定し、減ることなく、あるいは逆に増加し続けたりすれば、回収不能で役員給与（損金不算入）と認定され、多額の源泉所得税を賦課決定されたりする危険があります。

　　　　　　　　Q 69　「立替金・仮払金」調査の対応ポイントは

期間損益調整目的で、例えば、従業員賞与を仮払金処理しておき、翌期以降に費用処理をしたりすれば粉飾決算となり、費用処理年度の損金とならず遡及して決算を修正し、更正の請求手続でもしない限り取り返しのつかないこととなってしまったりしますので、注意が必要です。

　逆に、立替金を経費にしたりしていれば、立替金処理への修正を要求されたりします。例えば、雇用保険料は1年分先払いですが、会社負担は短期前払費用で不計上でも認められるとしても、向う1年間で従業員給料から天引き控除する部分は立替計上が必要で、うっかりミスは禁物です。

☆裏資金流用はないか

　一般に、立替金や仮払金の問題となるのは、仮払金が頻繁に出ていき、持ち出した当人は精算戻入の意識が全くなく、会計処理に困ってしまって、記帳上あまり触れられることのないように仮払金のまま放置しておき、期間が長期化し、何かの仮装処理をしたのが発覚し、役員の認定賞与、あるいは持出し従業員の給与とされ、損金否認や源泉所得税の決定を受けるようなときです。

　しかし、これらは比較的少額で済むことも多く、このことに調査期間をかけたりするほどのこともあまりなく、対応に苦しむことも少ないでしょう。

　そうしたことより、本当に困るのは、かなり大口、例えば何百万円や何千万円単位での使途不明出金等での仮払金が、直接所得を認定するようなことには結びつかないと、軽く考えていては駄目です。それは、必ず法人の裏工作、例えば、取引関係者からの要求に基づく資金提供であったり、役員個人が裏資金運用での不足額を持ってくるところがなく、法人の資金をつまみ出したりしているからと見ているからです。法人の資金流出取引ですから、「何に使ったか」を答えないわけにはいきません。それでは不答弁になってしまいます。それが言えないで通してしまっては、最終的に使途秘匿金扱いをされ、結局、特別の法人税を課されることになりかねません。

　こうした資金が必要なこともあり得るでしょうが、それを繰り返さなければならないようなビジネス方式では、いくら取引利益がある程度あるとしても、事業を資金面から捉えて考えてみれば、何もならないことを必死でやっているだけで、不正取引により発生する屑を1人で引き取っているだけで、資金に全く結びつかない事業としかなっていない結果となります。

　どうしても必要なお金は、役員報酬をその分高くし、天引きで早期に仮払金精算でもしておくほかはないかと思われます。

Q 70 「未成工事支出金」調査の対応ポイントは

Answer Point

★中小建設業者では、工事の進捗管理を検証するような書類が乏しいことが多く、未完成の工事にかかる原価そのものが掴み難い上、工事完了、引渡し時点も曖昧で主観的判断によっていることが多く、利益調節弁にされやすい勘定科目となっています。

★期間利益の調節や裏資金の捻出がないかが、調査のポイントとなることが多いようです。工事完成日や未成工事原価は、形式が相対的につくる面もあり、関係書類間は整合性を持たせて完備しておくことです。

★中小建設業では、目による現場の管理が中心で、実行予算を組んでの工程や原価管理の余裕はありません。しかし、内部管理上も実際発生原価を工事台帳で明らかにしておくことは必要で、共通費等の配賦の適否の検証も可能となり、税務調査でも調査時間が短縮されると思われます。

★零細土木工事業者には一人親方も多く、領収書1枚程度の証憑では施工の事実、業者の存在の有無等が疑われやすく、反面調査が厳しく行われます。調査対象法人の工事費の適否と、併せて下請業者の申告有無、当否まで広角度からの調査結果での決着となる破目を見ることとなったりします。

★未成工事支出金での利益水増し処理は、粉飾決算を認定され、青色繰越欠損金控除の期限切れとなったりして、注意が必要です。

☆利益調節弁にされやすい

　土木建設業では、受注工事の着手から完成引渡しまで期間を要することが多く、決算時点での未引渡し工事については、工期途上の未完成工事の直接原価と、全体の管理費等間接費の配賦額を未成工事支出金勘定で、棚卸資産として計上します。

　通常の物品販売業とは異なり、収益の実現は取引対象物品の引渡しのように出荷等の事実を客観的に確かめることが難しく、本来は目的工事発注者による検収をもって引渡し完了、会計でいう収益の実現となるはずですが、その検証が難しく、請負工事業者の恣意性のかなり働く場合が多い厄介なものです。

　中堅規模以上の工事業者では、工事契約書から各種許認可申請や検査立会関係書類、官庁や発注者の立入検査、工事引渡し証、最終検収証等、完備は

Q 70 「未成工事支出金」調査の対応ポイントは　　225

されていますが、それでも最終段階での立入検査、工事引渡し証、検収証等の書類は日付をブランクにして交付し、後日工事完成日をその期の利益の多寡を見て、後日記入されることも多いようです。

中小工事業者では、そうした契約文書関係はおろか、工事日報、出面帳等、工事の進捗経過を示すようなものは何ひとつ存在しないようなこともあります。中小企業では、そんな間接作業に人手間をかけている余裕などないのです。

☆調査の着眼点に考えられるものは

税務調査では、どんな角度から不正や誤りの有無を確かめようとするのでしょうか。請負工事業特有のポイントを絞ってみると、①期間利益の調節からの操作、②裏資金の捻出の2点です。

これらは、未成工事支出金の調査対応というよりは、建設業全般にわたる調査対応のポイントとして取り上げられるものでもあります。

【図表77　未成工事支出金の税務調査対応ポイント】

目的	手法		結果	ポイント
期間利益の調節	工事完成日の操作	発注者と通謀し、双方の都合のよい付とする。	利益の繰下げ、繰上げ。場合によっては期間完成工事高総額の調整も。	もともと真実の完成日は誰もわからない。　形式が相対的につくるもの。　関係書類に整合性を持たせて完備しておくこと。
	工事原価の付替え	A工事B工事等、工事ごとの材料費、外注費を赤字工事の黒字化や未成工事または完成工事原価へ振り分けて利益を操作する	期間利益を都合のよい金額につくり上げる。未成工事支出金は変動してしまう。	工期全体の進捗過程、翌期も含めた工事間の原価率アンバランス等でわかることが多い。　工事日報や出面帳と符合しないことでわかることもある。
裏使用資金の捻出	架空労務者のでっち上げで賃金支出	出面帳、工事日報の偽造	裏資金　いわゆる談合金、競合業者への受注戦の降り賃のプール。地元対策費の有力者への礼金プール。発注者、担当者への裏リベート支払い。	支出方法（現金か振込か）、誰が現金を管理するか。　労務者の社会保険、住民税の扱いはいかがか等で判明することが多い。
	架空外注費の計上	一見、新規の業者への発注の形式による手法が多い		具体的外注工事内容が不明瞭な事が多く、工事原価の投入を順に追い詰めると判明しやすい。

☆実行予算管理体制をしっかりと

工事は、見積り積算通りで受注できれば何の問題もないのですが、競争の厳しい今日、1つ間違えば黒字のはずが大赤字となることもあり得ます。

そうならないためには、少し工事金額が張ると、実際発生原価をコントロールする工事項目ごとの上限を定めた管理用の実行予算を設定し、その範囲で実際原価を抑えるようにする必要があります。

それを基に、中間管理職、現場管理者等は、工事の具体的発注と工程管理をするシステムにしておけば、各工事別の共通費用の発生工事別にどう使ったか、同一内容工事等、同一業者にさせることも多く、自然と工事別、事業年度別にコントロールされていくと思われ、決算期にあたふたし、原価の付替えや完成日を操作せずに済みます。日常の工事管理徹底をしておくことが大事です。

☆反面調査に耐えられるか

外注費は、同種工事に複数の工事請求があったり、請求書で単に○○工事一式のような内容であったりすれば、架空でないかを疑われます。しかし、説明だけでは納得されないことも多く、下請業者の住所地へ業者が実在するかどうか、あるいはその業者の工事記録から実際に施工したのかどうか等を、反面調査を行ったりすることもあります。

工事完成時期についても、発注者へ反面調査に赴き、発注書から完成引渡書等まですべて、調査先の記録と符合しているかを確かめます。こちら側の一方的都合による内容では、当方のみでなく発注元も疑われたりし、調査日数範囲が拡大する危険もあります。

☆未成工事支出金調整は減額更正がないことも

粉飾決算は、法人がそれを修正するまで赤字を黒字にしていても、認容しないことになっています。

長期間　赤字→黒字　黒字→赤字を未成工事支出金を膨らませたり縮めたりで調整していれば、古い年度の青色繰越欠損金控除が期限切れとなったりすることも考えられ、未成工事支出金の調整による決算対策は考えものです。

ただ、極端な未成工事支出金の水増しでない限り、減額更正を行うような手数はかけておれないので、放置されると思われますが、逆に、未成工事受入金の金額に比べて未成工事支出金が少ない場合は、意図的計上漏れをしているのではと厳しい調査が行われたりします。

Q 70　「未成工事支出金」調査の対応ポイントは

Q71 「貸倒引当金」調査の 対応ポイントは

Answer Point

★貸倒引当金は、期末売上債権額のうち、回収不能部分を見積もって、予め損失計上しておくものとされています。しかし、貸倒損失をみておくような取引利益はないことが多く、時たま例外的に貸倒れが発生するために引き当てておくのが現実のようです。

★貸倒引当金のような不確実の損失は、税務上、原則として損金にはなりません。中小企業のみ形式的に認容しています。

★貸倒引当金は、中小企業者のみに認められていますが、ポイントは、個別評価繰入れの場合の事実の立証、一括評価の繰入率、対象貸金額の当否、毎事業年度の洗替会計処理の適否となります。

★個別評価繰入れでは、相手先の法的手続以外の場合の事実の内容の明らかな書類の入手、対象債権から控除すべき債務、入手担保の評価、非金銭債権の除去等が必要となります。

★洗替会計処理は、会計慣行が差額繰入れとなっているので、申告書別表（貸倒引当金繰入明細書）上で明らかにしておかなければなりません。

☆貸倒引当金とは

貸倒引当金とは、未回収の売上収益、例えば売掛金、受取手形、金融業なら貸付金等の一部、または全部が回収不能となる場合があり、それに備えて予め売上収益の発生年度で貸倒見込み額を費用として計上し、売上債権から控除する処理勘定のことをいいます。

簿記教科書では、昔から債権の貸倒れは必ず発生するもので、期末決算時点で見積もられる貸倒見込み額を、正確に計算の上計上しなければならないと教えてきていました。

しかし、一般的に貸倒れが日常そんなに出てくれば企業は倒産してしまいます。

むしろ、時たま例外的に発生するものと思い込んでいるのが通常の経営者の感覚のように思われ、期末決算で数多い売上債権を有していて、中には一部不良債権化しつつあるようなケースで初めて貸倒引当金が、その部分について設定しておく必要があるのだろうと思われます。

第６章　貸借対照表項目の調査ポイント

☆不確定の損失は税務では認めない

　税務上の損金算入が認められる要件に、債務が確定していることになっています。相手方に法的請求権が生じているようなことをいいますが、貸倒引当金についても未だ発生していない貸倒れを、何の根拠もなしに損失として引当繰入れることを原則として、一切税務では認めていません。

　したがって、大法人については現在金融業等の例外を除き、貸倒引当金の適用はなく、中小法人に限り特別に貸倒れの具体的兆候として、一定の事実が明らかになっている場合にのみ例外として認められているのと、中小企業保護育成の見地から、一律に一定の繰入枠の範囲で貸倒引当金の繰入れが可能となっています。

　前者を個別評価による繰入額、後者を一括評価による繰入額といいます。

☆税務上問題となるようなケースは

　前述のように、大法人の貸倒引当金は認められなくなりましたので、中小法人のみの認否の問題となります。

　実務的に、問題となったケースはあまり聞かれませんが、想定されるのは、個別評価による繰入れの場合の事実の立証、一括評価の場合の貸倒実績率の分子、分母の計算や、法定繰入率適用業種の当否等の関連と、会計処理としての毎期の繰入れ、戻入れの洗替え処理の適否等が考えられます（法法52①②　法令96①②　措法57の9①）。

　まとめてみれば、図表78のとおりです。

【図表78　貸倒引当金の税務取扱い】

繰入種類	繰入要件	限度額	手続要件
個別評価繰入れ	一定の事実の発生 ①会社更生の認可決定等	切捨てまたは弁済猶予等の金額	繰入明細書の申告書添付、事実の証明書類の保存
	②債務者の債務超過状態の相当期間の継続かつ好転の見込みのない場合等	取立見込みがないと認められる金額	
	③会社更生手続の申立等	債権額の50%	
	「中小企業であること」（資本金1億円	過去3事業年度の貸倒れ実績率	対象となる債権同一取引先か

Q71　「貸倒引当金」調査の対応ポイントは

一括評価繰入れ	以下の普通法人） ①事業年度前3年間の貸倒れ実績 ②業種別法定繰入れ率	$\left(\dfrac{債権の貸倒損失}{年度末債権合計}\right)$ 卸小売業　$\dfrac{10}{1,000}$ 製造業　$\dfrac{8}{1,000}$ 金融保険業　$\dfrac{3}{1,000}$ 割賦小売業　$\dfrac{13}{1,000}$ その他の事業　$\dfrac{6}{1,000}$	らの債務は控除する。 前渡金、手付金、前払経費、敷金保証金等は金銭債権にならない。 業種が複数の場合は、主たる業種（例えば売上高）のものを適用します。

☆留意点①個別評価繰入れの場合

　既述のように、税務上損金として認められるのは、債務が確定していることが要件となっています。貸倒れの可能性が高い不良債権については、債務者の財務内容が思わしくなく早晩回収不能となると考えられても、債権者集会の決議、会社更生法適用等で債権の切捨てが決まらない限り、貸倒損失として認められません。かつ貸倒れ処理は、その決定があった年度に限られています。個別評価の貸倒引当金繰入れが認められるのは、そうしたいずれまず貸倒れとなるのが確実だろうと予測される債権について、予め損金処理が認められる例外となります。

　税法上では、これら個別引当金の繰入れについては、その事実が生じていると証する書類の保存がされている場合に限り、認められる規定となっていて、何ら証拠書類がない場合、いざ税務調査になり、追っかけて取り寄せるのでは保存されていることにならないので、認められないものと考えられます。

　特に、①会社更生等の認可、③会社更生手続申立て等は、書類の入手は難しくありませんが、②の債務超過状態の継続等は、先方が怪しくなりかけてからの財務内容の明らかになるものを取り寄せておく必要がありますが、相手が出してくれなければそれはできません。

　興信所等、各種の情報機関の資料を継続入手しておかないと、債務超過状態の継続が立証できません。

　また、相手方からの担保入手、保証人の存在等は、債権額から控除をしなければならないので注意が必要です。

☆留意点②対象貸金の範囲は

同一取引先に対し、債権と仕入債務等が存在する場合は、対象貸金は相殺後の金額となります。また、履行しなければならないことが確実となっている保証債務は、現実に支払うまでは貸金となりません。

なお、前渡金、手付金、保証金敷金等は金銭債権に該当せず、割引手形、裏書手形は貸金となります。

☆留意点③会計処理

貸倒引当金は、繰入れた翌事業年度には益金の額に戻入れをすることになっています。

通常、会計基準では、前年度の引当金残高と翌期の限度額の差額繰入れをすることになっていますが、税法では前年度損金算入額は翌期全額戻入れをしなければならないことになっており、会計処理は差額繰入れであっても、申告書別表（貸倒引当金繰入明細書）で差額繰入れをしていることを明らかにしておく必要があります。

なお、会計では、貸倒引当金の目的取崩しは債権額と直接相殺することになっていますが、少々補足します。

会計処理に関しては、貸倒れが実際に発生した場合において、前期に既に、貸倒れの危険がある債権として個別に引当金の設定があれば、貸倒引当金から取り崩して、つまり、貸倒引当金と相殺を行います。前期からの貸倒引当金が、その債権を個別に対象として引当てが行われていなかった場合は、貸倒れ発生年度の損失として処理します。あるいは、一括評価繰入れとしての貸倒引当金の設定があって、かつ、前期からの繰越貸金についての貸倒れの場合は、貸倒引当金の取崩処理をします。

しかし、一括評価繰入れの貸倒引当金設定額は、少額の場合が多いところから、それでは足りないときは、発生年度の貸倒損失とします。

貸倒れとなった貸金が、期中発生したものである場合は、貸倒引当金の取崩しは一切せず、これも発生年度の貸倒損失としての処理を行い、設定してある前期から繰り越された貸倒引当金は、その期の決算で戻入益処理するか、当期の貸倒引当金との差額繰入れで調整します。

少し複雑な説明をしましたが、会計基準どおりの処理はこのようになり、それらを決算書表示上および申告書別表上で明らかにしておくことです。

貸倒引当金は、他の勘定と異なり、これらの点を完備しておけば税務調査でのトラブルはあまりないと考えられます。

Q71 「貸倒引当金」調査の対応ポイントは

Q72 「減価償却資産」調査の対応ポイントは

Answer Point

★減価償却資産そのものの計上や当否について、当初から調査対象に絞って行われることは少なく、通常は修繕費や消耗品費中の大口のもの、設備の更新時の付随費用、除却費用等の当否に関連して検証されることが多いと思われます。

★減価償却資産は、会計上の固定資産から土地、借地権等を除いたもので、重要性の原則から、少額減価償却資産は、取得時の一時損金処理を認めています。

★減価償却資産の処理での留意点としては、

- ・資産の取得処理…取得価額（購入代価、付随費用、任意関連費用、一括購入資産の分離）
- ・資本的支出…改造費、移設費のうち耐用年数の増加、価額を増加させる部分の資産計上
- ・評価損益…災害等や法的手続による場合を除き、評価損益は認められない
- ・除却処理…廃棄損、有姿除却、個別管理不能資産の取扱い
- ・非減価償却資産…書画骨董品のうち一定金額の以下の資産

の取扱いとなります。

☆減価償却資産が調査項目となるのは

税務調査では、必ず取り上げられる対象項目として、まず、売上取引や加工収入、サービス料収入等の収益項目と、その対応項目である仕入取引、仕入のない業種では主な原価である委託費やサービス費支出があげられます。

次に、源泉所得税の取扱いや支給額の当否検討から人件費、役員報酬、福利費関係も検査項目です。

その他の営業経費では、交際費や修繕費、節税がらみで保険料、リース料等もよく対象となります。

それに対し、減価償却資産が単独でその当否のみを確かめられることは、通常ではあまりないといえます。

考えられるのは、減価償却費との関連で、計算基礎となる取得価額や、耐

232　第6章　貸借対照表項目の調査ポイント

用年数の適否から償却資産の内容について、あるいは、修繕費と資本的支出の関連で資産計上漏れの有無検討の場合、それと、年間の資産取得量の多い製造業やサービス業で、処理の当否検討や建物建築、大型機械等の設備投資があった場合等での、その改廃の処理が問題とされるときなどに限られると思われます。

☆減価償却資産の範囲

　会計では、資産のうち販売目的で保有せず、それを将来にわたり使用することにより収益を得られることとなるような物品や権利、事実関係を資産として計上処理します。長期の投資も含めて一般にこれらを固定資産と呼んでいますが、土地建物、機械等、物体があるものを有形固定資産、法的権利やある投資により収益が増加すると期待されるもの等は、無形固定資産およびその他投資と分類されています。

　しかし、これらのうち使用可能期間が短期間であったり、その価額が少額であるものについては、資産として計上しても、いたずらに管理事務が煩雑になるだけで、資産管理上も期間損益計算上も無視しても大して問題とならないものは、会計重要性の原則から資産計上することなく、支出額を営業費用として処理します。税務上も同様に重要性の観点から、その処理を容認していますが、金額面での線引きや付随費用処理等で細かい規定があり、よく問題とされるところで、注意が必要です。

　本項では、それらの固定資産のうち、非償却資産の土地、借地権と無形固定資産をＱ73以下で取り上げ、土地を除く有形固定資産に絞って述べることとします。

　なお、減価償却資産ですから、営業費用項目の減価償却費（Ｑ102）とも相関連し、説明が重複する部分もあります。

☆取得計上から除却処理まで

　減価償却費については、Ｑ102となりますので、有形固定資産中の土地等の非減価償却資産を除く償却資産グループと、償却資産と混同されやすい減価償却が認められない書画骨董等の備品等の会計税務処理について、その取得から使用中の管理維持処理、最終の廃棄除却までの間にわたっての留意点を考えてみます。

　それら各局面での考えられる問題点と、そのための説明の要領や保存整備しておくべき書類、証拠資料、会計処理上の注意等を、順を追って説明して

Ｑ72　「減価償却資産」調査の対応ポイントは

いきます。

これらをまとめれば、図表 79 のようになります。

【図表 79　減価償却資産の取得計上から除却処理まで】

取得〜除却	金額等	支出内容	留意事項
資産の取得処理	取得価額	購入代価（自社製作の場合、製造原価）	引取運賃、荷役費、運送保険料、購入手数料、関税は、取得価額に含めるとされている（法令 54①）。
		付随費用（事業の用に供するための直接費用）	建物建築の地元対策費も含める（法基通 7 - 3 - 7）。 機械の据付費、試運転費等は直接費用に該当。
		取得関連費用含めるか含めないか任意の費用	不動産取得税、自動車取得税、新増設にかかる事業所税、登記登録費用、取得目的借入金の使用開始までの支払利子は含めなくてもよい（法基通 7-3-1 の 2、7-3-3 の 2）。 建物建築にかかる上棟式落成式費用、地鎮祭費等は明確な規定はない。上記のように具体的に列挙されてない費用は、直接の購入代価を構成するか、事業の用に供する直接費用とならない限り含めなくてよく、調査ではその線での粘り強い姿勢、説得力を持つべき。
		複数の資産勘定の一括取得（土地と建物、付属設備、構築物等、特に中古取得のとき等）	土地建物の一括購入で、それぞれの価額不明時は、合理的区分計算による。例えば、相続税評価額比、消費税額から建物価額の逆算も 1 つの基準となる。 建物のみの取得（土地が別）には、借地権（次 Q）が関連するので注意。 建物と付属設備（電気、空調、給排水等）、構築物（庭園緑化、アスファルト敷、外壁設備、へい等）の一括取得は、資産を細分化したほうが断然有利（建物本体より耐用年数の短いものが多いため）。 按分基準は、特にないが合理性があること（建物本体以外の含まれている種々の資産の時価を求め、購入価額から控除し、残額を建物とするような消去法でも不自然さがなければ OK では）。 新築の場合は、工事見積書等により区分。建替え等では、旧建物の廃棄費用等、損金処理すべきものもあり注意。
		少額資産の取扱い 　1 基 1 組が 10 万円未満 　10 万円以上 20 万円未満	資産計上するか消耗品処理かは自由。 　一括償却資産（3 年均等償却）が可能。途

234　第 6 章　貸借対照表項目の調査ポイント

			上中途除却は不可（内容不明の繰延資産化している）（法令 133、133 の 2）。
		1 基 1 組が 30 万円未満	中小企業に限り年間 300 万円を限度として即時償却可。 別表 16 ⑶⑺にその記載が条件（措法 67 の 5①）。
資本的支出	改造費	計上しなければならないのは資産の耐用年数の延長効果または価額を増加させる部分に限られる。 造築的部分（面積等の数量増加、新規機能付加等）は完全に資本的支出	金額が大きいのみで資産計上にこだわらない。 左の効果がないことを強調できれば修繕費。税務上、形式基準が設けられているが、それでも曖昧部分が多い。修繕である根拠を持つべき。
		賃借物件の修繕費	貸主との特約（修繕は借主負担）がないとき、貸主への寄付金部分がある場合は、修繕費。 修繕でなく改造部分があれば資産計上要。
	移設費	通常の移設費 特別の移設費	営業費用で損金算入。 集中生産等のための機械装置の移設は、資産計上（法基通 7-3-12）。 減多にないと考えられ、通常は損金計上でよいと考えられる。
		修繕費、消耗品費処理の改造費	資本的支出を修繕費処理していた場合、1 組等 60 万円以下なら過大減価償却扱いとなり、修正申告や更正の場合、減価償却額は認容計算となるので忘れないように。
		資本的支出か修繕費かはハッキリしないことが多く、税務署、納税者とも互いに主観的になるもので決め手がない。税務調査の結末は、争点主義でなく総額主義的でもあり、こうした曖昧な項目は、納税者側が粘れるだけ理由を述べて粘り、簡単に引き下がらない態度が理屈以前に求められるところである。	
評価損益	評価損 評価益	既存資産の時価下落、上昇があっても評価損益は原則として認められない。	会社更生手続等の例外はあるが通常はない。
		例外として一定の事実が生じている場合は認められる。	時価までの評価減は可能のはずだが、時価の判明しない場合は不可とみるべき。
		災害による損傷、1 年以上の遊休、用途変更、所在場所の状況変化、これらに準ずる特別の	遊休資産等も一時的では無理と思われ、事業転廃業等の特別の事実に該当する会計処理なら否認根拠も乏しくなるかも。

Q 72 「減価償却資産」調査の対応ポイントは

		所在場所の状況変化、これらに準ずる特別の事実	なら否認根拠も乏しくなるかも。
除却処理	廃棄損	買換え更新の除却損益 使用途上廃却損	一般に除却の事実を証するのが難しいことが多いが、更新設備、購入書類等完備していればトラブルは少ない。 　設備の取得、廃却。 　・大会社…取締役会、稟議決裁等で客観化されている。 　・中堅企業…中間層の管理情報で判明。 　・零細小規模企業…廃棄を証する物件はほとんどない。期間、損益次第で恣意的処理になり勝ち。 　証拠なしで否認されれば、役員給与扱いとなることも考えられる。 　日常から、棚卸資産と同様、資産の実地検査を行い、継続的に追いかけておくべき。
		有姿除却	現品は存在していても、今後一切使用しない資産は、廃棄等手続をしなくても除却が認められている。 　転用しない、できない理由の明示が必要。
		個別管理不能の少額資産の除却損	工具、器具、備品で同一資産を大量保有する場合、数量管理のみを行い、取得時期の古い順に除却損の計上が認められている（おおむね取得価額40万円未満に限られる。それにしても実在数量は実地検査を要す）。
		除却全般に実在しないものは除却が認められなければ架空資産の存在となる。少々のトラブルは資産管理の精度向上を約し、恣意的除却処理をしていなければ認容されることもあり、丁寧な説明を尽くすよう心掛けたい。	
非減価償却となる美術品等	古美術品等代替性のないものすべて一般の美術品1点100万円以上	時の経過により減価しない資産1点100万円未満の希少価値を有さないものは減価償却資産に該当。	書画骨董としての保有でなく、複製で装飾目的等の場合は減価償却資産。 　この辺の判定は難しいところ。 　トラブル時はよく調べる必要あり。

Q73 「土地等」調査の対応ポイントは

Answe Point

★会計では、土地は、建物、構築物と同扱いで、有形固定資産の区分に含まれますが、税務上の固定資産は、土地、減価償却資産、電話加入権、その他と区分されます。

★土地は、さらに土地と土地上の権利（借地権）に分けられています。会計上、無形固定資産とされている借地権も、税務上では土地と同様に扱われています。

★土地の取得から、利用、貸与、譲渡までの局面で、税務上問題が生ずるのは次のようになります。

・取得…取得価額、建物と一体での購入、所有建物の底地のみの取得。

・利用…利用状況の変動、改良、自用から賃貸またはその逆、それに伴う金銭の授受。

・評価損…認められない。

・譲渡…譲渡価額、建物のみの譲渡の場合、譲渡時期。

★土地は、高額資産であるところから、特に同族関係者間での取引には注意を要します。

☆固定資産の会計と税務の違い

　Q72でも触れたとおり、会計上では固定資産を有形固定資産と無形固定資産および、投資その他の資産に区分することになっています。

　一方、税務上は、そうした分類ではなく、固定資産は土地等、減価償却資産、電話加入権、これらの3項に準ずるものとされています（会法435②、会規106①②、法法2二十二、二十三、法令12、13）。

　比較してみれば、図表80のようになります。

【図表80　固定資産の会計上、税務上の取扱いの違いは】

会計上の区分		税務上の区分	
区分	資産名称（例示）	区分	資産名称
有形固定資産	建物、構築物、機械装置、船舶、車両運搬具、工具器具備品、航空機、土地、建設仮勘定等	土地	土地、土地の上に存する権利（地上権、賃借権等）

Q73　「土地等」調査の対応ポイントは　　237

無形固定資産	営業権、特許権、地上権、商標権、意匠権、実用新案権、電話加入権、工業所有権、施設利用権、ソフトウェア	減価償却資産	建物および付属設備、構築物、機械および装置、船舶、航空機、車両および運搬具、工具器具および備品 （無形固定資産） 鉱業権、漁業権、ダム使用権、水利権、特許権、実用新案権、意匠権、商標権、ソフトウェア、育成者権、公共施設等運用権、営業権、専用側線利用権、各種施設利用権、生物（牛、鶏、豚等）、樹木（果樹、茶樹、オリーブ樹等）
投資その他の資産	有価証券、出資金、長期貸付金等で長期に運用投資目的で保有する有形固定資産、無形固定資産以外のもの		
		電話加入権	電話加入権
		その他	上記３項に掲げる資産に準ずるもの

☆土地と土地等

　会計では、土地と土地上の権利は固定資産の分類上、別のものとなっていて、土地は前表の通り有形固定資産で、土地上の権利である借地権（地上権、賃借権）、地役権、空中権等は、無形固定資産の処理をすることとなります。

　税務上では、土地は、大都市の市街地等で土地の所有者と建物の所有者が異なることも多く、借地借家法の制限もあり、そこでは土地の所有者は建物所有者から単に地代を収受するだけの価値を有すのみで、所有する自分の土地を自由に運用や処分ができないことが多くなっていることに注目します。

　この場合の建物所有者は、その土地（底地）の使用する権利（借地権）を有していて、むしろ底地所有者より価値があることになってきます。そうしたところから、土地上の借地権等は、土地そのものよりさらに値打ちのある資産といえることになります。

　したがって、そうした土地上の権利は、土地と同様に時の経過により減耗したり減価するものではないので、減価償却資産中の他の無形固定資産とは別の扱いで非減価償却資産として、独立した区分を設けてあるのだろうと考えられます。

　なぜここで、土地と土地上の権利を同様に扱いながら、土地と土地上の権利は別の資産のように書かれているかは、おそらく土地は事実上の占有や登記でハッキリと所有がわかりますが、土地上の権利は主張しない限り賃借権の登記等はできるものの、無償でその権利を放棄したり放置することにより

消滅させたりすることがあったりして、それが課税上問題となる場合が往々にあり、注意しておくべきだからと思われます。

☆土地の取得、利用、貸与から譲渡まで

Ｑ72の減価償却資産の場合と同様、土地の取得、保有、譲渡までに税務上トラブルになると思われる点を順に取り上げてみると図表81のようになります。

【図表81　土地の取得、利用、貸与から譲渡までで税務上トラブルになる点】

状況	税務上のトラブルポイント
①土地の取得	㋑土地のみ（建物や構築物の存しない更地）の取得 ・取得価額・購入代価。 ・付随費用があれば減価償却資産と同じ扱い。ただし、地盛費、整地費等は取得価額に含め、アスファルト敷、排水施設の整備は減価償却資産となる。 ㋺建物と一体購入 ・購入代価は土地と建物に区分。 ・建物のみの取得には、借地権価額が含まれる場合が多く、借地権と区分計上。 ㋩既に建物を有していて底地のみの取得 ・既計上の借地権価額を含めた金額が土地の取得価額。 ・土地の取得態様をよく検討しないと不利となることも考えられるし、逆に減価償却が認められない土地、借地権への計上漏れを指摘されることも。
②土地の利用状況の変動	㋑土地の改良等の支出 ・災害等で崩れた土地の復旧費…修繕費。 ・その他…土地の利用効率が上がったとみて、土地の取得価額に加算。 ㋺自用→賃貸へ ・家屋の建築を認めるとき…借地権対価の収受が必要。 ・賃料の適否。 ㋩賃貸→自用へ ・立退き料等は土地の取得価額加算。 ・営業補償部分は損金。 ・建物買取代金は減価償却資産。
③評価損	中小企業会計指針では、大企業に適用が強制されている資産の減損については、厳格な適用は難しいとして消極的になっています。 　しかし、現実には、バブル景気の頃に購入したり、投資目的で高価取得した塩漬け土地を保有している企業もあります。 　税務上、資産について災害等で劣化の事実があれば、評価損は認められることになっていますが、土地等については、まず、土地の機能がなくなることは考えられず、通常は評価損は計上できません。

Ｑ73　「土地等」調査の対応ポイントは

239

	過大評価となっている土地（ある意味では架空資産）は、一度外部へ売却し、実現損を出し、以降賃借に切り換えるしか仕方がないと考えられます。
④譲渡	㋑譲渡価額 ・低額譲渡…時価との差額は寄付金となる。 ・相手が同族関係者の場合、役員給与となることも。 ㋺建物のみの譲渡 ・借地権相当額は土地の簿価減額すること。 ・譲渡益が過大となってしまうことも。 ㋩譲渡時期 ・土地税制はめまぐるしく変更されます。年度により税率が重課、軽課されたり、買換え適用や特別控除額が変わったりします。譲渡時期は原則として引渡し時点ですが、契約日でもよいとされています。その辺は有利なほうを選択すべきとなります。

　およそ土地等に関しては、これらの点をよく検討し、売買や賃貸契約書、登記関係、その他買換えや特別控除等の特例適用に必要な書類を整備保存しておかなければ、とにかく、高額資産の取得、所有、売却等となり、1つ間違えば大変なことになりますので、慎重な処理が望まれます。

　また、グループ法人税制の適用にも注意が必要で、グループ内の取引では譲渡損益が繰延べの対象とならないか確認しておかなければなりません。

　このように、土地については、減価償却ができないところから、保有土地についての問題となることはないように思われるところですが、土地の譲渡はしなくても貸与したり、用途変更のため区画変更や手を加えて姿を変えたりすることもあり、そうしたときには土地の簿価を修正しなければならない場合も生じます。

　通常、一般人は、人に土地を貸したら返ってこないとの恐怖心から、あまり他人に土地を貸すことはありませんが、同族会社と同族関係者間ではそんな心配はないと考え、いとも簡単に土地の用途も何も定めず、当初は無償で一時的にくらいの軽い判断で貸与します。そのうちに建物や構築物の建設、設置といった形になり、やがて地代もいつの間にか何がしかのものを授受したりします。こうしたことについては、貸与開始の頃は借地権課税の問題があり、その後、譲渡したり、貸与先を変更したりする際には、借地人との間の微妙な譲渡代金の配分等の問題が生じます。

　仮にそうなれば、相当地代の授受等による認定回避手法を、税務調査の段階で微妙なところですが、協議を行って解決を図らなければならないこととなったりします。

Q74 「借地権」調査の 対応ポイントは

Answe Point

★借地権とは、建物の所有を目的とする地上権、または土地の賃借権をいいます。借地権は、通常、単独で売買することはなく、建物と付着した権利で主張しなければ何の値打ちもないもので、無償で放棄したりすれば、問題となります。

★土地所有者は、土地上に建物の建築を認めれば、土地の利用権は建物所有者に移り（借地権が発生）、単に地代収受権しか残らないこととなります。

★借地権の税務上のトラブルは、次のようなものです。

① 建物の所有を目的とした土地の貸借を行ったときの、借地権の認識をしなかった場合の権利金の認定、回避には相当地代の設定、無償返還届の提出があります。

② 借地上の建物を、借地権を考慮せず売却、取壊し等をした場合、借地権のみなし譲渡による課税関係が生じます。

③ このほか、借地を整地したりすれば、その支出は土地や減価償却資産、あるいは修繕費でなく、借地権の価額に算入します。

★土地と同様、高額となることが多く、同族関係者間で軽い判断でのやりとりは禁物です。

☆借地権とは

　借地権とは、「建物の所有を目的とする地上権、または土地の賃借権」と法律上はなっています（借地借家法2）。

　このうち地上権は、他人の土地において工作物や竹木を所有するため、その土地を使用する権利を指し、賃借権とは、ある物を賃料を支払って使用する権利とされており、地上権は譲渡することが可能です。

　税務上も借地権を「建物、または構築物の所有を目的とする地上権、または土地の賃借権」として同じ取扱いとなっています（法令138①）。

☆借地権が問題となるのは

　不動産の賃貸借では、賃料や立退きをめぐって日常絶えずトラブルがあることはよく見聞きするところです。しかし、借地権については、一般的にそ

Q 74　「借地権」調査の対応ポイントは

れを意識して行動することは少なく、現実に借地権そのものを土地と切り離し、単独で売買するようなことも滅多にないのではと思われます。

というのは、結局、借地権は、形のある独立した権利とは認識しづらく、建物に付着して自然発生的に権利者が主張するものだからと考えられます。

したがって、借地権は、権利者が主張せず放棄すれば、何の値打ちもないものです。

しかし、法人、こと会社企業では、営利を目的としていますので、それに反する行為は当然許されません。税務上も、目には見えない事実上発生している借地権を地主に無償で返還したりすれば、寄付金を認定されたりすることとなってしまうのです。

☆上地と底地

借地借家法の保護があるところから、土地を貸し、建物の建築を認めた場合、土地所有者はそれ以降、その土地を利用することはもちろん、原則として返還を求めることもできなくなり、図表82のとおりただ地代を収受するだけとなり、土地の価値は一挙に下がります。

【図表82　土地の所有形態】

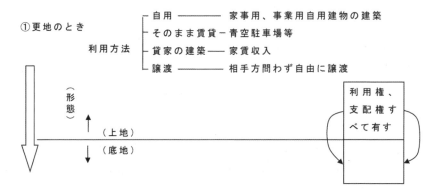

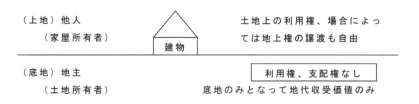

☆税務での借地権の注意点

借地権についての説明は長くなりますので省略し、一般に税務で問題に取り上げられている事例を説明し、借地権を意識した処理と予想されるトラブル時の対処について考えてみると図表83のようになります。

【図表83　税務上の借地権トラブルと対処法】

状況	トラブルと対処法
①借地権の設定	㋑発生…土地を借りて（貸して）家屋を建てた場合。 （例）法人代表者の個人所有地に法人の建物を建築した場合。 法律上借地権が発生 ━━━→ 借地権の認定問題 （放置） （法人の土地に個人が建築を行う逆の場合も同様だが、事例は少ない）。 ㋺税務上の正当な処理法㋑〜㋩のいずれか。 　イ、権利金の授受 　ロ、相当地代の支払い（年６％相当） 　ハ、無償返還届の提出 ㋩放置時の予想される指摘。 　権利金の認定課税 　　土地時価 × 借地権割合＝受贈益 ㊁税務調査での対処は。 ・権利金の授受慣行はない地域である旨の主張…都市区域（地価の高い区域）でない所では必要ないはず。 ・相当地代の支払いを遡及実施。 　税務時効は５年であり、その期間内の指摘と考えられ権利金認定に代えて税務調整修正申告。 　設定時より５年経過していれば問題とはならない。 ・無償返還に関する届出を行う。 　無償返還の届出時期は、遅滞なくとなっているだけで明確でない。指摘されての届出が遅滞しているかどうかは微妙である。
②借地の改良工事等の借地権	借地に建物建設をする場合、あるいは置場、駐車場等として使用する場合、軟弱地の改良、荒れ地の整地修正費用等の支出をした場合。 　減価償却資産でなく、また、土地でもなく、借地権として税務上は処理。 （アスファルトやコンクリート敷は構築物） 　この場合は、返却時、地主にその費用の買取請求が行えるのみで、借地権の譲渡認定云々は関係ない。
③借地権の消滅	・（例）借地上に有する建物を売却

Q 74　「借地権」調査の対応ポイントは　　243

単に建物価額で売買契約、地主が土地代を更地価額で収受。

| 借地権を無償で消滅させている | → | 借地権の譲渡認定 |

（放置）

無償返還届提出の処理をしていれば、法律上存在している借地権は税務上、なかったとされるはず。
借地権設定時問題とならず、自然発生借地権（相当地代の据置き等）がある場合は、譲渡益の認定の指摘を受ける。これは避けられない。
・対処法
難しいところで、他人間であれば税務問題より地主への返還交渉をすべきで、同族関係者間なら実質借地権の存在はない主張を考えるしかない。

その他契約書の整備、地主借地権者間での税務上トラブル時の特約、地域借地の慣行、借地権取引価格の動向等、不動産業者情報を入手し、譲渡益認定を受けない方途を考えることが必要です。

地主個人、借地権同族法人で問題となりやすいですが、個人の土地譲渡所得が法人の課税所得に変わることになるので、結局は法人税率と個人の分離所得税率の差額（プラス加算税）が実質負担となることがあります。

借地権は、土地に近い資産で、Q 73 の土地等の調査の対応ポイントと重なる部分が多く、ここでは省略している部分もあるので、併読して理解してもらえばと思います。

☆なぜ借地権課税か、現実には

借地権課税にこだわらなければならないのは、借地借家法により、土地か建物の賃借人は手厚く保護を受け、借主優位、所有者不利となっているからです。

仮に、個人（代表者）所有の土地を同族会社に貸与し、建屋の建築を認めた場合、それまで高評価額の自由地（更地）であったものがある日（建屋建築完了日）から法的に借地権が存在するところとなり、所有者は地代収受権のみしか有さず、利用権も処分権限も何もない安い評価の土地（貸地）になり下がってしまうのです。そのままでは、土地評価額が借地権価額を控除した更地価額のせいぜい 30％〜 40％となり、相続財産価額は一挙に下がり、相続税の課税機会がなくなってしまう結果となります。

そんなところが、借地権云々として取り上げねばならない理由と考えられますが、現実には借地権の認定を受けたケースはあまり聞かれないようにも思えます。現実にもそうしたことが生じれば、税務取扱規定に、後追い的にでも合わせた解決処理を協議して進むことしかないと思われます。

244　第6章　貸借対照表項目の調査ポイント

Q75 「無形固定資産」調査の 対応ポイントは

Answer Point

★税務上の無形固定資産は、会計上のものから非減価償却資産の借地権、および電話加入権を除いたものとされています。

電話加入権は、現在、資産価値は乏しくなっていますが、高額で市中売買されていた時代のままの取扱いとなっています。

★税務上の無形固定資産は、19項目が限定列挙されていて、それぞれ耐用年数が決められています。

★税務において、無形固定資産は金額的に小額のことが多く、重要性はありませんが、問題となる点は次のとおりです。

・取得価額…社内製作のものも多く、計上と途中製作中止の場合の処理に注意すべきです。

・資産名称…19項目限定で、それ以外のものは資産計上を要しないか、非減価償却資産または繰延資産となります。

・償却方法…残存価額0円、定額法償却です。事業の用に供した日から償却開始が認められますが、存続期間の法定されているものは取得日からの償却となります。

・中古資産…有形固定資産のような簡便法が認められず、見積り計算となります。

・除却…滅失等では除却が必要です。形がなく根拠を明らかにする文書類が必要です。

☆固定資産の会計上と税務上の取扱いの相違点

前Q73、74で説明したように、会計上の無形固定資産と税法上の無形固定資産は、資産の区分の仕方に差があります（図表84参照）。

【図表84　会計上の無形固定資産　税法上の無形固定資産】

	会計上の無形固定資産	税法上の無形固定資産
根拠	企業会計原則、会社法計算規則 （企業会計原則第三、四B、会計規106③）	法人税法（法法二22.23）用語の定義

Q75　「無形固定資産」調査の対応ポイントは　245

区分	固定資産	・有形固定資産 　建物、構築物、機械、土地、その他 ・無形固定産 　特許権、借地権、商標権、電話加入権、その他 ・投資その他の資産 　出資金、長期貸付金、その他	固定資産		・土地（借地権を含む） ・減価償却資産 　土地を除く有形固定資産 　無形固定資産 　借地権、電話加入権を除く生物 ・電話加入権 ・前３項に掲げる資産に準ずるもの

　形態から見た会計上の区分と異なり、税務上は減価償却を認めるか否かで分けるようになっています。

☆電話加入権の取扱い

　次に、電話加入権は、会計上は無形固定資産として処理しますが、税務の取扱いでは独立して取り扱われています。

　電話加入権は、電話の布設が進んでいなかった頃は、高価な資産価値のあるものでした。電電公社の債券を高発行価額で引き受けなければならず、また、市中売買で取得すればそれより遥かに高額でした。そんなところからでしょうか、電話加入権の減価償却は認められず、その時代に取得した電話加入権は、未だに高い税務簿価で保有している場合も多いはずです。

　現在では、電電債券の引受けは不要で、数万円の加入料を払えば速やかに固定電話は設置可能です。果して資産価値があるのかと考えられるところですが、減価償却資産でないところから10万円未満の少額資産に該当せず、必ず資産計上しておかないと費用処理では税務否認を受けます。過去に高額取得した電話加入権は、現在時価は著しく下落（令和２年の相続税評価額は1,500円）しています。それでも、事業用資産として収益獲得に貢献する限り、会計上も減損・評価損の対象とはなっておりません。

☆税法上の無形固定資産は列挙

　会計上の無形固定資産は、前述したように会計原則、会社計算規則とも営業権、特許権、地上権、商標権等（企業会計原則）特許権、借地権、商標権、実用新案権、意匠権、鉱業権、漁業権、ソフトウェア、のれん、その他の無形資産（会計規）と例示しています。したがって、他にも種々の無形固定資産があることを予定しているようです。

　それに比べ、税法上の無形固定資産は、減価償却が可能な資産として19

項目のものが限定列挙されていて、等、あるいはその他、といった書き方にはなっていません（法法二、23　法令13）。

列挙されているのは、図表85のとおりで、右側は耐用年数です。

【図表85　税法上の無形固定資産と減価償却の耐用年数】

種類	耐用年数（年）	
鉱業権	納税地の税務署長の認定した年数	
漁業権		10
ダム使用権		55
水利権		20
特許権		8
実用新案権		5
意匠権		7
商標権		10
ソフトウェア	複写して販売するための原本	3
	その他のもの	5
育成者権	種苗法4条2項に規定する品種	10
	その他	8
公共施設等運営権	公共施設運営権に係る民間資金等の活用による公共施設等の整備等の促進に関する法律の規定による存続期間の年数	
営業権		5
専用側線利用権		30
鉄道軌道連絡通行施設利用権		30
電気ガス供給施設利用権		15
熱供給施設利用権		15
水道施設利用権		15
工業用水道施設利用権		15
電気通信施設利用権		20

このうち、鉱業権からソフトウェアまでは、会計上の例示しているものと同じで、育成者権、公共施設等運営権は、営業権に近い税法独自のもののように思われます。

施設利用権は、いずれも一定の設備の利用権や、設備負担金で、相手方の鉄道会社、電気ガス会社や地方公共団体との間において契約が交わされたもので、これも税法独自に創設された権利となっています。

☆無形固定資産の重要性

会計上、固定資産として計上されるのは、ある支出が長期にそれを使用することにより収益を得られるといった点に着目して、その使用可能期間にわたって費用配分を行うため、減価償却をし続けるものとなっています。

ただ、減耗しない土地のような一部の資産についてのみ減価償却を行わな

Q75　「無形固定資産」調査の対応ポイントは

い慣習となっています。

　税法上も、そのとおりとしながら、土地上の権利については、会計上は無形固定資産とせざるを得ませんが、土地と同様、減価、減耗することはないとして減価償却資産から外し、土地等として別区分となっています。

　電話加入権については、前述のとおりです。

　会計上は有形固定資産と同様、無形固定資産も長期にわたり支出の効果が継続したり法的に使用が認められたりし、重要な資産項目ですが、税務上は借地権を除けば取り扱われる資産金額は、どちらかといえば少額のことも多く、重要性はやや乏しい場合が多いようです。

　比較的中小企業でも取り扱われるような無形資産と取得価額、減価償却額について少し触れておきます。

☆取得価額

　有形固定資産の場合と同様、購入したものについては支払った代価の額および使用するために直接要した費用の額となっています。

　社内製作の資産については、原材料費、労務費および経費の額と、使用するための直接要した額となっています。

　工業所有権（特許権、実用新案権、商標権、意匠権）については、社内製作の場合が多いと思われますが、出願公告が認められた時点（出願権の取得）までの費用総額が取得価額となり、償却開始が可能となります。出願の放棄や取下げ、無効等の場合は、その時点で未償却残高を損金算入します。

　ソフトウェアの社内製作も同様ですが、製作途上の試行錯誤の間の仕損じ費は、取得価額に含めなくてよいこととなっています。

☆資産計上の要否等
①　列挙主義

　税務上の無形固定資産は19項目の限定列挙です。したがって、これらと異なるものは資産計上する必要はありませんし、計上したとしても減価償却はできないと解されます。

　形のない資産であるところから、費用の資産計上的性質があり、そうした計上できないものは、費用処理か、もしくは税法上の繰延資産になります。

②　償却方法

　残存価額０円で、定額法償却によります。

　償却開始時点は、事業の用に供したときからとなりますが、工業所有権類

と漁業権については、存続期間が法定されているところから、事業の用に供していなくても、取得の日から事業の用に供しているものとして、償却が認められています（法基通 7-1-6）。

③　中古資産の耐用年数

　無形固定資産については、その性質上、中古取得は少ないと考えられます。中古資産の耐用年数については、

a　見積り耐用年数（原則）

b　見積りが困難なときは簡便法（例外）

・法定耐用年数の経過しているもの　法定耐用年数×20％

・法定耐用年数の一部経過しているもの　残存年数＋経過年数×20％

と定められていますが、無形固定資産の耐用年数（別表第三）は簡便法が認められていませんので、相手側との契約や法律による存続期間等を基礎として耐用年数を見積り計算することとなるので、注意が必要です（耐用年数省令3①二）。

④　営業権

　会計上も税務上も、営業権（のれん）は、有償取得の場合にのみ計上が認められ、自己創設は禁じられています。

　第三者より営業権を譲り受けた場合等は、問題はないと考えられますが、同族関係者からや親子会社間での営業権の買取りは、果して実質的価値があるのかが問題とされます。以前は、業績不良の法人の債権、債務を新設した法人に引き継ぎ、繰越欠損金相当部分を営業権としてバランスを合わせた手法がありましたが、現在では認められないと思われます。

　それとは別に、企業買収では、被買収法人の土地、建物等の各資産より高い価額で買い取ることがありますが、それが超過収益力（要するにのれん）による場合で、買収契約書でその高価な部分は営業権と明記されていれば営業権の計上は認められますが、単に企業支配を目的とした買収であれば、全額が関連会社株式の取得価額となり、営業権の計上と減価償却は認められません。

⑤　利用権

　各種施設利用権は、相手方との契約による取得や加入料を払って取得することもありますが、自社または共同で利用施設を取得し、同時に地方公共団体等の用役提供者へ所有権が移動する場合は、繰延資産に近い利用権の取得扱いとなります。加入料より、そうした設備工事代金のほうが高額となることもあります。費用でなく施設利用権として計上を要します。

Q 75 「無形固定資産」調査の対応ポイントは

⑥　除却

　有形固定資産と同様、滅失、利用不可能、権利の放棄、解約等は、資産が存在しないこととなり、除却処理を要します。形のない資産である関係上、チェック漏れになることもあり注意しておくべきですが、除却の根拠（不存在）を明らかにする文書類の整備を忘れてはなりません。

☆特定の業種と結びつくものが多い

　税法上の無形固定資産は 19 項目に限定していて、それ以外のものは規定していません。したがって、よく似たものがあっても 19 種に該当しない場合は、反対解釈をすれば経費処理でよいことになってきます。

　また、法律上認められた権利は、営業費用のうち権利獲得のための費用部分が取得費を形成するもので、明確な区分はできないものもあると思われますが、やむを得ないものもあるでしょう。また、減価償却資産に該当しますので、少額のものについては 1 基 10 万円未満は不計上、20 万円までは一括償却資産の処理も認められるはずです。ただ、特別減価償却の規定はありません。

　次に、19 項目の中では一般的に中小企業でも見られるのは、水利権、特許権、実用新案権、意匠権、商標権、ソフトウェア、位で、他のものはほとんど特定の業種にのみ取得することがあるものです。それぞれ詳細規定はあるようですが、その業界等で研究されていると考えられますので、そちらの情報を基に税務対応するのがベターかと思われます。

　上記一般の中小企業でも、あり得る種類の資産については、通常は小額のことが多く問題とされることも、特に、反面調査に及ぶとかの調査もあることは考えられません。深刻に考えることもないでしょう。

　施設利用権では、専用側線利用権等は旧国鉄時代、貨車輸送が多かった頃に貨物駅近辺の工場へ鉄道の布設提供を受け、その設備費用を負担したものです。陳腐化してしまっているはずです。

　その他の施設利用権も、本来は自社用に設置した設備で、有形の構築物の取得に近いものですが、維持管理権が役所や電気・ガス会社側にあるところから、無形固定資産としているものです。除却改廃等については、有形固定資産の水道等設備と同様の個別管理を行い、適宜処理を誤らないようにしておくことが大事です。

　水利権は、河川等の元々農用水の供給を受ける権利ですが、今日、都市農地は非農地化されて、企業がその権利上を水路とせず、土地の利用権化して使用していることもあります。非償却資産ではと思えます。

	Q 76	「投資等」調査の 対応ポイントは

Answer Point

★投資等とは、固定資産中の有形固定資産、無形固定資産を除いたものをいい、具体的に何であるかは難しい項目です。実務上は、投資有価証券、関係会社株式、出資金、敷金保証金、長期貸付金、保険積立金等、種々雑多なものが見られます。

★投資等の項目は、期中動くことは少なく、期首と期末が同額であることも多いです。代表的な具体的項目での留意点は、次のとおりです。

	取得価額等	期末評価
投資有価証券 出資金 関係会社株式	縁故引受けが多く、高額、低額扱いの指摘もある。	著しい悪化等は評価減可能だが、厳格な規定、立証する書類の完備要。
長期貸付金	貸付が妥当かどうか、利払い回収の条件如何。	個別貸倒引当金の取扱いによる。
敷金保証金	費用処理や過大計上もあり、契約内容を正確に反映させる。	繰延資産部分は償却必要。
保険積立金	加入時、保険会社の取扱い説明を十分に聴き、処理（資産、費用）を間違えない。	節税目的のことが多く、対象役員、従業員の退社等の処理に注意。
ゴルフ会員権	資産計上、繰延資産扱いとなる部分あり。 　個人名義加入は、その理由を明確に。	預託金返還トラブルが多い。実質回収不能のこともあり、十分な情報入手で評価吟味。

★役員個人が負担すべきものが、法人に付け込まれているとして問題にされるケースもあり、法人関連である説明・文書を整備しておくことが肝要。

☆投資等とは

　企業会計原則では、資産の分類を流動資産、固定資産、繰延資産に区別することとし、さらに固定資産については、有形固定資産、無形固定資産および投資その他に区分することになっています。会社法上も同様です（企業会計原則第三、四B　会規 106 ③四、へ）。

　ここでいう投資その他を一般に投資等と呼んでいます。

Q 76　「投資等」調査の対応ポイントは　251

具体的には、「子会社株式、その他流動資産に属しない有価証券、出資金、長期貸付金並びに有形固定資産、無形固定資産および繰延資産に属するもの以外の長期資産は投資その他の資産に属するものとする」として、要するに長期資金の運用としての真の投資と、それ以外で短期に回収が見込まれるものや費用化するもの以外の営業循環過程から外れた雑債権や、経過項目勘定を一括りにして投資項目とすることとしているのです。

　したがって、逆に、具体的に何を投資等と考えるのかは少し難しいような項目となります。

☆実務上投資等とされているもの

　実務上ではあまり金額的に重要なものは少ないと思われますが、結構様々な勘定が見かけられます。例示すれば、図表86のとおりです。

【図表86　投資等とされるもの】

資産名	内　容
①投資有価証券	株式や社債で長期に保有するものや、取引関係等で保有している非公開株式等。
②関係会社株式	子会社および一定数以上の持株割合を保有している会社を関連会社と呼び、それらの株式をひっくるめて関係会社株式といいます。
③出資金	投資有価証券に近いもので、株式形式以外の法人への出資持分、合同会社、合資会社、合名会社、信用金庫、信用組合、協同組合への出資等。
④長期貸付金	貸付金で回収時期が1年超のもの。
⑤敷金、保証金	不動産の賃借に際し差し入れる敷金や保証金。
⑥保険積立金	生命保険や損害保険で掛捨てとならず、積立保険料として満期時等返還されるもの。
⑦長期前払費用	借入金利息や保証料、賃借料で将来の長期未経過分（1年超の期間）にかかるもの。
⑧ゴルフ会員権	ゴルフのプレー権として払い込んだゴルフ場への入会金、預託金（株式会員制の場合はその他の株式）。ゴルフ会員権業者から買い取った場合は、その代価。
⑨破産更生債権	法的整理手続中の債務者に対する売掛金や貸付金の回収可否未確定部分。
⑩その他	レジャークラブ会員権、税法上の繰延資産（Q77参照）等があります。前記の例示に掲げたものも、少額のものはその他として通常は処理されています。

第6章　貸借対照表項目の調査ポイント

☆税務上の留意点

通常は、こうした投資項目は頻繁に動くものではなく、ほとんど期首と期末が同額のまま、決算では次期へ繰り越されることが多いのが特徴です。

取得計上、償却、評価減、譲渡回収時にそれぞれ注意すべき点を、簡単に説明します。

税法上の繰延資産はＱ77で考えることとし、ここではそれ以外の投資項目の取得計上から期末評価と、譲渡や償却時の処理を説明します。

☆投資項目の取得計上

資産計上すべき費用を損金処理し、税務調査時に指摘されることが多いのは税務上の繰延資産ですが、それを除けば図表87のようになります。

【図表87　投資項目の取得計上での問題点】

項目	留意点	対処法等
①投資有価証券出資金	非公開会社では縁故引受けしたりすることが多く、低額引受けでは受贈益、高額引受けでは寄付金認定益が発生、また、株主間でも贈与税の課税関係が生じたりする。	取引関係等の持合で引き受けることが多いと考えられ、引受け価額は、原則的には相続税、純資産評価となるが、少数持分となることも多く、引受け取得後の持株割合が５％未満の少数株主なら配当還元法評価も認められる。それらを明確にすること。
②関係会社株式関係会社出資金	新規設立会社の払込みについては大した問題はないと考えられるが、増資払込みや第三者株主からの買取りでは上記の問題が生じることがある。	第三者よりの買取りでは、従業員持株、第三者持分等が多く、相手方は配当還元価額で問題はない。 しかし買取り側は、原則として時価評価となるが、二重価額での処理法は強制されるのか疑義の面がある。
③長期貸付金	無利息貸付等、相手側に経済的利益を与える貸付契約は、利息相当を認定される。	その貸付が取引関係上やむを得ない事情による場合や子会社等の再建目的の場合は、利息認定はされない。 契約書や関係書類で明確にすること。
④敷金、保証金	退居時の敷引等、返還されない金額は税法上、権利金として繰延資産となり５年間均等償却をする。	権利金として別勘定で処理をするのが基本だが、敷金に含ませておいて償却額を減額してもよいと考えられる。 契約内容により会計上、税務上多様な処理取扱いが考えられる。契約内容を明確にし、保管整備をすること。

Ｑ76　「投資等」調査の対応ポイントは　　253

⑤保険積立金	福利厚生目的、災害等リスク対策、節税目的での多様な保険商品が販売されている。 　福利目的の生保の場合の積立部分の計算や火災共済の積立部分は計上漏れが多い。	保険証券の契約内容をよく理解する。 　保険代理店から会計と税務処理のフローチャートを受領し、根拠を整えておくこと。
⑥長期前払費用	一時損金処理してしまい計上漏れとなることがある。 　短期（1年以内）は前払費用でも継続処理で認められる。	支払利息や保証料は、計算書を十分に確かめること。
⑦ゴルフ会員権	入会金、預託金、仲介料、名義書換料等すべて資産計上。	協力金等の名称で均等償却が可能な部分のあることも。 　入会時の契約文面をよく検討。

☆期末評価等

　期末決算時に問題となるのは、評価減の当否かと思われます。しかし、投資項目の評価減は、著しい時価の下落が条件で、その基準も厳しくなっています。実質価値がなくなっていても、建前上落とせないことも多く、実態に則した評価を適用すべく、各種情報を入手し、説得根拠をつくることも肝要です。

【図表88　期末評価等の問題点】

項目	留意点	対処法等
①投資有価証券 　出資金	著しく時価（50％以下）が下落、資産内容が悪化し、近い将来その回復が見込まれない場合には評価減が可能。 　資産内容（純資産）の悪化は発行会社の取得時のそれと期末時の比較して50％以上の低下割合が必要。	発行会社の決算書類、市場相場の報道等は、取得時から現在まですべて整理保存（立証の必要は当方に）。
②関係会社株式 　関係会社出資金	同上。 　清算中の子会社株式の評価減はできない。	決算書類を1度も入手していない取引関係等株式は、発行法人から財務内容の経過がわかる資料を請求して入手。
③長期貸付金	不良化している貸付金には貸倒引当金の個別引当が必要だが、要件は厳格である。 　約定利子の不計上は、未収を認定される（特に役員向け）。	Q71貸倒引当金を参照。 　条件変更を行った場合等は、その契約内容を文書化。
④保険積立金	従業員の生保（節税商品等）は、入社退社が頻繁に起こるこ	保険会から期末の契約内容状態の文書回答を受けること。

254　第6章　貸借対照表項目の調査ポイント

	とも多く、期末の見直しを注意。	
⑤長期前払費用	期間経過分のみその期の損金。残余期間は１年以内となっても短期前払費用として全額残額の損金処理はできない。	前払費用の効果が残っているか（保証期間、借入金残高の有無等）検証。
⑥ゴルフ会員権	評価減は原則としてできない。ゴルフ場が法的整理等で預託金が減額された場合は、個別貸倒引当金の繰入れが可能な場合がある（法基通 9-7-12（注））。	預託金の返還については、トラブルが多い。運営会社からの情報は、すべて保管し処理を検討するべき。

☆譲渡、償還回収時

譲渡、償還回収時の問題点は、図表 89 のとおりです。

【図表 89　譲渡、償還回収時の問題点】

項目	留意点	対処法等
①投資有価証券出資金	発行法人が金庫株として買い取った場合は、譲渡益譲渡損にもかかわらず、みなし配当がある場合あり。	
②関係会社株式	子会社、親会社の株式を譲渡する場合は、同族関係者間のことが多く、法人税、所得税、相続税の課税関係を考慮して価額を決めるべし。	
③保険積立金	役員生命保険で死亡保険を収受して、それを死亡退職金に充当しても、その退職金が妥当なものとして全額損金となるとは限らず。	役員退職慰労金規定が相当額であることの説明が必要

☆その他の問題点

投資項目は、金額的にウエートが大の場合は、当然、調査対象項目として最初から問題とされますが、通常は資産中の小項目で特に狙いをつけられることは少ないものです。

ただ、何かの関連で質問を受けたり、業務に関係なく利用する会員権など本来役員個人が持つべきものを法人へ回しているようなケースでは、役員貸付金か役員給与の認定を受け、受取利子や源泉所得税の決定を受けたりします。

法人には、何らかの関連や必要性がある旨の説明をすることや、証拠を準備しておくことが重要です。

Q 76　「投資等」調査の対応ポイントは

Q77	「繰延資産」調査の 対応ポイントは

Answer Point

★繰延資産とは、支出した費用を資産としての計上を法律上認めたことが始まりで、現在、会計上は株式交付費、社債発行費、創立費、開業費、開発費の5項目が認められています。

★税務上は、上記以外に長期の前払費用的性格を持つ自己が便益を受ける公共的施設の設置改良費用以下5項目の繰延資産の計上を求めています。

★繰延資産は、無形資産と同様、目には見えない費用支出ですが、資産性を検証できる契約文書のない費用が多く、1度計上すれば放置し勝ちです。毎期その実態を確かめ、対象物が取り壊されたりすれば除却が必要です。営業費用中、まとまった金額の支出があれば、繰延資産処理が必要となることがありますが、列挙されている5項目に該当しなければその必要はなく、該否を明らかにしておくべきです。

☆繰延資産とは

　近代会計学は、動態論と呼ばれていかに企業の収益力を明らかにするかが課題にされてきました。そこでは、期間損益項目から外れる臨時損益を特別項目として処理し、経常的収益をより正しく算定する考え方になっています。そうした点から、当期の損益に影響させない将来費用は、これを繰延費用とし、効果の及ぶ期間に負担させることができるとしたのです。

　しかし、文字どおり費用であって、将来の効果は計りようがなく、資産とはとても呼べなかったものでも、これが資産として取り扱われたのは、旧商法において創立費、開業費、研究費・開発費、新株発行費、社債発行費、社債発行差金、建設利息が限定列挙され、資産として計上できるとしたからです。

　会計上、認められていませんでしたが、いわば費用であるものを法律が資産としてしまったのです（旧商法規則35以下）。

　商法から分離独立した会社法上は、具体的列挙は姿を消し、単に繰延資産として計上することが適当であるものは認めると書かれています（会規74③Ⅴ）。

　会計基準では、株式交付費、社債発行費等（社債のほか新株予約権の発行

256　　第6章　貸借対照表項目の調査ポイント

費用）、創立費、開業費、開発費の 5 項目が掲げられています。

☆税務上の繰延資産

　そうした曖昧な資産性の乏しい費用の支出について、税務は前記 5 項目については繰延資産として認容し、なお、それ以外に固定資産、投資にも該当しないものを、本来の支出の効果がその支出日以後 1 年以上に及ぶものとして性質の異なる 5 項目を列挙して加えています（法法 2 二十四、法令 14 ②）。

　具体的には、図表 90 のとおりです。

【図表 90　繰延資産】

区分	内容	償却年数等（限度）
①会計上の繰延資産	創立費、開業費、開発費、株式交付費、社債発行費。	随時償却（簿価全額まで）。
②税法上の追加繰延資産	⑦自己が便益を受ける公共的施設の設置改良費用。	施設等を専ら使用する場合。 施設耐用年数　$\times \dfrac{7}{10}$ それ以外の施設耐用年数　$\times \dfrac{4}{10}$
	共同的施設の設置改良費用。	負担者等の共用するもの。 施設耐用年数　$\times \dfrac{7}{10}$ 土地の取得に充てる部分　45 年 アーケード等一般公衆の用に供するもの。 5 年（耐用年数 5 年未満はその年数）
	⑦資産（建物）を賃借するために支出する権利金、立退料等（土地を賃借するための支出は借地権）。	建物の新築に際し建築費の大部分を占めるもの。 建物耐用年数　$\times \dfrac{7}{10}$ それ以外で借家権として転売可能のもの。 見積残存耐用年数　$\times \dfrac{7}{10}$ 上記以外　5 年
	電子計算機等の賃借に伴っての支出。	機器の耐用年数　$\times \dfrac{7}{10}$

Q 77　「繰延資産」調査の対応ポイントは

	㈧役務の提供を受けるために支出する権利金等。	５年（有効期限５年未満で契約更新に再度一時金の支払いを要することが明らかなものは有効期間）。
	㈡製品等の広告宣伝の用に供する資産の贈与費用。	その資産の耐用年数 × $\frac{7}{10}$ （５年を超えるときは５年）
	㈠～㈡までのほか、自己が便益を受けるために支出する費用。	スキー場のゲレンデの整備費用 12 年（スキー場の土地をゲレンデとして整備するときの費用）。 出版権の設定の対価 設定契約の存続期間（定めのない場合は３年） 同業者団体の加入金　5 年 職業運動選手等の契約金等　契約期間（契約期間の定めのない場合は３年）

☆税務上の取扱い

図表 90 のとおりですが、税務の取扱いでは、会計上費用である支出の資産計上が認められている創立費以下の５項目は、もともと資産性に疑問のあるものとして本来全額支出時の損金として認められるものですが、会計上、資産計上した場合はそれを尊重し、償却は会計処理に従うこととしています。

したがって、５年均等償却でも、途中臨時償却で残存簿価全額を償却処理しても、認められることにしています。

一方で、会計基準では、全く取り上げられていない創業関係費や資本調達費等の、いわば法人存続期間すべてで償却費用化すべき性質のもの以外の将来の期間に支出効果のあるものとして、特定の費用を取り上げ、具体列挙しているのです。

会計では、将来費用は、効果の及ぶ期間に負担させることができるとしながら、逆に特定の事業年度でたまたままとまった支出は有形固定資産、無形固定資産等で計上すべきもの以外の資産計上は、認めていない結果となっています。

説明が長くなりましたが要点をまとめれば、図表 91 のとおりです。

【図表 91　税務上の繰延資産と会計上の繰延資産】

税務上の繰延資産	会計上の繰延資産	実務処理等
①創立費、株式交付費等 ②①以外のもので支出の効果が１年以上に及ぶ	①創立費、株式交付費等５項目のみ。 左の②は認めない。	会計上は①のみ繰延資産。 ②は税務との調整上、長期前払費用として実務上

もの限定列挙5項目		処理されている。
少額の一時損金が認められる（その支出が1組1個20万円未満）	税務上の繰延資産は本来当然に費用。	

☆取得・除却

　税務上の繰延資産は、このように狭く捉えられ示されています。したがって、あまり誤りが生ずることは少ないと考えられます。

　しかし、便益を受ける公共施設や共同施設等の負担金、権利金等は曖昧なものもあり、時々費用処理をしていて、税務調査で指摘を受けることがあります。

　その理由は、いずれも目で見える範囲の管理可能な資産としての認識が薄いものであるところからだろうと思われます。

　この辺は、無形固定資産の各種施設利用権等に近いところで、例えば水道等の支給を受けるための負担金のうち、メーターまでの部分は所有管理権限は給水側（地方公共団体等）にあっても、給水権利を受水側は有しているため、無形固定資産となります。しかし、自社の前面道路に歩道が設置されているため、車が進入できない場合、道路を設置している役所に申請すれば歩道を改良し、車の出入りが可能にして貰えます。しかし、これはただ便宜を図って貰ったに過ぎず、権利というようなものではなく、公共的施設の設置費用に該当し繰延資産となります。

　会計上の繰延資産とは、将来に効果が及ぶ費用としていて、効果が続いているのかなくなっているか全く認識できず、一旦資産計上すれば規則的に当初見積もった耐用年数で償却していくしか仕方のない、実体のない得体の知れない資産と解されるものです。

　しかし、税務上の繰延資産は、自己の管理は及ばないにしても、実体のあるもの（共同的施設等）や権利金等は契約が続いている限り、効果は及んでいるはずです。したがって、共同的施設を取り壊したり、契約解除したりすれば以後の効果はなくなりますので、残存簿価の除却処理を怠らないことに注意しなければなりません。

　いずれにしても、多額の費用支出で処理に迷うようなものは本繰延資産となることもあり、資産計上を税務調査で指摘されないよう、そうした支出のあったときは研究して適切な処理を心がけなければならないでしょう。

Q 77 「繰延資産」調査の対応ポイントは

Q78 「未払金」調査の対応ポイントは

Answer Point

★未払金と買掛金はよく似た性質の勘定で、実務上は、主たる仕入項目の未払いは買掛金、固定資産の取得に伴うものや営業費用の未払いは未払金と使い分けています。

★未払金は、営業循環取引にかかわる勘定で、粉飾決算では過少に、逆粉飾決算では過大に調整されやすい項目の１つです。

★営業循環過程の処理勘定であるところから、毎月次の発生額、支払決済による消滅額の全仕入先をまとめ、１表にした未払金（買掛金）増減表が作成されていることが多いはずです。

★基本的に、前月繰越高は当月支払額で消滅し、当月発生高（仕入高）が月末残高となっているのが自然です。これらに異常点があれば、そこから奥へと調査は進んでいきます。

★異常点とは、月次変動の大きな月度、滞留残高、赤残、通常の支払方法と異なる決済等々となります。これらについては、予め税務調査前に見直しを行い、当然質問があると構えて、発生理由に合理性があることの根拠を考えておく必要があります。

☆未払金と買掛金

　わが国では、昔から商取引において、すべて現金で販売代金を直ちに収受したり、逆に現金を持ち歩いて仕入の都度、支払決済を行って商品を引き取るといった商慣習は少なく、掛取引と称する販売代金や仕入代金を後日まとめて決済する方式が採られています。これは、日々の取引のために多額の現金を用意したりすることは盗難、紛失の危険や誤支払いがあったりすることと、一定期間仕入代金を溜めておいて支払うことにすれば、その間、不良品や誤仕入があっても支払決済時に精算可能なためでもあります。

　会計実務では、仕入先との間の通常の取引に基づいて発生した営業上の未払金の発生と消滅を処理する勘定として買掛金を用い、仕入先以外との間の通常の取引に関連して発生する未払金や、固定資産や有価証券の購入など、その他通常の取引以外の取引により発生した未払金を処理する勘定として、未払金を使用することが多いようです。

第６章　貸借対照表項目の調査ポイント

会計書物等では、電気、ガス、水道料、外注加工賃等の未払金は買掛金勘定で処理してもよいと説明されていたりし、反対解釈すれば営業経費の未払額は未払金勘定で処理すべきのようにも受け止められます。

　ここでは、それを論じていても意味のないことで、商品、材料の仕入代金、外注工賃や循環的に一定の消耗物品を購入したり、サービス料等の経費の支払いもすべて未払金として捉え、買掛金と同一の性質の項目として取り扱うこととします。

☆負債項目の特徴

　支払手形や買掛金、未払金は、借入金のような資金取引以外の負債を処理する勘定です。会計では、利益を多くしたり、損失を隠す目的での粉飾決算や、逆に出過ぎた利益を抑える目的での逆粉飾決算が行れることがあります。いずれもどこかの資産や負債項目でそれを調整しなければならないはずです。そのとき、架空資産の計上、負債の簿外処理、資産の除外、架空負債の計上のいずれかになります。

　この場合の負債の処理ですが、粉飾決算では負債の簿外化、逆粉飾決算ならば架空負債の計上となります。

　決算の会計監査や税務調査でのそれらの検証に当たっては、簿外負債の存在を見つけることはかなり難しく、通常の監査手法では並大抵のことではありません。しかし、架空負債の有無を見つけるのは、比較的容易いと思われます。

　そうしたところから、税務調査においては、未払金に関する不正が行われていたとしても、見つけ出されて加算税等の痛いお灸を据えられてしまうことが多いと思っておかなければなりません。

☆営業循環債務調査のポイント

　前述のように営業上の取引債務は、その法人の取扱品目がある程度決まっているような通常のパターンでは、年度を通じて毎月度季節による繁閑により計上、決済される金額に多少の変動はあったとしても、一定のリズムで営業循環過程を繰り返している形を示すはずです。

　そうしたところから、次のような順を追って異常点の有無を確かめる、税務調査手続が進められると想定しておくべきです。

☆未払金の毎月次明細表のチェック

　簿記教科書では、例えば仕入があればその都度、

Q 78　「未払金」調査の対応ポイントは

      （仕　入）××××　　　（買掛金）　××××

支払ったときは、

      （買掛金）××××　　　（現金預金）××××

の仕訳を行い、総勘定元帳に転記すると教えていますが、実際そんな取引量の少ない幼稚な商業実務は、マス社会の今日では存在しません。

　簿記は、その原理を理解しやすくするためそうした解説をし、最終的には特殊仕訳帳等の処理法でまとめて一括合計仕訳、転記を教えています。原理を教え、実務での応用を理解させる目的でそうしているのです。

　要するに、仕入―買掛金（未払金）は、一括で月次取引で処理が行われています。そして、それの根拠やまとめが図表93の未払金の月次表です。

【図表93　未払金の月次表】

| 仕入先 | 前月繰越 | 当月仕入 | 当月支払い | | | | 支払計 | 次月繰越 |
			銀行振込	支払手形	値引	相殺その他		
A 商店 B 商店 C 商店 ・ ・	××	××××	××××	××××	××	×××××	×××	××
合　計	××	××××	××××	××××	××	×××××	×××	××

　こうしたものがつくられているはずですが、小規模の場合は資金繰管理のため、支払予定表のような図表93に代わるものが少なくともあるはずで、なければ何かの仕入取引の管理帳票があると思われます。

　調査官は、まずこれらの物件の提示を求めます。本当になければそれでよいのですが、細工を施す目的で破棄していたりすると、以後何かにつけて他項目の検査、質問での答弁で辻褄が合わなくなり、不正等を暴露してしまうこととなってしまいます。

　要は、こうした帳票類から営業循環面について異常点の有無を探すのです。

☆異常点の有無と関連項目の検査へ

　前記のような未払債務の総括表から、まずは正否の検査が当然入っていきます。要点は以下のとおりです。

① 　月次変動の状況

　季節変動は、どんな業種でも多少はありますが、まず年間を通じて取引金額が月次により著しい変動があれば、その理由を質問されます。また、月次

262　　　第6章　貸借対照表項目の調査ポイント

売上高とある程度連動するはずですが、そうでない場合は在庫の備蓄等、営業戦略面の理由が考えられますので、こうしたデータに月次のデコボコの多いのは答を用意しておくべきです。

② 回転状況は

仕入は、通常、当方が請求書の締切日、支払日を相手方に約し、請求を受けて仕入代金の決済をします。

例えば、毎月末締切、翌月末支払いとしていれば、前月仕入額はそのまま前月末の未払金残高となり、翌月に支払決済が行われ、月末残高は翌月仕入高とほぼイコールとなるはずです。

【図表94 回転状況】

前月残高	当月仕入	当月支払い				支払計	次月繰越
		××××	×××	×××	×××		
合計①	○○○②	△△△				○○○③	△△△④

図表94の①＝③、②＝④とは、同額になるはずですが、必ずしもそうはいかず、双方で決めていたはずの＠違いがあったり、誤納入があったりで、支払いを保留するものもあって差異は生じます。

異常な動き、例えば仕入額に比して支払金額が多かったり、少なかったり、また滞留残高があったり、赤残高があったりすれば、必ずその根拠を問われます。

③ 仕入、支払決済の当否検証

そうした異常な動きのある仕入先口座や、大口、月次取引高の変動の大きな仕入先、期末近辺の仕入高の大きい仕入先等について、請求書、領収書、振出手形控等の突合が行われ、その証憑類そのものの正否から、場合によっては物品購入やサービス提供の事実、相手先の実在性等検証に進み、相手先、支払銀行等への反面調査が行われたりします。

このほか、仕入品目の内容の検討や仕入数量と販売数量の相関、期末在庫量との関連が検査されたりもしますが、要は調査手続の入口は、どの場合も上記帳簿やその他のデータに異常が存在するかどうかとなります。

これらの動きに疑義のある点があれば、調査は深度がどんどん下がっていきます。

調査官は、まず帳簿の記帳には必ず虚偽があるとの先入観で検査しています。その切込口が異常点であることを忘れてはなりません。

Q 78 「未払金」調査の対応ポイントは

Q79 「資本金」調査の対応ポイントは

Answer Point

★税法上、資本金に関する特段の規定はありませんが、設立時、増減資時、株主構成等で、法人税以外の所得税、贈与税、相続税の課税関係が問題となることがあります。

★設立時の問題点は、次のとおりです。

・定款上の資本金の払込みがない…代表者への貸付金となる

・株主の資金源泉は…名義株主の場合、贈与税の課税関係発生

・個人事業の法人成り資産評価の適否…引継資産によっては個人譲渡所得の課税関係発生

★増減資時の問題点は、次のとおりです。

・資金の払込み設立時と同じ

・増資方式と増資後の株主構成…株主割当以外は新株主、旧株主間の贈与税課税関係発生するケースがある。

☆資本金の制限

　税務上、特に資本金についての規定は見当たらず、それらはすべて会社法その他の法人種類の根拠法令によるところです。例えば、株式会社では、会社法に出資に関する規定が設けられています（会法32①）。

　旧商法時代は、最低資本金制が敷かれていて、株式会社の資本金は最低1,000万円となっていました。しかし、会社法になってからはそれが撤廃され、資本金は1円からでもよいことになっています。場合によっては0円となることもあり得ます。

　こうしたことを受けて、法人税法上、資本金の額や払込手続の当否についての特段の制限はありません。

　このように、資本金そのものの適否については、税務上あまりトラブルの発生は考えられません。しかし、場合によっては、設立時、増減資時、株主構成の異動等で単に法人税にとどまらず、所得税、贈与税、相続税での課税関係が問題となることがあります。

　以下、設立、増資、株主構成と異動等での突っ込まれそうな点を想定し、少し説明しておきます。

264　第6章　貸借対照表項目の調査ポイント

☆会社設立時

　会社設立時の資本の払込みについて、会社法では資本充実の面から厳格な規定が置かれていましたが、それも最低資本金が廃止され、0円の資本の会社も可能となりました。ただし、マイナスの資本金はありませんが、設立時の定款で決定した資本金の払込みは必要です。

　一般によく問題となる項目は、図表95のようになります。

【図表95　会社設立時の資本の払込みで問題になる点】

項目	ポイント	処理等
①払込みの有無等	定款上の資本金の払込みがない	資産が同額不足　代表者への貸付金の発生 認定利息処理→役員給与
②株主名義	払込株主の資金源泉は	名義株主の現金の動向（個人預金通帳の検査） 預金が申告所得金額や給与所得等、課税済所得によるものか 名義株主への贈与税の課税関係発生
③個人事業の法人成り	（子、孫名義の払込みは）架空、過大評価資産の有無（実質現物出資、設立後の個人事業、資産の買取り）	簿価超価額引継は個人の譲渡所得発生 過大評価引継は法人側で減価償却超過等が発生 法人業務無関係の資産受入れ 　代表者貸付金、あるいは役員給与

　一般的に後継者等の持ち株を多くしたいところから、払込資金のない子や孫などの親族を株主にすることがあります。資金の不足部分は代表者からの貸与形式とし、無利息として利息認定を受けても低金利時代の今日、贈与税の基礎控除額110万円の範囲で収まると考えられます。そうした点も頭の中に入れて、調査対応を心がけるべきでしょう。

☆増資時

　設立と同様、増資（資本金の増額）手続も、現在会社法上厳格な払込手続を要せず、代表者名の証明書と預金残高のコピー等で簡単に登記上の資本金は増やせますが、安易に増資を行うと思いがけない税金がかかることもあります（図表96参照）。

【図表96　増減資時に問題になる点】

項目	ポイント	処理等
資金の払込	設立時と同じ	同左

Q 79　「資本金」調査の対応ポイントは

265

	み等	
増資方式	旧株主に平等に割当、引受払込みなら何ら問題なし	
①株主割当	現実に株主割当としながら引受しない株主もあったりすれば問題あり	結果的に株主不平等となり、第三者割当等と同様となる
②第三者割当	第三者が高額引受けし旧株主に有利となったとき 第三者が有利引受けし、旧株主の株価が下落したとき	新株主から旧株主へみなし贈与 　　親族間→贈与税 　　第三者→一時所得 　　従業員→給与所得 の認定が発生 旧株主から新株主へ上記と逆の形となる
③一般募集	あまり行われていない一般募集としながら第三者割当と同じ結果の引受けとなることもある、上記と同扱い	

　要点は、増減資は株主平等の原則に反しない新株の割当てにしておかないと、法人税以外の課税があることを頭に入れておくべきです。

☆株主構成はどうなったか

　非上場企業のほとんどは、中小同族法人であり、同族会社の行為計算否認規定で、場合によっては適法な取引行為であっても法人税だけでなく、その他の税法上でも不利な取扱いを受けることがあります。

　また、行為計算の否認以外に法人税改正により適用法人は減りましたが、同族会社の留保金課税制度があります。今現在は特定同族会社（株主1人で同族判定となる法人）で、かつ資本金1億円以上の法人のみに留保金課税が課されることとなっています。

　増資後の株主構成が特定同族会社に該当すれば、高率の法人税が併課されます。資本金1億円は、一般に有利規定が多い中小企業税制の適用ラインです。資本金は1億円以下にとどめておくことも大事なことです。

　また、地方税の均等割等にも資本金額は関係します。増資を考える際はよく検討することが肝要でしょう。

Q80 「資本剰余金・利益剰余金」調査の対応ポイントは

Answer Point

★剰余金単独の税務調査はまずなく、申告書別表五（一）の積立金が貸借対照表と違っている場合等、例外的なケースのみと考えられます。

★中小企業では、資本剰余金が計上されていることはほとんどなく、利益剰余金を含めて問題となるケースは、①増減資時の処理、②自己株式の取得、③利益処分方式による圧縮記帳や特別償却準備金の積立て、取崩しに限られます。それも①、②は別表四、五の調整のみで、課税所得が誤っていることは少なく、③については中小企業では処理例はないことが多いようです。

☆剰余金を対象の調査は

　会計上剰余金とは、資本等取引の結果、資本金に組み入れなかった部分の資本剰余金と、留保利益で構成される利益剰余金をいいます。

　一般法人の日常の取引でこうした項目が変動することはほとんどなく、各社の決算書ででも、繰越利益剰余金を除き、長期間剰余金の金額はあまり変化のないことも多いところです。

　まして中小企業では、資本剰余金が資本の部に存在することも珍しいと思われます。

　そんなところから、資本剰余金、利益剰余金そのものを調査対象項目とされることはまずないと考えられます。あるとすれば、剰余金項目に不審な動きがあるか、別表五㈠の積立金欄が貸借対照表と違っていたりした場合ではないかと思われます。

☆剰余金の変動で問題となる点

　剰余金の変動で問題になる点をまとめると、図表97のとおりです。

【図表97　剰余金の変動で問題になる点】

項目		内容
	資本剰余金	資本剰余金は、株主からの資本の払込金額のうち、資本金に組み入れなかった部分の金額が、資本準備金として資本剰余金を構成します。

Q80 「資本剰余金・利益剰余金」調査の対応ポイントは

①剰余金の増加		そのほか、吸収合併の際、被合併会社の受入純資産額のうち、資本とした金額を控除した残額は、合併差益として資本剰余金となります。また、保有自己株式を売却した際の売却益も、資本剰余金となります。 　いずれの場合も益金を構成するものはなく、そうした金額を雑益等の処理で益金にしていない限り、税務上問題にされることはありません。 　なお、合併の場合、税務上は被合併会社の利益剰余金部分は資本剰余金とならないので、別表五上、調整を要します。
	利益剰余金	利益剰余金は、各事業年度で決算上当期純利益が計上されている場合は、前期繰越利益剰余金に加えられて利益剰余金が増加していきます。 　会社法では、当期純利益は税引後の金額をいうことになっていますが、未だ税引前利益を当期純利益とし、利益処分で税金引当金を積み立てているような処理が見られることもあります。 　しかし、税務上別表四、別表五(一)の調整が少し変わるだけで問題になることはありません。
②剰余金の減少	資本剰余金	資本剰余金を配当財源とすることは、商法上禁止されていましたが、現在は株主配当金として取り崩すことは可能です。 　このほか、資本への組入れ、繰越欠損金への充当が認められています。 　なお、会社法となってからは、自己株式の売却処分で損失が生じた場合、資本剰余金を減額することになっています。 　こうした資本項目の変動を資本等取引とせず、損益取引としたりしていれば、税務調査において修正申告を勧奨されることとなります。
	利益剰余金	株主配当金は、株主が自ら払い込んだ資本を喰ってはいけないので、以前は株主の払込みからなる資本剰余金の配当は認められておらず、あまり例は見かけませんでしたが、現在は可能となっています。 　しかし、株主配当金は、事業活動により会社が利益を稼得し、その中から配当金として配分するのがベストであり、利益剰余金の減少の主たるものは株主配当金です。 　このほか、利益の資本組入れや自己株式の売却や消却の際、資本剰余金のない法人では利益剰余金を取り崩して充当しますので、利益剰余金が減少します。

☆その他の留意事項

　正式な利益処分項目としての利益剰余金の処理ではありませんが、資産の買換えの場合の圧縮記帳や特別減価償却額を直接損金処理せず、利益処分項目として圧縮積立金や特別償却準備として積み立てたり、それを取り崩して繰越利益剰余金に戻したりすることがあります。

　税法規定どおりの会計処理と、別表四、別表五(一)の上において調整計算が正確に行われていなければ、問題となることがあります。

☆繰越欠損金の控除等

　青色申告法人については、赤字の事業年度があれば翌年以降に繰り越して黒字の所得と通算することができます。

　以前は、損失の繰越通算可能期間が5年間でしたが、現在は最長10年間繰り越すことができます。ただし、大法人の各年度の控除額は、当期所得の金額の50%が限度となっています。

　注意すべきは、欠損の生じた年度が青色申告法人であることが要件となっていますので、青色承認が取り消されたりすれば、欠損が生じても繰越控除はできないことになっているので注意が必要です。

☆配当分にかかる所得税の源泉徴収

　剰余金の配当を行えば、所得税および地方税の源泉徴収が必要です。

　現在、源泉徴収税率は、復興特別所得税を含め20.42%（上場会社等は20.315%）となっています。徴収した源泉所得税は、徴収した日の翌月10日までに所轄税務署に納付することになっています（所法181①、182復興特別所法13）。

　この場合、給与所得の源泉所得税額について1～6月分を7月10日まで、7～12月分を翌年の1月20日までに納付する納期の特例を適用している法人でも、配当所得については適用ができないこととなっていて、支払った配当金から徴収した源泉所得税額は、必ず翌月の10日までに納付しておかないと5%～10%の不納付加算税を付加されることになりますので、気を付けなければなりません（通法67①②）。

　もう1つ、中小企業ではまずないと思われますが、資本剰余金から配当を行った場合は、受け取った側は配当所得とはならないので、源泉徴収義務はありません（所法25①）。

☆その他の留意点

　会社法上、財源規制をクリアすれば、自己株式を保有することが可能で、損を出す目的で第三者株主の持分を高く買い取り、低価額で従業員や役員に買い取らせたりすることもあったりします。

　これらはすべて資本取引となって、税務上、資本金を増減させることとなっていますので、この損失を申告書上、別表五㈠で正確にしておかなければ、一見真実がわからず見逃されそうな気もしますが、損失内容を調べられれば一発で発覚してしまいます。

Q 80　「資本剰余金・利益剰余金」調査の対応ポイントは

Q81 「自己株式」調査の対応ポイントは

Answer Point

★自己株式の取得は、中小企業では少なく、時たま相続株式の買取りがあるくらいのものでしょう。その場合も、財源規制等が法律上定められ、簡単にはできません。

★自己株式の売買は、会計上は売買処理を行い、売買損益は資本剰余金とすることとなっていますが、税務上は資本金の払戻しと新株発行処理となり、課税所得には関係しません。別表四、五の調整のみとなっています。

★法人の買い取った自己株式は、資本金の払戻しと剰余金の配当となり、源泉徴収を要します。また、売却した株主は、相続株式の譲渡を除いて株式の譲渡所得と配当所得になります。

★自己株式の売買価額は、所得税、法人税の評価規定となると考えられますが、みなし譲渡所得や法人の受贈益が認定されるかは、資本取引であるところから見解が分かれているようです。

☆自己株式が認められるのは

自己株式とは、金庫株ともいわれ、株式発行会社が自社で買い取った場合に発生するものです。したがって、資本金の払戻しと実質同じで、自己株式をいくらでも買い増していけば、最後には資本金がなくなってしまうこととなるので、会社法上は全く自由でなく、一定の制限を加えています。

① 財源規制

純資産の部の資本剰余金、利益剰余金から自己株式、その他評価換算差額等を控除した額が資本金を上回っていること（会法461）。

② 株主総会の決議等

株主との合意による取得。

全部取得条項付株式の株主総会決議による取得。

相続人等に対する売渡し請求（会法155）。

☆会計および税務処理

自己株式の処理は、会計上、取得時は自己株式として資本の控除項目に計上します。

第6章　貸借対照表項目の調査ポイント

| （自己株式）××××　　　　（現金預金）×××× |

売却時は、次の処理をします。

| （現金預金）　　　××××　（自己株式）　　　×××× |
| | （自己株式処分益）×××× |

　単に売買損益（ただし資本剰余金、資本剰余金のない場合は利益剰余金）を認識します。

　税務上は自己株式の取得は、

| （資本金）　　××××　 |
| （利益積立金）××××　　　　　　（現金預金）×××× |

のように資本金の払戻しと留保利益の配当となります。

　売却時は、

| （現金預金）××××　　　　　　　（資本金）×××× |

となって、増資の処理となります。

☆損益はあっても所得は発生しない点に注意

　前記のように、会計上は取得した自己株式を売却した場合、自己株式処分損益が計上されますが、税務上は自己株式の取得は財源規制が課せられているところから、利益剰余金があると推定され、減資とみなし、配当金の処理となり、売却処分は新規に増資をした形となります。

　大会社の自己株式取得は、通常、自己資本利益率の改善目的で行われ、取得自己株式は売却処分より消却することが多く、売買損益が出ることはないと思われます。中小企業の場合は、取引関係の解消に伴う自社株引揚げその他で一時所有していても、処分する場合も考えられ、売却処分もあり得ます。

　売却価額は、相場のない株式の時価によるところから、売買損益が発生しますが、一切益金、損金とはならないので注意が必要です。

　会計と税務との差の別表四、五㈠の申告調整を誤りのないようにしておくべきです。

☆みなし配当と源泉所得税の徴収

　会社が買い取った自己株式の価額は、資本金の払戻しの部分と留保利益の配当から構成されています。利益剰余金の配当は、支払者に所得税の源泉徴収義務が課されています（所法181 ①）。

　源泉徴収税率は、20％と復興特別所得税20％ × 2.1％の20.42％となっています（所法182 二）。

Q 81　「自己株式」調査の対応ポイントは

（上場株式等については 15％＋ 15％× 2.1％の 15.315％（措法 8 の 4））

みなし配当を図示すれば、図表 92 のとおりです。

【図表 98　みなし配当と源泉徴収の関係】

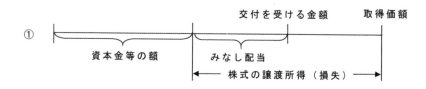

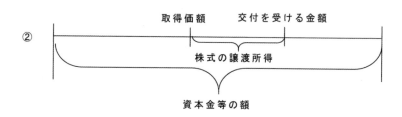

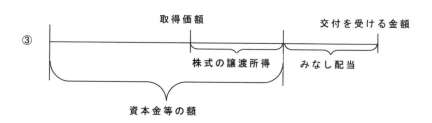

　図表 98 は、株式を譲渡した側の所得区分で、買い取った発行会社は、資本金部分を超える金額は、通常は利益の配当（資本剰余金を取崩した場合は配当とならない）となって、上記税率で源泉徴収を行い、翌月 10 日までに所轄税務署に納付しなければなりません。決定されると 10％の不納付加算税を賦課されます（通法 64 ①）。

☆自己株式の売買価額

　上場会社等が市場で買い付ける場合等は問題ありませんが、非公開の中小企業では低額譲渡は譲渡者にみなし譲渡所得、発行会社には受贈益が認定されます。

しかし、法人税法上自己株式の取得は、資本金等の額と利益積立金を減少させるとしているところから、資本金等の額と利益積立金を減少させ、受贈益が発生したとしても、資本等取引による受贈益とも考えられ、税務上の処理は不要との考え方もできます（法法22⑤）。

　ただ、自己株式の売買価額を無償、または時価より低額としたことが、何らかの利益移転とした損益取引と資本等取引とを抱合せにした結果であると認められるような場合には、売買価額を時価に引き直したところにより、課税関係が整理されることもあるとの見解もあります。オーナー経営者の相続財産減らし目的で行ったりしたりすれば、問題となります。

　売買価額は、所得税法、法人税法の規定によりますが、いずれも相続税の評価規定を基本としながら、なお、一部より厳格な評価方式となっていて注意が必要です（所基通23～35共-9⑷、法基通4-1-5、9-1-13）。

　中小企業での自己株式の実務例は、次の相続株式の買取りを除いて少ないものと思われます。直接所得計算に関係することはありませんが、会社法の手続の完備と売買価額の当否、みなし配当の源泉徴収手続には事前準備を怠らないようにしておくべきだと考えられます。

☆相続株式の買取り

　相続税の申告期限から3年以内に発行会社へ株式を譲渡した場合は、納付した相続税を株式の取得費に加算し、なお、みなし配当の計算も要せず、譲渡金額から取得費を控除した譲渡益全額を株式の譲渡所得として20％の申告分離課税扱いとすることができます（措法9の7①）。

　この取扱いの利用は、比較的多いものと考えられますが、特別の規定であり、要件の充足、計算明細書、その他の添付書類の手続および根拠資料の完備が必要です。

　添付書類は図表99の様式となっていて、発行会社を経由しての申請となっています。

　発行会社は、これを受領した翌年の1月31日までに自社の所轄税務署へ提出をしなければならず、また、その写しを会社に5年間保存することが義務づけられています（措令5の2②③④　措規5の5）。

　税法では、こうした特例は必ず申請手続規定が存在していて、それを怠れば認められないこととなっています。一部の欠落があったりしても、それだけ税務調査上でポイントを稼がせたこととなり、何かにつけて弱い立場となりやすく、最も注意しておくべき点です。

Q 81　「自己株式」調査の対応ポイントは

【図表99　相続株式を発行会社に譲渡した場合のみなし配当の特例に関する届出書】

相続財産に係る非上場株式をその発行会社に譲渡した
場合のみなし配当課税の特例に関する届出書（譲渡人用）

		譲渡人	住所又は居所	〒　　　　電話　　−　　−
発行会社受付印　税務署受付印			（フリガナ）	
平成　年　月　日			氏　　　　名	㊞
税務署長殿			個 人 番 号	

租税特別措置法第9条の7第1項の規定の適用を受けたいので、租税特別措置法施行令第5条の2第2項の規定により、次のとおり届け出ます。

被相続人	氏　　　　名		死亡年月日	平成　年　月　日
	死亡時の住所又は居所			
	納付すべき相続税額又はその見積額	円	（注）納付すべき相続税額又はその見積額が「0円」の場合にはこの特例の適用はありません。	
	課税価格算入株式数			
	上記のうち譲渡をしようとする株式数			
	その他参考となるべき事項			

相続財産に係る非上場株式をその発行会社に譲渡した
場合のみなし配当課税の特例に関する届出書（発行会社用）

			※整理番号	
税務署受付印		発行会社	所　在　地	〒　　　　電話　　−　　−
平成　年　月　日			（フリガナ）名　　称	㊞
税務署長殿			法 人 番 号	

上記譲渡人から株式を譲り受けたので、租税特別措置法施行令第5条の2第3項の規定により、次のとおり届け出ます。

譲 り 受 け た 株 式 数	
1 株 当 た り の 譲 受 対 価	
譲　受　年　月　日	平成　　　年　　　月　　　日

（注）上記譲渡人に納付すべき相続税額又はその見積額が「0円」の場合には、当該特例の適用はありませんので、みなし配当課税を行うことになります。この場合、届出書の提出は不要です。

※税務署処理欄	法人課税部門	整理簿	確認印	資産回付	資産課税部門			通 信 日 付 印	確認印	番号
								年　月　日		

28.06 改正

第7章

損益計算書項目の
調査ポイント

Q82 「売上高」調査の対応ポイントは

Answer Point

★企業経営上「売上なくして企業維持なし」といわれるくらいの重要項目です。税務調査で、売上高の当否を避けて終わることはまずあり得ません。

★売上高調査が広く深く進むか、入口付近で簡単に終了するかは、すべて内部統制の整備程度如何となります。売上高検証資料は、内部証拠が多く、外部証拠は注文書、運賃請求書、倉庫会社請求書程度で、日々の受注簿、日報、出荷記録等の完備が重要です。

★売上取引記帳内容と内部証拠、一部外部証拠が中小企業では一部不符合はあっても、全体に正確である心証を与えられれば、早期調査は終了となります。

★内部証拠の不備や不符合が多いときは、取引先への反面調査と徹底した内部帳票の照合が行われ、場合によっては推計課税を迫ったりされることもあり得ます。内部証拠の整備が最重要ですが、一部不備項目があっても不正行為のない場合は、何かの補完証拠があると思われます。簡単に手を上げないことです。

☆事業維持の基となる最重要項目

「売上なくして企業維持なし」といわれるくらいの、経営の最重要視すべき項目です。何を差し置いてでも、売上の獲得をしなければ行き詰まってしまうのは誰にでも明らかで、収入なければ利益なしになってしまいます。

経営上、それだけの重要項目であることは、税務調査においても、調査官にとって絶対外すことは許されない調査項目のはずです。

したがって、売上高の当否を全く見ないで終わる税務調査は、まずないと考えても差支えありません。

税務調査を受ける法人としては、深く掘り下げた手続があるか、簡単に上面だけを見て終わりとなるかは別にして、必ず売上高の計上手続の正否を確かめられると構えておくべきです。

☆売上高の調査手法は

売上項目の調査が簡単に済むか、しつこく続くかは、他の項目にも共通する

第7章　損益計算書項目の調査対応ポイント

ところですが、結局、内部統制の整備程度如何ということになると思います。

① 管理資料とその内容からの調査手続

売上取引に関しては、およそ図表100のような調査対象ポイントがあります。

【図表100　売上取引の調査対象ポイント】

管理資料の程度（有無）	調査要点
営業員の組織図 担当者別の日報、日報実績表 営業会議録 仕入先発注記録 仕入先入荷在庫出荷記録 工場生産日報 受注伝票、受注ノート、メモ等 運賃請求書 配送記録 納品書（売上伝票）控 得意先元帳 請求書控 領収書控	・左記帳票の照合、吟味 ・簿外取引の有無（会社ぐるみまたは担当者の不正） ・受注品計上漏れ有無 ・出荷品の計上漏れ有無 ・無償出荷の有無 ・低価額販売の有無 ・資料不足業種では主要品目の取引量（インプット量、アウトプット量）の分析 ・主要品目の粗利益率との比較等

【図表101　整備程度と追加手続】

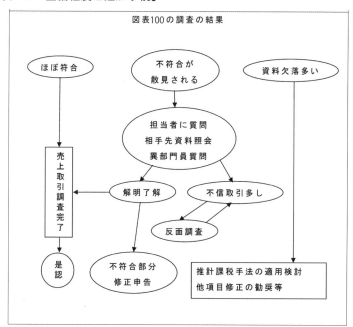

図表101のように、通常は何らかの正否を検証できるような帳票が存在しているはずで、まずそれの正確性、真実性を検討のうえ一部照合し、比較

的整然としていて、符合すれば以降売上調査は普通打ち切られます。

しかし、不信事項が多かったりすれば、それで終わるわけにはいかず、徹底した深度ある次段階調査へ進みます。

② 反面調査、分析的手続

主要仕入先へ品目別仕入量、出荷向先等への販売数量を反面調査により把握し、仕入商品の流れを追って販売先が網羅されているか、納入数量は合っているか等を調べます。また、入荷量と出荷量を照合して大きな不明差異を検証し、これらを質問します。中小企業の帳票程度ですから、それらで多少の合わないことは多々あることもあり得ます。

不正が行われていなければ、その旨丁寧に説明し、今後自社で分析を行い、それら差異を少なくするように改めることを約するしか仕方がありません。

明らかな故意、または過失による漏れ以外は、ただそれをもって売上計上漏れとは認定はできません。存在理由の明らかでない預金や裏現金があったり、役員の派手な生活態度、物品購入があって不符号部分が結びついていると断定できない限り、更正は難しいし、まして修正申告の必要もありません。

しかし、税務調査は、問題点で考えるべき（争点主義）ですが、実際の現場では、申告是認はとても管理状態からできないとして、灰色を黒とする（総額主義）ことが多く、最終的な妥協の産物をつくることに結びつくことが多くなることもあります。

③ 外部証拠の正否検証

売上取引に関する外部証拠は比較的少なく、どちらかといえば内部証拠が多くなります。

例えば、営業日報や受注記録、請求書控、領収書控等は、後日改ざん可能な帳票です。したがって、これらが一部欠落していたり白紙のものがあったり、とに角ルーズさが目につくようではあまり信用されません。

もともと内部牽制が甘く、帳票管理を放置しているとみられ、代表者のみでなく、社員による横流し着服もあり得ると、その周辺を徹底して追いかけます。

結局、入出荷、数量チェック、運送請求書、物品受領書を系統的に相互突合し、売上脱漏を探し出そうとします。しかし、帳票にルーズな面があったとしても、調査官による資料せんや反面調査での確実な証拠でもない限り、疑わしきは課税せずで、それで終わりになります。

要は、売上取引は、入って行けば、限りなく広く深く進んで行きます。早期に調査終了や重要でない調査項目へ進めるためには、帳票類の完備が最重要となります。

Q83 「期ズレ」調査の対応ポイントは

Answer Point

★会計では、その期間の売上収益から対応させるべき費用、損失を計算控除して、当期純損益を求めます。税務上も全く同様で、どうせ翌期に吸収されるからと放置されることはありますが、期間で区切ってみると、金額重要性のあることも多く、期ズレ処理の放置は注意すべきです。

★期ズレが生じやすいのは、売上、仕入、期末棚卸が大口となりやすく、営業費用でも少額の前払費用の期末計上を省略することも、会計上の保守主義の原則から行われやすいところです。しかし、営業費用については、重要性の原則から認容されることもあります。

★重要性の高いものでは、

　・売上高、仕入高、外注費…期末前後の取引チェック。

　・人件費…賞与の先払い、繰下げ処理、給与台帳と給料勘定の照合。

　・棚卸資産…実地棚卸原票、棚卸明細表の検証（Q64 参照）。

　等で簡単に判明します。これでは楽勝で、調査官の事績を稼がせれば、調査深度はどんどん進みます。十分な準備対策をしておくべきです。

☆所得はその年度の益金から損金を控除

　法人税の課税標準となる所得の金額は、その事業年度の益金の額から、その事業年度の損金の額を控除した金額とされています（法法 22 ①）。

　会計では、一般に期間損益計算といっていますが、その年度に発生した収益をまず確定させ、その期間収益に対応させるべき費用および損失を計算して、その期間の純損益を決めることをいいます。

　よく納税者の方々は、例えば棚卸が漏れていたり、重複計上されていたり、あるいはうっかり期末ギリギリ時点での出荷を翌年度の売上に計上してしまったりすると、どっちにしても来期で売上や売上原価に吸収されたりするから同じことですと、少しくらいの計上漏れや繰上計上があっても、気にせず放ったらかしていることが見受けられます。

　しかし、前述のように、会計上も税務上も、各年度の利益や所得は、厳格に期間計算を行い、計上年度の誤りによるものも認められないこととなっています。

Q 83 「期ズレ」調査の対応ポイントは

☆期ズレが起こりやすい項目は

　売上や仕入、棚卸の計算は、少しの違いであっても、すぐそれが期間所得の金額上大きな影響を及ぼすことがあります。

　営業費用項目でも、多項目にわたって発生する可能性の高いところですが、金額的には期間損益計算上の重要性は低く、むしろ会計上の正規の簿記の原則の例外として、少額の支出は厳格に期間計算をしなくてもよいとし、税務上も重要度が少ない場合は、支出年度の費用処理も可能です。これは、短期の前払費用の取扱いとしての特例が設けられているからです（法基通2-2-14、2-2-15）。

【図表102　期ズレ発生の多い項目】

項目	発生原因	処理法	重要度	調査手法等
①売上	・先方未検収 ・期末出荷計上漏れ ・利益操作目的ズラシ ・営業員の翌期実績への繰下げ	・出荷伝票、売上伝票先方検収日を記入 ・翌期初日へ日付改ざん	高い	・翌期初周辺売上と出荷記録、期末在庫との徹底した照合
②仕入	・未着品の計上 ・直送品の計上 ・伝票なしの引取品 ・利益操作目的繰上げ	・先方出荷日による仕入計上 ・社内仮伝票処理	高い	・期末仕入と期末前後売上、棚卸明細表、翌期仕入請求書の照合
③外注費	・出来高内払いを完成高扱い ・同一工事内容、加工が反復していて期間部分が区切りにくい ・前払金（実質貸付金）の出来高処理化	・工事名等不記入請求の指示 ・締切日まではすべて期間費用処理 ・具体的工事、加工作業等を記さず、当社検収高払い ・先方も内容不詳	高い	・加工内容と売上期末未成品（工事）の照合
④営業費用 家賃地代 保険料 支払利息 割引料 保証料	・支払時費用処理が簡便 ・前払いの意識薄い ・利益操作目的で来期分まで繰上払い	・決算修正事項に期間項目を一切取り込まない	低い	・短期の前払費用の特例は継続適用の有無検討 ・１年超の前払いの有無検討（以下全項目営業費元帳通査）
⑤消耗品費	・備蓄量を見込んで発注 ・少額減価償却資産の大量購入	・棚卸計上すべき未使用分の無視（10万円未満減価償却資産は計上要）	低い	・使用台帳の閲覧 ・保存現品状況の検査

⑥旅費	・出張旅費の未精算 （未帰社） ・回数チケットの一括処理	・未精算の仮払旅費を支出時処理 ・未使用分は貯蔵品計上要を省略	低い	・翌期初処理照合
⑦人件費	・決算期と人件費締切日の相違 ・賞与の先払いによる利益操作	・通常は未払人件費の発生 ・役員給与は年払いを除き期間計算には馴染まない ・夏期または冬期に次期賞与を含め支給	高い	・翌期初処理照合 ・異常値の質問
⑧交際費	・贈答用品、商品券等のまとめ購入	・棚卸不計上	低い	・受払台帳の照合
⑨営業外収益 家賃収入	・後払い役員住宅、社宅料金	・給料天引未収の不計上	低い	・総勘定元帳通査
⑩スクラップ売却収入	・決算棚卸失念、意図的不計上	・通常売却時現金収入計上	低い	・総勘定元帳通査

　以上のように、主要取引である売上、仕入、売上原価項目では高額となり、重要度が高く、営業経費項目は、逆に重要性は低いものが多くなります。

　図表102の項目のうち重要度の高いものは、どうしても売上、仕入および期末棚卸間での相互不符合となります。請負工事業や金属加工業等では、注文生産となることもあって、大口であることが多いところから、期ズレの誤り件数も少数です。しかし、それ以外の大量の汎用的商品を取り扱っている事業では、期ズレの誤り処理は、出だせばいくらでもといえるほどの件数になることもあります。一般の認識と同様、相手調査官も少々の売上計上漏れや、棚卸不計上を修正させたり、更正をしても、短期間に次の事業年度終了となり、その更正金額はすぐに翌期認容となり、長い目で見れば取り損ねた税金を取り返したことにはなりません。そんなに力を入れる調査項目にはならないのです。数多くなれば、内容は法人や税理士に任されることもあります（Q40参照）。話し方次第である程度の件数、金額に収めることも可能な面もあるもので、その辺は要領よく進める対応が必要です。

　しかし、重要度が高い場合は、重加算税の賦課決定のケースもあり得ます。期ズレは簡単に判明しますから、避けるべきものです。

Q 83　「期ズレ」調査の対応ポイントは

Q84 「売上高控除」調査の対応ポイントは

Answer Point

★売上高控除項目とは、売上高から控除すべき値引き、割戻しをいいます。その発生理由は、商品の劣化、納期遅延、過剰在庫品の引取り等の事情からの値引きと、代理店契約等により取引高に応じての割戻しとして、歩戻しの支払いや現品の無償供与によるものです。

★売上値引での問題点は、毎月次の請求金額と回収金額の差異を分析し、明確にせず放置し、累積差異をある時点で一挙に売上値引処理した場合です。それらの差異中には、真の値引きも含まれますが、他に税務上交際費や寄付金扱いすべきもの、中には役員給与認定されるようなものまで種々雑多となっていて、解明していないときは損金不算入となり、それらの認定を受ける危険があります。

★売上割戻しについては、期末に利益調整目的で契約文書を作成し、未払金に決算で計上した場合は、割戻しそのものに否認を受ける場合もあり得ます。割戻し契約書は早期に作成し、期末未払割戻しについては、計算期間が経過すれば、相手方に計算内容を通知しておくことです。

☆売上高控除項目とは

会計用語の中でも、売上高控除は、日常一般に使用されていない言葉で、ややわかりにくい会計専門用語です。

企業会計原則では、損益計算書原則の中に総額主義の原則が謳われていて、「費用および収益は総額によって記載することを原則とし、費用の項目と収益の項目とを直接に相殺することによって、その全部または一部を損益計算書から除去してはならない」とされています（会規第二、一、B）。

そして会計理論の書物では、売上高の表示については期間売上の総額をまず記載し、次に売上値引、割戻し高を控除し、期間純売上高として示すと解説されていました。ただ、最近の企業の決算書ではそうした表示の仕方は少なく、いきなり売上控除項目を除去した純売上高を、期間売上高として表示しているケースが多くなっています。

このような売上高から控除すべき値引き、割戻しを売上控除項目と会計では呼んでいます。

第7章　損益計算書項目の調査対応ポイント

☆売上値引、売上割戻しの発生理由は

　値引きとは、商品の売買に際し売手買手の双方が約していた売買価額を、商品の劣化や納期遅延、過剰在庫の引取り等、種々の事情により安くすることをいいます。

　一方、割戻しとは、代理店契約、特約店契約等で一定期間内の取引量に応じて歩戻しとして返金したり、現品を無償で供与する等の一種の拡販手法をいいます。割戻しのことをリベートといったりしていますが、一般に納税者にとってリベートとは、いわゆる先方の担当者に裏金を渡したりする袖の下と思い込んでいたりしますが、それとは別のものです。

☆調査ポイントは

　値引き、割戻しの正否、処理の当否について調査上の注意すべき点は、次のとおりかと考えられます。

①　値引きか、単なる違算結果か

　通常、商取引は、相手先の仕入締切日に合わせ、その月度の請求書を送付し、支払日に振込みや手形、小切手により回収されます。最近では、ファクタリングや電子記録債権でのやりとりで決済が行われたりします。しかし、請求額が全額支払われることは少なく、減額されることも往々にして見られます。

　これは、返品未着の処理遅れ、単価違い、数量違い、品目違い、現品破損、締切日近辺出荷の未到着品等々、様々な原因により不払いや支払保留となるためです。

　あるいはまた、何らかの協賛金や協力金を差し引かれたりもします。相手先も丁寧な業者の場合は、キチンとした違算明細書を作成して交付してくれますが、問屋、スーパー辺りは取引量も多く手数を要するため、出向いて行って元帳を閲覧し、当方との差違を算出するしかないことも多くなります。

　これが毎月続くわけですから、それを追っかけるのは大変な作業となります。

　結局、何か月かあるいは、何年かそうしたものを明確にさせられず溜め込んでいき、揚句の果て不明分を一括で売上値引処理やむなしとなったりします。

　正確には、売上の減額修正処理すべきもの、次月繰越売掛金として残るもの、協力金、協賛金等では交際費処理すべきもの等、様々な性質のものが混在しています。真の売上値引とは全く違うものです。

　長期間のそうした不明分を一括損失すれば、その根拠不明で簡単に処理が

Q 84　「売上高控除」調査の対応ポイントは

認められるとは限りません。最近の数か月分程度の差違分析を行い、過去に遡って推計での決定処理となることもあり得ます。そうなれば売上マイナス部分は多いと考えられますが、その他交際費とされる部分や解明できない部分については、寄付金や役員給与と認定される危険もあります。

売掛金差違は、毎月次明確に把握するように努め、早期に処理し滞留すれば精力的に相手方と接衝し、不明部分を残さないことが大事です。

② 割戻計算と処理タイミング

既述のように、売上割戻しは初めに約定ありきのもので、年度末になって突如出て来るものではありません。

割戻対象期間、割戻率、割戻しの支払時期を定めた割戻契約を、割戻対象期間の始期前に相手方に明示しておくべきものです。しかし、相手方もそれを保存管理し、自社計算を行って期間終了時に請求してくるようなことは滅多にないと思われます。

期間満了後、相手先別に割戻計算を行い、金額および支払日を通知し、その時点で未払計上処理を行っているのが実務の現状です。

注意しておくべきは、割戻基準はなかったのに、よく期末近くになってから利益調整目的で適当な割戻基準を設けて、決算未払計上する等の処理です。

これは、未払金そのものを否認されますし、翌年度支払時の損金についても適当な掴み金の交付として寄付金扱いされる危険もあり、注意すべきです。

割戻計算基準は、相手方に早期に明示するか、していなくとも自社で作成保管し、それに基づいて未払金計上を期間終了時にするとともに、早期に（確定申告書の提出期限まで）送金処理を済ましておくべきです（法基通2-5-1）。

売上割戻しは、特定期間（季節による）だけのものと、年度を通じてのものがありますが、いずれにしても同じです。

中小企業では、売上割戻しを販促手法としていることは少ないと思われます。中クラスの法人辺りで、中には一般によく聞かれるのに売上割戻しはルール化していながら、長期間売上割戻しを未払いのまま保証金として預かって支払わず、据置きしておく場合の問題があります。

これでは、割戻しの利益が相手方に及ばないところから、原則として認めないことになっています（法基通2-5-2）。

しかし、利子を付して、相手の請求があれば支払われる場合は認める等、難しい取扱いをしていますが、売上に対する割戻しは、事情のない限り早期に支払っておくべきです。

第7章　損益計算書項目の調査対応ポイント

Q85 「売上原価」調査の対応ポイントは

Answer Point

★売上原価は、期首期末棚卸、商品仕入、材料仕入、外注加工費、動力費、修繕費、工場消耗品費、治工具費、減価償却費、労務費等の製造費用および原価計算といった項目の総称で、それらの正否が調査要点となります。

★商品仕入については、架空仕入、過大仕入の有無、仕入高と期末棚卸の関連と関係帳票、証憑のチェック、買掛金との勘定照合等が調査手続、目標となります。

★材料仕入については、それに投入量対製品完成量の歩留率の分析、受払記録の照合等が加わります。

★製品、仕掛品の原価計算については、税務上、公正妥当な方法であればよく、具体的計算手法は示されていません。製品、仕掛品原価については、否定されても決め手があるでもなく、見解の問題です。いいなりにすることはありません。

★棚卸、外注加工費、各製造費用等については、それぞれの項目を参照してください。

☆売上原価の中身は

　会計は、費用収益対応の原則という考え方があり、期間収益と期間費用は互いに対応していなければならないとされ、1期間に属する売上高と売上原価とを記載して、売上総利益を計算して云々…と、企業会計原則では書かれています（企業会計原則第二、一、C、三）。

　そして、売上原価については、「売上原価は、売上高に対応する商品等の仕入原価、または製造原価であって、商業の場合には、期首商品棚卸高に当期商品仕入高を加え、これから期末商品棚卸高を控除。製造業の場合には、期首製品棚卸高に当期製品製造原価を加え、これから期末製品棚卸高を控除する形式で…」としています（同第二、三、C）。

　これらから、売上原価の中身は、期首期末の棚卸、商品仕入、材料仕入、外注加工費、その他の動力費、修繕費、工場消耗品費、治工具費、減価償却費、労務費といった製造費用と製品の原価計算といった項目をいうことになります。

順次、項目別に少し説明をしておきます。

☆商品仕入高

① 調査要点

　・架空仕入、過大仕入の有無

　・過払い買掛金、過大買掛金と仕入誤計上有無

　・期末仕入と棚卸、期末売上の漏れ検討

② 関連帳票等

　仕入先元帳、仕入日計表、商品受払簿、発注書控、仕入請求書、領収書、送り状、買掛金月次明細表、営業倉庫料請求書、月次棚卸表、循環棚卸表。

③ 調査手続

　上記関連帳票の通査、照合、買掛金回転状況吟味（Ｑ66買掛金参照）。

☆材料仕入高

　次の仕損率が異常値でないかどうか分析、質問があることが多く、予め自社で年度別、品群別傾向を分析、研究しておくべきです。

$$歩留率＝\frac{商品仕入高に準ずるが、そのほか完成量}{材料投入量（数量、重量等）}$$

　　仕損率＝ １ － 歩留率

　主要材料、補助材料、消耗材料、工具器具材料等については、払出し台帳を整然と記帳しておくことが必要です。

☆製品、商品棚卸　　☞Ｑ64参照。

☆製品、評価、原価計算

　工業簿記では、簡単な原価計算が学習範囲に入っているようですが、原価計算といってもその内容は広汎にわたっていて、本来は内部管理用に発達してきたもので、現在も種々製造工場、製品種類の多い業種では常に新しい取組みが行われていて、計算目的によって複雑で単なる会計の一面からでは計算方式を理解するのには難しくなっています。

　本来はそうである原価計算ですが、単純な製品、仕掛品の棚卸評価手法としての原価計算なら、大きな間違いが生じることもあまりなく、税務署の職

第7章　損益計算書項目の調査対応ポイント

員にも今では国際取引、コンピュータやシステムを得意とするのはいても、こんな役にも立たない原価計算や、新会計基準の専門とするのはあまりいないようです。むしろ、製品棚卸が多種、多額で適正な原価が計算し辛いような場合等、複雑な原価計算の世界へ引き込んで論争すれば、結末が出難い項目で、あまり致命的な局面へは入らないで済むことが多いと考えられます。

期末製品棚卸の評価は、原価計算制度を設けていない中小製造業では、

（品目別）　品目別直接費（または机上の予定計算値でもOK）＝ $\dfrac{材料費＋外注加工費}{生産数量}$

（品目別）　品目別間接費（実額による）＝ $\dfrac{製造総費用（間接費）}{総生産数量}$

製品棚卸単位当たり評価額＝品目別直接費＋品目別間接費

となります。

各費用は、単純に種類の異なる製品数に直接配賦出来ないので、一定の工数等でウエート掛をして合理的に割り付けることとなります。

いずれにしても、何が正確な原価かはわかりかねるところですし、製品売価とバランスがある程度とれていれば問題はありません。また、売価還元評価でもかまいません。この場合は、積上原価より高い場合が多くなると考えられます。

☆製造費用

仕掛品は、製品棚卸、原価計算に準じ、完成品換算率を製品100％とし、各工程終了部分で換算計算、または一律仕掛品すべてを完成品原価の50％としてもよいと思われます。

ただし、直接材料費のみある程度実態に合わせ、製品100％換算の場合もあり得ます。

本Qは、売上原価の調査対応となっています。しかし、売上原価とは、初めに述べているとおり、期間売上高合計に対応する当該期間の各売上原価項目の合計額を意味します。したがって、初めから売上原価そのものをズバリ調査することはあり得ませんし、正否検証はドンブリ勘定で積み上げられた売上原価の各項目を個別に調べて行うことしかできません。

そうしたところから、売上原価の具体的な中身とそれら各項目の調査ポイントを念のため説明しましたが、細部は商品仕入、外注費等々と関連しますので、そちらを参考にしてください。

Q 85　「売上原価」調査の対応ポイントは

Q86 「従業員給与・賞与・退職金」調査の対応ポイントは

Answer Point

★営業費用中に占める人件費の割合は高く、このコントロール如何が経営の良否に繋がっています。したがって、人件費の不正操作も行われやすく、大口となることも多い経費項目です。

★問題となりやすいのは、架空人件費、役員の親族に対する給与、決算賞与、福利厚生費および現物給与、退職金の当否です。

- ・架空人件費…組織図、従業員名簿、履歴書綴、住民税賦課決定書、出勤簿等の完備とそれらの間の整合性。
- ・親族給与…労務の対価としての当否、役員の場合法人の規模、みなし役員として賞与の損金否認。
- ・決算賞与…支給日までの間隔、各人への通知等の完備。
- ・退職給与…退職金規定の整備、利益調整目的役員退職金に注意。

★源泉所得税の徴収については、納付状況も調査日前月分までは対象となります。不納付加算税の決定が行われることもあります。それらについては、給与台帳、源泉徴収簿、扶養親族申告書等の完備が求められます。祝儀、寸志、お礼等の名目で支出した金員については、源泉徴収を必要とすることもあります。

☆大口不正の行われやすい経費項目

　経費項目の中では、売上比例費である運賃、外注加工費等を除けば、中小企業では従業員人件費は突出しています。それくらい、今やわが国では人件費が高く、そのため加工業は東南アジア諸国に圧倒的に競争力で劣位にあります。

　このことは、手っ取り早く利益調整の不正操作が行われやすく、結果から見れば大口不正になることが多いといえます。

☆税務調査で問題となる人件費は

　人件費の税務調査トラブルは、①架空人件費、②親族に対する給与、③決算賞与、④福利厚生、現物給与等、⑤退職金の当否などで、図表103のようなパターンとなります。

第7章　損益計算書項目の調査対応ポイント

【図表 103　調査で問題となる人件費】

項目	狙い	調査手法	対応法
①架空人件費	給料、賞与に架空の人物がいないか	・社内組織図との照合、架空従業員の検証 ・履歴書綴、出勤簿、タイムカード、作業日報、営業日報、出面帳等々の照合 ・住民税課税通知書、社会保険関係届閲覧 ・他の従業員への何気ない質問で実在を確かめる等	左記書類の完備。 　住民税賦課のない従業員は架空人物と疑われる。 　給与支払報告書は全員分提出のこと。 　従業員には代表者の許可なく答弁しないことを徹底しておく。 　税務職員と無断で接触させない。
②親族に対する給与	個人所得税、住民税の負担を低くする目的で一族すべての名義で役員報酬や給与を支給していることが多い 　配偶者、長男等は代表者と一心同体とみて、残業手当や賞与を認めないとしたり、その証拠の積上げ（みなし役員認定）	・法人での勤務状態、業務内容を質問、業務結果、成果の判る物件提示を要求 ・業務従事度が低い証拠を探す ・各種重要決定（契約、接衝、採用、人事、給与）に親族が深く関与していないか	重要業務に従事の状況を説得、法人以外の業務不従事を明らかに。 　就学、兼業、団体等の世話等、仕事の手が抜けるものをつくらない。 　会社の重要決定は代表者で、配偶者は知らぬ存ぜぬを徹底しておく。
③決算賞与	決算利益調整目的賞与はないか。 　決算期と賞与支給期にズレのある賞与。 　支給の必要のない未払賞与。	・決算日と賞与支給日の間隔はどうか ・3月や9月決算法人に未払賞与があれば不自然すぎて、その理由が合理的か ・支給額を決算日までに各人に通知した証拠は ・年3回4回に及ぶ支給は異常で何か操作があるとして法人、役員、個人、従業員の預金通帳、その他洗いざらい捜索的調査手法を回避せず	賞与支給明細表（全員分）の作成。 　各人の確認サイン。 　速やかな決算日後の支給。 　異常な支給額のないこと。 　支払処理を済ませながら、支給額を12月まで金庫保管をしたりしないこと。
④福利厚生費	隠れ給与はないか（源泉所得税逃れ目的）。 　過剰慰安費の有無。 　無償の給食、衣服、豪華旅行等々はないか。	・航空券、JR券、商品券等の多額購入はその使途、出張、贈呈等で使用量が符合しない時、従業員給与認定、役員給与認定へ	左記関係支出は整然と受払いを残すように。 　意図的過大福利支出はあまり効果なく税務トラブルで損を

Q 86　「従業員給与・賞与・退職金」調査の対応ポイントは

		・福利費支出も厳密には現物給与であるから異常部分を支出明細より積み上げる	する、適度に止めおき現金給与で報いること。
⑤退職金	中小企業では退職金制度のない法人が多い。 　正規の就業規則、給与規程、退職金規程の置いている法人はむしろ稀、適当な支給になりやすい。 　退職者の退職後は不詳としておけば架空退職金も判明が難しい。 　代表者の恣意的支給は架空とみられやすい。 　親族退職金も過大に流れ勝ち、根拠薄く否認されやすい。	・給与規程、退職金支給規程の有無 ・ありの場合 　・規程どおりの支給か 　・多いとき…功績支給額の根拠 　・少ないとき…法令違反、理由は正当か ・なしの場合 　・慣行どおりか 　・金額は常識的か ・不審時は、退職者への照会や面会で確かめることもある	退職金支給規程の完備（支給しないならつくらなくてもよい）。 　常識的以下なら異常性がない限りそのまま認められる。 　中小企業退職金共済に加入しておけばその辺はクリア。 　親族のみ支給退職金は、理由や状況の合理性をよく検討しておく。

☆源泉徴収、住民税の取扱い

　法人税の調査は、必ず併せて消費税の調査が行われますが、もう1つ、給与、報酬料金等の源泉所得税の徴収と、納付の適否も調査対象となるのが普通です。

　給料、賞与は、家事使用人に対する給与を除いて、すべて支払者が支給時に所得税を給与の額から差し引き、翌月の10日までに国に納付することになっています（所法183、184）。

　給与の源泉所得税の調査は、先ず源泉徴収事務の書類の存否とパートタイマー、アルバイトの非正規雇用者への徴収漏れの有無について行われ、次いで決算の人件費総額と源泉徴収の計算報告書の合計突合、毎月次の給与合計と給与台帳、源泉徴収簿の支給額の照合等をすることが多いと思われます。

　以前は、書類不備、例えば扶養親族の数を確定するための「給与所得者の扶養控除等申告書」がなかった場合、直ちに月額の源泉徴収税額を甲欄によらず、2か所以上で給与を受ける者を対象とした、乙欄での徴収税額の納付決定が行われたりしましたが、最近では給与支給の実態を検証するようになってきていて、単なる書類不備での決定等はあまり行われたりはしていないようです。

第7章　損益計算書項目の調査対応ポイント

手順としては、図表104のようになると思われます。

【図表104　源泉徴収、住民税調査の手順】

項目	手順
①給与台帳の有無	源泉所得税の計算のみでなく、各種手当を含めた支給額の計算過程から、他の社会保険料、住民税、給食代、社宅家賃等の立替金の控除額の計算までの詳細記録（これで前述の架空人件費等の検証も行われる）。
②1人別源泉徴収簿の検査（扶養控除等申告書の照合）	徴収税額の当否、臨時手当、祝儀、褒賞金の加算漏れ検討。
③現物給与の有無と取扱いの当否	通勤手当の非課税、給食代の現物給与非課税、範囲適用の当否計算等。
④給与以外の源泉徴収	報酬料金の所得税の徴収漏れや計算済の納付漏れ等、司法書士等士業者の報酬で先方の請求書に所得税控除額が記載されていながらの漏れ（少額の徴収や納付漏れ）がよく指摘される。
⑤納付遅れへの不納付加算税	資金繰りの逼迫している法人では長期滞納も多く、源泉所得税の調査は調査時の前月まで行われるのが通常で、未納付、未報告では直ちに不納付加算税10%の賦課が行われ不利となる。納付できなくとも支払報告のみも可能で、直前にそうしておけばその場合加算税は5%と2分の1になる。
⑥その他	退職金の支給があったりすれば、特別控除額申告書の存否および特別控除額の適否が調査対象、前年末以前の3年分の年末調整事務の検証。 住民税の給与支払報告書が適正になされているかを調査することも最近見受けられる。

　わが国経済の高度成長期の頃は、経営者の関心が高く、最も事業者間で話題となったのが、いかに税金を合理化するか、また、税務調査を切り抜けるかでした。その頃に囁かれたのが人件費の水増しで、支払い実体のない決算賞与の支給でした。

　しかし、これにはただ単に帳簿上で過大給料を上乗せ処理するだけでは済まず、実在従業員に支給した形をとっていますので、住民税の給与支払報告書の提出も必要となります。そうすれば、過大支給額分の住民税を裏納付したり、本人には実際支給額についての別途住民税計算書を作成して手渡したりと、事務職員が大変複雑な事務処理を1人でしなければなりませんでした。このように税金を誤魔化すためには、その税金と同額のコストを要すると昔からいわれています。

Q 86　「従業員給与・賞与・退職金」調査の対応ポイントは

Q87 「役員報酬等」調査の対応ポイントは

Answer Point

★役員報酬は、経営者報酬であり、労務の対価ではありませんので、従事業務の割に低いこともあり、また、逆に大した仕事もせず、高額報酬を受け取ることもあります。

★税務上、役員報酬は、原則→損金不算入、一定条件のクリア→損金算入となっています。一定の条件とは、定期同額給与、事前確定届出給与、利益連動給与の支給方式によっている場合で、不相当に高額でないことです。

★代表者の親族で、法人の業務に従事している場合、登記上役員でない場合でも役員とみなされ、支給した従業員賞与を役員賞与として損金否認されたりします。このほかにも、工場長、支店長、部長等の使用人を兼ねている場合、専務、常務等の役付役員の肩書きのある場合、使用人兼務役員に該当せず、支給した賞与は損金不算入となります。

★これらを否定できる書類を備え、かつ株主総会での役員報酬の上限を高く決議しておくことと、ハードな経営執行状態を説明し、不相当に高くないことを主張することです。

☆従業員給与と役員報酬の違い

　中小企業経営者には、従業員に対する給料と役員が受ける報酬とを同一視し「社員にもこれだけ払うのだから、わしらも貰う」的考え方が多く見られます。

　しかし、厳密には、従業員給料と役員報酬には図表 105 のようにその性格が大きく異なります。

【図表 105　従業員給与と役員報酬の違い】

相違項目	従業員給料	役員報酬
①立場	雇われ人（使用人）。	全般を統括する経営者（取締役等）。
②対価の性質	与えられた職務（労務）の対価。	会社を存続させる責任を負った経営執行の報酬。

292　第7章　損益計算書項目の調査対応ポイント

③採用、任命等は	経営者（取締役）。	株主からの委任（株主総会で選任）。
④報酬の支給者	同上。	株主
⑤報酬額は	経営者が決定する。 給与規程によるが、給与規程がない場合、慣行、常識的金額となる。 労務の対価として相応している。	定款または株主総会決定、職務（労務）に相応した額とはならないことが多い。 業績次第でアップダウンが当然あり得る。

役員報酬は、このように経営者報酬であり、勤務時間、職務内容とは必ずしも一致せず、業績が上がらなければいくら働いても無報酬に近いことも、逆に大した仕事をしていなくても儲かってさえいれば、高給を受けることもあり得ます。

☆役員報酬の税務上の取扱い

平成18年に会社についての根拠法令が、それまでの商法上の規定から独立した会社法が制定され、利益処分による役員賞与制度は消え、すべて役員給与となりました。

これを受けて、税務上も役員給与はそれまでの原則損金算入、例外的に損金不算入部分がありましたが、それが原則損金不算入となり、一定の条件をクリアした場合のみ損金算入が認められることとなりました。

役員報酬、退職金に対する取扱いは、図表106のようになっています。

☆損金算入が認められるのは

原則、損金不算入が損金算入を認められるのは、図表106をよく見ると、わかりますが、次のような項目をクリアしなければなりません。

(1) **不相当に高額でないこと**

① 定款または株主総会で定めた枠内の金額か

前述のように、役員は株主から報酬を受けています。ほとんどの中小企業は、株主イコール役員で、形式にしか過ぎませんが、法律の考え方を無視していては失敗します。

実際は、役員（代表者）がお手盛で報酬を決めて受給しますが、形式的に株主から許された金額を超えることは会社法違反となります（会法361）。したがって、他の法律が認めていないものを税法も認めるわけにいきませんから、当然駄目だとなります。

Q 87 「役員報酬等」調査の対応ポイントは

【図表106 役員給与の取扱い】

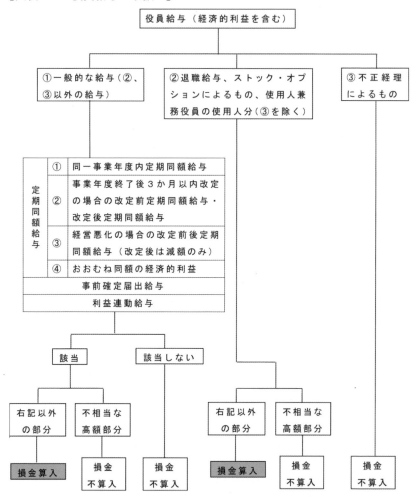

　役員報酬の枠（年間報酬額の上限）を決めていない法人もあるようですが、会社の設立登記を標準フォームで済ましたようなケースでは、定款の役員報酬限度額欄に適当な金額を入れていたり、あるいは会社の創立総会議事録で同様の決め方をしたりしておれば、意外に低額にしておいたことに気づかず、税務調査で議事録類の提示要求があったときに見つけられ、やられてしまうことがあります。思い切って、支給するはずのないくらいの高額の支給限度を定めておくのが安全です。

②　職務の内容や類似法人の支給額に比べ不相当でないか

①は形式的不相当の判定基準ですが、こちらは実質的な高額報酬でない
かどうかの基準です。しかし、これで高額役員報酬と認定されることは皆
無に近いと思われます。なぜなら、比較すべき標準的役員報酬の金額は、
税務署はデータとして持っているかも知れませんが、公開されていません
ので、納税者側で知ることはできないからです。

職務内容レベルも相対的なもので決められません。決め手のない性質の
ものです。全く出勤もしない、役員としての仕事を何1つしないような名
目　役員への支給でもない限り、この辺では徹底して粘ることです。

⑵　支給方式

損金算入の条件は、支給方式が

・定期同額給与

・事前確定届出給与

・利益連動給与

のいずれかなければなりません。

事前確定届出給与は、届出たとおりしか支給できず窮屈で適用する法人は
少ないと思われ、また、有価証券報告書を提出しない同族中小法人では、利
益連動給与は使うことは不可能です。

そこで、定期同額給与で支給することとなりますが、これは、1年間を通
して1度決めた額を動かすことはできません。

業績が不安定な中小企業は、期中で利益が出そうだからと増額したり、逆
に赤字が大きくなるからと減俸したりすることがありますが、銀行の再建指
導で報酬引下げが行われたり等以外は、最小月の月俸を超える金額はすべて
損金不算入で、どんな理屈をもってしても認められません。税務調査での対
応方法はないと考えておくべきです。もちろん、臨時的報酬となる賞与も認
められません。

☆みなし役員、使用人兼務役員

よくトラブルとなるのは、この2つです。みなし役員とは、登記上の役員
ではないものの、代表者の親族で経営に参画している者がある場合に該当し
ます。

使用人兼務役員とは、取締役であって、かつ従業員の職位も併せて担当し
ている人をいいます。

いずれも問題は賞与の取扱いです。代表者の妻、親、子等が法人の一般業
務、つまり、小法人では何でもこなさなければなりませんから、従業員の肩

Q 87　「役員報酬等」調査の対応ポイントは　　295

書で実質重要事項の決定、例えば経営計画や採用、異動、昇給等の人事面や、その他重要決定を行っていると認定されれば、賞与を支給していれば臨時給与で損金不算入です。

とに角、調査官は、ここへ話を持っていこうとしますので、そうしたことは一切関知していないと言い通すこと、諸書類にそうした形跡を残さないことです。

極端な話、奥さんが経理、その他の事務一切を取り仕切っているだけで経営をしているといったり、否定しても夫婦だからすべて話し合っているはずだ、そうでない夫婦なんてないとまで言い切る程度の悪いのもいます。徹底否定以外の何者もありません。

兼務役員とは、平取締役で営業部長、工場長等を兼ねている場合です。

一般にはよくわからない方々が多いのですが、

・総務部長、営業部長等の部長職
・工場長、支店長等の部門統括職
・会社法上の執行役でない部門責任者である執行役員

これらは、いずれも使用人（経営者から雇用されている）職で、

・社長、専務取締役、常務取締役、監査役

こちらは完全な役員、使用人は兼ねられない法人の代表者職です。

部長職の肩書であるにもかかわらず、専務だ、常務だのをつけてあると、絶対使用人兼務役員にはなりません。

損金となる使用人賞与を支給するには、こうした代表役員の肩書を一切使用させないことに尽きます。これらは、形式でまずアウトになりますから、他意はなくても注意しておくべきです。

監査役については、中小企業では適任者がないからと、実際は一般業務をさせている親族の誰かをとりあえず監査役にしておいて、他の親族取締役と変わらない報酬を支給したりすることがあります。

会社法上、監査役は使用人を兼ねられませんので、この場合専従の監査役となり、中小企業ではプロパー監査役にそんな報酬は出していないはずですから、高額報酬となってしまいます。

ここを突かれると痛いところです。さすれば、会社の実情からどうすればよいのかと逆に開き直り、とりあえず次期以降改めることを約し、当期の認容を求めることでしょう。

Q88 「役員退職金」調査の対応ポイントは

Answer Point

★役員退職金は、恣意性の高い費用で高額支給となることも多く、法人の申告所得金額に大きく影響し、同時に法人の株価対策にも効果あるものです。

★役員退職金支給のメリットは次のとおり。

受取人	生存退職金…分離課税、特別控除 1/2 課税で有利
	死亡退職金…退職金控除、弔慰金も非課税
支払法人	法人税…高額退職金により所得金額が下がる。2〜3年赤字のことも
	自社株評価…評価額が下がり自社株の贈与等に有利
	報酬の退職金化…役員報酬は給与所得、退職金は退職所得で多額の所得税は少額となり合理化

★問題点は、利益調整目的のにわか退職で、実態は退職の事実が存在しない場合や名目上の親族役員の退職金について、支給額は不相当に高額でないか、株主総会での承認はあったかであり、役員在任期間と勘案してどうか等々の説明と、根拠資料を用意しておくことが大切です。

☆恣意性の最たる経費である

役員退職金は、長年の辛苦に対する感謝を目に見える形のお礼として贈るものであり、多少高額であっても、一定の規律の下に相応の金額が常識的には支払われるものだと、誰しもが考えるところです。

しかし、現実の役員退職金は、今日、会社の機関が委員会制度等種々コントロールが効いて、トップの独断で決定することが難しくなってきているように見えますが、依然としてお手盛り支給が多いようにも感じられます。特に中小同族企業では営業費中、金額ウエートも高く、支給額、支給期とも全くといっていいほど自由です。役員退職金をいつ出すかで法人の所得金額も大きく変わり、2〜3期は繰越欠損金を有していて赤字申告が続き、またその期間は自社株の評価も下がり、株式対策もやりやすいといったようなことになりがちです。

☆税務調査はすんなりとはならない

このような特殊な経費です。国側（税務署）としては、そうしたものを真

面目に聞いていたのでは税金が全然とれないか、ずっと将来までそのグループ関係者からの税収が減ってしまうことになりかねません。

そこで、役員退職金は、役員報酬と同様、言い掛かりのようなあらゆる理屈を駆使して認めようとしないことも多いのです。

なぜ退職金支給がそんなに便利で有利になっているのでしょうか。退職金、特に役員退職金が利用される税務上、その他のメリットを考えてみます。

【図表107　役員退職金が利用される税務上のメリット】

支給会社受給人の別	税務上の取扱い		内容	
受取人側	生存退職金	所得税の軽課	①分離課税	他の種類の所得と合算しない。高額所得者ほど恩典大。
			②特別控除（非課税部分）がある	勤続1年につき40万円（20年を超えると70万円）が控除される。
			③1/2課税である	なお、1/2は課税が行われない（実質国の課税権放棄）。
	死亡退職金	相続税の軽課	①退職金控除（非課税の控除枠）②弔慰金は非課税	相続人1名につき500万円の退職金控除がある（相続人が受け取った場合に限る）。退職金とは別の弔慰金（香典の部分）は非課税。
支払った法人側	法人税	年度法人税所得が低く抑えられたり欠損となったり、それが続いたりすることもある	法人税が実質無税。	
	自の社評株価	自社株の評価額は低くなる	高額退職金支給でその年度が赤字となれば類似業種比準株価が大幅に下がる。	
	役退員職報金酬化の	死亡退職金を後継者が受領	法人所得が出ないため、役員報酬をその間不支給で相続した退職金を生計費に充当すれば、役員報酬不受給でも納税を少なくして潤沢生活。	
	在任中の退職金支給	役員の分掌変更、使用人兼務役員の役員専従化等では役員在籍のままの退職金支給も可能	常勤役員→非常勤役員 取締役→監査役 使用人兼務役員→兼務を解き専従役員に昇格 従前の職位を退職したのと同様の場合、支給した退職金は損金算入が認められる。	

298　第7章　損益計算書項目の調査対応ポイント

☆問題となりやすいのは

役員報酬と同様、役員退職金についての規定は、不相当に高額か株主総会等で決議された金額の、いずれか低いほうの額までが損金算入を認められることとなっていて、特にそれ以外の制限はありません（法法34②　法令70①②）。

このことから、特別の事情があって退任したような場合を除き、通常に事業継続中に時折発生する役員の退職金については、前述の不相当な金額を除き自由になっています。しかし、既述のとおり、特に同族法人の役員退職金は何らかの意図があっての処理がほとんどで、税務調査では問題となると考えておかなければなりません。

次に、問題となりやすい点を少し取り上げてみます。

① 退職の理由に不自然さはないか

一般に役員が退任した際の理由としては、次のものがあります。

イ、在任が長年に及び高齢となった　社長職20年、30年等

ロ、病気療養やむなし

ハ、後継者の年令や引継ぎ時期が最適時期となった

ニ、役員定年の到来

これらの事情が客観的でなければ退職の事実はないとされたりします。

② 従前と社内組織命令系統に変化がない

職位が変わったにもかかわらず、退職前と実質的業務内容に変化がない場合。

社長→会長　会長→相談役や監査役

のようなケースはよく見られますが、実態は依然として退任した社長がすべてを取り仕切っていたりすれば、認められないことがあります。

③ 利益圧縮目的の役員退職金

①、②のようなケースは、ある事業年度のみの、例えば土地の高額譲渡や特殊取引で多額の利益が発生したときの対処手法として用いられたりします。

役員退職金は、思いつき支出でなく、日頃から計画を立て、支出タイミング、金額等をよく練っておいて、いざのときの処理を考えておくべきです。

にわか処理では、税務署もそれを指をくわえて見ているようなことは、立場を変えればできるわけがありません。

④ 親族役員名義の退職金

同族関係者で、非後継者は大した仕事もしないで名義役員となり、そこそ

Q 88　「役員退職金」調査の対応ポイントは

この報酬を支払ったりしていることがあります。いずれ独立させるか何か、自身の道があったりして、それまでの間の在任でタイミングを見て退職させ、独立資金として退職金を支給したりすれば、どの程度の役員としての実績（功績）があったかを問われ、曖昧な答では架空や過大として全額否認を受けるか、従業員の例レベルしか認められないこともあります。

　直接本人に質問を行って、退職金受領の有無や在職中の職務内容等の適否を詰められたりします。十分に考えておくべきでしょう。

☆金額の当否

　役員報酬と同様、形式的限度額、実質的限度額の両面から、不相当に高額かどうかの判断が行われます。

① 形式的限度額以内か

　まずは、定款または株主総会での決議額かどうかです。

　定款で、役員退職金の限度額を定めていることは少ないと思われます。通常は、株主総会での承認ということになります。実際に、株主総会等を開く同族会社はまずありませんので、これこそ形式的ですが、株主総会議事録の記載ということになります。一般的な役員の退職は、年1度の決算承認時の定時株主総会となりますが、そこで役員の改選と同時に支給額の決議が行われた形となります。

　年度途中退職の場合は、臨時株主総会となります。注意しておくべきは、株主総会議事録の遡及訂正等をしないことです。法務局に役員退任の登記申請を同時に行っているはずですが、その登記申請書に添付した株主総会議事録にも、退職金支給の決議承認が記載されていることが必要です。

　滅多にそうした調査手法は用いないと思われますが、職権で調査官が法務局へ閲覧しに行くこともあるようです。

　社内保管の議事録のみ退職金決議が行われ、法務局登記申請添付書類では行政書士、司法書士の標準文例によるもので、退職金決議の記載がなかったりすれば厄介なこととなります。

　もう1つ、役員退職慰労金規程を設けておくことです。株主総会で金額を具体的に決めず、別に定める退職慰労金規程によるとすることで、金額により客観性を持たすことができることとなります。

② 実質的に不相当高額でないか

　業種や事業規模から見て、支給退職金が不相当でないかどうかを判断することとなっています。しかし、役員退職金の標準的支給額は、税務署側には

そのデータがあると考えられますが、公表されておらず、自ら常識的な額が限度となります。

よく使用されているのは、功績倍率基準で簡単な算式では、

退任時の役員報酬月額×2.0～3.0倍×在職年数

とされています。これになお特別功労金を上乗せしたりすることもあります。

前述の役員退職慰労金規程も、こうした計算式によっているケースが多いと思われます。必ずしもこれが相当な金額とも限られませんし、例えば、業績如何で役員報酬を低くしていたりすれば、別途特例計算を考えてみることも必要です。

よく見られるケースに、役員退職金充当目的に役員保険の生保契約をしていて、満期保険金または死亡保険金を収受し、同額支給することがあります。しかし、この保険金が退任役員の退職金として相当額であるとは限りませんので、別途に支給額は検討すべきとなり、注意しておくべきです。

☆過大役員退職金の会計処理

既述のように、役員退職金は恣意性が高く、しかもかなり高額となり、1つ間違えば税負担が大変で、資金繰りに大きなダメージを与えます。

過大役員退職金と否認されれば、支払った法人は損金算入が認められないのですから、損金不算入、社外流出の役員給与扱いとなるはずです。受け取った退任役員は、過大部分の金額を退職所得の収入金額として、退職金控除額を差し引いて分離課税で所得税が課されるのか、それとも役員給与扱いとなったのですから、給与所得となるのかの問題があります。高額ですから、給与所得控除額も少額となり、給与所得扱いでは不利となります。この場合、受け取った退任役員の課税は、法人税の扱いには関係なく退職所得扱いでよいと考えられ、単に法人税の課税関係で終わると考えられます。もし、給与所得だとして源泉所得税の徴収まで決定するといわれても、その根拠はないはずです。

次に、過大認定やむなしの退職金の処理についても考えてみます。

役員退職金は、功績倍率基準等に従っていれば、通常は少々高額感のある場合でも、過大の認定は難しいと考えられますが、仮に過大とされた場合、支出退職金に加え法人税の追加納付が必要なところから、法人の資金繰りは苦しいものとなります。そこで考えられるのが、過大部分の役員退職金を再度株主総会を開催し、返還を求める決議を行ってみることです。そうすれば、過大部分の法人税負担はやむを得ないものの、退任役員個人の所得税は軽減されますし、法人の資金繰りも助かることとなります。

Q 88 「役員退職金」調査の対応ポイントは

Q89 「福利厚生費」調査の対応ポイントは

Answer Point

★物品の支給、保険の加入、慰労会等、福利政策にかかる費用は、本来現物給与で、従業員の所得となります。ただ、重要性の見地から、あえて少額のものまで課税しない取扱いもあるところから、福利厚生の名を借りた隠れ給与的なものもあり、豪華慰安会等には気をつけるべきです。

★各種福利制度については、従業員、役員に現金支給をすれば課税があるのは理解していても、それが現物であれば、法人側、従業員側とも課税関係が生じないと思い込んでいるのがトラブルの原因です。

★問題となる福利厚生費は、次のようなものです。

　・現物支給、各種保険の加入…特定の役員、従業員のみに限られているもの。

　・慰安旅行…特定の者のみ参加、不参加者への現金支給。

　・給食…本人負担 50％ 未満、法人負担月額 1 人当たり 3,500 円超のもの。

　・慶弔金…支給規定等に従わず、かつ社会通念上の金額を超えるもの。

　・その他…役員、従業員の資格で参加すべき会合の会費。

　ただし、結論的に 1 人当たりで少額の福利厚生にかかるものは問題としないことも多い。

☆福利費の本質

　慰労会や物品等の支給、各種厚生施設の利用、保険の加入、給食代、通勤費の負担等々、法人が取り入れている福利政策には様々のものがあります。

　これらは、表向きには、

・法定されやむを得ないもの…社会保険制度の加入

・雇用対策…社宅貸与、慰労会、自社製品の支給、給食補助、福利施設の取得やレジャークラブの入会

・リスク対策…団体傷害保険、生命保険の加入

・その他…慶弔金品の支出、慰労器具の設置、親睦会の援助、研修費の負担

等々となります。

　しかし、その向こうにあるのが、特に中小同族法人では給料を高くすれば従業員サイドの所得税、住民税、社会保険料の負担が多くなったりするため、

302　第 7 章　損益計算書項目の調査対応ポイント

隠れ給料の形で報いたいのと、組織が同族関係者中心で他人が少ない頭デッカチの同族中小法人では、福利厚生の名の下に役員も便乗して本来、個人で行くべき旅行等を、法人負担の豪華慰安会に化けさせたりのホンネの面もあります。ここらの点が税務調査の福利厚生費の着眼ポイントです。

☆福利費の負担額も実質的には給与

　給与として現金を渡せば、貰ったほうは収入で所得税がかかるのは誰もが認識していますが、これが各種の給食の負担、忘年会、旅行等の慰労費の負担、残業による夕食の提供等の従業員の懐に直接入らないものは、法人側がいくら使っても課税関係は起こらないと思い込んでいる向きがあります。

　しかし、福利費は、現金でこそ従業員に渡っていないものの、飲食物が現物で与えられていたり、豪華な夜食等は快楽を味わっていたりしていて、従業員や役員に経済的利益を与えていることとなります。

　したがって、基本的に従業員には経済的な利益供与が行われたと見て、所得があったこととされるのが原則となります。

　しかし、現実の問題として、そうした経済的利益を従業員各人ごとに算定するのも計算が面倒で、それにより課税される所得金額も僅少額のことも多いところから、税務の重要性の原則で、あえて通常、一般的な慰労の範囲のものは追っかけないこととしています。過度なものは受けた側の課税所得となり、また、支出法人では福利厚生費扱いでなく交際費とされて、限度超過額は法人税の所得に加算することになっています。

☆どんな福利費が問題となるか

　福利費で問題となる項目をまとめると図表 108 のとおりです。

【図表 108　福利費で問題となる項目】

項目	対象者	取扱い	
		個人所得税	法人税
①飲食物等 傷害保険 生命保険	従業員全般	通常は課税関係なし	法人、個人とも
	特定の従業員	利益を受けた従業員に所得税	法人税は原則損金算入 　食事等が豪勢なら交際費
	役員が大半か 役員のみ	利益を受けた従業員、役員に所得税	役員部分は役員給与（定期同額外）で損金不算入
②慰安旅行	役員、幹部職員のみ	同上	同上

Q 89　「福利厚生費」調査の対応ポイントは

303

	全員	課税関係なし 不参加者への現金支給はその分のみ給与課税	法人、個人とも不参加者のみ課税（参加不参加選択制は全員課税）
③給食の支給	役員、従業員とも	給食代の50％徴収で負担額3,500円以下は課税なし	超過額は役員給与、従業員給与
④慶弔金	〃	社会通念上の金額（勤続記念金品も含む）	法人、個人とも課税関係なし（社内規程等によっていること）
⑤各種団体等会費	〃	法人会員分（個人会員資格は原則的に認められない）	年会費等法人の交際費 出席者個人の負担すべき会費 従業員給与、役員給与

　福利厚生費には、上記のほかいろんな負担金等がありますが、税務調査においては、厳密には個人所得税の課税関係（経済的利益）の生じるものもあるとしても、ほとんどは従業員1人当たりに計算した場合に、それにより徴収すべき源泉徴収税額は僅少額である場合が多く、手数を要すのみとなり、あえて実際の税務の現場では問題にしていないことが多いと思われます。

　福利厚生費の調査ポイントは、本来、所得税の課税があるべき、従業員が受けた経済的利益が課税漏れになっている点です。しかし、現実の企業実務を見た場合、規模の大きな法人ほどそうした従業員が受ける無税の利益は小さく、小規模になればなるほど豪勢な慰安行事が行われていて、そのほうに本当の問題があるとなります。これは、そうなる原因の1つに、小規模企業ではどうしても生業的経営であるところから、他人従業員の数は少なく、役員とその親族の方が多いような形態が多いことがあります

　そこでは、現物給与の多用で経済的利益の課税逃れもありますが、それ以上に、本来、そうした福利厚生の必要があるのかどうかが無視されています。慰安旅行に名を借りた、親族の豪華旅行となっていたりすることがあるからです。ただ、それだけをもって、税務調査で福利費の損金否認をするのは難しいと考えられます。本当に参加者全員が親族のみなら、同族会社の行為計算の否認規定も税法にはあり、それを根拠に更正も可能です。この辺は注意しておくべきです。

　しかし、参加者に他人従業員も含まれていたり、親族でも日常、従業員として他人が担当すべき業務を行っている人も、同様の扱いでの社会通念上の福利厚生行事なら、否認根拠はないはずです。

Q90	「外注費」調査の 対応ポイントは

Answer Point

★製造業や建設工事では、自社での加工が不利な工程部分を外作することが
　ありますが、これに要した費用を一般に製造業では外注加工費といい、土
　木建設業では外注費として処理しています。

★外注費には、本来、ある工事種類についてその工事の専門業者に、個別に
　請け負わせた場合に発生するはずのものです。しかし、中小建設工事業で
　は、専門業者以外に人夫屋的業者や、1人親方職人に何でもさせるような
　外注費も多く、それらの業者への外注費は、その工事施工の真偽、業者の
　実在の有無そのものがそもそも問題となります。

★その理由は、種々雑多の少額外注費は、たとえそれが真実であったとして
　も、外注先業者が税務申告をしていなかったりしていることも多く、元
　請業者から末端孫請業者までの一連の流れの中で課税漏れとなっている部
　分と、架空外注費として消えた所得を浮かび上がらせるのを調査ポイント
　としていることが多いからです。

☆外注費の発生はどんなとき

　外注費とは、読んで字の如く外部へ注文した仕事の代金のことをいいます
が、製造業では自社でできない特殊な技術や加工工程を外作し、それを一般
に外注加工費の科目で処理しています。それも外注費の範囲に入りますが、
土木建設業での処理科目は外注費としています。

　正式に外注費が発生するのは、工事請負業者が下請契約に基づき発注した
工事の出来高に応じて、下請業者に支払った際に発生します。

　通常は、部分的な工事、例えば鉄骨工事、屋根工事、設備工事、塗装工事、
外構工事等、工事種類に応じて下請工事業者へ支払い、一括、または工事種
類別に外注費として処理します。

　会計処理上、そうした工事種類別に整然と外注費が発生していれば問題は
ないのですが、中小の請負工事業では、その他の経費科目で処理し切れない
複合的な性質の支出もすべて外注費で処理されていることが多く、外注費は
ある面、不正の温存場所的な科目であるところから、税務調査では問題とな
ることが多いようです。

Q90　「外注費」調査の対応ポイントは

☆外注費の実質的な種類

本来、外注費といえば鉄骨工事、屋根工事のように全体の1つの工事で、より効率的に工事を仕上げるため、自社内作で工事をしていては固定費上昇となるところから、工事種類別に専門業者に発注者側の採算価格で請け負わせたときに発生するものです。

しかし、中小建設業では、大手業者の下請や官庁工事でも小口不採算のことも多く、正規に工事種類によって専門業者に発注しようにも価格面で出しにくく、どうしてもダンプカー1台で何でもやるような零細業者、泡沫業者にこちらの管理下で仕事をさせるような形態が生じたりします。

そのため外注費は、図表109のように多岐に渡ります。

【図表109　外注費の種類】

外注形態	相手先	工事契約書または注文書	工事進捗管理	建設業者登録等	相手方の税務申告等
工事種類により発注	専門業者	工事着手前に締結。	業者責任にて工事名称も明確。	免許、許可を得ている。	申告内容当否は別にして、無申告者はない。反面調査に当然耐えられる。
雑工事一切	人夫屋的業者または1人親方職人	ないことが多い。締結しても互いに守らない。	発注者が管理（日報、出面帳によることもある）。工事名称は複数のことも多い。	ないことがある。	無申告者も多い（住民税のみ申告）。記帳不備。反面調査は符合しないことが多い。

このように、外注費には真の意味で建前どおりの外注費と、実質的な外注内容が、労務費に近いような曖昧な外注費が存在しています。税務トラブルとなるのは、後者の種類の外注費が圧倒的です。

☆工事代金の流れのどこかでの課税漏れ阻止が税務の狙い

上記のような経緯から、零細工事業者の存在と彼らの税務がどうなっているのかが、中小建設工事業の税務調査の要点の1つとなっています。

図表109の下段のような外注費は、見るだけで何か仮装の経費がありそうな気配を感じますが、要するにこのクラスの外注費は、真実の場合も架空の場合も表面上は変わらないことが多いのです。

税務調査では、それが実在したものかどうかと併せて元請のゼネコン辺りから末端の小口雑工事業者までの工事代金の流れの過程で、税が課されず漏

れた状態のものの有無を確かめるのが狙いです。

これをまとめれば、図表110のようになります。

【図表110　工事代金が問題になる点】

問題点	税務証拠レベルと調査官の対処	理由
①架空の創出が容易	証拠のレベルが右の状態で真実かどうかが疑わしい。 相手との関係も現場での出会いで詳しい素性は不知、出来高は目で検査した等々の答弁が出て来たりする。	工事発注書、契約書が無く、中には請求書すら不在で手書きの領収書1枚のみもあったりする。 相手が実在しているかは怪しく、領収書の住所は誤っていたりすることもある。しかし、それをもって否認（特に更正）することも難しい。ただ、大口悪質を放置することはない。
②請負代金の流れの中での課税漏れの有無	下請、孫請業者の所在地税務署へ照会しても無申告であることも多い。	・元請業者の外注費→下請業者の収益 ・下請業者の外注費→孫請業者の収益 となるはずだが、下流へ行くほど、収益、収入が消えてしまう。
③漏れた所得をどう取り戻すか	出口または入口の何れかで課税。 ・出口…発注業者の支払段階で課税。 　外注費を給与とし所得税、源泉徴収の決定。 ・入口…相手業者の所轄署に資料箋を回付する。 　相手業者の調査の実施、更正や決定が行われることも。	消えた所得をそのままにしておけない。

　その業務について下請業者に他人が代替できるか、作業時間の拘束、作業の指揮監督を受けるか、工事瑕疵の責任は負うか、用具等代金は負担するかの点について総合勘案して、事業の収入か雇用契約による給与の収入かが判定されます。単純に作業のみを行い、その時間や日数で代金が支払われると判定をされれば、給与として源泉徴収で漏れた課税を国は取り戻すことになります。

　外注費については、その事実が常に疑われます。自社の工事管理上も、税務調査のトラブル回避のためにも、工事受注から最終工事完成引渡し完了までを、ある程度わかる具体的な工事の進捗管理を兼ねた帳票を備え付けることが重要です。

Q 90　「外注費」調査の対応ポイントは

Q91 「支払手数料・支払報酬」調査の対応ポイントは

Answer Point

★支払手数料は、仲介料、販売員手数料、その他の謝礼等の支出に、支払報酬は、資格を有する専門士業者報酬、タレント等の料金、特別役職者の報酬等の支出に使用されている科目で、比較的少額の場合が多いと思われます。

★支払手数料、支払報酬には、契約等により、一定の割合で支払う手数料や報酬と、謝礼や袖の下といった裏手数料的なものに分かれます。後者の場合、外注費と同様、課税漏れとなる可能性が高く、それを課税範囲に取り込むため、支払先の真偽等を執拗に調べられたりすることがあります。

★契約文書の有無を問わず、料金を支払う約束があれば、当然収益対応関係があり、損金として認められるものです。支払先が課税所得として申告しているかは、支払法人には直接関係のないものです。

★手数料、報酬には、税法上、所得税の源泉徴収を要するものがあり、怠っていては加算税の決定を受けることがあります。

☆支払手数料等とは

　　支払手数料および支払報酬は、営業費用でよく使用されていますが、金額的重要度は業種によっては大きい場合もありますが、比較的小さいものです。

　　内容的にはどんな性質の支出がこの勘定で処理されているのか、日本語の意味も考えて整理してみると図表111のようになります。

【図表111　支払手数料・支払報酬の内容】

手数料・報酬の別	性質	内容	支払相手
支払手数料	仲介手数料	契約により取引額の一定割合を手数料として支払うコミッション。貸家、貸地、貸部屋のあっせん手数料。買付手数料、売付手数料。	仲介専門業者、商社、取引相手会社社員不動産業者 証券業者
	販売手数料	受託者が販売代金から差し引く市場手数料。歩合社員の外務員手数料。	荷受機関（青果鮮魚等市場）証券外務員、生保、損保外務員、保険代理店

308　第7章　損益計算書項目の調査対応ポイント

	儀礼的謝礼	謝礼、謝金等の儀礼的なもの、契約等は存しない。 残業手当、特殊業務手当等の裏給料。	取引にかかわった外部の関係者 従業員
支払報酬	士業報酬	弁護士、公認会計士、不動産鑑定士、税理士、司法書士、土地家屋調査士、その他の専門士業者に支払う顧問料、委嘱料等。	国家資格を有する専門士業者
	報酬料金	士業外の専門家の報酬。 講演料、原稿料、スポーツ選手報酬、出演料、契約金等。	作家、タレント、スポーツ選手、コンサルタント等
	特別役職者報酬	役員 OB 等の顧問料、相談役、参与等の報酬。	元会長、元社長、定年を過ぎた古参社員

☆支払手数料の実態は2通り

　一般的に、支払手数料なる勘定で処理される表面的なものは、図表105のようなものであろうかと考えられます。これらはすべて、形式面では確かに手数料の支払いといえます。

　しかし、内容的には、極端に2つの性質のものに分類されます。

　1つは、取引の介在等を業としている者への支払い、商社、不動産業者、荷受機関、歩合外務員等への手数料であり、もう1つは、闇手数料、リベート、袖の下といったようないわゆる裏手数料的なもので、外注費と同様、利益の享受者が誰か明らかでなく、税務上、どこかで課税漏れの可能性の高い支払手数料です。

　元々、支払う側も受け取る者も課税を避けたい意図もありますが、それとは別に誰にも知られずに、義理を済ませたい面も大きいのでしょう。

　中小企業では、正規契約に基づく仲介料や販売手数料を支払うことは少なく、ここでの問題は真の支払相手は誰か、手数料の額の根拠等々が明らかでない、後者の手数料でトラブルとなったときのこととなります。

☆損金性のある手数料、報酬か

　取引金額の一定割合を支払う契約が文面で交され、そのとおりの処理がされていれば、その取引による収益計上の年度に当然損金算入が行われます。文書契約でなくても、口頭約束や慣例でその支払いが行われることにより、受注ができているような取引であれば、損金として認められるはずのものです。

Q 91　「支払手数料・支払報酬」調査の対応ポイントは

支払報酬についても、専門士業者等の支払いは、通常は何ら税務トラブルが起きることはないと思われますが、顧問、相談役、参与等の肩書きの特別役職の報酬については、中小企業等ではそれなりのネームバリューのあるような人物でない、同族関係の非役員非常勤で担当業務の実態がない場合は、損金性が薄くなります。その辺の説得力を支払手数料、支払報酬では要します。

　なお、損金算入とならず、資産の取得価額算入となるものもあります。例えば、不動産の仲介料は、土地、建物の取得価額、株式の買付手数料も有価証券の取得価額に加えます。

☆源泉所得税の徴収は

　専門士業の報酬、外交員の手数料、スポーツ選手、タレント等への報酬は、いずれも課税漏れ防止の目的で、支払金額から一定の税率による所得税の源泉徴収が義務づけられています（所法204）。

　徴収税額は、徴収月の翌月の10日までに支払者の所轄税務署へ納付しなければなりません。常時10人未満の給与の支払いをする場合は、申請により6か月に1度（1～6月、7～12月）の納付が認められています（所法216）。

　手数料、報酬の支払いの際、所得税の源泉徴収を行い、給与の源泉徴収税額と併せて納付をしている分の報酬については、課税漏れは阻止されていてあまり問題となることはないと考えられますが、源泉徴収もしていないような手数料報酬は、相手先の存否をしつこく追いかけられると思っておかなければなりません。

　顧問、相談役、参与等の報酬は、通常は給与所得となり源泉徴収は行われていると思われますが、要は実態が勤務内容に相応しい金額であるかどうかが問題で、源泉徴収ももちろんですが、根拠となる組織図、職務分掌に関する手続や日常の勤務状況のわかる書類、同時にそれが経営上十分に効果のある面の説得力が必要です。

　支払手数料は、営業費用項目として安易に使用されて謝礼金や寸志、また、口利き料といった支出金の処理用に便利なものとして深く考えないまま、日常過度に使われ過ぎる傾向になっています。内容的には、大半は領収書、関連する文書類等の全くないもののオンパレードです。こうした問題が多少あるような費用は、もっと交際費、福利厚生費、雑費等々の費目にも、その支出理由や目的に応じて適正な処理をしておくべきです。

第7章　損益計算書項目の調査対応ポイント

Q92 「会議費」調査の対応ポイントは

Answer Point

★会議費とは、取引先との打合せ会議や、社内でのミーティングに要する費用のことです。一般的に、規模の大小を問わず使用されている科目です。

★会議費に似ている費用項目として交際費がありますが、交際費には支出限度があり、それを避ける目的で多用されているものと考えられます。

★交際費は、すべての事業関係者に対する接待、供応、慰安、贈答等の行為に要する費用をいい、会議費とは、業務上必要ある会議のために要する、会場使用料、茶菓、弁当代、旅費、宿泊費等を含むものです。

★多額の会議費は、交際費の部分が混入することもありますが、内容をよく分析して判断すべきで、安易に交際費としてしまわないことが肝要です。

☆会議費とは

　営業費用の勘定科目は、なるべく支出内容を明らかにする費用名称がのぞましく、いたずらにそれが果たす機能を表現するような○○○関連費なる費目は曖昧であり、財務諸表の読者が誤った理解をするかも知れず、あまり好ましくありません。

　そういった点から、会議費も似たところがありますが、範囲はあまり広くなく、通常は取引先との会議、社内の部門会議、課内会議に要する茶菓代、それが外部会議場利用の場合は借室料、出席者の移動の交通費、場合によっては宿泊費くらいまでが会議費として処理すべきものでしょう。

　しかし、実務の世界で会議費が用いられることは多く、本来あまり多額に及ぶようなものではないはずのところ、ほとんどの法人が営業費用中に計上しており、また、金額も意外に多くなっていることも珍しくありません。

☆会議費多用の理由と考えられるもの

　経済社会において事業の拡大を図るには、自社の商品やサービスの売上増、コスト低減のための研究機関との連携、情報の収集等の活動が必要です。そこでは、どうしてもそれに関連する世界で人脈づくり、人間関係の円滑化を進めなければなりません。否応なしに付合い費用、即ち交際費が発生します。

　企業の理念や業界の慣行等にもよりますが、交際費の多寡により売上が決

まるといったようなことを、以前は言ったような時代もありました。

　わが国の税制は、高度成長が始まるよりもっと以前の資本不足の時代に、企業の冗費節約の目的から交際費の支出限度額については、絶えず改廃を加えながらも税務上制限を行ってきました。交際費についてはQ 95 にて再度触れることとします。

　これは、形式的に企業に交際費圧縮のプレッシャーを与え、一般的によくある形の取引先や社内の重要会議後に、その慰労の意味を込めて行う会食等費用から飲食部分のみを取り出して交際費とし、残余は他の営業費目に適うものがないところから、会議費が使われ出したと考えられます。

　要は飲食費、あるいはそれに伴う支出は、即、限度制限のある交際費とされるとの危惧感から交際費処理を避けて分離させたり、接待費でも少額のものは交際費とせず、また主として従業員による飲食代は、同じように福利費としないで会議費として費目を適当に使用してきたことから、会議費が多く見受けられるのではないかと思われます。

☆会議費と交際費とは別のもの

　前述のように、会議費と交際費は少し混同されて使用されてきました。しかし、本来、会議費と交際費は別のものであり、支出金額如何で変わるものではありません。整理してみますと、図表 112 のとおりです。

【図表 112　会議費と交際費との違い】

	会議費	交際費
意義	業務の遂行上、必要ある会議のために要する費用。 　会議場使用料、茶菓、弁当代、旅費、宿泊費を含む。 （措令 37 の 5②ニ、措通 61 の 4(1)—(21)）	事業関係者（従業員、株主等まですべて含む）に対する接待、供応、慰安、贈答等行為に要する費用（措法 61 の 4④）。
税法上限度額	なし。 　ただし、会議費としていても、 ・実質交際費は別途申告書上の限度計算には含めなければならない。 ・実質的に接待でない飲食代については@5,000 円を超えていても会議費で交際費外。	①接待飲食費の額の 50％を超える部分の金額 ②中小法人の特例 　年 800 万円 （中小法人は①または②のいずれか有利なほう） 　飲食費については、1 人@5,000 円以下のものは交際費に含めなくてもよい（措令 37 の 5①）。

312　第 7 章　損益計算書項目の調査対応ポイント

☆税務調査での注意

修繕費と資本的支出の取扱いで問題とされる支出金額が大きければ、資本的支出といい含められるのと同様に、多額の会議費は交際費であるといわれやすいのですが、前述のとおり必ずしもそうではありません。

また、会議飲食、茶菓代に、少量のアルコール類代が含まれていてもかまわないと考えられます。逆に、いくら少額であっても手土産代、祝儀や心づけ等は交際費扱いとなります。

税務調査では、交際費処理をしていない他の費用項目中の実質交際費を指摘されることが多いところですが、会議費はその最たるものです。したがって、口頭説明だけで納得してもらうのは大変なところで、会議費は具体的内容を明確にする議事録の作成保存から、借室料請求書、領収書、旅費精算書、飲食代の詳細な請求書、領収書、出席者名簿等、会議の実体を説明できるものを用意しておくことが必要です。

なお、交際費は、企業の冗費節約目的から、長年にわたって制限が行われてきました。しかし、近年、大企業については、交際費は原則として全額損金不算入とし、支出交際費のうち接待飲食費の50％部分のみ、損金算入が認められる取扱いになっています。算式は、

支出交際費－接待飲食費×50％相当額＝損金不算入額①

となります。また、中小企業（資本金1億円以下の法人）については、

⑴　支出交際費等の額≦800万円(年)　支出交際費の全額損金算入②

⑵　支出交際費等の額＞800万円(年)　年800万円を超える金額が損金不算入③

となっていて、大法人については厳しく、中小企業には上記のとおり①〜③のうち最も有利な限度額を適用可能で、かなり緩い取扱いとなっています。

こうしたところから、中小企業の税務調査において、交際費を徹底して検査することは少なくなってきているように思われます。

本来、冗費節約目的から見れば、厳しく取り扱うべきは接待飲食費についてのみ損金不算入とすべきところで、接待に付随した会合案内文書費、会場費、タクシー代等については交際費からは省き、ここでの会議費に計上処理し、交際費の限度計算問題へは取り上げられないようにしておくのがベターです。

前記、中小企業の交際費調査傾向から、そんなに深く追っかけることもないだろうと考えられるからです。

なお、飲食費についても1人当たり5,000円以下のものは、交際費に含めなくてよい取扱いとなっていますので、社内会議に伴う飲食は、ここでの会議費に妥当する処理となります。

Q 92　「会議費」調査の対応ポイントは

Q93	「旅費交通費」調査の対応ポイントは

Answer Point

★公務員に、架空出張費の不正等が取り上げられることがありますが、出張旅費の精算にはタクシー代等一部を除き、社内の旅費規程によって支給を受けるところから、外部証拠が少なく、内部証拠の積上げによることが多く、架空出張があったりするからです。

★旅費支給手続は、出張許可願い、仮払旅費の受領から出張報告書と、旅費精算書の提出までとなりますが、これらの一連の出張内容の明らかなものが必要です。中小企業では、出張の事実そのものに曖昧なことが多く、特に海外出張等ではその要否と内容が問題とされます。

★給与所得者が、勤務場所を離れて職務を遂行するための旅費として、通常、要する費用は非課税となっていて、目に見えない支出に充当するための旅費日当も、非課税となっています。要は、法人の旅費規程が不当な内容でない限り、それに従って精算され、諸々のそれを証する内容の出張報告書と、旅費精算書が完備されていれば問題とはなりません。

☆不正温床となりやすい費目である

新聞紙上で時々見かけるのに、公務員による架空出張費の不正があります。役所は、予算を消化しないと打切りとなり、翌年度に繰り越して使えませんので、予算消化目的や、あるいはまた、個人の小遣い銭充足目的での出張旅費のゴマかしが行われるようです。

このように、旅費交通費の不正は行われやすく、少額不正は日常表沙汰にならなくても、どこかで発生しているのではと推測されます。なぜかといえば、旅費は、他の費用項目に比べ外部証拠をあまり必要とせず、主として内部事務文書や記帳のみで済ませられることから、架空出張費がつくり出されやすいからだろうと考えられます。

☆旅費の支出手続

旅費交通費は、法人の役員や従業員が業務上で取引先、その他へ出張する際に必要とする鉄道運賃、バス代、タクシー代、宿泊費、旅費日当等をいいます。

零細企業では設けていない場合もありますが、役員や従業員の出張が多い法人では旅費規程があるのが通常というか、設置しておくべきものです。したがって、そうした法人では、旅費規程に従って出張旅費を精算し、それに基づいて旅費交通費の支出処理が行われることとなります。
　流れは、図表113のとおりです。

【図表113　旅費交通費の手続の流れ】

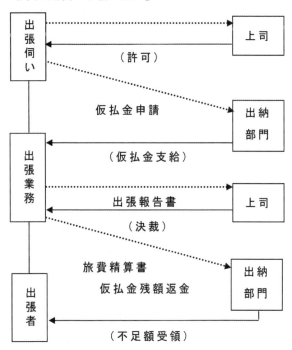

　零細企業では、従業員の出張はないことが多く、代表者自らの出張がたまにあるだけの法人ではこうした手続や流れは不要で、代表者自らが実額精算を行い、出金記帳を行えばそれで完結となります。手続面での不正の余地もあまりありません。

☆旅費の内容は
　前述のように、旅費交通費は単に鉄道運賃のみには限られません。それより多項目で多額のものがあります。分類例示すれば、
・交通手段の料金…鉄道運賃、航空料金、航路料金、バス代、タクシー代
・宿泊代…ホテル、旅館、宿泊料金

Q 93　「旅費交通費」調査の対応ポイントは　315

・旅費日当…出張先での滞在費

等が挙げられます。

☆支給する旅費の金額は旅費規程による

　鉄道料金には、普通運賃、グリーン料金、特別急行料金があり、宿泊料金にもホテル、旅館のランクにより、あるいは同じホテルでも部屋ランクによりそれぞれ差があります。

　また、鉄道等の到着地から出張先までの間、徒歩によるかタクシーを利用するかにより、その出張にかかる旅費総額が変わってきます。

　それらを決定するのは、役所であっても企業であって、すべてそこで定められている社内の旅費規程によります。出張者の役職や、出張地により支給を受ける料金が異なっていても当然のことで、新入社員と社長、専務クラスとでは、適用される各料金は開きがあるようになっています。

　中小企業では、そうした規程もないことが多く、誰が出張しても実額精算方式で、同額になるような支給方式が見られ、すべて領収書等によって計算されていることも多いようです。

　しかし、少し遠方への出張、特に宿泊を伴うような場合は、不意の出費もあったり、食費も個人負担としていたのでは必ず赤字出張となります。赤字出張は出張者にそれを埋めるため、何か他の不正で取り戻そうという誘惑を起こさせるところから、避けなければなりません。そのため、通常は旅費規程上、必ず旅費日当の支給を受けられるようになっていて、1日、あるいは半日いくらとか定めています。そうしておかないと、始末しても目に見えない精算し辛い費用が発生してしまうからです。

　これらの旅費日当は、素人には課税があると考えてしまいますが、税法上、給与所得者が勤務場所を離れて職務を遂行するための旅行に要する費用は、通常必要と認められる金額なら非課税となっています（所法9①四）。

　そして、必要とされる旅費の範囲は、支給額が支給を受ける者の役員および使用人のすべてを通じて、適正なバランスが保たれている基準によって計算されたものであること、また、同業種、同規模の企業等が一般的に支給している金額に照らして、相当と認められるもの（所基通9－3）となっています。

　どこにも証する資料による実額精算は求められていません。したがって、支給を受けた旅費がグリーン料金でありながら、普通席を利用して出張したとしても構わないことになります。

第7章　損益計算書項目の調査対応ポイント

☆旅費交通費をめぐるトラブルは

　税務調査において旅費交通費をめぐるトラブルを対処方法も含めてまとめてみると図表 114 のようになります。

【図表 114　旅費交通費の問題点と対処法】

問題となる項目	理由	対応
出張の存否 （架空出張では）	出張旅費はタクシー代等を除きほとんど旅費規程支給のため、領収書等はないことも多い。	出張伺い、出張許可書、出張報告書、旅費精算書が完備されていること。 　旅費がスムーズに認められるためにはこれがすべて。営業日報、業務日報とも符合すること。
旅費規程の当否	一般的な支給額に照らして相当額が非課税となる旅費であるが、具体的金額で限度を税法は定めていないので、高額支給の旅費規程となりがち。	他社の規程を入手したり、社規社則実例集等に掲載されている旅費規程をよく研究し、高額ケースの情報も収集しておくこと。 　少々高額かと考えられても、各種事例により説得を行うべきで、一方的に駄目といえるものではないことを心得ておく。
旅費精算書の精度	旅費規程の適用誤り、運賃、料金のランク、日当、単価、日数。 小規模法人では役員または一部幹部従業員以外の出張は少なくチェックがないか甘くなる。	出張事実が存在している限り、旅費金額の損金不算入となることはなく、過大支給部分のみである。 　超過分は、役員給与（損金不算入）扱いをされるが、従業員なら返却を求めることとなるはずで、役員も過大仮払旅費で給与としない取扱いを求めるべき。

　およそ旅費の問題点は、図表 114 のとおりで、中小企業での大トラブルは通常あまりないと考えられますが、時々海外出張等で図表 108 の問題項目での資料不足で、金額的にも高額となるところからトラブルも生じます。精度の高い海外出張旅費規程の完備と、主張目的と行程、旅費計算過程が相互矛盾しなこと等が肝腎です。

　旅費規程支給によれば、領収書等の外部証拠は一切ない出張もあり得ますが、ほとんどの旅費がそうした形で出されていたりしますと、しつこく内容を調べられます。少額のタクシー代、喫茶代、諸雑費の領収書は精算書に添付しておけば安心です。

Q 93　「旅費交通費」調査の対応ポイントは

Q94	「広告宣伝費」調査の
	対応ポイントは

Answer Point

★広告宣伝費は、物品の供与を伴うことも多く交際費に近い拡販費用ですが、相手先が特定の者でないことが多いところから、交際費から区別されています。

★広告宣伝費の問題は、効果の及ぶ期間が一時的かどうか、宣伝物品の手持ち在庫の有無、広告宣伝業務契約期間と前払広告料の取扱いとなります。ただ、通常、繰返し購入する宣伝用消耗物品の在庫や広告料の1年以内の前払いは、短期の前払費用として支出時の全額損金算入が認められています。

★広告宣伝費は、重要な営業戦略、戦術の費用ですが、商品仕入部門のようなメイン取引の業務でないため、社内内部牽制が甘くなりやすく、担当者と広告代理店が通謀し、架空水増し請求書による裏リベートの収受があったりします。資料せんで判明したりしますが、注意しなければなりません。

☆税務上の留意点は

　広告宣伝費とは、不特定多数の者に対する宣伝的効果を意図して支出する営業費用です。大手企業、特に消費財メーカー、小売業等での支出が多いのではないかと思われます。中小企業で大型広告を行うことは少なく、せいぜい新聞折り込みチラシ代程度ではないのでしょうか。

　広告宣伝費が税務調査で問題にされることは比較的少なく、あるとすれば次のように、広告手法による税務上の取扱いの異なる点および一般の他の費用同様、実態の不確かなやりとり等であろうかと考えられます。

① 税務上、具体的に取扱いが明らかになっているのは

　・税務上交際費との混同

　・支出の効果が将来に及ぶ

　　　繰延資産

　　　前払費用

　・形のある広告物品で手許在庫のあるもの

② 広告宣伝費特有のリスク

　・メイン取扱商品等の仕入支出でないため、管理不行届きが生じることが

318　第7章　損益計算書項目の調査対応ポイント

ある

・値引、割戻しの除外…広告代理店、メディア等と通謀し裏リベートの収
受

☆広告宣伝費か交際費か

　Q95で詳しく述べますが、法人が支出する交際費については、企業の冗
費抑制政策から損金算入限度が税務上設けられています。しかし、販売促進
費用としてよく似かよった面もある広告宣伝費については、いくらそれが誇
大広告であろうと何であろうと、公正取引委員会辺りで問題となっても税務
上何ら制限はありません。

　そんなところから、税務上有利な科目の広告宣伝費で処理しがちになりま
す。広告宣伝は主として贈答の形をとるものも多く、贈答は交際費の範疇に
含まれますが、純粋な広告宣伝の性質のものは除いて、基本的な考え方とし
て法人と直接関係を有していないようなメーカーと、一般消費者の間での贈
答は広告宣伝費となり、直接、あるいは間接的に取引関係にある得意先、仕
入先、販売代理店等との贈答は交際費となります。

　なお、直接取引関係があっても、もともと多数の者に配付することを目的
とした広告宣伝物品、例えばカレンダー、手帳、扇子、うちわ、手拭い等で
少額物品である場合も広告宣伝費として取り扱われます（措法61の4④、
措令37の5②、措通61の4(1)～(14)）。

　この辺のところは、単に広告物品購入請求書、領収書の保管のみでなく、
購入数や配付先および経路等で明らかにしておくべきです。

☆広告宣伝効果の及ぶ期間は一時的か

　修繕費や研究開発費、広告宣伝費、交際費等は、支出時の費用として通常
処理していて、税務上もこれをほとんど認めていますが、経済学的に見れば
これらの費用はすべてその効果が遡及されるものであったり、支出時の一時
の収益獲得にのみ役立つものでなく、その効果は将来に及ぶものであるとい
えます。

　したがって、広告宣伝も宣伝対象製品の販売が続いている将来の期間にま
で徐々に費用として収益に対応させるべきですが、そうした目に見えないも
のを測ることも不可能なところから、支出時の一時の費用として正規の簿記
の原則の例外として処理が認められています（企業会計原則第一、二「注1」）。

　しかし、それが目に見える形のものは支出時の一時の費用でなく、経過的

Q94　「広告宣伝費」調査の対応ポイントは

に資産項目として将来の期間に繰延べなければなりません。

① 具体的には通常は購入物品を償却資産とすべきところ、自社の管理下に置かれていなくて、第三者に所有権も移ってしまっているような場合。

・広告宣伝物品の贈与…繰延資産として計上し、その資産の本来の耐用年数の 7/10 の年数で償却します（5 年超は 5 年）。

（ただし、少額（1 件 20 万円未満）については、即時広告宣伝費処理が認められます。）

② 前払費用

広告看板掲載料、電柱広告料等の料金は前払いが多いと考えられます。これらの費用は、原則的に時の経過に従って順次費用として損金の額に算入されます。

したがって、前払いの費用で未だ用役の提供を受けていない期間の契約期間未経過部分は、前払費用として期末に一度資産に計上され、翌年度の損金算入額となります。

しかし、税務上短期の前払費用の特例があって、支払った日から 1 年以下に提供を受ける役務にかかるものは、支払時の損金処理をしていれば毎期の継続処理を条件に認められることになっています（法基通 2-2-14）。

こうした広告掲載料の類のものは、その契約期間を 1 年以内にしておき、短期の前払費用としておくことが肝要でしょう。

☆**広告宣伝物品に未使用の在庫があるとき**

広告宣伝物品のような消耗品類は、期末に未使用貯蔵中の物が残っている場合は、原則として期末棚卸資産として計上し、費用から控除しなければなりません。ただ、これらの物品の取得に要した費用を、継続して取得した事業年度に損金処理をしている場合は、例外的に購入時の費用として認められます（法基通 2-2-15）。

これも、会計原則の重要性の原則を税務上も認めたもので、したがって重要性のある場合、例えばそれが経常的に毎期支出されるものでないもの、或いは金額的に高額と認められるものや、短期の前払費用（法基通 2-2-14）処理狙いで、年度末に一挙に臨時的に広告物品等を取得したような場合は一時の損金とならず、棚卸資産として計上する必要があります。

一連の広告政策で、広告宣伝物品の企画立案料を支払い、それが完了し次に印刷業者等へ回付され製造中であるような仕掛物品の費用は、物品完成納入されて検収が完了するまでは前払費用で損金としては認められません。

第 7 章　損益計算書項目の調査対応ポイント

☆代理店リベートの除外

　業種によっては、中企業でも多額の広告宣伝を行うことがあります。通常、広告をするときは、広告代理店を通してとなることがほとんどかと思われます。

　企業にとって広告は、重要な販売戦術にかかわらず、製品の開発、研究、原材料の発注や検収、在庫管理等に比べ、年間予算管理以外は担当部署や専担者に任せきりにしていることもよくあります。

　広告業界やその下請企業は、競争も激しく、値引き、割戻しで契約獲得合戦が行われたりしているようです。そうした割戻し契約も許可承認を経ず、あるいは受けていても自部門のみでそれを管理し、受けた割戻し金品を部門独自の裏資金として持っていたりすることもあります。

　スポット広告等で掲載回数、放送本数といった発注側の管理し難い点を捉え、担当者が相手側と通謀し過大請求を行わせ、バックを取り個人で費消してしまったりも起こります。これらは内部で気づかずですが、税務資料箋で表に出てくることもあります。

　それらは、結局、法人の管理不備、内部牽制漏れで益金算入され、担当従業員への貸付金として返還を求めなければならないこととなったりします。

　役員が行っていた場合は、役員給与とされると考えておくべきです。

　いずれにしましても、中小企業では多くはないと思われますが、広告宣伝の必要な法人では内部管理システムを厳重にしておくべきです。

☆宣伝目的物品の保存

　中小企業では、広告宣伝が行われることは一部特殊な事業の法人を除きあまりないようです。しかし、それでもパート・アルバイト求人、小売業、小規模工事施工業では、新聞のチラシ広告や地方新聞、業界情報誌で、広告宣伝をすることもあります。

　これらは、広告代理店を窓口にすることもありますが、新聞販売店への発注、発行所からの勧誘によることもあります。広告料領収書に、詳しく掲載実績と紙面が添付されていればよいのですが、中小企業では、ただ単に領収書のみ保存のこともあります。なお、併せて、広告の効果等まで社内で分析を行う等をしておくべきです。

　広告紙等の現物は、邪魔くさいとして保管がされていなければ、相手も零細業者等であったりして、事実の存否を立証するのが難しくなります。何事もそうですが、税務証拠物件もあり余るくらい提示し、調査官にとても見られない気分を抱かせるほうが、次への進行、早期調査終了につながります。

Q 94　「広告宣伝費」調査の対応ポイントは

Q95 「交際費」調査の対応ポイントは

Answer Point

★税務上の交際費の特徴は、一般の常識的な遊興接待交際と異なり、取引関係者以外の従業員、株主、近隣住民、業界人、その他あらゆる関係者に対する接待、供応、慰安、贈答行為をいいます。また、支出限度額が法定され、超過額は損金不算入となっています。

★本来、あらゆる交際費が限度額計算の対象ですが、専ら従業員の慰安のための費用、少額の飲食費、宣伝物品の贈与、会議の茶菓弁当代等は、除いてもよいとされています。

★中小企業の交際費の問題点は、代表者の個人的飲食費の法人付込みが多く、また、領収書等を一目すればそれが判明する幼稚な処理が多いこと、もう1つ、口利き仲介料等をお礼として交際費に計上したりしている点です。それらは、代表者等が本来個人のポケットマネーで支出すべきもので、その資金がないのなら、もっと工夫し、論争可能な処理法によるべきです。

☆交際費の特徴

　会計的に交際費とは、営業上必要な接待費や交際費を想定しますが、税務上の交際費は少しそれと異なった面があり、一般的な常識とは違う性質を有しています。

　1つは、交際費の範囲の広さであり、もう1つは、交際費の損金算入限度が設けられていることです（措法61の4）。

【図表115　交際費の範囲】

	会計上の交際費	税務交際費
目的	営業上必要とする接待費、交際費、贈答、接待等にある程度限定される。	取引の必要上に限らず、社内の慰安、会議等も含まれ、税法上では事業関係者への接待、供応、慰安、贈答とされている。
交際費の相手方	主として得意先で、そのほか仕入先、業務委託先等も多少含まれる程度。	得意先、仕入先、外注先の取引先に限らず、従業員、株主等の内部、近隣、業界、政官界あらゆる関係者が対象。

処理勘定 科目	主として営業費用中の 接待交際費処理。	営業費用の接待交際費のほか、会計上では、 福利厚生費、会議費、売上割戻し等の費用項 目から、製造原価、完成工事原価中の交際費 （棚卸資産や固定資産処理）までに及ぶ。

　交際費の損金算入限度額は、現在、図表116のようになっています。

【図表116　交際費の損金参入限度額】

原則	当期支出交際費のうち、接待飲食費の50%を超える部分の金額
中小企業の特例	上記または全交際費支出額のうち、年800万円以下の金額

（措法61の4①②）

☆接待、供応、慰安、贈答類はすべて交際費

　前述のとおり、相手先が取引先でなくても、事業関係者なら接待等に関する支出はすべて交際費とするのが原則です。ただ、少額のものや、専ら従業員の慰安のための通常の福利費等で、次のものは除いてもよいことになっています。

① 専ら従業員の慰安のために行われる運動会、演芸会、旅行等のために通常要する費用

② 1人当たり10,000円以下の飲食費（令和6年3月31日までは1人あたり5000円）

③ カレンダー、手帳、扇子、うちわ、手拭い等の贈与に要する費用

④ 会議に際しての茶菓、弁当類の供与に通常要する費用

⑤ 新聞、雑誌等出版物、または放送番組を編集するために行われる座談会、その他記事収集、放送のための取材に通常要する費用

　このほかにも、性質的に寄付金、値引き割戻し、広告宣伝費、福利厚生費、給与は交際費に含まれないとしています。

☆中小企業の交際費と問題点

　交際費は、税務上、以上のような取扱いがあって、形式上、明確な取扱いが定められています。しかし、実務の現場ではそうしたものに当てはまりにくい次のような問題点が、中小企業では起きます。

① 公私混同が多い

　従業員数名の法人、代表者、妻、子供1人程度の零細同族法人等で、消費財販売の専門店や不動産賃貸、管理業では、考えてみれば取引先との関係維持のための交際費は、そんなに要らないはずです。

Q 95　「交際費」調査の対応ポイントは　　323

ところが、小さな法人でも、年何百万円というような交際費が、単に交際費勘定処理のみでなく、会議費、広告費、消耗品費、雑費等の処理勘定に分かれて飲食費、贈答費、物品購入費、ゴルフプレー費等が使われたりします。

　中身は、相手先に照会、反面調査等しなくても計算書、領収書、百貨店の外商請求書を検査すれば、すぐ不当交際費であることが判明します。

　これは、代表者の飲食費、ゴルフプレー費等のうちの一部や、代表者家族の衣料雑貨類の購入費を法人名義で請求させ、支払っているからです。

　これらは、始めから論外ですが、そうした代表者等の遊興費を法人で支出処理したいと思われるなら、日頃から多少数少ない取引先であっても、不動産業なら仲介業者や工事会社との渉外行動や、専門商店なら業界や商店街等の町内会活動を積極的に行い、時折会合を持つことでもしておくなり、あるいは社交団体に法人会員で入会し、実際の効果の程は別にして、交際費の多少の支出がつくり出せる戦術を採っておくべきです。

　交際の当否、文書証拠のみではわからないものも多いのです。法人の利益との直接でなくても、間接的にでも因果関係を説得できるなら、見解、論争の場へ持ち込むことができます。

　何もしなければ、土俵へ上がらず、手前でアウトになってしまいます。

②　裏支出金の処理

　企業規模を問わず、企業の世界では、表向きにお金の動きを明らかにできないものが多いものです。取引に関しての裏リベートや高額の謝礼、問題解決のための政治屋等への支払い、近隣対策費等、それらは企業側から見ればすべて交際費の一部と認識すべきものなのかも知れません。

　しかし、それらは、まず支出の基となった領収書や計算書があることはほとんどないと考えられます。そして、お金の受渡しは、銀行振込等は一切なく、現金による手渡しとなると思われます。闇の世界は、証拠が残っては具合が悪いのです。

　法人の経営を任されている役員は、利益を上げるため、全力を上げるべきで、そうした表向きに処理することができない支出は、役員報酬を高くし、自分のポケットマネーで密やかに収めるべきものだろうと思われます。

　本来は、その範囲のものであれば、そうするより外にはありません。それが多額になるときは、Ｑ107での使途秘匿金とせざるを得ませんが、この処理は法人の税負担がかなりきつくなり、そんな税金を払っていては企業が潰れてしまうかも知れません。そのところはＱ107で再度考えることとします。

324　第７章　損益計算書項目の調査対応ポイント

Q96	「寄付金」調査の 対応ポイントは

Answer Point

★営利目的の法人では、収益と直接結びつかない寄付支出は不合理であると
ころから、寄付金の発生頻度は少ないはずです。これが、税務上取り上げ
られているのは、一般的な形式上の寄付金以外の贈与行為も寄付金と認定
され、法人税の負担が付いて回るからです。

★税務上の寄付金は、名目の如何を問わず、金銭資産、または経済的利益の
贈与が該当し、収益との関連を有する広告宣伝費、交際費等は除かれます。

★寄付金の問題点は、交際費と同様、代表者等の役員が負担すべき地元、出
身学校から要請のあった寄付を、法人が負担した場合が多いことです。ま
た、支出限度額があり、資本金基準、所得金額基準が低く設定され、厳し
いものになっています。なお、未払寄付金は除かれ、仮払寄付金は含まれ
る、いわゆる現金主義で計算が行われます。

☆実務上の発生頻度は低い

　法人税の取扱い解説では、必ずこの寄付金が登場します。しかし、会計実
務上の他の損益項目に比べ、日常そんなに発生する費用ではないはずです。

　寄付というようなものは、合理性の徹底が要求される経営活動の中で、言
い方はよくありませんが、本来必要のない出費であり、いわば無駄使いです
から当然の話となります。

　にもかかわらず、なぜ法人税で取り上げられるのかといえば、税務とは離
れても、法人も人格が与えられていて、われわれ自然人と同様、法人の事業
目的により制限はあるにしても、社会的活動は自由に行えると考えてよいで
しょう。

　しかし、営利を目的とする会社のような法人では、儲かったからといって
その辺の神社、仏閣、奉仕団体その他に無闇やたらに寄付をされたのでは、
それだけ課税所得は減り税収は入って来ず、無制限に損金算入を認めたので
は、結果的に法人税減収相当額の寄付金の一部を補助したこととなってしま
います。

　そんなところから、支出寄付金の損金算入は企業規模に応じて枠が設定さ
れ、限度額は厳しいものとなっています。

Q96　「寄付金」調査の対応ポイントは

それと、もう１つ付け加えますと、形式的に寄付金とはいえないもので、必要以上の援助を取引先等に与えた場合は、寄付金として認定することにより、税務否認とすることになっており、それが寄付金を特別に取り扱っている理由と考えられます。

☆寄付金の概念は

　前述のように、一般的に寄付とは、神社、仏閣や公共事業へ差し出す金品と認識されているところですが、税務上は課税の公平から範囲を拡げており、この点を少し整理してみると図表117のようになります。

【図表117　税務上の寄付金の範囲は】

	一般論としての寄付金	税務上の寄付金
定義	公共事業または社寺等へ物品を贈ること。	寄付金、拠出金、見舞金その他いずれの名義をもってするかを問わず、法人が金銭その他の資産または経済的利益の贈与または無償の供与した場合のその価額（法法37①②）。
収益または反対給付との関連	何らかの見返りを期待する拠出も、直接的に給付を受けないものすべて。	収益との関連を有するものは寄付金から除かれ、他の費用項目となる。広告宣伝費、見本費、交際費、接待費、福利厚生費は除かれる。
寄付の当否	要請を受ければ、立場上寄付を当然せざるを得ない、寄付者は誰でもよいことも。	法人が負担することの可否。多くの場合、法人代表者等、役員個人が負担すべきもので、寄付金でなく役員給与。

　なお、一般的な寄付金は、金銭又は物品の供与に限られていますが、税務上は低額譲渡や債務免除等の経済的利益も含まれます。

☆寄付金が問題となるのは

　寄付金が問題となるのは、図表118のとおりです。

【図表118　寄付金が問題となるのは】

項目	説明
①個人負担すべき寄付	代表者等の出身学校より、周年記念事業の寄付要請を受けたりすることがありますが、法人の所在地の地元校で、地域企業へ一斉に寄付募集をしたりしている場合を除き、代表者個人が負担すべきもので、法人で支払った場合は代表者への役員給与となり、損金不算入でかつ源泉所得税を課されることとなります。

326　第7章　損益計算書項目の調査対応ポイント

	これが記念誌の発行で、中に法人の挨拶広告を掲載したため広告料として支払ったのであれば、宣伝効果もあるものと考えてよく、広告宣伝費としてもよいと思われます。
	いずれにしても、法人から寄付をしたのであれば、その寄付をしたことの正当性を主張できる根拠を、よく研究して支出処理をしておくことです。
	役員給与認定を受ければ、法人税と源泉所得税の往復ビンタを受けてしまうこととなります。
②限度額がある	細かい規程はいろいろありますが、寄付金の支出限度額は、$$\dfrac{資本金 \times \dfrac{2.5}{1,000} + (所得金額+支出寄付金) \times \dfrac{2.5}{100}}{4}$$となっていて、わずかな金額が損金として認められているのに過ぎません。
	したがって、一般的に寄付は税務上不利であり、あまり積極的には行われていないのが実情です。
	問題は、経済的利益の供与、特に関連会社に対してが問題となることが多く、資産の高額買取り、低額譲渡、理由の明らかでない債務の免除等を、何かと税務調査では難クセをつけて寄付としてしまいたがります。
	経済的利益とされない根拠や、金額の計算の正当性を粘り強く説得することが最大のポイントです。
	なお、国や地方公共団体、財務大臣の指定した寄付金は無制限、公益増進法人への寄付は、通常の限度額の倍まで限度が上がっていますが、必ず証明できる募集要項や正規の領収書、証明書を収受しておくべきで、募集者の口車に乗って好い格好で自慢していても、証する書類不在や非該当であれば痛い目に遭いかねません。
③現金主義である	領収書等未入手のため、仮払金としたままであったり、請求があったが払込時期未到来のため未払金計上したりした寄付金は、いずれも現実に支出した日の年度で、寄付金として限度計算が行われます。
	仮払金は、寄付金に含め、未払金は逆に寄付金から除かなければなりません。

およその税務上の寄付金は以上のとおりですが、基本的に寄付の文字にとらわれ過ぎず、単純に問題点は何かを考えてみますと、法人が資産を通常価額より安価で売却、または無償供与、資産を通常価額より高価で買入れ、債務の免除、事業関係者への経済的利益の供与（無利息貸付、高利子率借入等）等を行ったりすれば、通常価額との差は、役員従業員が相手方の場合は役員給与認定、源泉所得税決定となりますが、それ以外はすべて税務上の寄付金の中に取り込まれて、支出限度超過額は損金不算入となることを忘れないことです。

Q 96 「寄付金」調査の対応ポイントは

Q97 「支払運賃」調査の対応ポイントは

Answer Point

★運賃には、商品の発送運賃、材料等の仕入運賃、倉庫間移管の横持ち運賃等があり、中には機械設備等の搬入運賃もあったりします。本来それぞれ区別すべきですが、中小企業ではすべて支払運賃勘定一本に処理されています。運賃は、売上高との関連が強い比例費です。

★支払運賃調査は、運賃請求書と期末前後各10日間くらいの仕入、出荷、売上記録と照合を行い、売上の繰下げ、除外、棚卸漏れ等の検証を行います。期中運賃は、年度比較、月度比較を行い、異常発生年度、月度を探り、発生原因の質問が行われます。

★外注費の1人親方と同様、白ナンバートラックの持込み業者によることがあります。この場合も、その運送業者個人の税務申告の有無が追求されます。また、事故等のトラブルでの利用者責任等のこともあり、危険な運送手法となり注意を要します。業者への課税は、使用車の諸費用および輸送品の破損費の本人負担等を明確にしておき、給与として源泉徴収をいわれないようにしておくべきです。

☆運賃の種類

運賃には、自社で生産した製品や仕入れた商品の販売にかかる発送運賃や、逆に仕入れた商品や原材料の引取りに要する運賃、あるいはまた製品の製造途上で発生する工場間や外注先との間での仕掛品、半製品の移動運賃、保管中の製品商品の倉庫間の移管にかかる横持ち運賃等、種類は分かれます。

企業によっては、引取運賃、発送運賃、保管費等にそれぞれ区別し、経費科目を細分していることもありますが、中小企業では単に運賃として一括処理していることが一般的となっています。

会計処理上、発送運賃については、輸送品が売上に計上されていれば問題はありませんが、先方未検収で売上を保留していたりすれば、前払運賃となって当期の損金にはなりません。

また、引取運賃は、仕入原価に加えなければなりませんし、期末在庫している場合は棚卸評価に加算が必要です。

設備の搬入運賃では、固定資産の取得価額に加算しなければならないこと

328 第7章 損益計算書項目の調査対応ポイント

になります。

☆比例費の典型

　前述のように、運賃には種々の性質のものがありますが、多くは製品、商品の発送運賃が占めています。したがって、売上高に比例して毎年変動するのが当然といえます。

　売上が伸びた年は運賃もかさみ、逆に横バイか減少すれば下がって来るはずです。

　ただ、これは、運送コストである燃料費、油脂費等の市場価格が急に上昇したりすることもあって、必ずしも機械的に売上高に対して一定の比率で動かないこともあり得ます。

　また、連月比較においても、月ズレは多少あり得ても、ほぼ売上に対し連動すると考えるのが常識的で、税務調査においても、運賃の比較的多額に発生する法人では、毎期比較分析を行って異常値となっている年度や、月度については、その理由を説明できるようにしておくべきでしょう。

　なお、送料有償のインターネット販売等で発送運賃を原価、受領運賃を売上に含めている場合等については、アンバランスとなることもあり、会計処理は立替運賃等の処理を行って、管理上もフォローすることがよいと思われます。

☆支払運賃の調査は

　最近のようなインターネット受注による販売手法や、数多くの地方の専門店へ卸販売をしたりの運賃がかさばる業種は、膨大な輸送コストを費やすこともあります。それほどでなくとも、遠方への直送等で、事業年度を通じて運賃が発生する法人も少なくないと考えられます。

　売上除外や売上の翌期への繰延べの有無を検証する調査手法としては、期末近辺の発生運賃と、その売上計上の有無や時期を個別に突合します。また、翌期初売上とその輸送手段と時期も同様です。

　期中の支払運賃について、それらすべてを同様に確かめることは、通常の調査期間であるわずか２～３日の日数では物理的にまず不可能ですし、また、運賃のみを克明に調査していたのでは他の項目の調査に手が回りませんので、考えられないところです。

　そんなことをする調査官は、何か勘違いをしているのかも知れません。時々見かけることもありますが、期中運賃は請求書を通査する程度で、そうした

Q 97　「支払運賃」調査の対応ポイントは

書類に不審感を持つことがなければ、請求内容に異常輸送のようなものがないかどうかだけで終わるはずです。

支払運賃の調査は、まとめれば図表119のようになります。

【図表119　支払運賃の調査と対処法】

運賃の発生時期	調査手法	対処方法
期末	期末および翌期初の売上と運賃請求書の内容を個別に突き合わせ売上の脱漏、繰下げ等の有無を確かめる。 　調査対象年度（3〜5年）の売上高比を分析、不規則な比率年度は理由の説明を求める。	期末10日間、翌期初10日間くらいの出荷と運賃の関連を予めチェックし、不審を抱かせるような内容については、メモ的にでも補足コメントをつけておく。 　売上高比についても同様。
期中	多額の発生月の請求内容を通査する。 　個々の仕向先、商品名請求額の異常とみられるものをピックアップし、売上との関連について照合する。	他の経費科目でも同様、証拠書類に異常項目と映る内容については答を用意しておくべき。

☆白ナンバー運賃

運送事業者免許を有さない白ナンバー業者や、持込み運転手を雇用する等、運賃の合理化をする目的で利用することが時たま見られます。

外注費等の場合と同様、そうした個人営業者の場合、課税漏れが生じやすく、相手方の申告の有無等を聞かれ反面調査が行われる等、調査期間が長引くことも考えられます。白ナンバー業者の利用は、税務上のトラブル以前に事故発生時に責任負担能力がそうした業者にはないことが多く、利用者責任を問われ、こちら側へ損害賠償請求を受けるリスクも存在しています。

いずれにしても、白ナンバー業者や持込み型の配送の外部委託は、相手が無免許業者であるところから運行管理がルーズであり、運賃請求書も曖昧なことが多く、どうしても不審感を持たれやすくなります。

そのため、持込み業者を含め、諸費用法人持ちで運行距離や時間による料金のみの支払形態であれば、雇用契約に基づく給与として所得税、源泉徴収額を決定されることも考えられ、簡単には調査は完了しないこともあり得ます。

☆まとめ

支払運賃については、およそ以上のような問題事項が考えられますが、要約すれば図表120のようになります。

第7章　損益計算書項目の調査対応ポイント

【図表120　支払運賃が問題になる点と結果】

項目	内容	結果
①会計処理上の問題	売上との関連。	売上計上のないもの　①売上除外 ②計上遅れ ③預け在庫計上漏れ ④未検収→前払費用
	引取運賃と期末棚卸。	在庫評価に加算漏れ。
	設備の搬入。	機械装置等取得価額加算、建設仮勘定の場合も。
②対売上高比率	年度間比率分析での異常。 月度間連月比較分析。	対支払運賃比率の突出した年度月度 ①売上の計上時期検討 ②異常取引 　発送運賃以外の混入。 　発送、戻り返品の反覆による相手先未請求額漏れの発覚等 ③反面調査がある
③白ナンバー運賃	請求内容の曖昧さ、売上との関連性の不明確。	架空運賃による裏金の着服。
	トラブル時の責任、諸経費等、当法人持ち。	給与とされ源泉所得税の納付決定。 加算税がかかり不利。 相手方の申告漏れ追及で反面調査、調査期間の長期化。 調査上の問題項目の少ないときは、最後に調査官への土産になったりする。

　支払運賃についての調査は、既述のように、通常ではそんなに深く掘り下げた調査が行われることは少ないと思われます。ただ、業種や規模によっては、中小企業でも運送業者への支払いがかなり多いような場合は、運賃の内容分析が行われ、戻り返品運賃について、調査に少々時間を割いたりすることがあります。返品には種々の理由があり、単なる不用返品もあれば、製品の瑕疵によるものや、誤出荷、過剰発注等々多岐にわたります。

　出荷先が遠方である場合も多かったりして、それらの受払いをすべて運送業者に委託している場合、かなりの金額となります。返品運賃についての取決めはないことも多く、結局放置されたままになっていたりします。

　決着がつくまで立替金処理が必要となりますし、その返品現物は棚卸に計上すべきか、不良品として不計上でよいのかといった点にも問題が広がります。

Q 97　「支払運賃」調査の対応ポイントは

331

Q98	「通信費」調査の
	対応ポイントは

Answer Point

★通信施設の複雑化した最近の企業実務では、通信費の内容分析はあまり行われていないことが多く、税務調査での問題も少ないと感じられます。

★電話機器会社が、その他の用品も提供したりすることもあり、他の費用が混入されることがありますが、問題となることはありません。また、代表者宅の通話料金の法人負担があったりしますが、これらは代表者は1日24時間すべて法人業務に携わっていることが多く、それが同居親族の使用過多等の場合は別にして、異常でない限り大きな問題となることもないと考えられます。

★封書、切手、ハガキ等の通信物品の管理は、受払簿により正確に行うべきですが、基本的に私的使用はしないこととしておくこと、また、期末の未使用は、貯蔵品として棚卸計上を要します。しかし、計上漏れとしても少額かとも思われ、実務的には重要性の考え方での容認要請してみてもと思います。

☆事業規模相応額が必ず発生

鉄道や通信手段の未発達であった飛脚の時代ならともかく、あらゆるインフラが整っている今日において、情報のやりとりに後れをとっていることでは、ビジネス社会では通用しない時代です。

企業あるいは役所でも、進化した最近の通信施設の整備は必要となってきており、かつ安価にそのコストを抑えることが経営合理化に繋がっているようです。

したがって、どんな企業でも、電話の通話料金をはじめ、切手、ハガキ、メール便代等が必要で、その使いやすさが進むにつれて、通信料金全体が膨らんでいきます。

通信費の発生しない企業は、絶対にないといってよいほどで、業種によっては多額で、その内容が多岐にわたっているようです。

したがって、通信費の正否を検討することは自社内でも難しく、あまり内容についてはチェック等をせず、出るがままに処理されていることが多いようです。

税務上も、通信費の調査に時間をかけることはあまり見られず、問題となったケースを聞くことはないようです。

☆不正、誤びゅう発生は

　通信費の中で一般的に金額の嵩張るのは、電話料金かと思われます。以前のように、電電公社が電話業務を独占していた時代は、電話料金も単純で請求書も基本的には毎月次送付されてきて、大まかな区分で内容は掴めていたものでした。

　それが今や、電話回線を介して多くの情報のやり取りが行われており、なお、その上に携帯電話の急速な普及によって通話料金は複雑なものとなり、旧電電公社のＮＴＴ以外の通信会社が増え、料金競争が行われた結果、請求内容をチェックするようなことは難しくなっていて、詳細な内容は送らせていないのが普通のようです。

　そうしたものをめぐっての税務上の不正支出や役員、従業員の不正、私的使用のチェックは、まず行われていないのではないでしょうか。

　他の経費も含め、不正が発生しやすいのは、私的使用です。例えば、福利費に混入している代表者個人宅での飲食費や、個人私用目的の車両や機器備品の法人取得等がよく見られるのと同様です。

　誤りとしては、通信機器会社が他の事務用品や通信用以外の備品類のリース料やお茶、コーヒー等の福利用物品まで提供している場合のオール通信費処理等が考えられますが、この程度のものは少額のことが多く、大きな税務トラブルになることはあまりないと考えられます。

☆通信費の問題項目と対応

　前述のように、通信費で税務上問題となると考えられるのは、①私的使用、②他勘定の混入、③前払通信費のようになります。

　これらは、気づかず放置されていることもありますが、中小法人の多くでは、代表者等の役員は単に事業場での業務従事のみでなく、営業時間外においても絶えず業務への対応を構えていることも多く、何かとプライベートの場でも法人の業務に時間を費やし、特に通信や移動には居宅設置の通信機器の使用や携帯電話も私的使用より、法人業務の連絡用に通話料金が嵩んでしまうといった理由によるところから、通信費は全額法人負担となっていることが多いようです。

　通信費において考えられる問題項目と対応は図表121のようになります。

Q98　「通信費」調査の対応ポイントは

333

【図表121　通信費で問題になる項目と対応】

項目	内容	あるべき処理	実務上での可否
①私的使用等	通話料	毎月次請求明細分析により通信費と立替金（私的使用）に区分処理、翌月支給。給与天引き回収。なお、私的使用が僅少のような場合、放置していれば経済的利益相当の給与となるが、そうした詳細分析まで行うのが合理的かは疑問。	件数膨大、多額では分析に手数がかかる（従業員貸与分も含め携帯本数、固定電話台数の多いとき）。標準的な月度の内容分析により、私的使用割合で簡便処理し、異常料金発生月のみ異常点を分析しての処理でもやむを得ない。
	ハガキ、切手代等	受払簿により管理。通常は使わないのを原則とする。私用の場合入金させる。	受払簿の記録失念することあり。多少の曖昧さはやむを得ないかとも思われる。
	通信用封筒等	個々の受払記録は難しい。記録簿は置くも、持出者名程度。	不正とまでいえないのが実務の理論。
②他勘定の混入	・経費科目間の相互誤り 事務用品費〕通信費処理 福利厚生費〕 リース費〕（通信機器会社の電話料金の場合）	正当な経費科目での処理へ。	多少の誤りは、比較分析等に影響を及ぼすが、税務否認になることは少ない。
	・資産計上漏れ 通話料中に機器購入代が含まれることもある。	資産計上処理。	請求内容概略の通査。
③前払通信費	切手、封書、用箋等の処理	受払簿による管理。期末在庫数は貯蔵品として資産計上。	切手類は、現物の実査を行い、貯蔵品に計上。その他の消耗物品は、継続して取得時の損金処理している場合は認容される。

第7章　損益計算書項目の調査対応ポイント

Q99　「地代家賃」調査の対応ポイントは

Answer Point

★地代家賃の対象である不動産は、高額資産で、かつ借地借家法上の規定もあり、税務上、種々の取扱規定が設けられています。軽い判断での貸借行為は禁物です。

★問題が生じるのは、賃貸人が第三者のときは敷金、保証金および礼金の取扱い、明渡し時の立退料の処理があげられます。代表者等、同族関係者からであれば、賃料の当否、修繕費の負担や借地権の認定に関係することもあります。賃貸契約書不存在のことも多く、個人の相続財産としての評価の問題が絡む面もあり、明確にしておくべきです。

★業務上、必要な資産の賃借であれば、その他の問題はあまり生じませんが、役員、親族のみが主として利用していたりすれば役員給与と認定され、損金不算入、かつ源泉所得税の決定があったりします。

☆地代家賃特有の問題

　不動産に限らず、最近は事業に必要な資産を所有せず、賃借する方式も多くなってきているようです。これらの賃料は、すべて賃借料ということになりますが、機械や機器では単に賃借料処理で特別の問題が生ずることはあまりありません。

　ところが、地代家賃というのは、土地の賃料であったり、賃借建物の家賃であったりし、賃料の対象が不動産という簡単に取得処分はしない資産であり、1つ間違えば場合によっては税務上、高額の認定課税もあり得ます。

　なぜかといえば、税務を離れても、不動産の貸借は借地借家法等の規定で、1度貸したら返してもらえなかったり、逆に立ち退かなければならなかったりもあるかも知れないといったリスクがつきものの厄介な代物だからです。

　不動産の所有者側の相続財産であったりし、評価額に重要な影響を及ぼす場合もあり、軽い判断での貸借行為は禁物とすべきものなのです。

☆問題はどんな場合に

　不動産の貸借は、所有者と借主の関係が法人対法人であったり、個人対法人であったりします。また、所有者個人、借受け法人のパターンが比較的多

いものの、その個人所有者が同族関係者であるか、それ以外の第三者であるかにより問題内容は異なることが多く、種々様々なトラブルが考えられます。

【図表122　地代家賃を分類してみれば（借主は法人）】

所有者 （貸主）	賃料は	契約内容は	税務上のトラブルは
第三者	通常は市場相場。 　古い契約では低いこともあるが、高いことは少ない。	不動産賃貸借契約書が存在していて明らかだが、古い契約ではないこともある。	ほとんどないが前払地代家賃や契約更新料の取扱い、明渡し時の立退料の帰属等では処理に慎重さが必要。 　戻入敷金、保証金、礼金の処理が契約どおりか。
代表者等 同族関係者	無償貸借から不当高額賃料まで種々様々。 　深く考えず、物件の使用が先行していることが多い。	契約書が不存在。詳細な借主、貸主間の取決めは不詳で行われていることが多い。	無償、低賃料では賃料認定（少ないが）や修繕費、租税公課等の借主負担があったり、法人側の一方的処理で発生が多い。 　高額賃料では、認定給与か寄付金の問題。 　個人所得税、不動産所得申告漏れもある。 　法人の建物所有目的の土地賃借では借地権認定も検討必要（借地権についてはQ74参照）。

これらは、次のような補足が必要です。

① 賃料

　㋑　無償または著しく低額

　　法人がいくら低賃料で土地建物を賃借していても、地代家賃が低いことで営利目的の法人としては利益を既に享受しているので、それによる法人税の徴収漏れはなく、地代家賃認定の問題は生じません。

　　ただし、例外的に貸主が地代家賃を収受することにより、高額の所得税負担が発生するため、それの回避目的で故意に無償、もしくは低くしている場合は、認定の問題が考えられますが、滅多にないと思われます。

　㋺　高額の場合

　　近隣の賃料に比べて著しく高額であるとされれば、高額部分は役員給与または寄付金とされ、損金算入限度額超となれば法人税が課されます。

　　なお、これは貸主同族関係の場合で、第三者から借りている場合は起こり得ません。

② 物件の維持費負担は如何

　代表者等より借り受けている場合、土地建物の修繕費、改良費、固定資産

税等を借主側の法人が負担しているケースが見受けられます。大した注意も払わず、安易にかかったものは法人でくらいの判断でしていることが多いようですが、本来、他人（第三者）からの賃借であれば、当然それらは特約がなければ通常は貸主負担となるべきもので、借主が支払う理由はないこととなります。

　もし、そうするのであれば、賃貸借契約書上そのことを明記し、その分賃料や差入保証金等に反映させておく必要があり、注意が必要です。契約がなくても、現実の賃料がそれを考慮して低くなっていれば、それも合理性があり、一概に不当ともいえません。説得力を持つことです。

③　差入保証金、敷金、礼金の処理

　最近では、賃貸借契約に際しての一時金の授受は減ってきているようですが、昔から関東地方では賃借時に礼金の授受慣行があり、一種の権利金的な性格のもので、解約時には一切返金せず、契約更新の際にも再度礼金をやりとりする方式が多く見受けられたようです。関西では、差入保証金方式が多く、家賃の数か月分ないし1年分くらいを賃料不払時の担保として差し入れ、解約退去時に特別の修復費の必要がなければその80％を返還し、20％は返還を要せず家主に帰属するとしたものです。

　これらの貸主が受け取る礼金や差入保証金の差額（敷引額）は、契約成立時より借主としては返還を受けないことが確定していて、一種の前払賃料の性格を持つものです。したがって、損金算入されるものですが、その金額が20万円以上である場合は、税務上の繰延資産として計上し、5年均等償却として損金算入されます（法法32①、法令64①、法基通8-2-3）。

　契約更新時再度権利金を要する場合、有効期限が5年未満であればその年数が償却期間となります。なお、これは建物の賃借の場合で、土地の賃借では借地権となるので注意が必要です。

　同族関係者よりの賃借で保証金が高額過ぎた場合は、その部分は貸付金と認定され、利息収受の認定が行われることもあります。

④　業務に不必要物件の地代家賃

　業務上必要な事務所、工場、倉庫等の賃借の場合は問題ありませんが、それが別荘等の保養施設等、本来絶対的に必要としない物件の場合、従業員が施設を主として利用しているときは問題ありませんが、役員、あるいはその親族が主として利用したりしているケースでは、役員給与（賞与）と認定されることもあります。

⑤　賃料の損金算入時期

Q 99　「地代家賃」調査の対応ポイントは

地代家賃の計算期間は１か月単位が多いようですが、中には６か月や１年分の前払い契約が見受けられます。

　仮に毎年１月１日から12月末までの月額100,000円の地代を、１年分前年度末に支払う契約であった場合の本来の処理は、次のようになります。

・××年12月31日

　　　（地代家賃）1,200,000 ／（現金預金）1,200,000

・決算が３月末であれば、期末修正仕訳は

　　　（前払地代家賃）900,000 ／（地代家賃）900,000

・翌年度の４月１日の期首再修正仕訳は

　　　（地代家賃）900,000 ／（前払地代家賃）900,000

　ただし、毎期の会計処理を継続することを条件に、短期の前払費用の特例（法基通2-2-14）処理で期末の前払地代家賃処理をしなくても、支出時の全額損金算入が認められています。

　この特例を利用し税務合理化を図る目的から、年前払契約の形式をとっている場合も多いようです。

　注意すべきは、毎月払契約なのに１年分先払いしたり、１年分を超えての前払分は認められないと思われるところから、契約面の明確さ等を要します。

　また、メインの業務用、例えば貸家業の場合、それが借地で地代の先払い等はこうした重要性の原則の適用は認められないと考えられ、注意しておくべきです。

☆サブリース方式の地代家賃

　個人所有の土地建物を貸与する場合、所有者個人が直接賃借人と賃貸借契約をせずに、中間に同族会社を介在させる、サブリース方式とすることがみられます。この場合のサブリース会社が、家主たる所有者個人へ支払う家賃はいくらにすべきかが問題となることがあります。

　例えば、他人に事務所兼倉庫を月額100万円で賃貸するに際し、同族会社を設立し所有者の配偶者を代表者とし、役員報酬を60万円、所有者個人へは地代家賃を20万円それぞれ支払い、管理諸費用を収入家賃の残余の金額で充当するような同族会社を介して、親族間での所得配分をしているような場合は、低額家賃の問題が生じます。この場合は、維持管理諸費用相当額（通常は収入家賃の10％～20％程度）を控除し、残余の部分を所有者個人に支払うべきとの個人所得税の修正申告の勧奨が行われることがあるようで、気をつけなければなりません。

第７章　損益計算書項目の調査対応ポイント

Q100 「研究開発費」調査の対応ポイントは

Answer Point

★企業業績の低迷が長期間継続している実態経済の下、経営合理化の見地から、効果のほどの不明な試験研究に資金を投入する中小企業は多くなく、比較的処理科目としての使用は少ないと考えられます。にもかかわらず取り上げられるのは、会計処理上、繰延資産計上で益出しに利用されるのと、税務上、税額控除の恩典が設けられているからです。

★ひと口に試験研究費といっても内容として曖昧ですが、税務上は、自社内研究ではその試験研究に要する原材料費、専ら従事する者の人件費、経費とされ、外部委託の場合は、委託を受けた者へ支払う費用となっています。

★難しいのは、専ら従事する者の要件ですが、担当業務に一定期間の専担従事状況が、明確に区分計算されていればよいようにもなっていて、その他の費用も含めて、調査官といえども専門家ではありません。専門レベルの難しい複雑な土俵での勝負に持ち込み、説得力、話術で認容への努力を惜しまないことです。

☆研究開発費が取り上げられる理由

　製造経費や販売費および一般管理費は、その性質や機能で細分され、数多くの経費勘定で処理されています。しかし、その中にあって研究開発費については、開発研究専門型の業種を除いて、比較的金額的にも少額であることが多く、研究費そのものも見られない法人もあります。にもかかわらず、会計や税務の処理、取扱上では必ずと言ってよいくらい、解説が行われています。

　理由としては、会計的な面からと、もう１つ、研究費支出が税務で有利に取り扱われているからだと考えられます。

☆理由①　会計処理面

　研究開発費は、その名のとおり費用であり換金性の全くない支出です。したがって、発生した年度の経費として処理すべきですし、税務上も外部委託した場合の役務提供等未済の内払的なものは別にして、当然損金算入処理が認められます。

しかし、研究開発費の内容は多岐にわたり、どの程度のレベルのものであるのかはもちろん、その投資効果は即座に現れるものでもなく、形のないもので、目で確かめることのできないものです。

そんなところから、会計処理は通常は継続的なテーマの研究等は販管費に、現在生産中の製品や業務遂行の改良や改善等の研究開発経費は製造経費、または売上原価項目として処理されることになっています。

ところが、研究開発ですから、支出年度にそれの効果があることは少なく、次期以降、事業継続が行われれば活きてくるといったもので、会計基準や法令上も支出年度の経費処理を原則としながらも繰延資産として資産計上し、5年以内の償却を行うことが認められています（会規106、①三③五、繰延資産の会計処理に関する当面の取扱い3(5)、研究開発費等に係る会計基準、法令14）。

基本的には、将来に支出効果が及ぶものでなければなりませんが、上述のごとく、それは曖昧で目に見えませんから、悪くいえば決算利益調整に使える性質を有し、非常に便利のよい費用だといえます。

☆理由②　税務上税額軽減がある

わが国では、技術革新投資が諸外国に比べて劣っているとの統計や指摘があり、補助制度もあるようですが、企業に開発投資のインセンティブを与える目的で、以前から試験研究費支出についての税額控除制度があり、創設当初は試験研究費増加が前提であったため、中小企業ではなかなか利用がし辛かったところですが、近年は研究費支出総額に対しての控除制度も認められ、かなり小企業でも場合によってはその恩典を利用できるようになっています。

☆研究開発費とは

研究開発費は、前述のように抽象的で、その内容が目で確かめられないもので範囲の広いものです。

試験研究費と開発費の総称ですが、まとめれば次のようになります。

① 研究費
　・新製品新技術採用の研究
　・現行製品コストダウン等の継続研究
② 開発費
　・経常的開発

340　　第7章　損益計算書項目の調査対応ポイント

・新市場の開拓、新技術の採用、新資源の開発

現行製品等に対する経常継続的な研究と開発と、もう１つ新製品、新技術採用等への研究と開発となります。新製品の研究開発に限り繰延資産計上も可、経常的な研究開発は製造経費、販売費及び一般管理費となりますが、必ずしも客観的に区分できません。ただ、昨今では繰延資産に研究開発費が計上されている事例は少なくなっています。

☆試験研究費の税額控除は

基本的な試験研究費の税額控除額は図表123のようになっています（措法42の4①）。

【図表123　試験研究費の税額控除】

---

① 試験研究費の控除額

試験研究費の増差額＝当期の試験研究費の額－前期以前３期分の平均試験研究費

$$増減割合＝\frac{試験研究費の増差額}{前期以前３期分の平均試験研究費}$$

増減割合	税額控除額（当期の試験研究費に対する控除率）
12%超	11.5%＋（増減割合－12%）×0.375　　　（上限は14%）
12%以下	11.5%－（12%－増減割合）×0.25　　　（下限割合1%）
設立事業年度または比較試験研究費が０の場合の税額控除割合は8.5%	

② 中小企業者の試験研究費等の税額控除（措法42の4③）

　試験研究費の額　×12%　　⎤
　その年度の法人税額　×25%　⎦ のいずれか低いほうの金額。

　試験研究費の増加割合が４%超の場合、法人税額×（増加割合－４%）×0.625%を加算します（上限法人税額×５%）。25%は当期の法人税額の10%を上乗せします。

☆税額控除対象の試験研究費は

開発研究費は、その範囲が広く、日常最低限の基礎的研究はほとんどの企業で行われているでしょうし、一部の従業員は、ラインの業務を熟しながら合間を見て新製品の研究や新市場開拓の分析調査を行い、管理部門等では新組織採用への研究を行っていたりします。

果してどこまでが税額控除の対象となるものなのか、内容が明確ではありません。

法令上の試験研究費の定義は、製品の製造もしくは技術の改良、考案もしくは発明に係る試験研究のために要する費用で、次のようなものとされています。

Q 100　「研究開発費」調査の対応ポイントは　　341

① その試験研究を行うために要する原材料費、人件費（専門的知識を持って当該試験研究の業務に専ら従事する者にかかわるものに限る）、経費。

② 他の者に委託をして試験研究を行う法人の当該試験研究のために当該委託を受けた者に対して支払う費用（措法42の4⑧一、措令27の4③）。

　要するに、試験研究のための材料費、労務費、経費ということになります。

　材料費は、直接研究に使われる原材料代であり、経費も研究用の直接費が想定されますが、ここで注意すべきは人件費に関しては、専ら従事する者にかかわるものに限るとされていて、例えば組織上、研究開発現場に配属されていたとしても、事務職員、守衛、運転手等のような試験研究業務に直接従事していない者は、除かれるとなっているところです（措通42の4⑵一3）。

　これを読む限り、間接人件費は一切含まれないこととなりますし、材料費、経費についても減価償却費、固定資産の除却損については条件付で認めるとしているところから、消耗材料費や共用の設備費、配賦すべき共通費は認められるようですが、狭く解している様子です。

　したがって、独立した試験研究部門、専従職員や研究設備等を有していればある程度研究費は明確化されますが、兼務職員による試験研究が行われている場合は難しいこととなります。

　このとおりとすれば、外部への委託研究を除き、中小企業での試験研究費の税額控除は受けられないということとなります。

　ただ、法令上はそのとおりですが、この点に関する照会の回答として、「試験研究のために組織されたプロジェクトチームに参加する者が、研究プロジェクトの全期間にわたり従事していなくとも、その者の担当業務が行われる期間専属的に従事する場合は、その者の専門的知識、研究プロジェクト期間が概ね1か月以上、担当業務従事状況が明確に区分され適正に計算されている人件費は、兼務者の場合であっても認める」としています（『試験研究費税額控除制度における人件費に係る「専ら」要件の税務上の取扱いについて』平成15年12月25日　課法2-27　課審5-25）。

　中小企業の試験研究費の取扱いの参考になるでしょう。

　税務調査の現場では、調査官に試験研究の専門官がいるとは聞いたことはありません。納税者側としては、研究内容そのものが曖昧なもので、必ず結果が出るものでありませんから、専門レベルの難しい土俵での勝負に持ち込み、説得力のある内容、話術で認められる努力を惜しまないことです。

<table>
<tr><td>Q101</td><td>「消耗品費」調査の
対応ポイントは</td></tr>
</table>

Answer Point

★費用項目中、サービス費用以外は物品の購入関連費で、それらはすべて消
耗品費です。消耗品の処理は、減価償却資産として計上、貯蔵品管理を行
い、払出し量を費用計上、購入即費用計上のいずれかとなります。これら
の処理の適否が、調査で検証されます。

★請求書等証憑が完備され、消耗品費処理が適切であることが立証できれば
よいのですが、他の費目と同様、個人的使用の物品の有無、大量購入品の
ダンピング横流し処分、その他異常の有無が要点となります。

★最終的に問題ありとすれば、貯蔵品計上漏れはないか、減価償却資産に該
当しないか、役員個人の趣味的なものが混同されていないかチェックされ
ますが、消耗性が強く資産計上管理すべきものでない、あるいは法人の業
務に間接的に関連しているとの説明が求められるところです。

☆消耗品とは

　経費項目中、運賃、修理、清掃、通信、賃借等のサービス費用を除けば、
ほとんどの費用は物品の購入費です。本来、純粋に経済的に見れば、そうし
た物品は、未使用の間は資産で払い出し、使用開始で費用認識すべき性質の
ものです。

　会計上では、重要性の原則で「消耗品、消耗工具器具備品、その他貯蔵品
のうち、重要性の乏しいものについては、その買入時または払出時に費用と
して処理する方法を採用することができる（企業会計原則　注解1 重要性
の原則の適用について）」と、実務の煩わしさを考慮し、手数を要する管理
方式を強要しないこととしています。

　それが、長年にわたり、物品を買えばまず経費に落とせるだろうと、何で
もすべて消耗品費での支出計上処理が、何のためらいもなく日頃数多く使用
されている理由です。

　いわば、ほとんどの物品購入費が消耗品費といってよいかも知れません。

☆本来物品購入費は資産

　会計原則でも、貯蔵物品のうち重要性の乏しいものについては、支出時経

Q101 「消耗品費」調査の対応ポイントは　　343

費が例外的に認められるものとしているように、物品の購入費はおよそ図表124のようになります。

【図表124　物品の購入費の流れ】

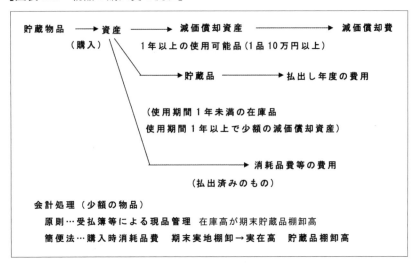

☆調査手法は

考えられる調査手法としては、誰しもが処理に疑いを抱いてとなれば常識的には、図表125のようなことになるのではないかと思い浮かべるところでしょう。

【図表125　消耗品費の調査手法】

対象	調査手法
①購入に関する物件	請求書、領収書との照合および記入事項に不審はないか。 日付、宛名、数量、金額、事業遂行上必要性等々。 特に事務用消耗品等では、家事用でも使用可能な場合が多く、公私混同はないか、他の経費項目でも同じですが、請求書や領収書の宛名が上様となっているのは、私的な支出を付け込んでいるのではとなります。
②現品の存否、管理状況は	反覆購入品は、現在保管品の数量その他から異常の有無を検討。 使用可能期間の長いものや、趣味、骨董品的な物は、法人内での保管状況や購入資料と照合し、同一物であるかの認定等のために現品視査等が行われます。 減耗や劣化しない少額物品では、現品不存在は私的利用を疑われます。戦時中のわが国軍隊ではありませんが、員数合わせが行われ、使えないような物でも数量があればよく、数が足りないと下級兵士がビンタを喰らうようなものです。

☆問題となりやすいのは

消耗品費で問題になりやすいのは、図表126の点です。

【図表126　消耗品費で問題になりやすい点は】

項目	問題点
①貯蔵品棚卸 不計上の指摘	前述のように、基本的に「物品を買えば経費」ではありません。その購入物品を費消したときに、収益に見合う費用となります。 　事業所内を調査官が視察したときに、目についた消耗品類や時々大口で購入している同様の物品等は、期末に未使用分は棚卸資産として計上が必要です。 　例外的に重要性の原則で、経常的に消費する消耗物品の取得に要した費用を継続して、その取得した日の属する事業年度の損金の額に算入している場合には、認められることになっています（法基通2-2-15）。 　毎年度、ある程度の数量を購入消費するものとなっていますので、臨時的な物品は除かれますし、年度によって貯蔵品として計上したり、在庫が残っているのにしなかったりしている場合は、認められないのが原則です。 　しかし、このところも経常的購入物品であることをどんな形であれ説得すること。棚卸不計上等は、意識的な意図でなく一組の数量を大きくとり違えて使用開始中とした等で、粘る根気が必要です。
②減価償却資 産か消耗品費か	消耗品費として損金算入が認められるものと、減価償却資産中の工具、器具備品等とは近いもので、厳密な線引きは主観的なものとなります。 　しかし、税務上は、消耗品費中、1単位の取得価額が10万円以上のもの、または使用可能期間が1年以上のものは減価償却資産として計上しなければなりません。 　また、中小企業では取得価額1単位30万円未満までの工具、器具備品類の取得時損金算入も例外として認められています（ただし延年間300万円まで）（法法2二十二、二十三、法令133、措法67の5①）。 　実務上、事務用品の購入先から事務機器の購入や工具商社からの工器具の購入に際し、消耗物品中に上記10万円以上が含まれていることがよくあります。毎月相当量の消耗物品を購入していたりすると、請求額をまとめ一括払いするため、資産計上すべきものを見落としてしまったり、あるいは大したものでない、そうした機器類については個別管理もできないとして、消耗品費として処理してしまうこともあります。 　10万円の線引きは1台、1基、1組を単位として判定することとなっているため、〇〇一式とか××一括とかの請求内容では資産計上を当然指摘されます。内容的に付属品や整備道具、あるいはサイズ機能の異なるものをセットで買っていたりもします。 　よく内容分析を行い、請求明細を再入手し、資産計上不要の根拠づけをすべきですし、個別管理が難しいくらいの物品ですから、1年未満減耗を現物管理担当者から説明させることでしょう。

Q 101　「消耗品費」調査の対応ポイントは

	とにかく、どんなことにも理屈はつきものです。税務調査では次の手、さらに次の手で応じていく態度を保持すべきです。
③公私混同の問題	他の項目も同じです。福利厚生用として購入した車両、機器、備品類を役員一族の家庭で使用していたり、美術品等を自宅の玄関や応接、床の間に飾っていたり、その他家事用の洗剤、用紙、事務物品、車両燃料等を法人のそれらの納入業者から購入私消することも、中小企業では見られるところです。 個人で使うことがたまたまあることはあっても、法人の所有物です。事業所内に保管すべきです。税務調査には、予めすべてのものを法人内にあるかどうか確かめておくくらいの準備は怠ってはなりません。 うっかり代表者宅へ行ってしまっていることもあり得ましょうが、なぜか理由を述べて法人事業場へ現品移動を行い、所在を明確すべきと思います。現品が存在する以上、架空だとかはいえないはずだと思います。

少し補足すれば、消耗物品の貯蔵品棚卸計上や、購入時期、購入量との相互関連に注意をしておくことかと思われます。特に、こうした物品類の請求書や領収書の保管状況ですが、綺麗に汚れもなくそれらがファイルされていれば、何となしに見るほうには架空伝票的な感じで気になるところです。

請求内訳書等は、どんな場合でも何かを書き込んで、例えば、発注量はなぜそうしたか、前回購入品はどのように払い出されたか、どの部署で使用されたか、誰が受け取ったか等の状況をメモ的に記入して、むしろ汚くしておいたほうがよいと思います。そうすれば、貯蔵品の受払帳簿まで記帳していなくても、ほぼ、どんな形で払出し使用が行われたかの想像もつきやすいものです。

また、期末に少々大量に買い込んで、貯蔵品棚卸に計上すべきかと言及されそうなものでも、期末にほとんど在庫がなくなって、次期早々に発注しなければならないような状況を、現品扱い担当者に記入させておくことです。そうすれば、後は重要性を何処まで見るかの範疇での主張となり、粘れるところへ持ち込めます。

図表126のとおり、減価償却資産の消耗品費処理はよく見られるところです。これは、否認されれば仕方がないとのバレモト的処理で、よく行われがちです。この場合、資産計上に修正したとしても、取得価額1品60万円以下の物品は、消耗品費処理を行っていても、使用月数分減価償却額の残額が減価償却超過額となり、全額損金不算入とはなりません。またそれが、前々期取得等では前期償却費の認容額もあって、トータルとして修正金額は少額で済むこともあります。調査官も深く調べるほどの項目ではないものです。

Q102 「減価償却費」調査の対応ポイントは

Answer Point

★減価償却は、会計上、資産の耐用期間にわたり費用配分を行う手法で、毎期相当の償却を行うとなっています。税務上は、各法人の自由に任せると過大償却が行われたりするところから、償却方法、耐用年数、残存価額は法定されていて、その範囲内までしか損金算入が認められません。

★償却方法については、有形固定資産、無形固定資産の別に定められ、なお、普通償却以外に特別償却が認められています。また、中小企業には、少額資産の即時償却制度があります。

★調査時の留意点は、未稼働資産の償却、耐用年数および届出償却方法の適否、減価償却明細表の正否等です。取得価額、資本的支出等は、該当項目を参照してください。特別償却では、適用時期の当否、会計処理法、減価償却明細書別表の内容適否となります。

★近年、減価償却の規定は、特に償却方法の改変が繰り返されています。減価償却計算ソフトでなく、手計算の場合は注意を要します。

☆減価償却とは

　会計上、資産には、貨幣性資産（法的資産）と費用性資産（会計的資産）があり、貨幣性資産は現金預金、売掛金、受取手形等の支払手段に充当できるものであり、費用性資産とは、本来費用となる支出が費用収益対応の原則により翌期以降の収益に対応する費用とするため、一時的に資産として繰り延べているに過ぎないものをいいます。

　減価償却とは、この翌期以降の費用化する費用配分手続の手法で、計算結果として減価償却資産（費用の塊）を減額しますが、その金額は減価償却費として製造原価もしくは販売費、一般管理費に計上されます。

☆減価償却費の特徴

　会計的には、現金支出を伴わない非資金取引の費用で、会計基準でも計上は要請されていますが、計算方式まで定められておらず、「相当の償却」と表現されているに過ぎません（会規5①、会計原則第三貸借対照表原則五、注解20）。

要は、毎期規則的、秩序的にその企業にふさわしい一定の償却方法によっていればよいとされています。本来、ある程度幅があり、主観的で自由なもののはずとなっています。資産の減耗額は目で見えないからやむを得ないのです。

　一方、税務では、法人の自由裁量に任せると利益調節手法となり、過度の償却となりやすいため、償却不足は自由ですが、償却額の上限を税務行政上の理由から耐用年数、償却方法等で括っています。

　そのほか、税務上は、経済政策上の特別償却制度があったり、償却方法の届出制や中古資産の償却方法等について細かく規定をしています。

☆減価償却費が問題となるのは

　上記の理由により、税務上減価償却額は制限されています。しかし、一般に個人事業も含めて、税法の規定に従った償却方式によっている企業が圧倒的に多く、ある程度それが浸透していて常識的であるところから、それに反する処理をすることは少ないのが現実です。

　したがって、減価償却費そのものの内容についての普通償却計算で特別な調査を行う等、厳格な調査手続があったりすることは稀にあるにしても、ほとんど実務では起こらず、むしろ、関連項目である資本的支出、消耗品費処理の減価償却資産の不計上や、除却処理の当否、金額重要度の高い特別償却等について、結果的に減価償却超過額が発生することがあるのが問題点かと思われます。

☆減価償却費問題点を分類すれば

　前述のことから、結果的に減価償却額として税務認否が行われる内容を要約すれば図表 127 のようになります。

【図表 127　税務否認される内容と対応策】

償却区分	税法規定への適否		対応方法等		
	項目	内容	対策等	基本	根拠書類
普通償却	①取得価額	付随費用計上漏れ	不計上可のものあり（不動産取得税、登録免許税等）。	税法規定に明示のないものもある。主観的なもので強く主張すること。	外部証拠は必要。不在のこともあるが、再収集への容認等を説得へ。内部証拠は予め

348　第 7 章　損益計算書項目の調査対応ポイント

				多めに準備すべき。
	資本的支出の取得価額への加算	新規取得資産として扱う。	耐用年数、償却方法も別個に適用される。	
②償却開始時期	未稼働資産の償却	年度末駆込取得は注意。	未着、未据付け等を裏づけるものは絶無とすべき（買っただけでは償却はできない）。	運転日報等は備えつけを。請求書や引渡書は期末日となっていないこと。即日稼働は必ず疑われる。
③耐用年数	資産種類別の構造用途細目の適用が別表ⅠⅡに合致しているか	耐用年数表は大まかなところがある。前掲以外やその他のものは耐用年数が長く不利、有利年数を探す。	具体的にはまるものの耐用年数は動かせない。曖昧なものも多く、理屈はいくらでもつくことも。	調査官にも詳しい専門家はいない、みんな素人。有利年数採用を押せる根拠論をつくっておくべき。
④償却方法	届け出た償却方法	ほとんど定額法または定率法。届け出れば異なる方法も可。近年選択不可の償却資産種類が拡大。	税務合理性の償却方法を採用すべきだが基本的に変更自由であるも事前届出が必要。	適用誤りも法定償却法によった額までは認容。
⑤資本的支出	過大修繕費計上減価償却資産の消耗品費等の処理	経費明細帳を一目すれば直ぐ判明。工務店等修理先の請求額まるごと一括記帳計上せず細分化して処理。判定表（法基通7-8-1～6）によるべきだが、明らかに修繕費の範囲の理由づけを。	みなし償却（当年度の減価償却額までの認容）は、修繕費の場合はあるが、消耗品費等で60万円以上のものではないことがあり、資産計上をしておかないと損をする。	修繕費は可能な限り請求明細は細分化で入手しておく。〇〇一式は不利に解釈される。
⑥手続	別表16の添付	税法は法令合致の処理をしていても手続規定に従っていないと認められない。別表添付がない	膨大な個々資産の償却明細は備え付けていても別表16のまとめ申告でよい。	別紙明細の保管が必要。

Q 102 「減価償却費」調査の対応ポイントは　　349

			と否認されても仕方がない。		
特別な償却等	⑦税法上の特別償却	租税特別措置法等の政策的恩典	根拠条項、該当資産であることの証明書等の入手保管。	特典の適用であり。税務署も審理部署で慎重に当否判断をする。安易な処理は要注意。設備購入先と十分に協議し、認容を確かめておく。事前照会もよいかも。要別表16添付。	適用不可の見解を言われても、その決め手が弱いときは具体的内容で個々に反対解釈意見をまとめ反論すべき（他の項目も共通）。
		即時償却10万円未満の減価償却資産	使用開始が条件。購入未使用は、貯蔵品棚卸に計上。	期末大量購入は注意。減価償却資産は消耗品ではない。	同種のもののまとめ購入は一部使用開始でも認められないはず、説明を丁寧に。
		中小企業者の30万円未満資産	1基、1組等で金額判断。個々バラバラで機能発揮の根拠を明らかに。あまりないが年間延300万円を超えないこと。	専門的なことは誰も本当はわからない。細分化して購入するほうが何かと有利展開。	短期に償却済となることも多い。3年分調査なら旧年度分等は大したことにはならない。滅失していることもある。現状を適正に見る。
	⑧特別な償却方法、耐用年数等の採用	法定償却方法（主として定額、定率法）法定耐用年数と異なる年数等	法定償却法では不利が明らかなとき、特別な方法採用の根拠を細く積み上げておく。	費用収益対応しない。早期の物理的劣化や特に経済的機能の下落理由づけを詳しく盛り上げておく。	設備の稼働経歴等の記録、早期に設備投資効果が発揮されて後年になるに従い不効率、新規設備に比し不利なデータを揃える。
	⑨中古資産	耐用年数は短い原則・見積年数例外・簡便法（法定耐用年数一	必ず見積年数の計算が第一。情報不足で不明ならそれでよい。根拠は考えておくこと。簡便法でも古い資産では耐用年	その資産の年式等のわかる資料が必要。取得時の資本的支出が新品の50％超は使えない。新品見積価額は高目の物を入手	耐用年数の判定は難しい。見積りが甘いとの否認も根拠づけ（決めつけ）られるか疑問。説得力を持つこと。

		経過年数＋経過年数×20%)	数は短くなる。比較的有利の総合償却資産（耐用年数表の）は中古資産の扱いはない。	しておくのが望ましい。	
	⑩除却	有姿除却	物理的機能は有していても使用見込みのない資産は除却が可能。（法基通7-7-2）	主観的処理となり、争いのある処理で生産体制の変更、製品、市場の今後等、根拠が必要。	スクラップ業者処分価額の見積りも入手。場合によっては調査時にはラインから撤去等を行い解体スクラップにしてみる行為等を考えてもよい。
		個別管理不能資産の除却	工具器具、場合によっては機械類も。個々大量保有資産は個々の管理は不能。取得価額40万円未満のものは償却限度額到達で除却も可能。40万円超でも個別管理不能のものは多い。実地棚卸で数量検査等を行い、不足分は除却も認められよう。	正規の簿記の原則の例外でやむを得ないと考えられる。秩序的除却方式を継続すること。	年1回等定期的実在性の検証必要。否認となれば適正な処理は如何と問うべき。（法基通7-7-9）
その他	⑪償却方法等	建物、建物付属設備、構築物の償却方法定額法のみ	平成10年より建物。平成28年建物付属設備、構築物。定額法のみとなっている償却方法注意。	減価償却ソフト使用では検証されないことも多い。手計算等では手抜かりもあり注意すること。	償却計算は、量が多く計算正否は手数を要する。一部の検査はできても全体チェックは効率悪くあまりできない。計算正否が検証されれば成行き任せもやむなし。杜撰にしてもよいとの意味ではない。一部誤りもやむを得ないこと。
		定率法の償却率	旧定率法。定率法が平成19年、平成24年変更され、入り混じっている。償却率、償却保証額の扱い注意。	〃	

Q 102 「減価償却費」調査の対応ポイントは

Q103 「修繕費」調査の対応ポイントは

Answer Point

★建物や機械のような設備は、耐用年数も長い資産ですが、その間使用に耐えるには通常の軽微な修繕とは別に、時々定期的に大修繕が必要です。製造経費や営業費用に、それらの修繕を行った年度は修繕費が突出しているため、簡単な年度比較の通査で狙いは明らかとなり、調査項目に取り上げられます。

★修繕費と対象設備の増価や、耐用年数延長効果のある資本的支出は、明確に区分することは難しく、現物を見ても修繕明細書を見ても判明しないこともあります。税務ではそれを区分する基準を設け、調査官はそれに従うこととなっています。税務画一性取扱いの原則ですが、これを見ても当てはまらないことも多く、また、調査官も実態を把握する能力を有しているともいえません。

★金額的に大口の修繕は、資本的支出が含まれていることは多いとは思われますが、そうでなく、すべて全額完全な修繕であることもあり、要は、説明の仕方になります。現場の担当者には、そうした答弁を安易にしないようレクチャーしておくことです。

★修繕請求書は「〇〇改修一式」とかでなく、事細かに数多い修繕項目や使用部品を書き上げてもらいます。また、旧設備の廃棄費等もあるはずです。どれが修繕で、どの部分が資本的支出かわからないくらいでもよく、なお、旧設備の除却損も簿価不明で算定不可と諦めることなく、何かの基準により合理的計算ではじき出し処理すべきものです。

☆調査トラブルになりやすい項目である

　建物および付属設備、車両、機械、器具備品のような設備は、多かれ少なかれ一般的に保有していることが多いはずです。

　こうした設備は、使用可能期間にわたって減価償却によりその投資額の回収を図ることとなりますが、その間、業務での目的機能を維持し続けるためには、メンテナンス等をすることなしで放ったらかしでは無理のあるところです。

　使用期間中の通常の修繕や、時々定期大修繕を施さないと償却不足のまま

352　第7章　損益計算書項目の調査対応ポイント

使用に耐えず、早期に廃棄せざるを得なくなったりします。

このように、設備を保有していれば必ず修繕が回ってくることは、その際に多額の改修費支出が行われ、その事業年度に限り突出した費用の計上となり、申告書に添付した決算書類の製造経費や営業費用を通査しただけで目立ってしまって、調査項目に当然の如く取り上げられてしまうこととなります。

☆その理由は

経済学的にはある修繕を行った場合、その効果は支出の時点以降に生ずると理論づけられます。

したがって、修繕費の支出があった年度にその金額がその事業年度の経費、すなわち損金に算入されるのではなく、本来は修繕の効果が及ぶ期間の各年度の経費とすべきとなります。

しかし、数多い各修繕について、いちいち効果の及ぶ期間を測定しなければならず、会計実務がついていけません。

会計では、正規の簿記の原則の例外として、通常程度の修繕は支出時の費用処理とし、明らかな耐用年数を延長や価値の増価があったと認められる場合は、その部分の金額を対象設備の取得価額に加えることとしています。また、税務上も同様で、ただ形式的に耐用年数を延長させる部分の資本的支出と、そうでない現状回復部分の修繕費の区分を図表 128 のフローチャートで判断することとしています。

図表 128 のフローチャートは、同じ表現で金額が違ったりしていて少しわかりにくくなっています。

1 件の支出額 20 万円未満と 60 万円未満があって、一見すれば 20 万円未満は 60 万円未満と重複していて、意味がないように感じられます。

しかし、これは明らかな資本的支出の性質であっても修繕費処理はＯＫで、資本的支出かどうか判断がつきにくいときは 60 万円を基準にして、処理をするとの意味と読み取るものと思われます。

もっとも、最終的に形式的には判別できないことが多く、結局は実質的判断となりますが、これまた納税者と税務調査官の説得力の差で勝負がつくことになります。

「飯粒と理屈はどんなところにもつく」ということがあります。小さな理屈でも何でもよいと思われます。粘り強さが修繕費処理を認められることになることは他項目も一緒です。すべての基本です、忘れてはなりません。

Q 103 「修繕費」調査の対応ポイントは

【図表128　資本的支出と修繕費の区分等の基準（フローチャート）】

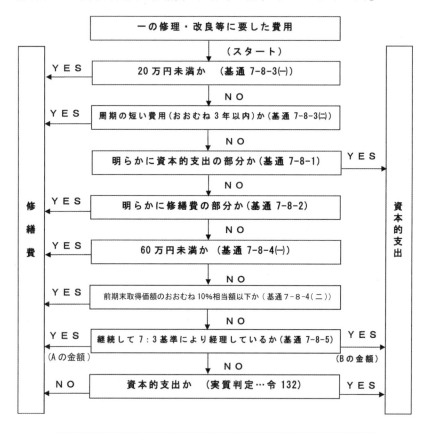

☆調査官の狙いは

　製造経費、営業費用を問わず経費項目は、例えば調査対象期間の3事業年度を費目別に連年比較を行えば、異常値のある年度、費目はすぐわかります。

　経費項目の突っ込み口は、いとも簡単に出てきます。その中では、特に異常、変動の内容が注目されるのは、ここで取り上げている修繕費や消耗品費です。なぜかといえば、これらは名目的には修繕としての形式は書類上示していますが、金額的に大口の場合は資本的支出部分が含まれている可能性が高く、突出している修繕を各エビデンスで形式チェックを行い、修繕の実態を設備管理者や使用者に質問し、誘導尋問的に資本的支出と認めさせる答弁

を引き出します。彼ら他部門の人種は経理的判断にうとく、まんまと調査官の術中にはまります。1度答えたことは取り消せません。結局、終始それを基に押し込まれ気味となることもあります。

☆対応ポイントは

　以上のことから、大口修理での完全な修繕費は少ないかもしれません。当初、決算処理の時点から内容をよく検討し、資本的支出とすべきものは資産計上しておくべきです。

　それと特に注意すべき点は、修繕業者の修繕請求書や修繕見積書に「○○改修一式」と記載されていることが多いことです。これでは修繕部分と資本的支出があったのかどうかの区分、金額が全く不明です。改修であっても、建物や付属設備、大型の機械等では必ず旧設備の取壊し部分、撤去費用等もあるはずですし、小さな部品があちこちで交換されていたり、改修内容は多岐に及ぶことが通常です。

　また、仮設費、共通経費等もあり、結局新設部分と完全な修繕や少額部分、取壊し費等の修繕部分とに分かれ、さらに仮設費、共通経費等は資本的支出と修繕費部分に配賦按分すべきものです。

　当初の決算処理でキチンと処理しておくべきで、後からではその計算には苦労することとなります。また、旧設備の取外し部分は、旧資産簿価の（不明の場合は合理的計算で）除却損計上を忘れてはなりません。

　図表129は、決算処理時に当然しておくべきですが、修繕費処理トラブルが税務調査において発生してからでも対応するヒントとなるはずです。

【図表129　修繕内容と処理】

内容	処理法	修繕費その他の損金部分
①増加部分（床面積延長、材質改良、数量増加）	資本的支出	旧設備の除去費および除却簿価の廃却損があれば計上のこと。
②破損、磨耗等の部品取替え（旧型と同レベルの）	修繕費	取替え費も含む。
③旧設備の一部廃棄（増加部分の一部含む）	資産廃棄損	固定資産台帳（償却明細表等）に旧簿価があればその金額（不明のことが多い）。 不明の場合合理的計算。 修繕設備の簿価 × 今回の資本的支出金額 / 設備全体の再取得時価

Q 103　「修繕費」調査の対応ポイントは　　355

④内部証拠の積上げ	廃棄、改修設備の形、機能、稼働状況の具体的説明書類の準備、写真の添付 改造修理部分についての同上資料	修理業者の詳細見積書により単なる資本的支出か修繕費でなく、工事種類別に分類し各々会計処理をする。

☆修繕完了、使用開始時期は

　よく見られるのに、期末近くになって利益がかなり出そうだとなり、それなら少し故障の出始めた機械や、弱ってきている建屋について危険を避けるため、改修を急いでしてみるというような決算対策をすることがあります。

　しかし、いかんせん、工事業者が手を受けて待っていてくれる状態などまずあり得ません。工事開始が遅れ、修繕工事途中で決算時期となってしまうことがあります。

　あるいは、工事金額をはずみ、急かせて何とか形の上だけでも修繕完了と見せていたとしても、結局は事業の用に供されていなければ、収益を得るのに対応していないので、修繕の効果は生ぜず、当然のこととして、当期の損金にはなりません。

　決算処理上、このような段階にもかかわらず、未払金として負債に計上していることも多く、あるいは、また急かすために工事金を先払いしているようなこともありますが、いずれにしても修繕費ではなく、過大債務の計上、前払金の計上誤りとなってしまいます。

　甚だしいケースになれば、決算期に未だ工事に着手もせず、工事業者の見積書に基づいて未払金計上をしていたりすることが、その後の工事費精算書や工事完了現場を視察することにより、発覚したりすることがあったりします。

　これらの問題は、実際の工事が完了した時期はいつか、また、設備としての使用が試運転状態でなく、通常、稼働したのはいつかが問題となります。

　そうした詳細な点については、結局、質問の答弁である程度判断せざるを得ず、工事代金の支払時期、支払方法等での感じでも心証が得られますが、それが大型修理であれば、相手業者への反面調査がまず行われます。工事施工管理記録を行っているような業者であれば、工事完了、引渡し稼働は明らかになり、それが決め手で認められなくなります。しかし、反面調査でもわからないこともあります。社内担当者の応答も含め、認容されるべく説得に努めることかと思われます。

第7章　損益計算書項目の調査対応ポイント

Q104	「貸倒損失」調査の 対応ポイントは

Answer Point

★近年、中小企業金融円滑化法が暫くの間適用されたりし、企業倒産は統計上や一般的感覚では少なくなっているようです。倒産の形態は様々ですが、中小企業の世界では比較的適用が容易な法的手続の民事再生や、旧態依然の逃亡、行方不明が比較的多いようです。

★貸倒損失が簡単に認められないのは、法的手続であっても、腹立ちまぎれに通知書類を一切処分し、何ら事実を証する物件のないことが多いのと、行方不明では追いかけようにも手の打ちようがなく放置したりして、事実の片鱗も見えないところがあるからです。

★貸倒れが認められるための要件として、「倒産の事実の証明する証拠の備付け、貸倒対象金額の計算根拠、貸倒処理すべき年度の確定、長期間未収の事実上の貸倒れの場合の内容が判明する物件の入手、貸倒れとすべき金額の計算、貸倒れに至るまでの債権の管理記録」等々があることがのぞまれます。

★不良債権は、いつでも貸倒処理が可能と解する納税者が多いようですが、貸倒れの処理、タイミングは、原則的に事実の発生した事業年度に限られていることを誤らない注意が必要です。

☆貸倒損失の傾向

　わが国経済が戦後 10 数年を経て高度成長時代に差しかかる頃までは、企業倒産は比較的多かったように思われます。また、その後も倒産は少し不況風が吹くと、著名企業や老舗が潰れた情報もよく見聞きしてきたところです。

　しかし、近年は成長が鈍くなった分、企業も内部留保が厚くなってきていたり、中小企業金融円滑化法が設けられたりして、金融機関が融資引上げをしようとしても、それをストップさせたりしたため、倒産は少なくなってきています。

　もっとも、数は減ってきているとはいえ、まだまだ倒産は後を絶たず、主力取引先の倒産では企業生命を奪われかねません。したがって、取引先の倒産は、まず売掛債権のほとんどが回収不能と考えられ、一刻も早く損失処理を行い、少なくとも納税資金の流出を止めたいところです。

Q 104 　「貸倒損失」調査の対応ポイントは

しかし、債権の回収不能は確実に予測されても、相手先から最終的に回収できない金額が確定するまでは原則として損金算入が認められず、早く損失処理したい法人と、税務上定められている証拠や形式が具備されないと認めない税務署の攻めぎ合いとなり、トラブルとなることもよく見られます。

☆倒産の形態は

帝国データバンク等の信用調査会社の情報には、少なくなってきているといいながらも、企業の倒産は日常茶飯事です。そこでは、更正申立てや再生申立てがあったとか、大口債権者が主導して債権者集会が開かれた、あるいはまた、銀行の介入で整理案が出たとか種々の倒産報道が流されています。

一般的な倒産の形は、大きく次の2パターンです。。

① 裁判所の手による法的倒産手続
 ・会社更生法による裁判所の管理下によるもの
 ・民事再生法による裁判所、債権者の下での再生
 ・破産法による破産手続
 ・会社法の規定による特別清算によるもの
② 法的倒産手続によらないもの
 ・債権者による任意の整理手続
 ・金融機関の再建案によるもの
 ・逃亡、行方不明

これらのうち多いのは、法的手続では民事再生法による会社の再建と、それ以外では小規模事業者がある日突然夜逃げしてしまい、連絡も何もつかなくなってしまうケースではないかと思われます。

税務調査においても、損金算入を認めてもらうのに厄介なのは、この逃亡され、本人が行方不明になってしまっている貸倒れの場合と思われます。

☆貸倒損失が認められにくいのは

大口取引先の倒産があったりすると、黒字が一挙に赤字決算となってしまったりします。法人にとっては、こちらも倒産してしまうかの窮地に立つことになったりします。

まず考えるのは、1円でも回収できないかです。しかし、不良債権は取れません。倒産前の正常債権の間に回収しておくべきだったのです。

取れないものはどんな手を尽くしても無駄です。そうなれば、そんなものにかかわっておらず、早期に次の取引先や取扱商品を開拓、開発するほうが

第7章 損益計算書項目の調査対応ポイント

よほど建設的となり、駄目なものを追っかけることは誰もしません。

　ここが問題で、倒産相手方の情報が皆無のケースが往々に見られ、それが認める、認めないトラブルとなります。調査官も認容してやりたいところですが、安易なことをすれば自分自身の立場もなくなるので、譲れないとなってしまうのです。

　駄目なものは駄目と放置するのでなく、集められるだけの証拠を外部、内部とも積み上げることが肝心です。

☆貸倒損失認容の要件

　前述のように、貸倒損失は、他の営業費用項目のように購入したり使用したりの支払いのように、請求書や領収書は入手不能です。法的倒産手続なら、そうした申立手続の通知や債権の届出等の文書が存在しているはずで、中には馬鹿らしくてそれすら廃棄処分して手許に何もないといった人が時々おられますが、とに角うっかりしていると外部証拠は全く存在しない例が結構あります。

　図表130は、貸倒れの対象となる債権から損失の認容時期その他までまとめたものです。

【図表130　貸倒損失が認められるのは】

項目	内容	注意
①対象債権の当否	通常の取引により発生したもの。 （例） 　物品販売業→売掛金 　金融業→貸付金 　保証債務→履行済むまでは対象 　　　　　　とならない	物品販売業で取引先への貸付金の場合 　法人として貸し付ける必要性はあったか。 　個人で好意で貸し込んだのを法人に実質付け替えたのではないのか。
②倒産の事実の証拠は	法的倒産手続 　裁判所や弁護士からの通知はあるか	通知や案内文書は必ず保存。
	任意整理等の場合 　債権者集会やバックアップ企業 　銀行等の文書等はあるか 　逃亡等は何時、何でそれが判明したのか	連絡が取れなくなってからでも直ちに内容証明の督促分を送付、転居先不明で返却されてもあえてそれも証拠の１つ、信用調査会社の情報も必ず入手しておく。
③貸倒対象金額	法的手続の場合 　手続開始の通知書	倒産先の状況については、近時の取引内容の判明させる補助

Q 104　「貸倒損失」調査の対応ポイントは

		債権調査表（写）等があるか	簿から経緯その他に至るまで順に記したものを準備しておく。
		任意整理等 補助簿、請求控等	
④貸倒れ計上日は		法的手続の場合 更生計画等が認可された時点 破産、特別清算では結了日	申立から開始決定までは日時を要する。それまでは貸倒損失は認められないが、個別貸倒引当金の繰入れ（例えば50%）は可能。
⑤倒産に至らない貸倒損失		財務内容が悪化し倒産に至らずも回収見込みのないとき 相手方と合意するかまたは債権放棄を行った貸倒処理	相手の支払不能の状態を判明するもの。例えば、数期間の決算書等の入手。 　相手に資力が残っているときは寄付金となるので注意。 　盗人に追銭のような債権放棄は1つの条件だが、馬鹿らしくてできない、避けるべき。
⑥貸倒損失の額		法的手続の場合 　開始決定書等で切り捨てられる金額	5年経過後に弁済予定の部分は、個別貸倒引当金として繰入れ可能。
		任意整理等 　債権者集会等で債務免除が確定した金額 　債務者状況あるいは合意による金額	このケースが一番難しい。 　相手の支払能力から勘案して全額が回収できないことが明らかになった年度で処理する必要。 　適当な事業年度の貸倒処理は認められない。
⑦管理記録		組織的処理の要件があるべき 組織で動く企業なら担当者から過去からの経緯、最近の取引、信用状況の報告や資料があるはず 中小零細法人といえ、例えば代表者自らがそれを作成し決裁した形式はつくっておくべきである	外部証拠皆無の倒産で信用状況の心証はあったと思われるのでメモしておくこと。 　そうした記録はあったほうが迫力もあり、説得力も伴う。

　貸倒れが認められない云々は、このように順を追っていけばそれぞれ調査官を納得させられる面が多く、少々認容が難しいかなと思われるケースでも、それでは○○（追加証拠）を揃えてもらえば認めますとなることもあり得るはずです。

　結論としては、迫力のある状況説明資料を数多く準備し、不足の追加証拠を求められたら日数を少々要しても入手する旨の回答を行い、これもまた、粘り強く対応することに尽きると考えられます。

Q105 「リース料」調査の対応ポイントは

Answer Point

★リース取引は、固定資産の購入をリース会社が行い、それを賃借する形式で、支払リース料はそのまま損金算入が認められるものでした。会計基準が変更され、実質投下資本を明確にする目的で資産の所有権がないものの、自社で資産を取得し、リース期間で減価償却を行う処理となりました。

★税務上も、会計基準どおりの取扱いとしながら、中小企業では資産の賃借処理が認められていて、以前と全く取扱いは実質変わっておりません。

★大手リース会社の標準契約によるリース取引で、税務上問題となることは少ないと思われます。それ以外の関係会社間辺りで行ったリースでは、例えば、固定資産の耐用年数とリース期間に著しい差があったり、益出しまたは損出し目的のリースバック取引等は、注意しておくべきです。この場合でも、個人使用資産を法人でリース契約したりすれば、問題となります。リース資産の個別管理状況を、明らかにしておく資料を用意しておくことが必要です。

☆リース取引の処理

　固定資産の取得は、通常それを買取使用するか、リース会社から賃借するかいずれかを選択することとなります。かなり以前は、リースはあまり普及しておらず、通常は器具備品や車両、機械といった類のものはほとんど買取方式でした。しかし、金融制度がどんどん進化し、最近ではリースにより資産を使用するのが普通となってきています。

　リース取引の会計処理も、単に資産の使用料として営業費用処理を行うのが当然の慣行となっていましたが、会計処理の国際化も進み、中小企業ではその煩雑さから適用例は少ないようですが、大企業の処理は現在リースによる固定資産の取得は、原則として契約がオペレーティングリース以外の場合はすべて資産を買取取得し、未払リース料の総額を負債として計上することとされています。つまり、資産の売買処理となります。

　ただし、リース料総額が300万円以下のリース取引については、賃貸借取引処理でもよいとなっています（リース取引に関する会計基準8-12　同適用指針35(3)）。

一方、税務についての取扱いは、ファイナンスリース取引については原則売買処理、オペレーティングリース取引については賃貸借処理を行うこととなっています（法法 64 の 2 ①②）。

☆中小企業のリース取引は

前述のように、オペレーティングリースを除くファイナンスリースすべてについて売買処理を行うとすれば、例えば資産取得時はリース料総額を

　（固定資産）××××　　（未払金）××××

と処理、月々のリース料支払いの都度、

　（未払金）××××　　　（現金預金）××××

の処理が必要です。

そして、期末決算時に取得資産を固定資産台帳（明細表）に計上しておき、個々に減価償却費を計算し、他の会計処理と併せて計上することとなります。

そのほか、自社保有資産との区分管理、修繕費や保険料等の保有資産と賃借資産との負担支払等においての重複支出回避の検討等も必要で，管理事務費が大変なものとなってきます。

なお、減価償却の方法も、法定耐用年数により通常は選択した定額法または定率法によりますが、リース資産についてはリース期間定額法によることとされていて、結果的には支払リース料と減価償却額が同額となり、事務処理だけが煩雑となってしまうところから、建前は売買処理としながら従来の支払リース料を、損金計上処理を行う賃借処理も認められています。

したがって、中小企業では、ほとんどの法人で支払リース料を単に営業費用計上する実務が売買処理について何ら考慮されることなく、そのまま踏襲されています。

☆税務トラブルがあるのは

一般の固定資産の取得は、リースによることを購入先に言えば大手のリース会社に取り次いで特別の条件でも付さない限り、税務上全く問題のない契約内容で処理してくれるはずで、あまり税務調査で困ることはないと考えられます。

そうした通常の大手リース会社との取引でなく、関係会社間や同族関係者とのリース契約等を行った場合は、それが不当な租税回避に繋がっているとされた場合は、問題にされることもあり得ます。どんなケースがあるか少し考えてみると、次のようになります。

① リース資産の耐用年数とリース期間に著しい差がある場合

　資産の買取処理を行うか、賃貸借方式によるかの別にかかわらず、買取処理方式でもリース期間定額法による減価償却を行うことになっていますから、いずれにしても取得したリース資産の税務上の法定耐用年数より短い期間のリース契約は、リース料を支払う側に有利となります。

　そこで、リース期間がリース資産の法定耐用年数の 70/100 に相当する年数を下回る期間（耐用年数が 10 年以上のリース資産については 60/100）であるものはリース取引ではなく、単なる売買取引で資産を買い取り、通常の減価償却処理を毎期行うこととなります。

　関係会社間では起こり得ることもあり、注意を要します。

② リースバックの処理

　現に使用している資産を益出しまたは損出し、あるいは総資産価額圧縮や金融目的で売却し、即賃借を行うセールアンドリースバック取引が行われることがあります。

　それが明らかに金銭の貸借を目的にするものであると認められるときは、資産の売買取引とは認められず、金銭の貸借とされることとなっています（法法 64 の 2 ②）。

③ 節税リース商品

　航空機、船舶等の節税リース商品があるようです。これは、投資事業を行う事業者が匿名組合を組成し、投資家から 1 口 5,000 万円あるいは 1 億円といった金額で資金を集め、事業者の損益は匿名組合員たる投資家に配分されるしくみになっています。

　したがって、事業開始後暫くの間は、減価償却費が事業者の損失を大きくするため、投資後 2 〜 3 年の間に投資額ほぼ全額を損金に落とすことが可能となる、強力な節税投資リースです。そして、リース期間終了時に、対象資産の換価代金等で投資家に出資額を払戻しすることにより、投資資金を回収するという形になっています。

　節税効果が大きく、なかなかおいそれと簡単に投資の機会はないともいわれています。よく似た節税商品に、以前レバレッジドリース投資がありましたが、これは早くに認められなくなってしまいました。現在節税投資オペレーティングリースとしてもてはやされていますが、そのうちに認められなくなるかも知れません、注意しておくべきです。

　ただし、過去に遡ってそれが否認されるというようなことはないはずです。

④ 現品の個別管理

Q 105 「リース料」調査の対応ポイントは

リース資産で自己所有のものでないから、現品の個別管理は必要ないと考えることもあるかも知れません。リース資産は、一見確かに複式簿記機構の埒外になるようにも見えますが、資産の管理は帳簿組織内で自動的に牽制するのと別に、帳簿組織外においても現品と手許元帳の実査照合を行うことにより、資産の消失を防止することが経営管理上重要なことです。

リース資産は、他社の資産だから放ったらかしではザルで水を抄うようなものでジャジャ漏れ経営となり、いずれ倒産へと進むことになります。リース資産であっても、絶えず現品の個別管理を行っている状況を税務調査においても理解してもらうことで、申告内容全体を信頼してもらえます。

それができていないと受け止められると、調査において突如現品実査が行われたりし、中にはリースであることをよいことに、資産取得後即座にダンピング処分をして売却代金を個人の懐へ入れてしまったり、個人使用の家庭用備品を法人のリース費で処理したりするケースも時々見かけられますが、遅からず発覚しますので注意しておくべきです。

☆消費税の課税は

リース取引による課税仕入の税額控除は、会計処理法如何によって分かれます（図表 131 参照）。

【図表 131　消費税の課税】

会計処理	仕入税額控除	仕入税額
売買取引処理	リース資産購入契約時	利息部分を除くリース料総額に含まれる消費税額
リース処理	リース料支払の都度	支払リース料に含まれる消費税額

所有権移転外ファイナンスリース取引、例えば法定耐用年数より著しく短いリース期間のリース等では、上記売買処理、リース処理のいずれの選択でもよいとされています。

いずれにしても、中小企業では簡易課税によっていることも多く、しかも、リース処理によっている場合の控除仕入税額は、僅少額にしか過ぎません。あまり気遣う必要もありませんが、個人使用の家庭用備品を法人のリース費で処理していたようなケースでは、支払リース料の否認はもちろんのこと、消費税の仕入税額控除も認められなくなり、3 ～ 5 年遡及修正が必要となれば、法人税と源泉所得税も追加納付と受入処理の検討が必要となります。

364　　第 7 章　損益計算書項目の調査対応ポイント

Q106 「保険料」調査の対応ポイントは

Answer Point

★企業が、各種のリスクに対しかけておくべき保険は、法人自体に対するもの、棚卸資産や固定資産の損害に対するもの、役員、従業員等の人に対するものに分かれます。税務上、節税目的等での加入が多いのは人に対する保険で問題となることも多く、取扱規定の改変がよく行われています。

★支払保険料の取扱いは、満期保険金の有無、被保険者、保険金受取人によって異なります。基本的には満期保険金があり、保険金受取人が法人であれば資産計上、掛捨て保険料等は期間に応じて損金算入されるのが基本です。

★社会保険料は、法定福利費ですが、会社負担部分はすべて損金算入が認められます。また、未払賞与にかかる保険料も未払計上が認められます。なお、法定負担部分を超えての負担となっても、経済的利益の供与を受けてはいますが、同額社会保険料控除があり、従業員に源泉所得税の課税はありません。

★損害保険料は、長期契約保険については、前払いや積立て部分は資産計上が必要で、それ以外のものは期間に応じた部分が損金算入です。

★注意すべき点は、任意加入福利目的保険は従業員間で差がないこと、毎期の契約対象被保険者は異同があり、毎期末に見直すこと、役員等が被保険者の経営者保険は、保険加入の当否とは別に死亡時の受取保険金が、役員退職金として認められるものとは限らない等となります。

節税保険も数多くのものがありますが、度が過ぎる解約返戻金のある内容のものは、認められない方向に進んでいます。加入時、保険会社から徹底して税務上の取扱いを文書にしたものを受領しておくことも必要です。

☆企業保険の必要性

保険とは、死亡、災害等のリスクへの補償を意味するようですが、企業の保険をかけておかなければならないリスクには、図表132があります。

【図表132 企業保険のリスク対象】

リスク対象	種類	考えられるリスク
①有形資産	・在庫品 ・輸送中の積送品 ・固定資産	・災害、盗難等による破損、消失 ・災害、盗難等による破損、消失 ・災害、盗難等による破損、消失、操業中の事故

			による人体の怪我、生産遅れ
②人	・役員・従業員 ・取引先従業員 ・近隣住民等	・災害事故による人の怪我、死亡 ・災害事故による人の怪我、死亡、物品の破損等 ・災害事故による人の怪我、死亡、物品の破損等	
③企業自体	・福祉制度 ・業績不振 ・近隣住民等 ・取引先	・労働保険、厚生年金保険、健康保険等の不加入 　による従業員福祉不備 ・倒産、清算、人員整理 ・災害等での加害 ・商品の引取り、納入等の遅れによる損害	

　一般的には、図表 132 のようなリスクが浮かんできますが、企業が負うリスクにはそれ以外にも様々なものがあると思われます。

　特に、近年は少子化で現役世代の人口比が低くなり、高齢化割合ばかりが上昇し、老後不安が叫ばれるところから、企業も人の退職後の補償に気遣うことが多くなってきています。そんなところから、保険料なる営業費用科目は、本来、企業自体のリスクカバーで加入しておくべき保険についての保険料の取扱いを取り上げるところですが、福利厚生費の範囲に入るべき役員、従業員の福利厚生面での保険も多くなっており、むしろ具体論としてはそれが中心と思われます。

☆支払保険料の取扱いの基本、資産計上か損金か

　会計的に見れば、どんな保険であっても支払った保険料が即営業費用、即税務上の損金となるものではありません。なぜなら、保険契約には必ず保険期間があり、将来に向けてその保険期間が保険の補償対象ですから、通常なら時の経過により費用となる性質の費用で、基本的に前払費用です。

　この点については、重要性の原則から短期の前払費用の支払時の損金算入が認められてはいますが、考え方としてはそうなります。

　取扱いの基本的なところをまとめると図表 133 のようになります。

【図表 133　支払保険料の取扱いの基本】

		被保険者	保険金受取人	資産計上	損金
満期保険金	有	法人自体	法人	○	
		役員、従業員	法人	○	
			従業員		○　給与
	無	法人	法人		○
		役員、従業員	役員従業員		○　給与
		保険期間 1 年超		○	その年度期間分は損金

366　　第 7 章　損益計算書項目の調査対応ポイント

		保険期間 1 年以内		◯

　要は、支払った保険料に満期保険金のある貯蓄部分が含まれている場合には、積立保険料として資産に計上しておく必要があります。

　最近では、従業員の福利目的というより節税目的の保険商品も多く、それらは上記基本的取扱いに沿った組合せをしていると考えられます。

　大手生保の商品等では、税務の取扱いをすべてクリアしているはずですが、契約をされる場合は損金計上となる根拠を念のため十分な資料の入手と説明を受けておくべきです。

☆生命保険料の取扱い

　新型の節税生命保険料がどんどん出回り、それにつれて税務の取扱いも複雑になってきています。

　生命保険には、通常、養老保険、終身保険の貯蓄型と定期保険の保障重視型がありますが、法人がこれらの生命保険に加入した場合の税務上の取扱いをまとめてみますと、図表 134 〜 139 のようになります。

【図表 134　養老保険の場合】

保険受取人		主契約保険料	特約保険料	契約者配当
死亡保険金	生存保険金			
法人		資産計上	損金算入。ただし役員等のみを特約給付金の受取人とする場合には給与	資産計上額から控除できる
従業員の遺族	従業員	給与		
従業員の遺族	法人	1/2…資産計上 1/2…損金算入。ただし役員等のみを被保険者とする場合には給与		益金算入

【図表 135　定期保険の場合】

保険受取人	主契約保険料	特約保険料	契約者配当
法人	損金算入	損金算入。ただし役員等のみを特約給付金の受取人とする場合には給与	益金算入
従業員の遺族	損金算入。ただし役員等のみを被保険者とする場合には給与		

Q 106　「保険料」調査の対応ポイントは

【図表 136　定期付養老保険の場合】

区分	保険受取人		主契約保険料		特約保険料	契約者配当
	死亡保険金	生存保険金	養老保険部分	定期保険部分		
保険料が区分されている場合	法人		資産計上	損金算入。ただし役員等のみを被保険者とする場合には給与	損金算入。ただし役員等のみを特約給付金の受取人とする場合には給与	益金算入
	従業員の遺族	従業員	給与			
	従業員の遺族	法人	1/2…資産計上 1/2…損金算入 ただし役員等のみを被保険者とする場合には給与			
保険料が区分されていない場合	法人		資産計上		損金算入。ただし役員等のみを特約給付金の受取人とする場合には給与	資産計上額から控除できる
	従業員の遺族	従業員	給与			
	従業員の遺族	法人	1/2…資産計上 1/2…損金算入 ただし役員等のみを被保険者とする場合には給与			益金算入

【図表 137　払済保険の取扱い】

死亡保険受取人		主契約保険料	特約保険料	契約者配当
	法人	資産計上	期間の経過に応じて損金算入	益金算入（資産控除も可）
	従業員の遺族	給与		益金算入

【図表 138　長期平準定期保険、逓増定期保険】

保険期間開始時から保険期間の6割相当額が前払期間で資産計上部分と損金算入部分に分かれる。

残余の部分は上記期間経過後、期間に応じて損金算入。

（詳細は省略）

【図表 139　介護費用保険】

年払いまたは月払い	一時払い
被保険者が60歳に達するまでの部分 支払額×50％＝前払費用　残余は時の経過に応じ損金算入	加入時から75歳までを払込期間として年

第7章　損益計算書項目の調査対応ポイント

前払費用は累積額を 60 歳以後 15 年で損金算入	払いと同様の取扱い
保険事故の発生時、一時の損金算入が認められる	左同

　生命保険契約の種類は、ほぼ上記の範囲に入ると考えられますが、いずれにしても保険種類と基本の取扱いに注意し、会計処理と税務処理を誤りのないようにしておくべきです。

☆社会保険料

　これらはすべて会計処理上、保険料でなく法定福利費となるものですが、少し取扱いと留意点を説明しておきます。

① 労働保険料

　労働保険料は、労災保険と雇用保険が一体となっているもので、厚生労働省の所管になっていて、ハローワークと労働基準監督署が窓口となっています。

【図表 140　労働保険料の損金算入時期】

	従業員負担部分		法人負担部分	
	概算保険料	確定保険料	概算保険料	確定保険料
雇用保険料	立替金資産計上	－	支払保険料は損金算入	不足額 申告書提出日の損金算入 超過額 申告書提出日の益金算入
労災保険料			（同上）	（同上）

② 健康保険料、厚生年金保険料

　その保険料の計算の対象となった月の末日の属する事業年度の損金算入となっています。未払金計上が認められる賞与等の社会保険料の会社負担分は、未払金として損金算入とすることができます。

☆損害保険料

　一般的には掛捨て保険が多いようですが、長期の損害保険では積立て部分の満期保険金のある種類のものがあります。

　基本的に貯蓄部分は積立保険料として資産計上し、掛捨て部分は期間に応じた部分が損金算入となります。1 年契約で毎年更新しているようなものに

Q 106　「保険料」調査の対応ポイントは

ついては、その事業年度中に保険期間が開始されれば、支払時に全額損金算入が認められます。

☆誤りやすいのは

従業員の生命保険では、節税目的であってもなくても次のような点に気をつけておくべきです。

① 従業員間で差がないこと（従業員遺族受取人のもの）

一部の従業員のみ対象としていたり、理由なく従業員間に保険金額に差を設けていたりすると、被保険者の給与として所得税の源泉徴収が必要となったりします。

② 保険契約の対象となっている被保険者は毎期見直しが必要

従業員数が多い場合、退職者が毎年発生します。退職者は、最早、福利厚生の必要はありませんので、解約を行い、解約返戻金と積立保険料の精算の会計処理を行って、追加損金または雑収入計上の処理をしておくべきです。

契約時の損金処理とその後の払込時の損金に神経が注がれ、見直しの失念がよく見られます。長年放置されていたりすると、かなりの金額の雑収入計上漏れが発生したりします。

③ 退職金、弔慰金等に充当しても認容されるとは限らない

役員退職金の充当財源として、役員生命保険にすすめられるままに加入しているケースがよくあります。役員の死亡により、受け取った生命保険金を全額役員退職金として遺族に支払った場合、全額それが役員退職金として損金算入が認められると考えている向きもありますが、必ずしもそのとおりにはいかないこともあります。

役員を被保険者、会社を保険金受取人とした生命保険契約を結ぶことは制限もなく自由ですが、契約保険金が役員退職金として相当かどうかは別物です。

役員退職金は、別途、法人の事業規模、勤務期間その他の事情を勘案して相当であることが必要です。株主総会の承認手続、役員退職給与規定等の基準に従っていることも同様です。それらをクリアしていないと、認められないこともあります。

④ 社会保険料の過大負担

健康保険料、厚生年金保険料は、被保険者本人50％、雇用者50％以上の負担と決められているようですが、労使協定で雇用者たる法人負担が50％を超えて負担しているケースもあるようです。

第7章　損益計算書項目の調査対応ポイント

また、本人負担分については、給与支払時に天引きするのを忘れたり、誤ったりした結果、本人負担が50％に満たず、法人負担が過大になることが往々にしてあります。これは、法人が雇用者としての法定分を超えて負担していますので、その全額は経済的利益を供与したとして給与に加算を行い、源泉徴収を行わなければならないという理屈になります。

税務調査時、源泉徴収税額の正否でそれを問題にされることもあるかも知れません。しかし、被保険者である従業員の所得税の取扱いでは、確かに法人が過大負担した金額相当額は給与支給額の上乗せにはなりますが、同額給与から差し引かれた社会保険料の金額として控除されますので、徴収すべき源泉所得税は変わらないこととなります。もし、指摘を受けたとしてそうした説明を忘れないように留意しておいてください。

労働保険料の雇用保険料についても同様です。

☆節税目的保険は

合理的租税回避行為となるような保険商品やリース契約は、随分以前から売り出され、行き過ぎとの批判が高まった頃に国税庁長官の通達発遣が行われ、ストップがかかるといったことの繰り返しが続いています。

令和元年には解約返戻率の高い保険について、一定の期間、保険料の一定割合を資産計上しなければならないとされました。また、令和3年には、当初は低い解約返戻率を数年後に急に上げることにより、法人で損金計上をしつつ、法人から法人代表者など個人に資産を移転できるという名義変更型保険について、解約返戻金が資産計上額の70％未満の場合には帳簿上の資産計上額で評価することとされました。今後も次から次へと税務規制の間隙をくぐって、新しい節税保険は必ず現れると思われ、高収益企業の実質税負担を有利にする展開は続きそうです。

他にも、資産税の世界で行われている金融をからめたような節税手法は絶えず開発され、資産家向けに売られていますが、後手後手であっても必ずどこかでストップがかかります。本来は、同族会社の行為計算の否認規定に近いような禁反言の法理により、税務上否認されるべきところですが、昔から必ず最終的に法改正か、国税庁長官通達により止めさせています。

これまでのところは、新しい取扱いが適用されるのは改正日以降で、改正日までの契約はすべてセーフ扱いになっています。新しい保険商品が登場しては、国税庁が歯止めをかけるという状況が続いており、活用には注意が必要です。

Q 106 「保険料」調査の対応ポイントは

Q107 「使途秘匿金」調査の対応ポイントは

Answer Point

★交際費の支出のうち、帳簿に相手先等の氏名を記載していないものは、使途秘匿金とされます。使途秘匿金は、赤字法人であっても、支出額×40％の追加法人税および地方税が課されるところから、大変不利となり避けなければなりません。

★税務調査時に、支出交際費等の相手先を帳簿上明らかになっていないとして認定をされるわけですから、税務調査の終盤での口頭での説明では本来避けることは難しく、帳簿上に調査時までに記載しておかなければ、単に交際費の限度超過で済むものが、手痛い取扱いを受けてしまいます。

★支出先等を明らかにしないのは、会計の目的である説明責任を果たしていないこととなり、杜撰な帳簿書類として青色申告の取消し理由にも該当します。問題が生じたときは、徹底して相当理由を説明し、他の調査終了時の処理を求めることでしょう。

☆使途秘匿金とは

秘匿とは、隠しておくという意味ですが、会計の説明責任の原則からいえば、使い道を隠しておくような営業経費の支出が許されるわけがありません。したがって、税務上も当然認められるはずがないこととなります。

会計上は、使用できない処理科目であり、交際費その他の処理をしておきながら使途をいえない、だからどうぞ高額の法人税負担はやむを得ません、と宣言した税務上独特の用語ということになります。

☆交際費との異同

交際費は、税務上制約が設けられていて、損金算入限度額があります（Q101参照）。

交際費とは、法人の取引関係者への接待、供応、慰安、贈答とこれらに類似する行為のため支出した費用となっています（措法61の4④）。そして使途秘匿金とは、法人がした金銭等の支出のうち相当の理由なく、その相手方氏名、名称等を帳簿書類に記載していないものとされています（措法62①②）。

第7章 損益計算書項目の調査対応ポイント

これで見る限り、交際費と使途秘匿金とは異なるものであって、使途秘匿金の大部分は交際費として支出されていると思われますが、他の処理科目、仕入高であったり、雑費その他の処理、あるいは仮払金としたり、土地等の購入関連費用として固定資産の取得価額に含められていることもあったりします。

もっとも、交際費の取扱いで、「法人が交際費、機密費、接待費等の名義をもって支出した金銭で、その費途が明らかでないものは損金の額に算入しない（法基通 9-7-20）」とされていて、支出内容が不明のものは、交際費支出限度額以前に損金とは全く認められないことが示されています。

したがって、法人税の税務調査に際しても、こうした不明朗な支出は長い間認定賞与（損金不算入の役員給与）として取り扱われていて、法人税のほか役員の源泉所得税も課され、高額の税負担となっていました。

それに近い形が使途秘匿金で、こちらと認定されると法人税が申告所得加算となり法人税の課税と支出秘匿金の 40％＋地方税が追課され、計 80％近い法人税負担となります。

特に使途秘匿金は、赤字法人でも 40％＋地方税の課税となるため、厳しい税負担となります。

☆使途秘匿金の処理は

前述のように、営業費用としていかにも不明朗な使途秘匿金なる会計処理はしないと考えられます。大手法人では、諸般の事情でやむなく支出があったとき、使途秘匿金を申告調整否認と別表Ⅰ⑽欄へ 40％の法人税計算をする例もあるやに聞きますが、通常では当初申告から自己否認と税額加算をするようなケースはないと思われます。

考えられるのは、税務調査の場で支出先は相手の立場を考え名前は出せないの一点張りで押し通すため、先述の費途不明の損金不算入か、使途秘匿金の認定かのいずれかを押しつけられると思われます。

☆使途秘匿金を避けるには

費途や使途を法人が隠したがるのは、相手の立場を配慮するのと、そうした人種との接触が禁止されていたり、あってはならないヤミ金渡しであったりするからだと思われます。

こうした事情は、税務調査官は絶好の調査事績を稼げるチャンスですから、実際は個人的な情報は絶対漏らしてはならないのに、相手の会社や役所に照

Q 107 「使途秘匿金」調査の対応ポイントは

会するぞと脅したり、あれやこれやで結局は役員への認定賞与に持って行ったり、使途秘匿金の決定で大手柄を挙げさせたりすることとなります。

使途秘匿金は、相当な理由なく相手方の氏名、名称を記載していない場合ですから、普通ではあまり出て来ないと思われます。しかも、5万や10万円程度の支出で問題とするような性質のものとは違うのです。

例えば、何かしらの取引で便宜を計ってもらう、口をきいてもらう等のその理由があればよいでしょうし、相手方に経済的利益を与えたとしても、飲食の接待であったり物品の供与であったりすれば、飲食店や物品購入先が明らかとなっていますから、ただの交際費であって支出限度否認の計算をすればよいことになります。

注意すべきは、相手方の氏名等を帳簿書類に記載していない点が問題となるのであり、その帳簿への記載は事業年度末まで、あるいは申告期限までに記載しておかなければ、税務調査の段階の終盤で「実はこうした人に渡しています」とか言ってみても、遅きに失したことになるので注意しておくべきです。

☆青色申告の取消し

法人は、会社法その他の法令で帳簿の記帳義務が定められていますが、法人税法上でも帳簿書類の整備記帳が義務づけられています（法法150の2）。

そして、ほとんどの法人は、欠損金の翌期以降の繰越控除の適用、その他有利規定を利用するため、青色申告の承認を受けています。

青色申告法人の要件に、帳簿書類の整理保存義務が課されており（法法126①）、複式簿記の原則に従い整然と記帳すること、総勘定元帳の記帳とその記載に関連し経費項目では各費目とも取引年月日、支払先、事由および金額を記載しなければならないとされています（法規53、54）。

これらのことから、支払先を明らかにしない杜撰な帳簿書類の記載は、青色申告の承認の取消し理由に該当し、不利な取扱いを受けないとも限りません。

とにかく、税務調査においてこの問題が生じれば、徹底して相当の理由の説明と可能な限り支払先や関係者を明らかにし、使途秘匿金に当たらない点を主張すべきです。

使途秘匿金は、国税局調査部所管の大法人ではあるやに聞くものの、中小企業でそんな大人物に金品を渡すようなことはまずないはずで、通常は、交際費の当否の範囲で決着のつくことだろうと考えます。

Q108 「受取利息」調査の対応ポイントは

Answer Point

★低金利時代の今日、受取利息でのトラブルは少ないと思われますが、ここで取り上げるのは、それが営業収益となっている金融業、保険業を除く業種での営業外収益計上される受取利息です。

★受取利息が発生するのは、預貯金、公社債の保有や取引先、役員、従業員へ資金を貸し付けている場合です。問題点は、利率、利子の計算期間、受取利息計上のタイミングです。

★利率は、商法、利息制限法等に定められていますが、現時点では高率で使えません。法人に借入金がある場合は、その利率になるでしょうし、従業員には年1.7%が目安で、事情のある場合は低利や無利息も認められます。

★受取利息の計算期間中は、未収計算は不要ですが、計算期間終了後は未収計上を要します。

★低金利の続く中、受取利息の計上漏れでの大問題は、大口役員貸付金でもない限り想定しづらいところです。少々の計上漏れがあったとしても、追加法人税負担は仕方のないところかも知れません。

☆受取利息の重要度

　金融業や保険業を営む法人を除き、収益としての受取利息の計上額は僅少額の場合が多いと思われます。特に、最近のように低金利時代になってからは全く問題にならない位の管理不要、無視されているような収入となっています。

　受取利息の種類は、次のようになります。

① 預貯金の利子

② 公社債の利子

③ 公社債投資信託の収益の分配

④ 取引先貸付金の利子

⑤ 従業員貸付金の利子

　これらの受取利子は、一般の事業法人ではいずれもが僅少額の営業外収益として処理される受取利息収益です。

　したがって、ここでの対象は、金融業、保険業のように、主たる営業収益

の1つが受取利息であるような法人の受取利息は対象外とします。また、一般事業法人であっても、無借金経営の超優良会社と評されているような法人では、余剰運転資金の運用を研究していて、資金運用収益がそれなりのウエートを占めているような場合も同様です。

☆営業外の受取利息収益のポイント

収益としての重要性の薄い一般事業法人で、受取利息の計上で問題となるポイントは図表141のような点となります。

【図表141　受取利息の処理ポイント】

項目	種類	ポイント
利率	預貯金	特になし
	貸付金　取引先等 　　　　従業員	特別な事情のないとき…低利は寄付金認定 福利目的貸付金…規定によっていれば低利もOK それ以外…経済的利益は給与加算
利子の 計上時期	預貯金	原則…発生主義で既経過期間分を日割計算で未収計上 現実の実務…利子計算期間までは計上を要せず一般の預金では通帳記帳時計上でOK
	貸付金	同上…相手先の経営状態が悪化したような一定の理由がある場合、未収の不計上も認められる
		なお、銀行借入金とひも付き運用の預金、貸金は借入金利子の計上と対応させる必要がある
	未収販売代金の利子	販売代金と利息部分を区分経理をしていても売上計上時に含めて計上しなければならない（法基通2-1-24（注）2）

☆誤りやすい取扱いとトラブル対応

受取利息の誤りやすい点とそのトラブル対応をまとめると、図表142のようになります。

【図表142　誤りやすい取扱いとトラブル対応】

項目	対象	期間等	処理の原則	税務調査での対応
①未収利子 の計上	預金	計算期間中	計上不要（計算期間が1年以内のものに限る）。	なし。
		計算期間経過後	計上必要。	修正申告やむなし。

第7章　損益計算書項目の調査対応ポイント

	貸付金	計算期間中	原則計上不要。 １年を超える利子計算期間の場合、１年経過時分の未収計上が必要（法基通 2-1-24）。	なし。 資金の融通を受けなければならないような債務者では資力喪失等の場合も考えられる。未収不計上容認の取扱いもある（法基通 2-1-25）。
		借入金がひもつきの場合	借入金の利子の期間計算と対応させるため計上必要。	修正申告必要。
		計算期間経過後	計上必要。	同上。
		利子の未収が継続しているとき	計上しないことができる。	基本的に収受困難な収益で会計上それを認識するのが不当の場合。 　事業年度末以前６か月に支払期日の到来しているものの全額未収の場合の取扱いがある（法基通 2-1-25(1)）。
②利率	預金		問題となることはない。	
	貸付金	法定利率	・商事の場合　年　６％（商法 514）利率の約定のない場合で現在の金利水準からはやや高いが税務上問題はない。（注） ・利息制限法による利率 　　　10 万円未満 　　　→年 20% 　　　10 万円以上 　　　100 万円未満 　　　→年 18% 　　　100 万円以上 　　　→年 15% 未収の場合超過額の計上は不要（法基通 2-1-26）。 金融業者を除き一般にはないと思わ	

Q 108　「受取利息」調査の対応ポイントは

		低利率貸付	従業員、役員 　低利、無利息は経済的利益で給与と認定（役員の場合のみ法人税の課税）。 基準となる利率は 　借入によった場合その利率 　その他　現在年1.7% （所基通36-49）	臨時的に多額の生活資金が必要な場合の貸付は低利が認められる（所基通36-28）。
			・税務上の利率 　法人税法上の規定はない。	
			取引先等 　低利によることで相手先に利益を供与しそれを法人が負担しているとしての寄付金認定の問題。	借入金のある法人では借入金の利息相当額はそのとおり預金を取り崩しての貸与は預金利息（現在は０％に近い）相当額のみの供与で僅少額となり、取り上げる程度にならないはず。
			子会社等 　同上。	同上。 業績不振の子会社の倒産防止等の目的での合理的な再建計画によるものである場合は低利が認められる（法基通9-4-2）。 単なる税務戦略によるもの（累損控除的等）は認められない。
		高利率貸付	利息が益金に計上されており何ら問題はない。	
③所得税額の控除	預金の利子に課された所得税	益金算入の事業年度	控除または還付請求税額を所得加算が原則。	税額控除または還付請求をしない場合は加算不要。

（注）　令和２年４月以降、商事の法定利率は廃止され、民法規定の年３%の適用となる。

☆項目としてのウエートと問題となる場合は

　　低金利時代の今日、利息収益の重要性は低くなっています。ほとんどの法

人では、営業外収益に受取利息勘定で極僅少額を計上している程度のものです。

　税務調査でも、最初から目をつけていることはあまりありません。あり得るとすれば、資産中の貸付金が多額に計上されていたり、資金運用で投資として公社債その他を保有していたりすれば、関連で全体としての誤処理の有無を少し追っかける程度かも知れません。

　突っ込まれそうなのは、理由なき貸付金、例えば業務無関係者や役員、親族への貸付金のある場合と、長期間利子の不受領や役員が個人で簿外処理しているような場合でしょう。

　業務無関係者への貸付は、役員貸付金とされて利子相当額を役員給与と益金計上、源泉所得税徴収の問題が発生します。無利子貸付は、相手先へ反面調査が行われたりして簿外利子収入を認定されたりします。

　もう１つ、公社債等の資産運用利子の計上漏れです。通常は、銀行振込等があれば自動的に計上されているはずですが、証券会社預りとなっていたりすれば、利息収入が抜けていることもあります。

　いずれにしても、これらは大した金額にはならないことも多いと考えられます。税務調査を総体的に見れば、多少の否認項目はあるものです。総額主義での妥協を考えれば、少額の否認項目を数多く積み上げて、なお逆に追徴税額を低く済ませるのが最有利と割り切れば、僅かな受取利息の追加修正も、税務重要性から翌期計上で如何を申し立てた後で修正ならば、やむを得ないかも知れません。

　役員貸付金では、実質的に禁止されているはずの見せ金払込みによる会社設立で、資本金に見合う資金が存在しない法人があります。

　この場合、全く資金が存在しませんから、帳簿上、例えば、全額現金出納帳上の手許現金としていても、実態は代表者の持出し金で、すべて役員貸付金となります。

　今日のことですから、1,000万円くらいの資金が存在していないと、事業が回りませんから、資本金もそのくらいの金額となっているのでしょう。

　この場合、こうした人種の資金調達は、金融機関でなく、民間の事業金融会社、つまり、ヤミ金に近いところからしか受けられません。認定貸付利率は、利息制限法の利率に近い利子がかかるはずであり、仮に1,000万円未払込みで全額代表者貸付とすれば、年百何十万円の認定利息を課されるところとなり、法人税、個人給与所得課税で大損をします。課税やむなしとなったとしても、個人所得税まで課されないよう、注意していくべきところです。

Q 108　「受取利息」調査の対応ポイントは

Q109 「受取配当金」調査の 対応ポイントは

Answer Point

★本項対象の受取配当金とは、Q108と同様、金融保険業、証券業のように、営業収益としない一般事業会社の営業外収益の受取配当金です。主として、株式会社、持株会社の利益の配当、事業協同組合の出資金の配当、証券投資信託の収益分配金が対象です。

★留意点としては、受取配当金の益金不算入の計算、益金計上日、みなし配当金、所得税額の控除、および他の益金項目と同様、計上漏れの有無です。

★受取配当金は、法人税の二重課税調整目的で益金不算入制度があり、持株比率により20%から100%まで3段階の控除率の適用と、負債利子控除の有無の取扱いに注意が必要です。

★受取配当金の計上時期は、株主総会の決議日となりますが、非公開の同族会社では、決議を行っても、支払いが行われなかったりもします。税務調査時指摘を受けても、その辺の主張をとりあえずすることでしょう。

★期首、期末の手持有価証券、出資金リストと受取配当金明細表を完備し、受取配当金の計上管理状況を明らかにし、特別の問題点はない心証を与えておくことも必要です。

☆受取配当金と税務

　税務上、配当金が取り上げられていることが多いと思われます。なぜかといえば、通常、配当金は出資者に対し利益が出れば支払います。しかし、その前に利益に対して法人税が課され、税引後の利益からの支払いとなります。

　したがって、出資者が受け取った配当に、個人の場合は所得税を、法人株主等では法人税を課せば、利益からの配当には何回も重複して課税が行われる結果となるので、税務上それを軽減調整するため、所得税では配当控除、法人税では受取配当金の益金不算入制度を設けています。

　そうしたところから、受け取った配当金についての規定が設けられており、その解説記事が書かれているからなのです。

　したがって、ここでの受取配当金とは、次のようなものを意味します。

① 利益からの配当であること

　配当金なる名称は多くはありませんが、使用されることがあります。保険

380　第7章　損益計算書項目の調査対応ポイント

契約者に対する契約者配当金、企業の破産手続に際し債務者の残余財産の処分金から債権者へ分配を行う破産配当金、馬券等の当せん配当金その他、種々あるようですが、いずれも税務上配当金として特別に取り扱われているものの中には入りません。

　ここでの受取配当金とは、㋑株式会社の利益の配当、㋺法人である組合等の出資金の配当、㋩持分会社の利益の配当、㋥証券投資信託の収益分配金をいいます。

②　営業外収益の受取配当金が対象

　資金の運用を事業目的とする金融保険業や証券業では、様々な金融商品を保有運用していて、営業収益として多額の配当金収入も計上されているはずです。

　もちろん、そうした法人にも受取配当金の税務上の取扱いは行われますが、本書の中ではそうした受取配当金はメインの企業収益であり、本項でなくＱ82の売上高の税務調査対応の範囲のもので、ここでは取り上げません。

　したがって、ここでは、余資運用での投資や取引関係上の持合株式、あるいは子会社、関連会社株式から受け取った配当金の取扱いということに限ります。

　しかし、近年、業績好調の企業が多く、内部留保を溜め込みながら設備投資を控え、資金運用に回している様子で、営業外の金融収益とはいいながら、かなりの金額を計上することも多くなり、受取配当金も重要な検討項目となってきています。

☆問題の起こりやすいのは

　受取配当金は、既述のように益金不算入とすることに長年されてきていますが、数々の変遷を経て、現在は少し複雑な規定となっています。内容的には、次のような項目です。

・株式の持株比率等で益金不算入割合が変わる
・一部のものは負債利子の控除計算を行う
・短期保有株式の益金不算入不適用
・受取配当金計上日の取扱い
・みなし配当金の取扱い
・法人税額から控除する所得税額の損金不算入

　これらは、ほとんどが計算技術的な問題で、決算と申告調整計算において慎重かつ十分に注意しておくべきものばかりで、税務調査において指摘され

Q 109　「受取配当金」調査の対応ポイントは　　381

れば言い逃れや見解の相違を主張できない性質のものばかりです。申告書と別表計算書、明細書を誤りなく記入計算をしておくことが調査以前の問題として重要です。

　そうした面以外に実務で考えられるものとしては、

・受取配当金の計上漏れ

　　現金収受で記帳失念

　　未収のための不計上

・持株比率の取違え

・総資産簿価、関連法人株式簿価の誤計算

・発行会社の自己株式買上げで譲渡した株式のみなし配当

等々ですが、あまり税務調査で深刻に考えなければならない問題点は少ないと思われます。

　決算時によく注意しておくことと、問題点として指摘を受けた場合の対応としては、法人が資産として保有している株式や出資についてはチェックリストを作成し、株式発行法人名等、持株数、簿価、取得時期、決算期、事業報告書の入手有無、配当金の有無、入金日等々を網羅し、配当金の有無とその計算期、入金日は特に注意し投資先が中小企業の場合、何の連絡ないし報告もないことも見られますので、先方に照会を行い無配であることを明らかにしておくことが必要でしょう。

　持株比率は、高くなるに従って益金不算入割合も20％、50％、100％と上がることとなっていますが、その比率は法人が単独で保有するものに限られ、子会社や役員等の所有分は含まれません。

　しかし、中には他人名義の法人実質所有の場合もあることもあり、それの立証を行わなければなりません。

　関連法人株式は100％益金不算入ですが、負債の利子を控除した金額となっています。総資産簿価や関連法人株式の簿価については、貸借対照表計上額が基礎となりますが、引当金、準備金等で両建経理のものは控除が必要です。その辺の説明資料は明確にしておくべきでしょう。また、近年、組織再編や自己株式買上げ等で譲渡損益にみなし配当が含まれていることがあります。

　税務調査で指摘を受けたとき、相手先に計算資料を求め、益金不算入額を明確にする必要があります。なお、修正申告の場合は、当初申告と異なり、益金不算入が認められないことがあります（法法23⑧）。未収配当金も含めて注意しておく必要がありますが、取引関係上保有しているような株式の

場合、配当の決議があったこととしていても、資金繰りの都合で支払われるのが遅くなるケースもあります。こちらとしてはいつ入金されるか、あるいは支払われないかもわからないものを、わざわざ調べてまで未収配当金に計上することも馬鹿らしくて不計上のこともあり得ます。

　通常は、株主総会での配当決議のあった日の年度に未収計上するのが原則ですが、払ってくれるかどうかも怪しい収入は、会計原則上の収益の実現が現金、もしくは現金等価物として認識可能なときとしているのにも反することでもあり、かつ重要性も乏しいので、指摘を受けても入金日計上の継続によることを主張すべきです。それが認められなければ、益金不算入の扱いはないこととなってしまいます。

☆余資運用の投資管理

　中小企業では、主要納入先、仕入先からの要請により、相手先の株式を保有することはあっても、一般の上場株式等を証券会社で買付け保有することは、よほど株好きの代表者ででもない限りしていませんでした。

　しかし、成長の止まった今日の経済社会では、新規に生産設備をして事業拡大を考える企業は減り、利益の内部留保は流動資金として、そのまま保持されていることが多くなってきました。

　銀行や保険会社辺りは、代表者個人の預金を見ながら各種投資をすすめますが、必ず個人と法人双方にそれぞれ相応のものを提案します。結局、単に株式投資にとどまらず、外貨建債券や、外貨建保険、その他リスクのあるものも盛沢山すすめられることになります。

　運用銘柄が多くなりますと、配当金はその漏れを防止することはできたとしても、一般にあまり話題にもされませんが、株主優待券の取扱いが気になるところです。期首、期末の一時点の保有リストでは出てこない売買いの頻繁な期中売買銘柄についての配当金収入と株主優待券の処理等は、とても追いつかないこともあります。

　株主優待券を金券ショップ辺りで換金処分し、法人に雑収入、あるいは受取配当金として収入計上している例もありますが、大概は簿外処理で終わっています。しかし、この点は調査時に気づかれなければそれまでですが、受取配当金の調査が念入りとなれば、必ず取り上げられるはずです。多くは現物ですから、僅かなら役員、幹部社員の役得でも済ませられるところですが、そうはいかず痛いお灸を据えられる場合があります。早目の対応処理をして考えておくことがベターです。

Q 109　「受取配当金」調査の対応ポイントは

Q110	「雑収入」調査の 対応ポイントは

Answer Point

★雑収入も営業外収益項目で、少額かつ発生額も僅か、臨時的で営業収益として馴染まない、活動に積極的でなかったところからの発生といった特徴を有します。本来、大した税務調査項目ではないはずですが、法人が収受すべき裏リベート、仲介料といった性質のものも多く、不正悪質行為の範囲に属するものとして、しつこく調査が行われたりします。

★計上漏れ発覚の端緒は、調査官の携行資料せん、帳簿証憑の不符合、代表者個人預金での不審入金、屑売却売上等の当然あるべきものの欠落、領収書空欄のブランクの存在等が考えられます。

★従業員が、法人正規のもの以外に市販の領収書用紙等に、ゴム印押印で受領したりしていることもあったりします。法人の益金、従業員貸付金処理となりますが、やむを得ません。後日処理を考えるべきです。その他、領収書を発行していない限り身に覚えのない内容は、軽々しく認めるべきではありません。誤り情報もあり得ます。個人預金の動きは異常がないようにしておくべきで、仮にあったとすれば説明を考えておくべきです。

☆雑収入とは

　営利法人においては、目的とする事業によって得られる収益はすべて営業収益として売上高、その他の具体的営業種目収入名称によって会計上は処理されます。

　そうしたところからは、事業目的に関係しない収益はないはずですが、どんな企業でも営業外収益がない損益計算書は珍しく、中にはそんな多額の雑収入が毎期なぜ計上されるのか、本来目的事業として営業収益の区分に入れるべきものではないのかといった、疑義を抱くことがあったりするものも見受けられます。

　雑収入の特徴としては、

・少額かつ発生数が僅か

・臨時的なもの

・営業収益としては馴染まないようなもの

・その収益目的の活動は積極的でなかったもの

第7章　損益計算書項目の調査対応ポイント

から発生したような、たまたまの収益といったものに限られます。

　それとは別に、税務では、通常は偶然に生じたものが簿外や未収になっていたり、中にはそれが累積していて金額的に多額になることもありますが、通常は問題となっても大した金額には至らない場合が多いと思われます。

☆税務調査でトラブル原因や困るのは

　売上に計上されない収入のうち、反復される取引や大口の資産売却益や保険料収入、賠償金といったようなものは、雑収入といったようなどんぶり勘定的科目の使用は会計上好ましくないため、その内容を具体的に表現する処理勘定科目が用いられるべきものです。このため、雑収入の中身は、臨時的で少額のものに限られます。

　それでも、税務調査においても、大した増差所得にならない雑収入にもかかわらず、特に深く、中にはしつこく追求する調査官もいます。それは金額的には少額かも知れませんが、大抵は本来法人に入れるべきである裏リベートや仲介料、紹介料といった類のものであることが多く、単に課税漏れの追徴に止まらず、不正、悪質な行為を改めさせて繰り返させない牽制的な面もあると思われます。

　当然、こうした場合の修正申告や更正には重加算税の課されることも多く、担当調査官の事績もその分評価されるのではと思われます。したがって、何かのそうした不正の兆候が感じられたらしつこく調査が行われ、調査の終了はずっと先になったりします。

☆雑収入漏れ追求の端緒

　雑収入に限らず売上高でもそうですが、代金を収受したりした場合には、必ず領収書を発行し、領収書綴りは番号入りで予備の未使用ものも含めて厳重な管理を行い、正規の領収書以外は絶対存在しないようにしておくべきです。

　これは、大概こうした偶然的な収入は見込んでいなかったこともあり、通常の営業取引の領収書を使用せず、白紙の市販領収書用紙に社名のゴム印等を押して渡したりすることがあるからです。

　したがって、必ずしも代表者が臨時収入をポケットに仕舞い込むだけでなく、幹部従業員や末端の現業社員にもそうしたことを、代表者の知らない間に法人の簿外収入にしておいて私消したり、飲食に使ったりしていることがあります。

Q 110　「雑収入」調査の対応ポイントは

法人内部であったそうした不正は、内部牽制の不備ということで法人の責任となり、課税されるので注意しておくべきです。

税務調査で雑収入計上漏れの指摘を受ける端緒をあげると次のようになります。

① 調査官が各種資料箋を準備してきている。

② 各種帳簿、伝票類相互の不符合から

③ 銀行調査での不審な入金（特に代表者個人預金の動き）

④ 当然あるべきスクラップ売却収入や、法人として受けたはずのお祝い金、謝礼等が計上されていない

☆トラブル内容と対応

前述のようなきっかけで、雑収入の漏れの質問・検査が行われますが、これらのパターン別対応を少し考えてみます。

① 資料箋からの質問

受け取った覚えのあるようなものはどうしようもありませんが、それでも法人の収入としなければならないとは限りません。個人が謝礼として収受したものであれば、原則として個人の雑所得として所得税の課税所得となります(所基通35-1⑾)。しかし、社会通念上の僅少額の単なる謝礼までの追求は、一般には行われていないとも考えられるところです。

領収書を渡していれば（特に法人代表名等で）抗弁のしようがありませんが、そうでない場合、徹底して受け取っていない、覚えていないと言い切るのも、結着のつけられない展開となります。国会の参考人答弁でも、そのままうやむやもあります。これが従業員であれば厳格な処分を行い、以後の粛正再発防止を約し、益金計上漏れ従業員貸付金で修正申告を済ませ、その後の処理（給与加算等）を考えます。

また、中には同名や類似名の法人と誤って回付されてきていることもありますし、よくその根拠を問い質して対処することが必要です。

② 領収書等の不揃いその他

使用済み領収書綴りの空欄のブランクのものや、正規の法人が発行するものとは別のものが法人内にあったりすると、何に使用したか恐らくしつこく追及されると思われます。

そうした書類は存在させないことが肝心ですが、この場合も一時預り金、仮受金に事務職員が使用する目的で保有していたりすることもあり、外部に領収書が回っていない限り、徹底して雑収入不存在を主張すべきです。

③ 銀行預金への入出金

法人口座の帳簿記帳外入金は、まずあり得ないでしょう。問題は、金融機関調査で代表者個人や親族名義預金の口座に不自然なものが出た場合です。

最近は、郵便貯金の口座も比較的簡単に反面調査ができるようですが、以前は所管省庁が異なるため大変でした。それでも郵便貯金で非現金入金（小切手等）が通帳上記入されていたりすれば、僅か数万円程度にもかかわらず1か月以上もかけてその入金先を追いかけ、手数料収入を問題に取り上げて法人の雑収入課税を迫ったりした例もあります。

とにかく、銀行の入出金に綺麗に数字が並んでいることです。イレギュラーなものがあったり、端数のものや振込入出金等は徹底して質問されますが、わからないことは「覚えていない」でよいと思います。

④ あるべき収入がない

鉄屑スクラップは、長い間処分に費用がかかりましたが、昨今はよい値段で売れるそうです。鉄加工業等では、鋼材の仕入量と加工品の予定消費量×製品完成数とを比較し、仕入量が多過ぎると材料のダンピング横流しや、屑売却漏れを疑い追及されることがあります。また、スクラップ処理業者へ反面調査を行ったりして、こちら側の収入との符合状況を確かめたりすることもあります。

この場合も、相手業者との間で確証となるものをやりとりしていない限り、決め手とはなりません。相手業者もこうした場合は、いかがわしいこともあります。あるべきものが知らぬ間に盗難等で失くなったりもします。

雑収入の推計課税は難しいと考えられます。お祝金や見舞金は個人が受け取っても非課税もので何ともありません。身に覚えのないことは、調査がいつまでもダラダラと続くのに耐えかねて曖昧なもので妥協しないよう、気をつけることでしょう。

なお、Q 66の買掛金、Q 78の未払金とも関連しますが、債務免除益の雑収入不計上が問題とされることがあります。これは、仕入先が何かの手違いで請求を忘れていたり、返品の当否の繰返しでいつの間にか債権、債務の存在が明確でなくなってしまったりしたときに生じます。こちら側としては、請求があれば最終的には支払わねばならないかどうかがわからないところから、買掛金として帳簿上残しているのです。しかし、商取引によって成立した債権は、消滅時効が改正民法により権利行使できることを知った日から5年と少し長くなったようですが、この場合の債務の免除額は、時効成立時点で雑収入計上が必要です。滞留買掛金があれば、債務発生時期を明確にしておくことが必要です。

Q 110　「雑収入」調査の対応ポイントは

Q111	「資産の評価損」調査の 対応ポイントは

Answer Point

★資産の評価は、会計基準では国際会計基準の流れから時価主義傾向となっており、一方、税務の取扱いは、原則として評価損は一切認めない姿勢を保持しています。大会社では、このかい離は会計と税務とは別のものと割り切って評価損を積極的に計上し、法人税申告では加算調整の処理をしていますが、中小企業でのそうした処理例は少ないと思われます。

★評価損を認めない税務の立場ですが、例外的に、棚卸資産、有価証券、固定資産、税法上の繰延資産についてのみ、著しい損傷として一定の事実が生じた場合には、評価損を認めています。一定の事実とは、災害による著しい損傷、有価証券の著しい相場の下落かつ、回復見込みのないときになっています。

★資産の著しい損傷や、著しい相場の下落等の立証は多少困難を要します。実地棚卸手続、株式等の相場の推移状況、発行会社の財務内容のわかる書類、固定資産現物の損傷写真や遊休の現物等、可能な限りの証拠資料を整え、例外的取扱いに該当することを強調することです。

☆資産の評価損に対する税務の姿勢

　企業経営における自社の経営状態は、大部分の経営者は安全性を考え、会計上の利益を否定することが多いようです。「そんなに儲かっているはずがない」といわれ、1つひとつ説明してみると、その「在庫品はいつ売れなくなるかわからない、機械や建物は処分するとなれば二束三文である」とかまくしたてられます。これも経営者の1つの真理かも知れません。

　会計上も資産の評価については、保守的評価を要請していたり、場合によっては減損が強制されたりしています（会計原則第三、五AB、金融商品会計に関する実務指針91項）。

　しかし、一方、税務上の考え方は全く正反対で、いくら資産価値が落ちていると考えても、原則として一切評価損の損金算入は認めない立場をとっています。ただ、例外的に災害等で著しい損傷を受けたため、資産価額が下落した場合のみ評価損を認めるとしています（法法33①②、法令68①）。

　他の営業費用項目のように、支出の事実、収益との因果関係、期間帰属当

388　　第7章　損益計算書項目の調査対応ポイント

否等が明確であれば、当然に損金算入が認められるものとは差があります。

☆会計とのかい離の調整は

このように、会計上は、評価損は放置が許されず、税務上はほとんどの場合それが認められない取扱いとなっています。実務、あるいは税務調査ではどう取り扱えばよいのかという問題が出てきます。

今日の会計実務では、公開会社や同族会社であっても、会社法上の大会社は、会計と税務は完全に別のものであるとの割り切った処理をしていて、会社の業績にもよりますが、むしろ積極的に資産の評価損を計上し、税務上は申告加算を行い、会計上の当期損益と税務の申告所得はかなりかい離しているようです。

しかし、中小企業では、税務署の認めてくれないものはややこしいからとの理由から、あるいは関係税理士の方も複雑な申告加算、減算は手数を要しシンプルな形の決算と感じないとして認めないものはあえて処理せず、放置しておくことも多いようです。

☆本項で対象の評価損

中小企業での税務自己否認の評価損計上は少ないと思われます。したがって、本項での評価損の対応はそうしたものでなく、認容規定に該当するか否かをめぐる評価損の範囲でのものに限ることとします。

評価をめぐる資産は限定されていて、棚卸資産、有価証券等、固定資産、税法上の繰延資産の4種類となります。現預金、受取手形、売掛金、貸付金、その他の雑債権類はすべて法的に保証されており、評価額を引き下げるのは貸倒引当金の繰入れ処理の問題となります。

税法上、上記4種類の資産も評価損の計上は原則として認められず、一定の事実が生じた場合に評価損を計上すれば例外的に認められ、単に一般的な価額の低落での評価損は認められません（法法33②、法令68①）。

まとめてみますと図表143のとおりです。

【図表143　資産の評価損】

物損の事実（著しい	①棚卸資産	イ、災害により著しく損傷 ロ、著しく陳腐化 ハ、イ又はロに準ずる特別の事実
	②有価証券	イ、相場のある有価証券の価額が著しく低下し、回復が見込まれない

Q 111　「資産の評価損」調査の対応ポイントは

		ロ、イ以外の有価証券の発行法人の資産状態の著しい悪化 ハ、ロに準ずる特別の事実
損傷により価額が簿価を下回ることとなった	③固定資産	イ、災害により著しく損傷 ロ、1年以上にわたり遊休状態にある ハ、本来の用途に使用することができないため、他の用途に使用された ニ、所在する場所の状況が著しく変化した ホ、イ～ニまでに準ずる特別の事実
	④税法上の繰延資産	イ、繰延資産となる費用支出の対象となった固定資産につき上段（固定資産）のイ～ニまでの事実の発生 ロ、イに準ずる特別の事実
法的整理の事実		民事再生手続開始決定による財産評定が行われること等（法基通9-1-3の3）

☆資産の著しい損傷

　評価損の計上が認められる著しい資産の損傷等の一定の事実とは、およそ図表143のようになっています。一見すれば、常日頃どこででも起こり得るような現象のような感じがします。しかし、すべて著しくと、それに準ずる特別の事実が強調されていて、少々程度のことではなかなか評価損は認められないというのが評価損の取扱いの流れです。

　したがって、単なる過剰在庫、売残り品、一時的な相場の下落等だけでは難しいと考えておくべきです。

　例えば、バブル経済時代に高値で取得した事業場用地を有している法人があります。時価は、場合によっては10分の1程度まで下がってしまっていたりします。しかし、これは、災害による著しい損傷、1年以上にわたる遊休状態、本来の用途でなく他の用途に使用しているわけでもなく、形式的には評価損の認容の余地はありません。他への売却くらいしか損を出す方法はなく、それも直後に買い戻すようでは損出し行為で否認されるでしょうし、親子会社内等でのやりとりでは、グループ法人税制の適用で譲渡損失は繰延べ扱いとなり、そうした含み損のある資産を抱えていると厄介なことなのです。

☆著しい損傷と価額の下落の立証は

　税務上の評価損が認められるためには、損傷のあったことと、それが著しいもので価額が簿価を下回っていなければなりません。この場合、他の費用

損失項目と異なり請求書、領収書のような外部証拠が存在していませんので、評価損の計上処理を行う法人側に損傷した事実と、価額の下落を証する証拠物件が必要となります。よく問題となるところを資産別で考えてみます（図表144）。

【図表144　資産別評価損の証拠書類】

種類	資産の減価理由等	証拠書類
①棚卸資産	長期保有品質劣化	実地棚卸原票等、通常でない状態を記入（錆、変色、ひび、腐敗等）。 場合によっては写真等も。 外部証拠はなく、倉庫会社にも品質判定力はない。
	災害による損傷	同上
	廃棄型式の部品等	（廃番部品表等）実地棚卸原票の詳細記入と一括まとめ。
	棚卸表の記入	（棚卸原票、棚卸表） 中途半端な減額評価はしない、初めから評価外。 実地棚卸時に廃棄品を集約し、早期処分の決済手続をしておく。
	税務調査時のトラブル	（調査時対応） スクラップ等で処分し、業者証明等を入手しておくべきだが、ないときは何らかの文書を入手。 現品が残ったままなら荒っぽく調査官等の目前でたたき潰す等（証拠となるか別にして）で強く説得を試みる。
②有価証券	相場の下落	終値の証明新聞、証券会社の証明等あるはず。 簿価の50％を下回ること。 回復しない見込みの立証が必要だが難しい、アナリスト情報等を入手がのぞましいが、問題となれば調査官側に逆に回復する立証を要求すべし。
	発行法人の資産状態の著しい悪化	法的整理手続に入った事実を証するもの（裁判所の通知等）。 取得時の1株当たり純資産が概ね50％を下回った状態がわかるもの。 継続して先方の決算報告書を保管しておく。 縁故関係で持った株式等は、相手方が放ったらかしで梨のつぶてのようなものが多いので注意。 問題とされた場合は、発行法人へ決算内容がわかるものを要求。実質倒産しているような法人等は信用調査情報等を入手してみる。
③固定資産 繰延資産	遊休設備	経済的陳腐化については、新型、新機能、新製品の登場等、理由を明らかにし、今後のその設備の

Q 111　「資産の評価損」調査の対応ポイントは

		除却と時期も具体的にしておく（本来、除却時の損失と主張されるだろう）。
	災害、事故等での機能劣化	設備の損傷した部分の除却損となるもので修繕費（回復費用）支出時の損金との考え方もある。 修繕見積り、処分価額見積り、現物の写真等で事実を明らかに。 固定資産の場合は、災害事実の発生と評価損の会計処理が必要で、通常では生じないことが多く、本来一部除却の処理となるものであろう。 事実の立証と今後の処理の具体性を併せて説得資料を十分に準備すること。 繰延資産は固定資産に準ずる。

☆評価損の金額は

　棚卸資産や固定資産については、損傷の事実は説得できたとしても、今度はその評価損失はいくらかが、具体的に計算がしにくい点があります。

　災害で被災した場合は、棚卸資産では廃棄、あるいは値引販売等で期末時点までに保有しておくことはなく、処分損を自動的に売上原価として実質的に評価損を含ませていたり、あえて重要性が考えられると思えば、売上原価とせず、営業外費用で雑損失、乃至は棚卸評価損として処理されると思います。手持ち在庫として、期末間近の被災を除き、残るのは処分後の残り僅かな商品のみとなることが多く、値引再販可能なら、ある程度の売却見込額での評価となります。処分すべきもので、再販しないで残してしまった無価値のものは、棚卸計上は不要と考えられます。

　固定資産についても、被災し、機能が落ちたりした設備は当然修理されていると思われ、修繕費として評価損が実質計上済のはずです。使用不可能の状態で被災設備現物が存在しているとしても、使用見込みがないのなら、除却処理すべきです。会計的にはむしろ、撤去費の見積計上が必要なくらいです。

　いくらか設備機能が落ちているとしても、それを多少辛抱して使っているのなら、著しい損傷には該当しませんので、問題外となります。

　有価証券では、上場株式等であれば相場がありますから、期末日終値、あるいは期末1か月または3か月の終値の平均値でもよいでしょうし、非上場株式なら、発行法人の期末簿価純資産価額でも構わないと考えられます。いずれにしても、有価証券については、既に著しい価額の下落の判定の際、評価計算を行っていますから、それに従うことになります。

　評価損の金額をどうするかは、早めに現物の処分を考えておくべきで、決算まで残すのは何か事情のあるときのみにすべきです。

Q112 「雑損失等」調査の 対応ポイントは

Answer Point

★会計上、雑費、雑収入、雑損失等、雑が冠となっているものは多く、重要性の原則からその他項目は、雑勘定で括っています。雑損失も、貸倒損失、有価証券や固定資産の売却損、盗難損失、種々雑多のものが含まれているのが通例です。それらの損失の対応は、該当項目を参照してください。

★雑損失は、法人税申告書に添付が義務づけられている勘定科目内訳書で、上記の内容のものの記入が求められていますが、相手先別 10 万円以上とされて、僅少額のものは問題にもされていないように見られます。

★本来の損失としては、法人自体に偶然に生じた損失と考えれば、法人への損害賠償請求に基づく支出金が該当することとなります。この場合の検討すべき点は、損失の責任は法人自体か、役員、従業員か、業務関連の有無、故意過失の有無と考えられ、何れの場合も法人に使用者責任があったりして、負担はやむなしのものです。

★故意過失の伴うものや、高額賠償金のことも多く、いずれにしても立替金処理となり、その後は本人の負担能力と勘案し、法人の損失とせざるを得なくなるのが結論で、要は、その辺に辿りつくことを説得し続けることとなります。

☆雑損失とはどんなもの

　営業費用中の雑費、営業外収益の雑収入や雑益、そして営業外費用として通常計上されているこの雑損失は、いずれも雑が前にきている収入であったり支出です。

　会計上、雑なる用語は多いようですが、会計はすべて重要性の原則が働き、少額かつ質的に特に注意を要する項目でない限り、雑勘定でまとめて一括処理されることが普通になってしまっているからと考えられます。

　本項の雑損失も、損益計算書の営業外費用項目において雑損、あるいは雑支出の名称で通常見受けられるところです。

　性質としては、営業収益との対応を直接有さず、間接的に結局法人トータルとして収益との対応させているようなものといえます。費用というより、文字どおり損失と捉えられるもののようです。

Q 112 「雑損失等」調査の対応ポイントは

ただ、実務上では、実質は売上債権（売掛金）の貸倒損失であったり、有価証券の売却損、棚卸減耗損、盗難、詐欺の被害損失、災害損失、損害賠償金の支出といった具体性のある損失まで、種々雑多なものが含まれています。それが、個々に僅少額で雑損失全体でも大勢に影響のないような場合に、そう処理されていると思われます。

☆税務上での取扱い

　前述のように通常は少額、種々雑多の費用損失が入り混じって処理されているところから、重要度が低く、実務上あまり問題となることは少ない部類の損失項目に入るでしょう。

　ただ、字の如く損失であり、収益対応性のある費用でない面もあり、本来それを法人の負担としてよいのか損金性に疑義のあるところです。

　何でもかんでも放り込まれる処理項目となりやすいところから、質的重要性のある支出が混入されていることもあり、追及されることも時折見られます。

　通常の税務処理も、営業外費用については、損益計算書項目の勘定科目内訳明細書を法人税申告書に添付することとなっており（法74③　法規35）、雑収入や雑損失について勘定科目内訳書P16において、雑益、雑損失等の内訳書として記入欄が設けられています。

　様式を見る限り、営業外費用の単なる雑収入、雑損失の詳細の記載ではなく、その他の固定資産売却損益、貸倒損失や還付税金収入等の類までの記入が求められているようです。記載要領では、「なお還付税金を除き、科目別かつ相手先別10万円以上のものを記入」とされていて、質的に問題となりそうなものも、その他一括記入で隠れてしまったりもします。

☆問題点は

　一般的な実務は、以上のような処理や扱いになっていると思われます。したがって、貸倒損失、有価証券や固定資産の売却損、棚卸減耗損、評価損等は雑損失計上処理が行われていても、本来の税務上のそれぞれの取扱いに従い対応することとなります。特に、雑損失としての特別の規定や取扱いがあるわけでもありません。

　問題は、それら以外の純粋の損失、いわゆる損害賠償損失の類となると考えられます。

　少しまとめると図表145のようになります。

第7章　損益計算書項目の調査対応ポイント

【図表 145　雑損失が問題になる点】

損失の責任は	業務関連	税務取扱い	具体例
法人自体	あり	金額確定時の損金 故意、重過失のある場合 　損金不算入	取引先への迷惑料、消費者への賠償等 法令違反の課徴金等
役員 従業員	あり	故意、重過失にならない場合 　給与以外の損金	業務上での事故賠償 セクハラ、パワハラ責任賠償
		故意、重過失のある場合 　貸付金	取引先からの裏リベート、使込み等
	なし	役員、従業員貸付金	

　大雑把にはこのようになると思われますが、複雑でも何でもない簡単明瞭なものです。しかし、事故賠償の大半は、それを起こした役員や個人に責任があるということで、本来個人が負担すべきもののはずなのです。

　ところが、実際に法的に争うとなれば、多額な場合は本人にとても負担能力がありませんから、使用者責任として法人宛に請求されることが多いと思われます。法廷での裁判に至らなくても、示談交渉の相手方にならざるを得ません。そうした一連の賠償金の支出処理が、問題とされることが往々にあるのです。

☆損失負担責任は個人が多い

　図表 145 のとおり、法人が支払った賠償金の支払いは、故意、重過失によらない場合は法人宛に請求を受ければ、支払いは当然管理上の責任から法人が負い、支払った負担額はそのまま損失として損金算入が認められます。

　ところが、そうしたものはどちらかといえば少なく、担当役員、従業員本人が負担すべき業務不関連や故意、重過失が伴うものが多いのです。問題は法人のその対応です。

①　法人負担が当然で雑損失計上

　本来、当事者個人が負担すべきであるにもかかわらず、いきなり法人負担とすれば損金否認され、しかる後に役員給与とされ、損金不算入で併せて源泉所得税および不納付加算税、過少申告加算税等が賦課されます。

②　実質退職金として処理

　雑損失計上であっても、役員の解任や従業員解雇と合わせて本人の退職金

Q 112　「雑損失等」調査の対応ポイントは

との相殺処理の意味での計上、あるいは営業費用の退職金勘定処理をしていることもあります。

しかし、この処理は少し疑義のあるところで、懲戒解雇等を行った場合は、一般的に就業規則では退職金は支給されないことになっていて、退職金に充当処理はすんなり認められるものではありません。

③ 認容されるためには

役員、従業員に返還請求しなければならない外部への賠償金の支払いや法人が被った損害は、業務関連上のもので、故意、重過失のない場合は損金計上が認められます。そうでないものは、本人への貸付金となり、それが本人に支払能力がない場合には、貸倒損失として処理すれば認められるとなっています（法基通9-7-16、17）。

本項で述べてきた一連の賠償金支出や使込み損失等は、雑損失計上処理をしたとしても発生経緯、法人の管理責任、放置することによる対外信用等やモラルの低下、さらなる損失の発生防止、本人負担能力や過去の功績等による流れを整理し、本来貸付金処理を行い本人への請求後しかるべき協議により、雑損失やむなきとなった事情を証する資料も整えて税務調査トラブル時に強く説得することでしょう。

調査官側にも強引に否認が難しい理由を積み上げることです。何もなしに損をしているのだから認められて当たり前でなしに、これ以上の損害を防止、あるいはその処理が社内の意識の向上、社会的にイメージの悪化を止める処理であること等の理由があれば、損金性はあるはずです。

④ 未払計上は

前述のとおり、雑損失は偶発的損失が多く、損失を法人が負担したとしても対応収益があるわけでもありません。支出負担の効果があるとすれば、それ以上のトラブルを避けたり、社内のモラル等の維持程度にしか過ぎません。

したがって、事故等が発生し示談交渉中、あるいは裁判所で係争している途上では、当法人側にその責があるのか、また、負担する損失の金額はいくらになるのかが確定しない限り、対応する収益のない損失ですから、未払いや引当金を計上しても税務上は認められません。

ただ、例外的に示談交渉中において、事故等の責が法人側にあることを認めていて、金額面でのみ合意に至っていないような場合は、示談において相手に提示した金額までは、未払計上が認められる取扱いとなっています（法基通2-2-13）。

保険金の請求が可能な場合は、その部分を除きます。

Q113 「為替差損益」調査の対応ポイントは

Answer Point

★外貨建の取引では、取引日時点で収益費用を認識し、円貨決済時に金融損益として、取引日と決済日の差額を認識する2取引基準処理を求めているところから、為替差損益が発生します。

★決算上の為替差損益は、それに取引発生時と、期末の外貨建債権債務評価額との換算差損益が加わります。

★外貨建資産および負債の期末換算処理法は、会計基準と税法上の取扱いにあまり大差は見受けられません。

★税務上の注意しておくべき点としては、円貨換算方法、棚卸資産・固定資産の換算差の処理法、円貨換算債券債務の洗替え会計処理、間接貿易業者の負担する為替換算差損益の処理等に、少し詳細な取扱いが定められている点に気をつけておけば、証拠物件等でのトラブルはあまりないと考えられます。

☆為替差損益はなぜ発生

　経済のグローバル展開もあり、わが国は最早海外取引なしではその維持が難しいことは、改めていうまでもないと思われます。そこでの種々取引の決済は、ほとんどの場合、外国通貨によることとなります。特に、世界中がアメリカの大市場を相手にする結果、国際間の取引は米ドルによることが多く、ユーロも使われているようですが、日本では経済の諸指標がドル相場により左右されることが多いようです。

　本来、財サービスの提供を最終的に実現した金額で、費用収益として捉えることと会計ではしているところから、いかに高収益を得られるかは、そうした為替変動的な要因も勘案した営業施策によるもののはずです。海外取引においての短期、長期のそうした外貨為替相場の動向を見越し、取引価格と決済時期を営業戦術として駆使しながら、企業の経営活動は行われている筈ですから、為替動向如何で売上高が増えたり減ったりするのは、営業戦術の結果でもあるとも云えるものでしょう。

　現在、為替差損益は多くの企業の決算上見られますが、以前はそうした考え方から売上高のうちに為替相場変動を要因とした収益、費用が含まれてい

Q 113 「為替差損益」調査の対応ポイントは　　397

たようで、特別の科目掲記はあまり見受けられなかったように記憶します。

　会計基準がどんどん詳細、複雑化するにつれ外貨建取引も具体化が進み、現在は取引日時点で収益、費用を認識し、それが円貨決済が完了し差額を取引日と決済日の間の一種の金融損益として、為替差損益として計上する2取引基準方式（外貨建取引等会計処理基準1、2、3）とされているところから、会計を受けて税務も外貨建取引規定を設けるに至っているようです。

☆為替差損益の性質は

　前述のように、外貨建取引については、会計基準に明示されるまでのように、特に収益については取引日に計上する収益の額は暫定的な仮のものとし、円貨に転換時点で精算額としての売上収益に修正処理（1取引基準）を行えば、為替差損益は発生しないこととなります。

　しかし、会計基準が取引日と決済日の2取引基準とされたところから、

① 取引発生時の処理
② 決算時の処理
③ 決済に伴う処理

で、それぞれ会計処理（収益の認識）が行われ、①と③の処理差額は簿記でいう日常の取引記帳において、為替損益として計上されます。そして、決算修正項目として①と②の差額が認識計上され、双方合わせて決算上営業外損益項目に、為替差益と為替差損が相殺されて差額が差益、または差損として計上されます。

　したがって、為替差損益の内容は、日常の取引記帳の結果としての為替差損益と、期末に外貨を円貨に換算した際の為替換算差損益の2種類の為替差から構成されているといえます。為替換算差損益は未実現の損益であり、翌期に再度為替損益が計上されると見込まれるものです。

☆為替換算損益の処理

　会計上の処理は以上のようになっていますが、公正妥当な会計処理基準によることとなっている法人税法上の規定は、会計と同様、

① 外貨建処理を行った日の外国為替の売買相場により換算した額
② 期末外貨建資産等の資産種類別期末換算額

の規定が設けられています（法法61の8①、法法61の9①）。

　税務上も、このように為替差損益の取扱いは日常の法人の記帳処理上は見当たらず、結局期末換算差損益についてのみ規定されています。つまり、為

替差損益については、期末の手持外貨、外貨預金、外貨建債権債務、外貨建有価証券の換算に誤りがないかどうかが問題とされるところとなっています。

　この点について会計基準と税法上の取扱いを比較してみると、図表146のようになります。

【図表146　為替差損益処理の会計基準と税務上の取扱いの違い】

区分		会計基準	税法上の取扱い
外国通貨		期末時換算法	期末時換算法
外貨預金	短期（注）1	期末時換算法	期末時換算法 （発生時換算法）（注）2
	長期		発生時換算法 （期末時換算法）
外貨建債権債務	短期	期末時換算法 （転換社債は発生時換算法）	期末時換算法 （発生時換算法）
	長期		発生時換算法 （期末時換算法）
外貨建有価証券	売買目的有価証券	期末時換算法	期末時換算法
	売買目的外有価証券（償還期限、金額のあるもの）	償却原価の期末時換算法	発生時換算法 （期末時換算法）
	その他の有価証券	期末時換算法 （純資産直入法）	発生時換算法
	子会社、関連会社株式	発生時換算法	発生時換算法

（注）1、短期とは1年以内に期日の到来するもの。
　　　2、（　）は届出により適用が認められる換算法。

☆対応を考えておくべき点は

　為替差損益についても、税務調査トラブルはあまりないと考えられます。

　ただ、税法上の規定が図表146のようになっていることと、その外にも細かな取扱いが多少設けられており、それに従っていない場合は更正が行われたり、修正申告が必要となったりします。

　対応を考えておくべき点は、次のとおりです。

① 円換算方法

　・取引発生日…取引発生日の、その法人の主たる取引金融機関の電信売相

Q 113　「為替差損益」調査の対応ポイントは　　　399

場と買相場の仲値による

・期末日換算…期末日の、その法人の主たる取引金融機関の電信売相場と買相場の仲値による

ただし、継続適用条件により、外貨建資産については電信買相場、外貨建負債については電信売相場によることができます。

なお、期末日の相場でなく、事業年度末1か月以内の一定期間の平均値を継続適用ができます（法基通13の2-1-2　13の2-2-5）。

社内の外貨取引の会計処理が、この基準どおり行われていれば大した修正処理や、申告調整は不要といえます。

なお、期末日に外国為替の変動が15％以上となっている場合は、発生時換算法適用の場合においても期末相場により換算が認められています（法法61の8④か、

法令122の3①、法基通13の2-2-10）。

②　棚卸資産、固定資産の取得価額の修正は

棚卸資産の評価は、仕入時の換算額によることとなっていて、社内レート等、発生時換算額によっていない場合は、その差額は原材料受入差額として調整を行い、固定資産の外貨建取得で為替相場が下落し、為替差益が生じた場合も営業外損益で処理を行い、取得価額の減額はできないので注意が必要です（法基通13の2-1-9、10）。

③　間接貿易の場合の為替差損益の負担

製造業者が商社等を通じて輸出入を行っているとき、契約により為替差損益の負担額が決められている場合は、為替差損益の計上処理が継続適用を条件として認められています。

④　会計処理は毎期洗替え処理

外貨建債権債務等の処理は、期末決算処理（申告調整も含む）を翌事業年度に取り消し、再度その年度の外貨建資産負債の期末換算処理を行い、洗替えを行います。そのまま放置は認められていません。

およそ、以上のような点について気をつけておけば、詳細な証拠物件等の当否等で税務トラブルが発生することは、あまりないと思われます。

直接海外取引をしている中小企業は比較的少なく、為替で損をしたというようなケースも時折聞かれる程度です。ただ、最近では、資金運用や節税商品としての外貨投資が行われてきており、決算時に図表146の取扱いに従って適正な処理を行っていないと、銀行等のすすめで大口の運用をしていたりした場合に、税務調査で指摘を受け、痛手を被ることがあったりします。

Q114	「減損損失」調査の対応ポイントは

Answer Point

★減損とは、資産の収益性低下により、投資額の回復が見込めなくなった場合、回収可能額まで帳簿価額を減額した場合の損失額をいいます。中小企業でこの処理が行われることは、ほとんどありません。

★税務上は、固定資産の減損の取扱規定はなく、基本的に損金不算入のものです。万が一にも、減損が認容される可能性があるとすれば、固定資産の評価損認容規定中の

・資産が１年以上遊休状態にある

・本来の用途に使用することができないため、他の用途に使用

・所在する場所の状況が著しく変化した

・以上に準ずる事実

による評価損を、減損損失として処理した場合に該当した場合と考えられます。

☆減損というのは

　大手企業の業績動向が新聞紙上等で報じられる際、近年は記事中のどこかで当期純利益の減少理由に、資産の減損処理によったことが書かれていることが多いようです。

　そんなところから、職業会計人や企業の経理担当者でもない会計の素人の間でも、多少減損なるものの意味を理解しているようです。

　減損とは、資産、特に固定資産に多額の評価損を行った場合の損失処理勘定をいいます。比較的新しい会計用語で、少し以前の簿記教科書では書かれてはいません。

　減損が取り上げられるようになったのは、昭和から平成にかけてのバブル経済がその後一挙に崩壊し、土地や株の価格が著しく下落したため、資産の収益性が低下し、貸借対照表はそうした資産の含み損を抱え、一種の架空資産が計上されているとして、その対応が問題となりました。

　会計上も、そうした流れを受けて減損に関する見解がまとめられました（固定資産の減損に係る会計基準に関する意見書　平成14年8月9日　企業会計審議会）。

Q 114 「減損損失」調査の対応ポイントは

中小企業では、ほとんど実務で使われることもない、聞き慣れないこの会計用語は、前述のように固定資産の大口の評価損を表すもので、税務上では特別の取扱規定はなく、当否については資産の評価損の取扱いどおりとなります。

　Q 111「資産の評価損」調査の対応ポイントとは、そうした点から関連重複する面もあります。

☆会計の減損基準は

　「固定資産の減損に係る会計基準」では、固定資産の減損とは資産の収益性の低下により投資額の回収が見込めなくなった状態とし、回収可能性を反映させるよう帳簿価額を減額する会計処理をいうとしています。

　会計の減損基準は、次のとおりです。

① 　減損手続は

　　㋑減損の兆候を資産のグループ別に識別する

　　㋺減損損失を認識する

　　㋩減損損失の測定を行う

の順に従って帳簿価額を回収可能額まで減額し、減損損失として当期の特別損失に計上することとなっています。

② 　減損処理後の会計処理については

　　貸借対照表の減損処理資産は、減損損失直接控除後の金額を取得価額とし、

　　㋑減損後の帳簿価額に基づき減価償却を行う

　　㋺減損損失は損益計算書上、特別損失として計上する

　　㋩減損損失処理を行った場合は注記をする

　　㋥戻入れ処理は行わない

☆減損と固定資産評価損の異同は

　減損は、固定資産についてその資産を使用する営業活動から生ずるキャッシュフロー等による回収可能額を下回る場合に、回収可能額まで引き下げる処理をいいます。

　一方、固定資産の評価損は、主として災害等により著しい損傷を受け、価額が下落した場合に、時価まで評価損を計上して帳簿価額を引き下げる処理となります。

　減損と固定資産評価損とを比べてみますと、およそ図表 147 のようになります。

第 7 章　損益計算書項目の調査対応ポイント

【図表147　減損と固定資産評価損との違い】

区分	減損	固定資産の評価損
①根拠	固定資産の減損に関する会計基準（企業会計審議会）。固定資産の減損にかかわる会計基準の適用指針（企業会計基準委員会）。	資産の評価損の損金不算入等（法法33①②　法令68①）。
②計上処理の必要は	減損の兆候がある場合。	有する資産につき災害による著しい損傷により資産の価額が帳簿価額を下回ることとなったこと等で評価換をした場合に損金処理をすれば認められる。
③損失金額（減額対象金額）	正味売却価額または将来キャッシュフローの現在価値のいずれか高いほう。	使用されるものとしてそのときにおいて譲渡される場合に付される価額。
④可視性	災害による損傷等は固定資産の除却損の範囲で当然に損失計上すべき。減損はそうした可視性のない収益性の低下によるもので目による確認不可。	経済的陳腐化は認められないことが多く、評価損の認容は目で確認可能な場合に限られることが多い。
⑤基本は	将来の回収可能性による。	物的損傷が中心。
⑥金額重要性	少額であっても計上が強制される。	著しく損傷、長期の遊休状態等、重要性が要求される。
⑦相互の関係	税務上の経済的陳腐化も一部含むが全然別の処理とみるべきもの。	会計上の減損は、ほぼすべて税務上否認すべきもの。

☆中小法人での減損処理

　中小企業の会計指針においても、減損処理は基本的に採用しながらも、その処理については減損損失の認識、測定等が技術的に難解であり、手数を要するところから、典型的なケースでのみ適用可能性を検討することとしています。

　前述のように、万が一税務上も減損が認容される可能性があるとすれば、固定資産の評価損認容規定による評価損を減損損失として処理した場合における、評価損認否のトラブル時での対応がポイントとなると考えられます。

　その点についてはQ 111「資産の評価損」調査の対応ポイントを参照していただくこととし、通常の会計上の減損損失は、まず税務否認が基本と認識しておくべきものとなります。

Q 114　「減損損失」調査の対応ポイントは

Q115 「特別利益・損失」調査の対応ポイントは

Answer Point

★法人税の所得計算の前提となっている、公正妥当な会計基準たる近代会計は、企業の経常収益力を明らかにするのを目的として、経常的でない収益や費用損失は期間損益から外し、特別の損失、利益項目の区分に移すこととしました。

★会計原則等で例示されているのは、固定資産の売却損益等の臨時損益、過年度引当金の修正等の前期損益項目、それに減損損失となっています。中小企業では、これら以外に、金融機関への説明目的から、役員退職金、特別減価償却費、大口の貸倒損失、前期決算の誤りの訂正等まで含まれていたりします。

★読んで字のごとく、特別のイレギュラーな項目ですから、ここを調べてくださいと呼び掛けているようなものですが、会計原則上も少額や重要性の乏しいものは、営業費用または営業外損益項目の雑収入、雑損失処理でもよいとしています。その処理が認められないことは絶対ありません。

★項目別の留意点としては、固定資産売却損では日常の資産の管理状況、売除却の事実の立証、売却価額の当否等、有価証券売却損等では、株式名義が法人であること、同族関係者間売買の価額、ゴルフ会員権も同様、個人の趣味での保有でなかったか、最近ではこれらに絡んで売買契約書の印紙貼付の欠落等もあったりします。

☆特別損益の内容の特定は

わが国での簿記会計の実務の普及は戦後、税制が申告納税制となり、帳簿記帳に基づく決算による青色申告制度がもたらした面の効果を否定することはできません。

そこでは、近代会計理論の基本の１つの動態論、いわゆる発生主義会計が強調され、費用収益はその発生によって記帳が行われ、１会計期間の収益とそれに見合う費用が発生に従って、正確に計上されることを基本とされています。

すなわち、期間損益計算の重視で、企業の経常収益力判断の目的から経常的でない収益、費用損失は期間損益から外し、経常収益には影響させない特

404　　第７章　損益計算書項目の調査対応ポイント

別の損失、利益項目の区分へ移すことにより、利害関係者への真の収益力の判定を容易とすることとしました。

　もっとも、この辺は最近の国際会計基準（IFRS）では、当期損益が期間外損益も一部の評価損益もすべて、区分を設けずに計算する包括利益（損失）なる概念が出てきていて、逆の方向の動きとなってきている面もないことではありません。

　特別損益とは、このように経常外発生の臨時的でかつ多額の損失、利益項目の処理勘定をいい、一般的にこれこれが該当するとも言い切れない会計処理項目のもので、必ずしも特定のものに限られない何が現われるかは予断できない性質のものといえます。

　したがって、特別利益または損失の調査も、ある特定の項目を取り上げられて行われるとは、一概に決められない面があるものといえます。

☆一般的な特別損益はどんなものが

　企業会計原則では、損益計算書原則において損益計算書は、
・A　営業損益
・B　経常損益
・C　当期純損益
の区分を設けなければならないとし、Cの区分を特別損益の区分としています。

　そして、特別損益の例示として次のものが掲げられています。

① 臨時損益
　イ、固定資産売却損益
　ロ、転売以外の目的で取得した有価証券の売却損益
　ハ、災害による損失

② 前期損益修正
　イ、過年度における引当金の過不足修正額
　ロ、過年度における減価償却の過不足修正額
　ハ、過年度における棚卸資産評価の訂正額
　ニ、過年度償却済債権の取立て額

　なお、以上のような特別損益項目であっても、金額の僅少なものまたは毎期経常的に発生するものは、経常損益計算に含めることができるとされています（企業会計原則　第二損益計算書原則　二損益計算書の区分　企業会計原則注解12）。

Q 115　「特別利益・損失」調査の対応ポイントは　　405

また、会社法上も損益計算書を7区分とすることとし、六　特別利益、七　特別損失が示されていて、その内容についてもほぼ企業会計原則と同様となっています。

　ただ、特別利益に「負ののれんの発生益」、特別損失に「減損損失」が例示されているのと、金額の重要性のないものは独立掲記を要しないとしていて、微妙な差は見られます（会規88条〜92条）。

　要は、経常損益をゆがめない限り、内容、金額如何で営業外収益または費用に計上することも、あるいはまた、その他の特別利益、その他の特別損失として一括掲記したり、少額なら営業外収益費用中の雑収入、雑損失でも構わないことになります。

　以上のほか、中小企業では、イレギュラーな利益または損失が生じた年度では、取引金融機関や重要取引先にそれを明らかにするため、例えば役員退職金、特別減価償却、リストラによる従業員特別退職金、大口の貸倒損失等もあったり、それにあってはならないことですが、前期の決算の誤りを持っていく場がなく計上されていたりすることもあり、会計原則等の例示はありませんが、計上されているのが見受けられるところです。

☆税務調査のポイント
①　特別損益を少なくする

　第1章のＱ3〜Ｑ5でも述べたところですが、税務調査は本来、提出された申告書が適正かどうかを確かめるもので、中には修正を要するものや更正が行われることもあるものの、納税者の大半が誠実であるならば、申告を認める申告是認の割合が多いのが当たり前のはずです。

　しかし、現実には、修正申告や更正の割合が高いとされてきました。これは、ある程度疑わしいと思われる申告者について税務調査を行うことが行政の合理化に繋がることもあり、止むを得ないというより当然のことといえます。

　決算書や申告書はそういった点から、異常点の少ない毎期綺麗に数字の並んでいる何の変哲もないようなものが、税務調査を遠ざけるには最も好ましいものなのかも知れません。

　特別利益や特別損失は、その点から明らかにイレギュラーな項目をわざわざ目につくように、場合によってはよく調べてくださいよと呼び掛けているようなものにもなると思われます。

　そこで、何も特別利益、特別損失に限ってのことではありませんが、前述のように会計原則等でも金額的重要性の乏しいものは一括し、かつ営業外の

雑収入、雑損失に含ませる等の処理で目立たせないようにしておくのも一手法かも知れません。

　税務上、不正なものとして認められないようなものは別にして、当然の一会計処理法であることは間違いありません。

　特に、課税の公平重視の課税庁が、それと関係のない私企業の会計処理法に口を挟むことなどできるわけがありません。

② 項目別留意点

　次に、一般的な特別損益項目の例で説明した処理勘定について、少し対応の留意事項をまとめれば図表148のとおりです。

【図表148　特別損益項目での対応ポイント】

項目	細目	発生頻度	調査での狙い等	関係する物件、書類	その他の留意点等
①固定資産売却除却損益	土地建物等	少ない	・売却の理由 ・資金の行方 ・関係者間取引では売買金額の当否 ・計上時期 ・裏資金授受有無	売買契約書、登記事項証明書、領収書控、購入時契約書、銀行入出金記録、仲介料領収書、不動産評価鑑定書 収用等の場合…買取申出書、収用等証明書	収入印紙貼付けの正否。
	機械治工具器具備品	多い（毎期日常的）	・売却、除却事由 ・過大除却処理の有無 ・スクラップ簿外収入有無 ・除却資産の当否	固定資産台帳、機械配置図面、備品等在庫帳、現品写真、設備名称、製作メーカー名の記録、スクラップ業者証明書	有姿除却も多く日常の個別現品管理如何が特別に調査を続行するか否かの分かれ目。 置場等現品照合もあり得る。
②投資有価証券売却損益	一般の株式	少ない	・売却に至る事情 ・多額の売却損の場合株式名義は個人ではなかったか	取得、売却時の売買計算書 証券会社取引残高報告書	証券会社で法人に限らず個人、親族の顧客勘定元帳をすべて調べられる。
	ゴルフ会員権等の出資	少ない	・売却理由 ・個人名義を法人で保有していたのでは、あるいは急に名義変更をしたのでは	取得時買付計算書、領収書 売却時売付計算書、領収書 ゴルフコース名義変更資料 仲介料領収書	実質法人に保有する必要性の有無。 個人の趣味娯楽的でなかったか。

Q 115　「特別利益・損失」調査の対応ポイントは

			・倒産で不良化した会員権を除却損失としていないか ・関係者間売買の金額当否（仲介業者を介在させていることもあり）		
③災害損失	風水害 火災 地震	少ない	・悪意、悪質とはみていない ・損失の程度、資産の除却額の正否検討	警察、消防、市町村の被災証明書、消防署の被災評価書 被災資産所在図面 （留意点は固定資産の除却損と同じ）	被災資産の範囲。被災金額が算定未済時の計上は翌期でやむを得ない状況説明資料用意。
④役員退職金			(Q88 参照)		
⑤減損損失			(Q114 参照)		
⑥貸倒損失			(Q104 参照)		
⑦過年度決算修正	勘定残高の訂正 過年度不適正決算の遡及処理 不良債権の貸倒れ 不良在庫の損失処理 架空資産の除却 等々	中小法人では比較的多い	・信用維持その他の理由から費用収益の繰延べ繰上げがあるとみる ・過年度所得を更正し欠損打切り処理があるのでは	処理根拠 （ないことが多いのでつくる必要がある） 過年度帳票すべて （実地棚卸票等も含む）	税務調査による修正申告、更正での会計受入処理以外で会計原則でいう前期損益修正は一般にないことがほとんど。 過去の訂正処理ではと狙われやすい。 過年度3～5期間の訂正処理のみでもマイナス年度とプラス年度が生じたりする。 マイナスは控除せずプラス年度分のみ税負担となることもある。

Q116 「法人税、住民税および事業税」調査の対応ポイントは

Answer Point

★企業利益には、必ず課税があるしくみに税制はなっています。納付した税金は、以前は株主総会での利益処分で、処分可能利益の減算項目としていましたが、現在の会計基準では、損益計算書の最末尾で翌期に納付する当期分の法人税等の引当控除を行い、納付時はそれを取り崩します。

★所得に課されるのは、法人税と住民税（地方税の道府県民税、市町村民税）、事業税です。住民税は、赤字の場合も均等割額の納付が必要です。納付した法人税、住民税は損金不算入ですが、事業税は翌期の損金となります。

★損金不算入の法人税、住民税を当期の損失として引き当て、申告書上否認し、翌期納付時再度納付法人税として申告加算し、前期引当額より納付額を取り崩しますが、その辺は非常にややこしく、理解し辛いところです。

★納付した法人税、住民税の加算減算処理は、すべて法人税申告書別表四、五㈠で自動的に調整計算され、通常は計算が整合していれば問題はありません。また、更正や修正申告が過年度数期間行われても同様で、これの当否の実地調査はあり得ません。申告書上の調整誤りは机上でわかり、電話連絡での修正程度で法人税、住民税、事業税のみの調査はありません。

☆企業利益には課税がある

　本書は、申告後、当然あり得るであろう税務調査に対しいかに準備対策をしておくか、税務調査本番ではどう各局面で対応するかについての基礎的な知識と、対応テクニックの常識レベルを習得することを目的としたものです。

　今日、財政需要の増大が続き、税制も複雑かつ税種もかなりのものとなっていて、国税については申告納税制の大型税目が、地方税は賦課課税制の小型税目が多く、特殊なものも存在しているようです。

　いずれの税種にあっても、課税の公平、負担の公平の見地から、賦課課税税目にあっては、賦課根拠の当否判断の面から課税客体の実態把握の調査が行われたり、申告納税税目については本書前半で述べたとおり提出のあった申告額の正否について、申告後に税務調査が数多い申告数の中から一部のものを選定して行われます。

　そうした中で、主として本書の流れの中心は、法人税の調査を想定しなが

ら進めています。

　法人税は、法人組織にして事業を営む場合、赤字であるなら法人税は原則として課されませんが、利益が出れば法人税が課されることになっているのは読者周知のとおりです。正確には、課されるのは所得に対してであり、決算の企業利益を法人税申告書により調整を行って、課税標準たる所得金額に置き変えて計算し、申告納税を行います。

　赤字には課税はないといいましたが、正確にはその場合であっても地方税（都道府県民税、市町村民税、いわゆる住民税）の均等割額だけは課されることとなっています。

☆法人税、住民税、事業税のしくみ

　前述のように、法人税は、法人税申告書および計算明細書において、企業利益を税務調整により課税所得に修正を行い、基本法人税率23.4％を乗じて計算し、納税をします。このほか地方法人税10.3％も合わせて納税が必要です。

　住民税は、法人税に対し住民税率（地方税法の標準税率は都道府県民税1％、市町村民税6.0％）を乗じた税額を納税します。

　均等割額は、最低額都道府県民税20,000円、市町村民税50,000円となっています。

　事業税は、所得課税と外形標準課税に分かれ、一般の中小法人（資本金1億円以下）は外形標準課税はありません。

　事業税は課税所得（法人税とほぼ同じ）に対し7.0％（400万円以下3.5％、800万円以下5.3％）の税率で計算し、また、特別地方法人税は、基準法人所得割額を課税標準として37％の税率で計算し、法人税、住民税とともに事業年度終了の日から2か月以内に、都道府県税事務所に申告し納税します。

☆納付税額はどう処理するか

　ここからが本項の中心点ですが、法人税等の納税は翌事業年度となるところから、支払った税金を所得計算上の損金算入処理を認めれば課税所得が多く、高額の法人税等を納付した翌事業年度は、それだけ所得は少なくなってしまいます。堂々めぐりのような形となったりするところから、納付した法人税は損金に算入しないこととしています（法法38）。

　所得課税にかかる納付した税金は、営業費用なのかどうか議論のあるところであり、会計的には以前は利益処分の性格のものだとして当期の利益に対する税負担ではあるが、損益計算書上、費用または損失とせず、決算承認時

410　第7章　損益計算書項目の調査対応ポイント

の株主総会における利益処分項目に含め、株主配当金、役員賞与と同様に税金引当金として必要納税額を社外流出処分を行って、株主総会終了後納税をしていたようです。

その後、会社法が当期の処分可能利益は税引後の金額であるとしたところから、法令上も会計原則上も損益計算書の最末尾で、税引前当期純利益から当該事業年度の法人税等を控除（会規93①）すること、あるいは税引前当期純利益から当期の負担に属する法人税額、住民税額等を控除する（企業会計原則第二　損益計算書原則八）と定めています。

会計実務上は、企業会計基準第27号において、当事業年度の所得等に対する法人税、住民税及び事業税等については、法令に従い算定した額を損益計算書の税引前当期純利益（又は損失）の次に「法人税、住民税及び事業税」として表示し、法人税、住民税及び事業税のうち納付されていない税額は、流動負債に「未払法人税等」として表示することとされていて、ほぼ実務上は大手、中小企業を含めてこの形式によっていると思われますが、未だに利益処分方式によってみたり、期末に未払法人税等を負債計上せず、翌期納付時に営業費用処理をしていたりする例もあるように聞きます。

☆処理誤りは簡単にわかる

法人税、住民税は、納付しても損金不算入です。また、過少申告加算税、延滞税等も同様です（法法38①②）。しかし、事業税だけは、翌期（当期中間分は除く）に損金算入されます。

この辺が少しややこしいところで、納付すべきこれらの税額は、申告書で明らかとなっています。したがって、その金額が納付されたかどうか法人税なら税務署側で、地方税も領収書等で確かめることが可能で、それが損金不算入の処理されたかどうかを帳簿と照合すれば簡単にわかりますし、損金不算入の否認処理さえされていれば、問題のないところです。架空の納付処理はできないでしょうし、したところで仕方のないもののはずです。

実務的に、法人税、住民税、事業税が税務調査で問題となることは、そういった点からまずあり得ないのが正直なものだろうと思われます。

特に、法人税申告書システム、申告書一表、四表（所得金額の計算明細表）、別表五（利益積立金の計算明細書）はよくできていて、税務所得計算上の内部留保の内容と金額（税務利益剰余金）を追っかけて行って、所得の加減算誤りと未納税金は、自動検算されるようになっています。

そんなところから、法人税、住民税および事業税の税務処理誤りは、税務

Q 116　「法人税、住民税および事業税」調査の対応ポイントは

調査によるまでもなく、税務署内部の検算システムでわかっていて、税務調査がこの部分のみを調べる目的での実地臨場はまずあり得ず、電話等で誤りの連絡を行って再提出、あるいは修正申告の勧奨をすればよいところです。

実地調査があっての指摘は、狙いは別の項目であり、ついでに税金の納付処理の問題を再度見てみるということだろうと思われます。

☆申告調整の正否が問題の中心

前述のように、毎期の申告または更正により発生した中間申告税額および確定申告税額は、法人税申告書別表五において未納税額として税務利益積立金上控除され、翌期の所得金額の計算明細表四表において納付があった場合は、当期利益に加算を行い、それが営業費用で損金計上処理していれば、単にそれだけの加算で所得金額が計算されます。

先述の会計処理を規定どおりに期末に当期の法人税等を税引前当期利益から控除し、未払法人税等として負債計上処理している場合は、四表上加算を行って税務利益積立金を追加し、はば同額に近い当期の申告書による未納税金を、それぞれ別表五上で加算減算を行います。

そして翌期に納税すれば、負債計上していた未払法人税等の取崩処理を行えば、納税額を四表上加算し未払法人税等を減算します。

このように、毎期の申告による法人税、住民税は、必ず申告書四表、五表上それを追っかける申告調整が自動検算される仕組みになっていて、会計処理法如何にかかわらず、申告所得の計算上は誤処理はすべてチェックされるところから、それらが複雑に数期分入繰りしていて真の未納税が不明のようなときにのみ、この項目の詳しい調査があるかも知れません。

ただ、事業税の中間申告分は当期の、確定申告納付分は翌期のそれぞれ損金算入が原則となっていますので、未納の場合でも損金算入期に申告減算されます。これも、別表五の二において詳細に毎期追いかけていく記入システムになっているところから、誤りが放置され、後日調査が行われることもまずないといえます。

このように法人税、住民税、事業税の処理に関しては、これだけを捉えて徹底した税務調査はあまりなく、法人税、地方税の申告書間の繋がり方、法人税申告書の（特に一表、四表、五表間）連年の計算の整合性が肝心なところで、そのところを完全にクリアしていれば特別の問題はないはずです。それらの明らかな誤りが税務調査において指摘があれば、その対応法は難しいのではと考えられます。

412　第7章　損益計算書項目の調査対応ポイント

第8章

移転価格、源泉所得税、消費税調査などの対応ポイント

Q117 「移転価格」調査の対応ポイントは

Answer Point

★法人税がなかったり、税率の低い国へ法人を移転し、税務の合理化を図るような経営戦略がよく見られるようです。そうしたとき、国外関連者（グループ企業各社）との間の取引価額が、通常の第三者との取引価格（独立企業間価格）に比べ、低価、高価とみなされれば、寄付金に近い形の移転価格税制の適用を受けます。

★法人税の調査終了手続の創設があり、普通調査と移転価格調査を分けて行うことが難しくなり、最近は税務署所管の中小法人にも簡易な移転価格調査が行われることがあるとされています。

★移転価格税制の適用がある大法人には、移転価格文書としてマスターファイル、国別報告書、ローカルファイルの作成が義務づけられています。適用のない中小法人でも、ローカルファイルの提出は求められることがあるかも知れず、作成がのぞましいところです。

★問題となる独立企業間価格は、主観的なもので、一概には決められないところです。同一物の他業者との取引価格がイコールとはならないのが経済取引の実態です。国外関連者取引価格は、個々に根拠をもっておいて説得することでしょう。

☆移転価格税制とは

　経済のグローバル化が進み、企業の海外進出が多くなっています。この点に関しては、各国の税制の相違、特に最近我が国で問題視されている法人税率の低い国に法人を移転したり、製造や販売の子会社を設立し、所得の分散を図るような税務の合理化手法が、経営戦略の一環としてもよく見られるところです。

　そうしたときに、親子会社間の取引を通じて利益を移し替えていると認められた場合には、移転価格税制により適正な価格によって取引があったとした計算を基に、所得が再計算されるしくみになっています。

　法人が国外関連者との取引を独立企業間価格に比べ、低価、高価で行ったことによってその法人の所得が減少する場合には、そうした取引が独立企業間価格で行われたとみなして計算をします（措法66の4①）。

414　第8章　移転価格、源泉所得税、消費税調査などの対応ポイント

(1) 国外関連者とは、外国法人で次の関係にあるものをいいます（措法66の4①）。

① 一方の法人が他方の法人の発行済株式総数の50％以上を直接・間接に保有する関係

② 2つの法人が同一の者によって、その発行済株式総数の50％以上を直接・間接に保有される関係

③ 一方の法人が他方の法人の事業の方針の全部・一部につき実質的に決定できる関係

(2) 独立企業間価格は、次の方法によって算定します（措法66の4②）。

① 独立価格比準法

② 再販売価格基準法

③ 原価基準法

④ ①～③に準ずる方法（利益分割法）

実質的に親子会社間の寄付金に近い課税となりますが、寄付金の課税とは別の計算として行われます。

☆最近の移転価格調査の傾向

移転価格税制が導入されてから40年近く経過していますが、当初の調査件数は国税庁の統計では数十件と少なく、1件当たりの平均更正金額は約26億円と高かったようです。

平成27年には、非違件数は200件を超え、逆に平均更正金額は0.6億円と減少していましたが、令和3年は、コロナの影響で調査件数が減ったという特殊要因はありますが、非違件数は154件、申告漏れ所得金額は333億円（平均2.2億円）と平均更正金額は増加しています。

※参考として令和元年の非違件数は212件、申告漏れ所得金額は534億円。

導入後年月を経るにつれ、大企業では移転価格調査の経験を積んで調査対応が済んだのか規模が小さくなっていたのが、近年では、これまで移転価格調査の対象となっていなかった法人が、調査の対象となってきたものと考えられます。

また、過去においては、移転価格調査は東京、大阪の国税局を中心とした専門部署の案件のように見受けられ、独立して移転価格調査が単独で行われたりしていたようです。それが、最近では、税務署所管法人でもなお専門官の手によるのではなく、一般調査官の担当で、簡易な移転価格の調査が行われるようになっていると見られます。

Q 117 「移転価格」調査の対応ポイントは

中小企業であっても、外国子会社等と海外取引のある場合は注意しておかなければならないところです。

☆簡易な移転価格の調査は

従来一般の法人税調査と移転価格の調査とは分けて行われていたようですが、国税通則法に税務調査の終了手続が規定され、別々に行われていた調査が一の調査として統合され、新たな非違事項を疑う資料が出て来ない限り、終了した法人税の調査をやり直すことはできなくなりました。このため、一般の法人税の調査官が課税判断可能な点は、簡易な移転価格課税の調査を担当するようになったようです。

簡易な移転価格の調査対象は、主として海外子会社への経済的利益の供与に関する面が多く、一般の国内関連会社に対する寄付金認定によく似た問題となるようです。主として次の点が問題になっています。

① 無利息貸付

② 出張、出向による役務の提供

③ 広告宣伝費の負担

④ 価格調整金の支払い

なお、国内関連会社へのこれらの利益供与は、すべて寄付金課税となり、寄付金支出限度額を除く残額に法人税課税が行われますが、移転価格としての課税については支出限度額とは無関係で、全額法人税課税が行われます。

☆移転価格文書の作成

移転価格文書は、図表149のように①マスターファイル、②国別報告書、③ローカルファイルの3部から構成されています。平成28年4月1日以降は、国外関連取引がある法人については移転価格文書（同時文書）の作成が義務づけられています。

【図表149 移転価格文書の構成】

種類	①マスターファイル	②国別報告書	③ローカルファイル
内容	企業グループの組織構造、事業概要、財務状況等のグローバルな事業活動の全体像に関する情報	国または地域ごとの収入金額、利益額、納付税額国等活動状況に関する情報	国外関連取引における独立企業間価格を算定するための詳細な情報
提供義務者	グループの内国法人	内国法人である最終親会社	国外関連取引を行った法人

416　第8章　移転価格、源泉所得税、消費税調査などの対応ポイント

提供期限	事業年度終了後1年以内	同左	（※1）
提出期限	同上	同左	調査において提出を求められた日から一定の期日
提供義務の免除	グループ総収入金額1,000億円未満の法人	同左	（※2）

（※1）確定申告の提出期限までに作成しなければなりません（同時文書化義務）が、提出の義務はなく保存することとされています。下記（※2）の法人は同時文書化義務はありません。

（※2）前期国外関連取引の合計額が50億円未満かつ無形資産取引の合計額が3億円未満である法人は、同時文書化義務が免除されます。ただし、移転文書化免除取引であっても、移転価格税制の対象となるため、税務調査時に書類の提示を求められることがあります。

　なお、ローカルファイルは、中堅法人以下であっても、提出を求められれば作成提出が必要となるようです。移転価格調査を受けたときに、調査が長期化するリスクや、推定課税または同業者調査に基づく課税を受ける可能性があり、ローカルファイルを作成していれば回避できた税金を支払わなければならないというリスクがあります。簡易な移転価格調査があるかもしれない法人では、一応作成しておくに越したことはありません。

☆主観的で決め手のない独立企業間価格

　移転価格税制の目的は、低税率国への所得の移転で二重非課税を図ることの防止といえます。そして、その移転所得金額は、国外関連者との取引価格と、通常第三者間取引での独立企業間価格との差額とされます。当然、相手側の国外関連者（子会社等）が赤字の場合には、何ら問題はないはずとなります。

　しかし、海外子会社との取引価格は、単純にその国の他の業者との取引価格と比較してみても、諸事情で個々の取引価格は相違している場合が通常であり、一概に決めることはかなり難しい問題です。

　課税当局側と調査対象法人側が、互いに主張を繰り返し譲らないことも多く、調査終了に至るまでは長期間経過が通常のようでしたが、移転価格文書制度の導入で、国内法人側、海外法人および課税当局間の照会等がスムーズに行われるようになり、比較的早期終了になりつつあるようです。

　中小法人向け簡易な移転価格調査も、移転価格文書を詳細に作成し、説得に努め、相手の主観に根負けせず、じっくり粘りながら対応することかと思われます。

Q 117　「移転価格」調査の対応ポイントは

Q118 「源泉所得税」調査のポイントは

Answer Point

★源泉徴収制度は、財政学での租税原則中の便宜の原則と、最少徴税費の原則に適うもので、払いやすく徴収しやすいものとされています。高めの徴収税率にしておけば、課税漏れも防げます。

★源泉所得税単独での税務調査が行われるのは、公共法人、公益法人等のみで、通常の営利法人では法人税の調査と同時併行して行われています。

★源泉徴収の対象所得は、利子、配当、給与、退職、公的年金等の種類です。中小法人では日常頻繁にはありませんが、源泉徴収を要する報酬料金が限定列挙されていて、失念してしまうこともあります。

★注意すべきは、非居住者や外国法人への不動産譲受の対価等は高率の源泉徴収税率となっていて、失念していると支払者が納税義務者となっているところから、相手から回収できず大変なこととなります。

★源泉徴収税額は、徴収月の翌月10日が原則納期限です。1日の遅れでも不納付加算税5%が賦課決定されます。

★給与所得の場合で問題とされることは少ないのですが、念のため扶養控除その他の各人からの申告書、社会保険や住民税の課税の整合性等も必要です。法人税調査に神経が行き過ぎ、それらの手抜かりがあることもあります。源泉所得税調査は、必ず同時併行で行われます。あなどっていては危険です。

☆源泉所得税とは

　源泉所得税は、所得税の納税方式の一種類で、文字通り給与や報酬料金等の或る種の所得については、その発生時（支払時）に予め支払者のほうで税を天引徴収し、国に納めるシステムです。

　租税は、財政の充足の目的で存在しますが、財政学上の租税原則に公平の原則と併せて、そのほか明確の原則、便宜の原則、最少徴税費の原則があるとされています。

　便宜の原則は、納税者側には納めやすく、課税する側にも徴収しやすい税制であるべきとし、最少徴税費の原則は、徴収コストを要しない税制や税務行政組織とその運営をいい、1円の税金を集めるのに1円以上かかっていて

第8章　移転価格、源泉所得税、消費税調査などの対応ポイント

は、いくら公平な税制であっても存在し得ないとするものです。

　源泉徴収制度は、それらの原則に適った便利な徴収方法で、所得の発生段階で天引徴収するところから、課税漏れは防げ、源泉徴収を失念していても支払者には源泉徴収義務があるため、そちらから取立可能で、国側に損失は生じないこととなり、払いやすく徴収しやすいとなります。

　また、課税の適否についても、税務調査に手数を要することもあまりないという便利なものとして、かなり広範囲においてわが国では適用されています。

　逆にいえば、取り過ぎ気味に一旦徴収することで十分税を集めておいて、最終的に過大徴収部分があれば納税者側で確定申告の際、還付の申告をすればよいというのが本当と見ることもできるものです。

　ちなみに、源泉所得税の税収は、税収総額の約30％前後となっているようで、国の大きな財源となっています。

☆源泉所得税の調査は

　国税庁の税務行政機構では、末端の税務署の担当部門等の組織は、総務部門、個人課税部門、法人課税部門、管理徴収部門等から成っていることが多く、通常、個人の所得税や資産税は個人課税部門が、また、法人税や法人の消費税については、法人課税部門が担当していることが多いようです。

　したがって、税目で担当部門が振り分けられているようにも見えますが、相続税や贈与税は、個人課税部門の資産担当官が譲渡所得税も含めて調査事務をしているようです。

　源泉所得税も税目は所得税であり、本来、所得税の体系をよく知っているはずの個人課税部門の所管かとも思われますが、通常は法人課税部門が法人税の調査と併せて担当していることが多いようです。

　また、法人税の調査とは別に、源泉所得税単独の調査が法人課税部門で行われることもあります。公共法人や公益法人では、法人税の調査等は必要ないところから、源泉所得税のみの調査となります。

　以前は、源泉所得税専門の部署があって詳しい専門官がいたようですが、今は組織上の部署は見られません。

　中小企業での通常の源泉所得税の調査は、ほとんどの場合、法人税の調査時に併行して源泉所得税についても実施されています。源泉所得税単独の調査はまずないと考えられ、そういった面から源泉所得税の大口の取扱い誤り、徴収漏れを指摘される心配は必要ないといえるでしょう。

Q 118　「源泉所得税」調査のポイントは

ただ、法人税の調査内容如何で、多数、大口の源泉徴収が必要であるとする、みなし給与報酬料金が出現することもあります。これは源泉所得税の調査対応というより、外注加工費、フリーランスへの支払い等々の支払処理での問題ということになると思います。

☆源泉徴収項目の範囲は広い

先述のように、源泉徴収制度の趣旨から申告漏れが起きやすい所得や、所在が掴めないような納税義務者への支払いには、予め源泉徴収しておくべく、対象所得は広範囲にわたり、また、相手も居住者、非居住者、内国法人、外国法人、課税種別、源泉徴収税率が異なっていたりし、それが年々拡大されてきていて少々難解な面もあります。

課税範囲をまとめると図表150のようになります。

【図表150　源泉徴収項目の課税範囲】

所得の種類等	相手先等			
	居住者	非居住者	内国法人および人格なき社団	外国法人
利子所得	○	○	○	○
配当所得	○	○	○	○
給与所得	○	○	—	—
退職所得	○	○	—	—
公的年金	○	○	—	—
報酬料金	○	○	—	—
保険契約に基づく年金	○	○	—	○
定期積金の給与補填金等	○	○	○	○
匿名組合利益の分配	○	○	○	○
特定口座内保管上場株式の譲渡	○	○	—	—
懸賞金付預貯金等の懸賞金	○	○	○	○
割引債の償還差益	○	○	○	○
馬主が受け取る競馬の賞金	○	—	○	—
国内にある土地等の対価	—	○	—	○
人的役務の提供にかかわる対価	—	○	—	○
国内にある不動産上の権利の対価等	—	○	—	○
事業者への貸付金利子	—	○	—	○
工業所有権等の使用料等	—	○	—	○
事業の広告宣伝のために賞として支払う金品	—	○	—	○

普通、個人（居住者）に対する源泉徴収制度はある程度理解されていて、税務調査での対応もそんなに苦労することは少ないと考えられます。

しかし、これが非居住者（国内に居所、住所を有さない個人）や外国法人の場合は、源泉徴収を放置しているか、居住者と同じ扱いをしていることが

あります。不動産取引や外国法人相手では、取引金額も高額となることや、いざトラブルで相手に負担させようにも相手はもう日本国内に居ない等で、どうすることもできない危険もあります。

　特に、外国人等相手の取引資料箋が既に回ってきていることもあり、うっかりしていては大変なこととなります。

　徴収税率は、所得の種類により様々ですが、外国法人、非居住者は20％のことが多く、これも馬鹿にできない高額となっています。

　ただ、一般の中小法人では、外国人労働者への給与、報酬の支払い程度はよく見られますが、その他の取引は滅多にありません。しかし、そうしたときは十分に取扱いを検討してかかるべきです。

☆源泉所得税特有の事項は

　源泉所得税を徴収すべきか否かについて通常よく問題となるのは、やはり営業費用項目の中で、前述の課税範囲に含まれるとされるようなものとして指摘された場合です。

　この点は、特に支払時に給与、あるいは源泉課税報酬料金等に該当しないよう注意しておくことに尽きると思われます。

　次に、源泉所得税特有の取扱事項に関し、少し留意しておく点を記しておきます。

☆源泉所得税特有の事項①・納期

　源泉所得税の納期は、徴収月の翌月10日までに所轄税務署へ納付することになっています（所法181、183）。未払いの場合は徴収できないので納付する必要はありませんが、配当等で既に確定している場合は、確定の日から1年経過日に支払いがあったとみなして納付が必要です。

　また、給与等の支払いを受ける者の数が常時10人未満の事業所では、1〜6月分、7〜12月分のそれぞれ6か月分をまとめて7月10日または1月20日に納付することができます。

　これを納期の特例と呼んでいます（所法216）。なお、この納期の特例は、その適用申請を行って、承認を受けてはじめて認められます。

　なお、この納期の特例は、給与所得と弁護士や税理士などの士業への報酬料金の源泉所得税のみに限定して適用されるものとなっており、その他の利子、配当、報酬料金に対するものは毎月分を翌月10日納付をしなければならないこととされています。

Q 118　「源泉所得税」調査のポイントは

☆源泉所得税特有の事項②・加算税

　源泉所得税は、徴収義務者が所得税の負担者（給与受給者等）から、国の資金である所得税を一時的に預かって運用しているとして、その納期は厳守すべきとし、翌月の10日の納期にたとえ1日の納付遅れがあったとしても、不納付加算税5％が課されます。

　これが、税務署が未納税額を調べて決定すれば10％となります。くれぐれも納期には気をつけることと、納付を失念していたりして税務署からその連絡があったりすれば、直ちに納付手続をして加算税の増額を回避すべきです。

☆源泉所得税特有の事項③・給与に対する源泉徴収

　毎月次の給与に対する源泉徴収の当否については、納付計算書、給与台帳、経費明細帳等の間に大きな不符合がなければ、あまり細かな点は不問のことが多いようです。

　結論的には、年末調整計算過程の当否、受給者の申告書類の存否に少し突っ込んだ調査があります。特に、扶養控除申告書がなかったりすれば、税額計算を従たる給与の乙欄適用とされ、高額の源泉所得税を追徴されたりすることがあり、注意しなければなりません。

　このほか、経済的利益たる給食費、社宅家賃、通勤手当の当否を問題にされることもあり、特に、役員が会社所有住宅（社宅）に居住している場合は、高額の家賃が現物給与として認定されることがあり注意しておくべきです。

　なお、健保厚生年金保険、雇用保険、さらには各人の市町村住民税特別徴収の決定通知書を相互に照合し、徴収漏れ課税額の誤り等を指摘されることもあります。

　また、中には住民税が給与支払報告書の不提出により賦課がなかったりすれば、従業員の個人住民税の賦課ないしは架空給与等の認定を云々することもありますが、給与支払いの事実、実態があるのなら怯む必要はありません。徴収漏れ部分のみ、追加徴収納付する等のことで済むはずのものです。

☆源泉所得税特有の事項④・法人税の所得計算とは無関係な面の調査

　源泉所得税の調査は、通常、法人税の調査と同時併行して実施されるか、営利法人でない法人や団体では源泉所得税のみの単独調査となります。

　したがって、一般的に法人としては、課税所得計算に関係する決算処理や、申告調整に神経を使うことが多いと思われます。しかし、源泉所得税の調査

第8章　移転価格、源泉所得税、消費税調査などの対応ポイント

はそれと一応切り離したところでの問題となり、微細事項を案外しつこく追いかけられることもあります。

前述の給食費負担、社宅家賃、通勤手当、あるいは年末調整関連の諸申告書類の整備といった面で、僅かなことから大きな問題が現れることがあります。

特に、役員が関係することが多い公私混同的な法人の支出処理は、たとえ僅少額であってもいちいち追及されたりします。

また、非営利法人や団体では、法人の課税所得に無関係だからとルーズに日常処理をしていると、福利厚生費や交際費、その他の事業費、管理費に役職者の私的支出がかなり混入されていたりすることがあります。一般の営利法人と異なり、法人税の課税所得に全く関係ありませんが、すべて所得税率の高い役員の現物給与とされ、それが5年間遡及されれば思いがけない多額の追徴が決定され、しかも、法人ではなく役員個人の負担となったりしますので、あなどることは危険です。

☆追徴納付した源泉所得税の処理

源泉所得税は、給与等の支給した場合、支払者が事業者でなく、家事使用人として給与を支給したときに限り、例外的に源泉徴収義務が免除されていますが、それ以外通常の事業者であれば、個人、法人とも必ず源泉所得税の徴収納付が必要となります。

法人には、源泉徴収義務があるところから、源泉徴収すべき給与、報酬料金等、一切の所得税は、まず支払者が源泉所得税を支払う際、天引きし国に納付を行い、報酬受領者は確定申告をして、控除された源泉所得税で不足していた所得税の追加納付、あるいは過大となった場合は、還付請求を行って源泉徴収された税額を精算することになっています。この際、源泉徴収義務は支払者にありますから、本来、天引きされるべき源泉所得税は、支払者が徴収を怠っていた場合でも、確定申告では天引きされている計算でよいこととなるはずです。

また、源泉徴収を失念していた場合は、支払者たる法人が、その後に本人からの徴収の可否にかかわらず、必ず源泉所得税の決定が行われ、否応なしに納付させられてしまう事態となります。

そうした場合、支払相手からは遡及して徴収できた場合は、単なる立替金でよいのですが、そのまま回収できなければ、さらに納付税額は報酬料金の上乗せ追加払いとして、その部分の源泉所得税の納付処理を検証されますので、税込払い処理を最終的に要します。

Q 118　「源泉所得税」調査のポイントは

Q119	「源泉所得税」調査の対応ポイントは

Answer Point

★源泉所得税の調査は、給与所得を中心に進められますが、中小法人では、日頃支払うケースの少ない税理士以外の特殊な報酬料金も、経費明細帳で気づけば徴収の要否が問題にされたりします。報酬料金の徴収税率は複雑で、相手側が計算を明確にしてくれないと、間違いが生じたりすることがあります。

★支払先が、源泉徴収税額を控除した請求をしているのに、支払法人側が納付に全く気づかないこともあります。

★外注費の項目で説明しましたが、外注費処理が認められず、給与扱いを強いられ、源泉所得税の決定を受けることがあります。道具類および工事瑕疵の相手負担、作業時間の不拘束、請求書の入手等、説得材料を具備した上での説得が必要です。

★源泉所得税調査に備えて、予め経費明細帳で法人の規模比大口支出、ラウンドナンバー（万円未満の端数なし）支出等は、調査対象となりますので、源泉徴収対象外であることの資料を準備し、質問があれば提示します。

☆主な源泉徴収の対象所得等と税率

　源泉所得税の調査に関するあらましはＱ118のとおりですが、実務でのいざ対応については、通常の法人税調査については多少の心得のある法人の担当者もおられるでしょうが、源泉所得税について知識はあっても、調査実務経験を有されることは少ないかも知れません。ここでは、実務の現場での対応について補充しておきます。

☆源泉徴収対象の報酬と留意すべき点

　中小企業者にとって、比較的関係ありと思われる源泉徴収すべき所得と税率は図表151のとおりですが、なお、取扱いでの留意点を述べておきます。

留意点①・報酬料金

　弁護士等の士業報酬は、相手側からの請求書に源泉徴収対象の報酬額と税率、税額が記載されていることが多く、あまり徴収漏れがあることは少ないはずです。

第８章　移転価格、源泉所得税、消費税調査などの対応ポイント

それ以外の図表145に掲げた報酬等は、相手側も小規模事業者等では請求書に源泉徴収税額欄の設定もなかったりして、徴収漏れの危険があり注意すべきです。

【図表151　源泉徴収の対象所得等と税率】

所得種類等	税率あるいは税額の計算方法
(1)　居住者に支払う報酬料金等 　①弁護士、税理士等士業者報酬料金 　　（②の者を除く） 　②司法書士、土地家屋調査士、海事 　　代理士の報酬料金 　③外交員、集金人等の報酬料金 　④原稿料、講演料等 　⑤職業運動家等の報酬料金 　⑥芸能人等の出演料、役務提供料 　⑦プロボクサーの報酬料金 　⑧バー、キャバレーのホステス等の報 　　酬料金 　⑨役務提供を受けることにより一時に 　　支払う契約金 　⑩事業の広告宣伝のための賞金 　⑪社会保険診療基金が支払う診療報酬 　⑫馬主に支払う競馬の賞金	・10%。1回の支払いが100万円超の部分は 　20% ・（支払金額－1万円）×10% ・{その月中の報酬料金－（12万円－その月 　中の給与等の額）}×10% ・10%。1回の支払いが100万円を超える部 　分は20% ・（支払金額－5万円）×10% ・（支払金額－控除額）×10% 　控除額とは、（5,000円×計算期間の日数） 　－計算期間の給与の金額 ・支払金額×10%。1回の支払いが100万 　円を超える部分は20% ・（支払金額－50万円）×10% ・（支払金額－月20万円）×10% ・{支払金額－（支払金額×20%＋60万円）}×10%
(2)　居住者に支払う給与等 　①給与 　②退職所得 　③剰余金等の配当	・源泉徴収税額表による ・（収入金額－退職所得控除額）×1/2×所 　得税率 　退職所得控除額は 　　勤続年数20年以下　　　年間40万円 　　勤続年数20年超の期間　年間70万円 ・20%
(3)　非居住者または外国法人に支払う所得 　①土地等の譲渡対価 　②芸能人、職業運動家、弁護士等士 　　業、特別技能人 　③不動産の貸付けの対価 　④剰余金の配当 　⑤貸付金の利子 　⑥工業所有権等の使用料 　⑦国内勤務期間の給与退職手当 　⑧匿名組合出資の配当	・10% ・20% ・20% ・20% ・20% ・20% ・20% ・20%

注　このほかいずれも復興特別所得税が本税の2.1%付加される。

Q 119　「源泉所得税」調査の対応ポイントは

中小企業では、あまりこれらの報酬を支払うことは少ないので、時殊発生した場合、つい忘れてしまいがちです。それと、徴収しているにもかかわらず給与の源泉所得税は納付をしていても、報酬料金については失念していることも時々あります。もしそれに気がついたり、税務調査で指摘されれば即座に納付をし、決定をされてからの過大な不納付加算税を払わなくて済むようにすべきです。

留意点②・給与、退職所得

　Q 118 でも述べたように、給与については各受給者の扶養控除等の申告書は必ず受領し、整理保管しておくことです。扶養控除が認められないだけでなく、給与源泉徴収税額表は乙欄適用となり、高額の徴収税額となります。

　また、支払い側の法人には源泉徴収義務があるところから、その決定を受ければ高い不納付加算税をとられ、それを取り戻そうとすれば（それも本税のみ）受給者本人が確定申告（還付申告）を行うしかなくなり、非常に不利となります。

　退職手当については、勤続年数等を記載した「退職所得の受給に関する申告書」を本人から徴求しておかなければなりません。それが存在していなければ、退職所得の特別控除額は適用されず、一律 20％の税額を徴収され、本来なら不要の税金を法人が負担させられることとなってしまいます。

留意点③・非居住者、外国法人

　先の税率表のごとく、相手が外国人の場合は注意してかかるとは思いますが、通常、国内人や事業者同士のやりとりなら何とも思わず、売買契約で決まった代金を払えばそれで済むものを、ここでは不動産の譲受代金から10％の源泉徴収をしなければならないこととなっています。

　この場合、金額はかなり高額な場合もあり、うっかり失念していたりすると大変なこととなります。相手は海外です。そして、なお、それが問題となる頃は所在が明らかでないこともあり得ます。こうした取引は、その際の関係する金融、不動産、法律等の専門家や関係者の意見も聞いての対処を要します。

☆給与か外注費か

　比較的よく見受けられるのは、建設業の場合等の 1 人親方職人への支払いの取扱いです。

　法人としては、現場で委嘱した仕事を完成させてさえくれれば、外注費支払いの処理で何ら問題のないところです。しかし、その外注工事費の計算が

請負方式でなく、出面帳の日数計算となっていることがよくあるのです。法人のほうは、現場管理上、最も客観性をもち効率的な支払方法であるからなのだと思われます。

　しかし、必要な道具器具類すべてを法人負担で、本人はただ現場へ出て所定の作業時間働くだけの一切経費負担のない場合、これを外注費処理していても、税務上は給与所得を認定し、そうした支払いのすべてについて所得税の源泉徴収が必要だとし、なお、過去３年間の源泉所得税の決定処分を行ったりします。10％の不納付加算税を併課されると、ビックリするほどの払えないような税額となったりしますので、このことは何とか回避することが必要です。

　なぜこれが問題とされるかは、こうした所得は、受領者本人が確定申告はおろか、住民税の申告すらしていないこともあったりして、課税漏れとなることが多いからなのです。

　本人の申告については、法人としては関係のないところであり、それを理由に源泉徴収の要否は決められませんが、給与か外注費かについては、その業務をさらに他人に代替えさせられるか、作業時間や作業内容を拘束されるか、業務の瑕疵責任の有無、材料・用具の供与の有無等での判断となり、すべて支払者の法人負担であれば、給与として源泉徴収が必要とされます。

　こうしたフリーランスの業務は、相手から請求書を受領する、材料・用具等を負担させる等、相手方が事業主であるとの体裁を整えることです。ただ現場に来て従業員と同じ仕事を同じようにしていて、請求書も出さず、支払い側の一方的計算払いなら給与と認定されることとなります。

☆源泉徴収適否チェックは

　源泉所得税の調査は、通常、税務署側で収集された資料箋によることはあまりないと思われます。あるとすれば、市町村の個人住民税担当部門からの控除対象配偶者や控除対象扶養親族に、他の所得者との間で重複しているものがあるとの情報くらいかと思われます。この場合は、本人に確認のうえ、そのとおりなら年末再調整等を行い不足税額を徴収し、納付は仕方のないところです。

　一般に源泉徴収漏れの有無は、経費明細帳の通査が主となろうかと思われます。その法人の事業規模にもよりますが、通常は規模比大口の対象となりそうな支出について、特に万円単位のラウンドナンバー支出が目につきやすく、それが課税報酬料金に該当しないか、あるいは正規従業員の年間収入を

Q 119　「源泉所得税」調査の対応ポイントは

低くする目的で一部を外注費、雑費勘定で裏人件費として処理していないか、等々を帳簿通査での拾い上げは容易なところから、必ず行われます。

　まず、決算時点で、次に税務調査通知時でも、それらの過去3年間分のチェックを行います。あまり目立つものがなければ、細かいものでも少し深入りに質問されるでしょうし、疑義ある支出の数が多いと、特に大口のものは少し念入りに追いかけられたりします。結論的には、源泉所得税の本税は法人税に比べれば大したことにはならないと思われますが、細部の取引まで調査した経緯を証する調査資料を積み上げるためのもののようにも感じられます。

　できるならこれらを科目別、取引内容自己チェック表を作成し、調査進行途上のよいタイミングで提示することも煩わしい応答、資料探しを避けられることとなるかも知れません。

☆納付は翌月10日までにを厳守

　納付は、徴収した額を翌月10日までに納付しなければなりません。給与等が事情で翌月に支払われたりすれば、源泉徴収は支払いの際に徴収するものであるところから徴収していませんので、翌々月10日までの納付となります。

　中小法人では、給与等の支払いを受ける者が常時10人未満の法人は6か月に1度（1〜6月分は7月10日まで、7〜12月分は翌年1月20日まで）の納付が申請により承認されれば認められています（納期の特例）。

　ただ、この納期の特例は、給与と退職所得、士業者に対する報酬料金の源泉所得税に限り適用され、その他の報酬料金や配当等にかかる源泉徴収税額の納付には認められていません。その他の報酬料金や配当等にかかる源泉所得税は必ず翌月の10日までの納付が必要です。

　なお、退職所得に対する源泉所得税は納期の特例の対象となりますが、住民税には納期の特例はありませんので、住民税は翌月10日までに支払わなければなりません。

　特に給与以外の源泉徴収税額は、普段取り扱わないことが中小法人では多く、関係税理士も気づかず放置されていることもあります。注意が必要です。

　それと、最後にQ118で触れましたが、納期限に1日でも遅れれば10%の不納付加算税が課されます。それが自発的納付なら5%となります。税務調査で即刻決定が行われれば10%です。気がついたり指摘を受けそうな際は、可及的速やかに自主納付することが有利となります。

Q120 「消費税」調査のポイントは

Answer Point

★消費税も源泉所得税同様、公共法人、公益法人以外での単独調査はなく、法人税の調査と同時併行で行われます。消費税は、売上の消費税額−仕入の消費税額＝納付すべき消費税額となりますが、消費税特有の取扱いがあります。

★内容的には、計算期間、会計処理、課税方式、課税事業者、非課税不課税取引、免税取引、課税割合計算について特有の規定があり、適用を誤れば多額の損失を生じることがあります。

★主な留意項目は

① 課税売上高の計算…法人税の売上に追加する取引、控除する取引を加減します。

② 仕入税額控除…商品仕入のみでなく、営業経費中の課税取引すべて拾い上げ加算します。

③ 消費税の性格に馴染まないもの、社会政策による配慮から非課税取引があります。

④ 簡易課税でのみなし仕入税率制度があります。

⑤ 零細事業者の免税事業者制度があります。

⑥ 選択適用すべき数々の届出制度があります。

これらが法定どおりに届出され、処理されているかのチェックを調査に先立ちしておく必要があります。

☆消費税調査と法人税調査の関係は

平成元年に消費税制度が創設されて約30年経過しました。国税のうち、主な税収となっている税目の法人税、所得税はそれぞれ個人課税部門、法人課税部門が全国500余の税務署において設置され、この両税目の申告の適否の調査事務を行っています。

国税では、このほか印紙税、相続税、贈与税と酒税もある程度の税収となっているようですが、それよりこの消費税のほうが国税中の約30％弱と、遥かに大口の税収となっています。

しかし、国税局には酒税課は置かれていますが、税務署でこれらの税目は

Q120 「消費税」調査のポイントは　　429

いずれも専門部門はないようです。消費税についても、個人事業者については個人課税部門が、法人については法人課税部門が、それぞれ所得税、または法人税の調査と併せて実施しているようです。

　ここでは、法人の消費税を対象に考えてみたいと思いますが、以上のとおり消費税の循環的調査は、法人税の調査と同時併行と通常はなっています。消費税単独の調査があるとすれば、大口で複雑な課税売上取引のある法人、それと、Q119の源泉所得税の調査の場合と同様、公共法人や公益法人といった法人税の課税とは無縁の法人等の場合に限られてくると思われます。

☆消費税のしくみ

　消費税の課税は、原則的に、「売上の消費税額－仕入の消費税額」によって計算され、法人税の事業年度と同じ課税期間で納税しますが、1か月単位や3か月の課税期間を選択することもできることになっています。

　売上と仕入の金額が確定させられれば、簡単に納税額が出て来るように見えますが、このほか、種々複雑で難解な計算処理が実務上では横たわっています。少し取り上げてみますと図表152のようになります。

【図表152　消費税のしくみ】

項目	内容
記帳計算	税込処理か、税抜処理か。
課税方式	原則課税か、簡易課税か。
課税取引	事業者が行う①国内取引、②事業取引、③対価を得て行う取引、④資産の貸付けまたは譲渡
課税事業者	課税事業者か、免税事業者か。
インボイス	インボイス発行事業者か、インボイス発行事業者でないか。
非課税取引 不課税取引	法人税の益金項目すべてが課税売上とならない　法人税の損金項目すべてが課税仕入とならない　非課税取引と課税取引の上記の条件に当てはまらない不課税取引がある。
免税取引	輸出取引は免税。
課税売上割合	仕入の消費税はすべて控除されないこともある。 非課税売上、不課税売上が多い場合は課税売上割合計算となる。
選択適用項目	課税事業者の選択届出と納税義務者でなくなった届出、簡易課税の選択適用と不選択適用、課税期間の選択および変更、免税事業者の選択等、多くの選択適用およびその取止め等についての届出制度がある。

☆項目別のポイントは

　法人税と同様、消費税も売上・仕入の記帳や証拠資料の整備は法人税と通

常は同一でありながら、前述のような法人税とは別の特別計算によることが非常に多いところです。そうしたこともあり、細部にわたるところでつい邪魔臭く面倒なこともあり、間違ったやり方で処理していたりして、税務調査で思わぬ場面で大きな問題に出くわしたりしてしまうこともあります。

ここでは、消費税調査のポイントを説明するところですが、次に気をつけなければならない項目を再度チェックすることで、調査側が狙わんとしているポイントになればと思い、留意点として取り上げてみます。

☆留意点①・課税売上高

基本は、法人税の益金となる売上高から追加する取引と控除してもよいものを加減したものです。

・追加する取引…固定資産の売却収入、資産の譲渡に該当しないもの（不課税取引）以外の雑収入類

・控除してよい取引…貸地料、住宅家賃、輸出免税取引

☆留意点②・仕入税額控除

税額控除の対象となる仕入は、売上とは逆に拾上方式となります。

インボイス制度の導入により、仕入先がインボイス登録事業者でない場合には、仕入税額控除の適用を受けることはできません。買手は、仕入税額控除の適用のために、原則として売手から交付を受けたインボイス（適格請求書）を保存する必要があります。

制度開始後6年間は、仕入税額の一定割合を控除できる経過措置が設けられています。

仕入とは、材料仕入、商品仕入以外の経費項目（人件費を除く外注費、消耗品費、修繕費その他非課税取引以外のすべて）も仕入の範囲に含まれます。また、固定資産の購入も課税仕入で、多額の設備投資があった年度は、消費税が還付されることがあります。

☆留意点③・非課税取引

課税売上および税額控除対象仕入から図表153の取引は除かれます。

【図表153　消費税の非課税取引】

区分	内容例示
消費税の性格から	土地の譲渡および貸付け。有価証券、外国為替等の支払手段

| 課税になじまない | の譲渡。利子、保証料、保険料。切手、印紙の譲渡。住民票等の行政手数料。 |
| 社会政策による配慮 | 医療費。介護サービス料、社会福祉事業料等。助産料。埋葬料、火葬料。身体障害者用物品の譲渡、貸付等。学校の授業料、入学金、施設設備料等。教科用図書の譲渡。住宅の貸付け。 |

☆留意点④・簡易課税制度

基準期間の課税売上高が5,000万円以下の法人は、仕入税額の控除を手数のかかる実額計算することなく、業種によって定められたみなし仕入率によることができます。簡易課税を選択することで、実際の仕入がみなし仕入率より低い場合は有利になりますが、実額のほうが高い場合は不利となり、気をつけなければなりません。

一般的には、みなし仕入率のほうが高いケースが多いと思われますが、固定資産の取得があった年度は控除し切れず、結局は損をしてしまうことがあります。年度ごとにどちらの適用が有利、不利かを慎重に検討して選択することが必要ですが、1度この制度を選択すれば2年間は取止めができませんし、原則方式を適用しようとする事業年度開始の前日までに、選択不適用届出書を提出しておく必要があり、この辺の誤りも数多く見られ気をつけておくべきです。

☆留意点⑤・免税事業者

基準期間、または特定期間の課税売上高（税抜き）が1,000万円以下の法人は、消費税の納税義務が免除される免税事業者となります。

免税事業者に該当しても「消費税課税事業者選択届出書」を提出することにより、課税事業者となることができます。これにより固定資産の取得等がある場合、仕入税額控除が大きくなって有利となります。

新規設立法人等は、基準期間のない設立後2年間は免税事業者ですが、3期目において第2期の開始後6か月間の課税売上高が1,000万円を超える場合は、課税事業者となります。

なお、インボイス制度を機に免税事業者がインボイス発行事業者として課税事業者になった場合には、業種に関わらず売上税額の一律2割を納付すればよいという、いわゆる2割特例の経過措置が設けあれています。

第8章　移転価格、源泉所得税、消費税調査などの対応ポイント

☆留意点⑥・各種選択届

前述のように、消費税の取扱いには小規模事業者の記帳義務への配慮、非課税売上がある場合の仕入税額控除の計算等々で、各種の処理や計算方法の選択が認められています。

ただ、この選択と取止めは、適用しようとする年度の開始前が届出期限であったり、そうでなかったりしていて、代理人税理士がその届出を失念していたりしたため不利になったとして税理士損害賠償保険の請求件数も多いようで、消費税の取扱いで最も注意しておくべき要点となっています。

主な届出は図表 154 のとおりです。

【図表 154　消費税の各種届出】

届出項目名称等	様式名	届出期限
①消費税課税事業者選択届出書	第 1 号様式	課税期間の開始する日前。 新設法人は設立事業年度末日。
②消費税課税事業者選択不適用届出書	第 2 号様式	適用を取り止めようとする課税期間の開始する日前。
③消費税の納税義務者でなくなった旨の届出書	第 5 号様式	速やかに提出。
④高額特定資産の取得にかかる課税事業者である旨の届出書	第 5 ─(2)号様式	速やかに提出。
⑤事業廃止届出書	第 6 号様式	速やかに提出。
⑥個人事業者の死亡届出書	第 7 号様式	速やかに提出。
⑦納税地等の異動届出書	第 11 号様式	異動後遅滞なく。
⑧消費税課税期間特例選択届出書	第 13 号様式	課税期間の開始する日前。
⑨消費税課税期間特例選択不適用届出書	第 14 号様式	取り止めようとする課税期間の開始する日前。
⑩消費税簡易課税制度選択届出書	第 24 号様式	適用課税期間開始の前日。 新設法人は設立事業年度末日。
⑪消費税簡易課税制度選択不適用届出書	第 25 号様式	簡易課税制度の適用を取り止めようとする課税期間の開始する日前。

Q 120　「消費税」調査のポイントは

Q121 「消費税」調査の 対応ポイントは

Answer Point

★消費税の調査は、単独で行われることは少なく、通常、法人税の調査と同時併行して行われています。棚卸や人件費項目の調査以外は、法人税での間違いは即消費税に関連するところから、特別に消費税調査に時間を割くことはあまり行われません。

★税務署の組織上、消費税専門部も特にないところから、消費税に詳しい職員もいるとは考えられますが、通常は税金のプロとしての常識レベルかと思われます。

★税法上の規定は、明確に見受けられても、調査の現場では解釈が分かれたりして、簡単には決められないところがあります。例えば、①課税、非課税、不課税の取扱い、②簡易課税における事業区分、③課税割合と仕入税額控除等々では、見解の異なることも多いと思われますが、消費税での修正追加納付は多額となることは少なく、納付税額も損金算入されます。主張する部分は粘り、法人税調査の時間を消費税にシフトさせられれば、展開は有利と考えられます。

☆法人税調査とのウエートは

　Q120で述べたとおり、通常の法人に対する消費税の調査は、法人税調査と併せて行われています。それも、今日は法人税、明日は消費税の調査をすると線を引いて分けて行うことは少ないようです。複数の調査官による税務調査では、ある調査官に消費税の売上のみ、あるいは仕入のみ担当させる局面も調査事務の進行如何で分担して担当することもありますが、売上や仕入は法人税、消費税の双方に共通して誤りがあることが多く、狙いとしては法人税の課税漏れの有無を探しながら、調査官の頭の中では絶えず消費税にそれが関連するかどうかを判断し、調査事務を進行させているはずです。

　棚卸の計上漏れ、人件費等、消費税の売上、仕入に無関係項目での法人税の誤りを除き、ほとんどの法人税の修正、または更正項目は、即消費税の修正の必要または更正を行うこととなります。その点からいえば、消費税の間違いをしつこく追いかけなくても自動的に消費税修正はついてきます。それと、消費税単独での誤りは調査にかける手数に比べ、追徴税額にはね返るこ

434　第8章　移転価格、源泉所得税、消費税調査などの対応ポイント

とは少額のことが多いこともあったりし、消費税調査は普通はそんなに気を遣うこともないともいえます。

☆消費税独自項目とその対応

消費税は、導入以来30年が経過し、税負担者である国民一般消費者に馴染まれ、納税義務者たる事業者の理解と協力も得られ普及はしているとみられます。しかし、前述のように、調査実務は消費税専門官によっているのではなく、個人課税部門の所得税担当調査官や、法人課税部門の法人税調査官によって行われています。したがって、消費税の取扱いに詳しい調査官も中にはいるようですが、一般的には税金のプロとしての常識的レベルかとも思われます。

このことは、30年のわが国の消費税制は歴史があるとはいえ、日頃そんなに細部にわたって実務処理の当否を取り上げることは多くありません。われわれも税務職員も未経験で、新たに何らかの機会に気づくようなことがまだまだ日頃出てくることも多いのが、この税の実務だろうと思われます。とりあえず、消費税にはこんな取扱いがあるといった独自の取扱項目を少し拾い上げ、考えてみることとします。

☆対応①・非課税、不課税が不明確なものがある

例えば、貸地料は非課税となっていますが、土地上にアスファルト敷やコンクリートブロック車止め等の施設を設置してガレージとすれば、課税売上となることになっています。学校の授業料収入も非課税のはずですが、様々な名目での付随収入もあります。その中で、どれが課税でどれが非課税かの線引きが曖昧な面も見られます。

公共法人や公益法人では、特定収入という難解な名目の不課税収入があり、この収入に見合う経費は課税仕入とならないこととなっていますが、取扱いはいざ本番の調査実務の現場でのやりとり如何のような感がしないこともありません。

一般消費財の販売では、近年はほとんど消費税を価格に上乗せし収受しているようですが、そうした微妙な境界ぎりぎりの収入はそうはしていませんので、結局は課税されればすべて納税義務者の実質負担となります。

したがって、曖昧模糊な収入への課税は多少荒っぽいくらいの主張を行って、ただただおとなしく向こうの論理を受け容れる態度は取らないことではと思います。

Q 121 「消費税」調査の対応ポイントは　　435

☆対応②・簡易課税での事業区分

　基準期間（通常は前々期）の課税売上高が 5,000 万円以下となる課税期間については、簡易課税の適用を届け出ることによって選択することができます。

　これは、小規模事業者の記帳能力に配慮し、仕入税額控除を実際の課税仕入の記帳計算を要せず、事業の種類により一律のみなし仕入率により仕入税額控除計算を行うものです。しかし一般的にみなし仕入率のほうが仕入税額が多く有利なところから、簡易課税によっている中小事業者が多いです。

　これを益税と呼んだりしていますが、必ずしもそうでないこともあります。適用の届出は必要ですが、みなし仕入率より実際の仕入高のほうが多い場合は、多少記帳計算を手間取ってもそちらを選択します。

　事業区分ごとのみなし仕入率は、図表 155 のとおりです。

【図表 155　事業区分ごとのみなし仕入率】

区分	みなし仕入率	該当事業
第一種事業	90%	卸売業
第二種事業	80%	小売業
第三種事業	70%	農業、林業、漁業、鉱業、建設業、製造業、電気業、ガス業、熱供給業、水道業（概ね日本標準産業分類の大分類の区分による）
第四種事業	60%	飲食店業、第一種事業〜第三種事業、第五種、第六種事業以外の事業
第五種事業	50%	運輸業、情報通信業、金融保険業、サービス業（概ね日本標準産業分類の大分類の区分による）
第六種事業	40%	不動産業（概ね日本標準産業分類の大分類の区分による）

　事業区分は図表 155 のとおりで、日本標準産業分類（総務省）の区分によることとしていますが、それも目安であって、本来は課税資産の譲渡ごとに行うのが原則です（消基通 13-2-1）。

　しかし、大量の課税売上高の分析などできるわけがありませんので、おおよその自社の事業内容にと思われるものによるしかありません。

　第一種から第六種までに区分されていますが、加工度合いが高くなるにつれて仕入率が低くなっていきます。なるだけ上位の事業区分の適用を受けたいところですが、例えば建設業の認可をとっているので建設業に該当だろう

第 8 章　移転価格、源泉所得税、消費税調査などの対応ポイント

と思っていたところ、建設機械のオペレーター付レンタル業であるとしてサービス業と認定されたケースや、その他にも似た紛らわしい業種があったりします。一概に決めにくいものなのです。

　ついつい有利な事業区分を適用しがちですが、この辺の争いのあることも多く、決め難いもので、納税者有利の原則で粘り強く説明することが対応のポイントでしょう。

☆対応③・課税割合と仕入税額控除

　消費税は、既述のように、「売上の消費税額－仕入の消費税額」が納付する消費税額となります。

　しかし、正確には、「課税売上の消費税額－課税売上に対応する仕入の消費税額」となります。法人の売上には、非課税売上もある場合もあり、益金項目すべてが課税売上ではないからです。本来は、課税売上に対応する仕入の税額のみ控除されるのですが、課税期間の課税売上高が5億円以下かつ課税売上割合が95％以上の場合は、課税期間のすべての仕入税額が控除されます。

　しかし、課税売上高5億円以上の場合や課税売上割合が95％未満の場合は、仕入税額控除は課税期間の仕入を課税売上のみに要したもの、その他の売上のみに要するものに区分し、さらに双方に共通して要するものを按分して控除仕入税額を計算することとなっています。ここのところも共通仕入、非課税売上に対応する仕入は、明確に判別し難いものが存在します。

　この辺のところも説明材料を十分に用意し、強い説得力を持って臨むことが必要でしょう。

　消費税調査の対応のポイントは以上のようなところかと思われますが、いずれにしても法人税に比べ、修正申告や更正による消費税の追加納付税額はそんなに重く感じさせるほどのものではありません。

　また、追加納付額は加算税を除き納付確定時の損金算入が認められ、さらにその際、会計処理を税込みにしている場合では、損金算入時期はそうなりますが、税抜処理によっている場合は、修正事業年度において税抜処理で修正申告することとなっていますので、即、損金算入扱いでそれほど不利となることもありません。

　時間がかかっても粘り強く調査対応に努め、調査期間の法人税ウエートを消費税にシフトさせ、結果的に少額消費税追加納税で済ませられるような方向を目指す姿勢を持つべきかと思われます。

Q 121　「消費税」調査の対応ポイントは

Q122 「所得税」調査のポイントは

Answer Point

★所得税は、租税体系の基本的税目であり、国民所得が租税の根拠であるとされています。

★所得税は、利子所得から配当、不動産、事業、給与、退職、山林、譲渡、一時、雑所得までの10種類に区分し、種類別に所得金額を計算しますが、必要経費の控除をするものからしないものや、一律に控除額の定められている種類の所得も存在します。

★経済の高度成長期までは、所得税の調査はほとんどすべてが事業所得者でしたが、事業の法人化が進み、それらは法人税調査のほうへ回り、昨今は不動産所得、譲渡所得、高額給与所得等が対象となってきています。

★所得税調査は、単に収入金額から必要経費等を控除する所得計算の当否のみならず、政策的配慮からの医療費控除や住宅ローン控除等の所得控除額計算、あるいは改正が繰り返されて複雑化している給与所得控除、配偶者控除、扶養控除等にも調査範囲は広がり、形式面を中心とした修正申告が増加しているようです。

☆所得税は基本的税目

どこの国でもそうであるように、近代的民主主義国となって税制が確立され、国家財政が営まれるようになりました。その中で最初に導入され、税制の中心となっているのが所得税です。

わが国でも明治20年に所得税が設けられ、種々変遷を経ながらも、今日でも国税の基本的なものとして重要な税目となっています。

読んで字の如く、所得に課される税種であり、所得のなきところにこの税金は無関係で、要は儲けている人から相応の負担をしてもらおうとするものです。よく税務署に調べに入られたといった話が出たとき、この人は儲けているんだなと誰しもが思いますが、どんな税金でも払った、取られたといえばまず所得税のしくみを知らなくても、所得や資産を有しているんだろうと勘ぐるところです。

所得税は、創設された当初は課税対象を個人としていて、法人の所得には課税されていなかったようです。明治32年に、法人に対する所得にも第一

438　第8章　移転価格、源泉所得税、消費税調査などの対応ポイント

種所得として所得税が課されるようになり、昭和15年に法人税が独立分離されるまでは法人にも所得税が課されていましたが、その後は所得税は個人の所得に課される税として今日に至っています。

若年者や老人は別にして、人間は生きていくには収入を必要とします。要は稼ぎ、即ち所得がなければ生活が成り立たなくなっています。

現在の租税体系は、資産の保有、流通、収入や消費に対して課すように組まれていますが、租税理論として国民の所得が租税の根拠であるとされています。そうした点からも所得税は納税者数も多く、歳入の中心基本的税目となっています。

☆所得には10種類が存在する

前述のごとく、生計を維持するために国民は何らかの形で収入を得ています。憲法上職業選択の自由が保障されており、この収入の種類は様々でかつ多種類の収入を有する人もいます。

そうしたところから、現行所得税は、課税の公平、負担能力や徴収コスト等を勘案し、所得種類を利子所得、配当所得、不動産所得、事業所得、給与所得、退職所得、山林所得、譲渡所得、一時所得、雑所得の10種類に区分して計算することとし、それぞれ所得の計算方法を定めています。

したがって、所得種類によって計算方法は異なり、収入金額イコール所得金額となるものから、収入金額から必要経費を控除するものまで計算方法は異なっています。

☆所得即課税所得でない

所得課税であるこの税金は、所得を課税対象としますが、10種の所得にいきなり税率を乗ずるのでなく、図表156の計算手順によります。

【図表156 所得税の計算手順のしくみ】

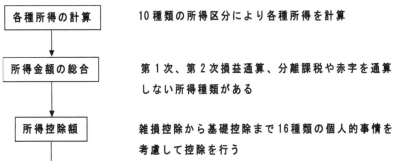

Q 122 「所得税」調査のポイントは

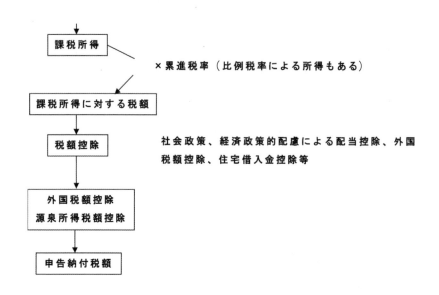

所得種類の区分と計算方法は、図表157のようになっています。

【図表157 所得種類の区分と計算方法】

所得種類	範囲（所得性質名目等）	計算方法	備考
①利子所得	預貯金、公社債の利子（貸金の利子は雑所得）	収入金額＝利子所得の金額（経費は一切認められない）	現在源泉分離課税15.315％（地方税5％）申告不要、考慮必要なし。
②配当所得	株式の配当、剰余金の分配（破産配当、生保（相互会社）の配当は配当所得ではない）	収入金額－元本取得のための負債の利子（通常は必要経費はないこととなる）	総合課税が原則。申告分離課税あり。取扱いは少し複雑。
③不動産所得	不動産および船舶の貸付（付随収入も含む）	収入金額－必要経費	
④事業所得	卸、小売、製造、建設、サービス等の各種事業（対価を得て継続的に）	収入金額－必要経費	
⑤給与所得	給料、賞与、歳費、役員報酬等	（原則） 収入金額－給与所得控除額 （特例） 収入金額－特定支出	特例適用者は年間数人（全国で）程度。ただし、平成25年分より原則、特例とも改正あり。

			増加しているようだ。
⑥退職所得	退職手当、退職一時金、一時恩給、小規模企業共済の共済金、厚生年金の一時金等含む	収入金額－退職所得の特別控除額（勤続1年につき40万円、20年超は70万円）一部平成25年分より改正適用	分離課税（合計所得金額に注意）。他の所得の赤字は通算できる場合あり（年度途中で事業開始の場合等）。
⑦山林所得	山林（立木）の伐採、譲渡	収入金額－必要経費－特別控除額（最高50万円まで）	分離課税。赤字通算の場合あり。
⑧譲渡所得	棚卸資産以外の資産の譲渡（法人への贈与、財産分与等含む）事業用資産の譲渡も含む	収入金額－（取得費＋譲渡経費）－特別控除額取得費不明は収入金額×5％特別控除額は長期譲渡に限り最高50万円まで	土地建物、株式等の譲渡は分離課税。
⑨一時所得	臨時偶発的収入（拾得物、クイズの当選金、保険満期収入、借家立退料等）	収入金額－特別支出－特別控除額特別支出…収入のひもつき支出特別控除額…長期譲渡所得と合わせて50万円まで	両者の区分は難しい。一時的かそうでないか等にて判断。
⑩雑所得	上記の9種類のどれにも該当しない収入（内職収入、販売手数料、貸金利子、年金（公的・私的）等）	収入金額－必要経費ただし、公的年金は公的年金控除、家内労働収入は最低65万円の必要経費が認められる	

☆調査対象範囲は広い

前述の課税のしくみに見られるように、所得税は所得計算の正否が税務調査の中心ですが、計算は、所得計算はもちろんとして、損益通算が一定の順序に従っているか、所得控除額の適否、特に最近では医療費控除の適用が多く、病気治療から介護までの幅広い内容チェックが必要となります。さらに、総合課税、分離課税があるため、適用税率の問題、住宅借入金控除の適用条件の可否まで調査項目が及びます。

それらすべてについての認否が調査対象で、所得税の調査は広範囲となります。

Q 122 「所得税」調査のポイントは

調査の傾向としては、以前は普通の製造業、卸売や小売業といった日本の伝統的中小企業は、高度経済成長期までは申告所得税の納税者の中心でした。しかし、個人事業では、世間的見栄や給与所得化による家族間の所得分散ができず、あるいは相次ぐ法人税の軽減措置等もあって法人化が進み、零細事業者を除き個人事業のままでの以前どおりの申告所得税の納税者は減っていると思われます。

　そうしたことから、高度経済成長期の始まりまでは圧倒的に多かった一般の事業所得者への税務調査は減少の一方、法人化による高額給与所得者、不動産所得者が納税者数、申告納税所得税額ともに増加を辿っているものと推定されます。

　そうした結果、以前は個人事業者の事業所得の漏れ、誤りの追及が中心だった所得税調査は、そのウエートは低くなり、不動産所得、譲渡所得、一時所得、雑所得といった本来主流といえないような所得種類、それも相手が同族法人との間の調査件数が多くなったと感じられます。

　それらは、相手が同族法人で必要経費も大して要しない所得種類のみを変化させるだけの節税手法や、無理気味の必要経費とこじつけの所得控除の適用等々を問題視するようなケースも多く、調査は一見簡単そうでも、結論づけに納税者、税務署側とも苦労するような案件が調査の中心ではないかと思料されます。

　以上のような面が、近年の所得税調査のポイントです。

☆調査先の選定等

　既述のように、最近の所得税の調査は、個人事業者の所得金額そのものの調査は減ってきており、法人税調査のような循環的調査は、あまり行われていないようです。経済のソフト化により僅かな資本投下で、それも海外とのやりとりを絡めたり、大型不動産を動かしてみたり、種々様々な一般人ではとても頭がついていかないようなスキームを考え出し、大金を稼ぐような手口があるようで、税務当局も絶えずそうした情報の収集を強化し、得体の知れない所得を見つけるのにウェートをかけているやに見られます。

　そうしたところから、一般の資料箋等の情報による申告額の疑義のあるものや、無申告については、机上の実地調査を伴わない行政指導的なものが中心のようにも見られます。

　普通一般の納税者では、大口の不動産所得や所得種類の多い高額所得者以外は、実地調査も少なく、電話等による机上調査で完結しているようです。

Q123	「所得税」調査の 対応ポイントは

Answer Point

★法人税の調査は、更正や修正申告の内容がその後の申告調整処理に影響するところから、社内留保、社外流出項目にどう関連させるかが問題とされますが、所得税は系統的記帳が必ずしも要求されず所得計算が行われたりするので、帳簿記録に基づかない調査手法もあり、推計課税的な面もあり得ます。

★控除される経費は、収入を得るのに必要な経費であり、収入のない場合の経費控除は原則としてできず、その点を主張しても難しいこともあります。所得種類や納税者の記帳レベル如何によって帳簿の整備に大差があっても、調査でのその配慮はないのが普通です。

★資料せんに基づいて行う高額所得者の税務調査が多く、帳簿記録による申告額より回付資料せんの正否の問題のこともあり、調査は日数を要したりします。

★記帳の義務づけが必ずしも必要のないところから、譲渡所得の実際取得費が不明であったり、所得税特有の問題として専従者給与の当否、自家消費額の売上加算、昨今添付不要となってきた所得控除、税額控除の証明類の存否も注意を要します。本来、申告期限内取得保存ですが、不揃い時は再入手、その他の立証手続での認容を要請してみます。

☆法人税調査との違いは

　本書は、中小法人の税務調査の実際とその対応を流れとしています。そして、対象税目は、法人形態で事業をしている企業を想定しているところから、調査手順も法人税の取扱いについての問題点のほぼすべてをカバーしています。

　所得税も法人税と同様、納税者が自らの手で計算、調整を行った課税所得金額と納税額の適否をチェックする目的で税務調査は行われることになっています。したがって、それぞれの調べ方についてはそんなに大差はないはずです。

　しかし、実務的には違いがある面は否めません。通常は図表158のような面にそれが見られると思われます。

Q 123　「所得税」調査の対応ポイントは　　443

【図表 158　所得税と法人税の調査の違い】

調査項目等	所得税	法人税
①全体的に	例外はあるが少人員、日数的にも半日～1日程度が一般的（事業が拡大すれば法人化が進み、個人事業は小規模が多い）。	大掛り的…日数、人員も複数が多い。
②結論までの過程	各種証拠物件や答弁での不整合、記帳漏れそのもののみをもって申告額を直させる面も見られる。 推計的課税も過去には多かった。	系統的…誤処理や非違項目も結果と関連づける必要があるB/Sでの検証要。
③帳簿類の整備	青色申告書を除き10種類各種の所得計算は、所得計算のみを捉えて当否を判断。 帳簿は必ずしも必要としない。	決算および申告の基礎となる帳簿類がまず調査の入口。
④調査範囲	実地調査が行われるのは通常、㋑譲渡所得、㋺不動産所得、㋩事業所得（山林所得も含む）の所得種類の場合が中心で、その他の配当、一時、雑の各所得は各種資料せん分析からの電話、文書による照会を行い、実地調査省略で修正申告や場合によっては更正となることが多い。	法人の事業活動や決算と申告調整すべてが対象。

☆税務調査での攻防は

　同族法人の調査でよく問題となるのは、個人的支出の損金算入、役員報酬を含む同族関係者への人件費の当否等です。要は、公私混同の処理が標的となります。

　しかし、ある程度の理屈があれば、大半は認めざるを得なくなることも多いのが実際です。何かの面で事業の法人化が有利とされるのは、この辺にあるともいえるでしょう。

　所得税は、法人でなく、個人の日常生活の中からある一部の経済行為のみを取り出して所得計算を行うもので、法人税の対象となる法人格を有し、独立の計算体系を有するものとは異なり、すべての収支は個人の日常の経済行為外のものを含むところから、経済行為外の家事費と明確な線引きをして取り出し計算する難しさが存在します。

　調査でのトラブルもその辺のところとなることが多いと感じられますが、少し考えてみると、次のようになります。

☆留意点①・収入があって初めて必要経費がある

　法人税では、益金の額－損金の額＝所得金額とされ、益金の額、損金の額とも一口でいえばどんぶり勘定で、入って来たものは資本の増減、すなわち資本取引を除くすべてを益金とし、損金は逆に出て行ったすべて費用、損失となります。つまり、法人として収益計上しなければならないものから、収益を得るための費用や法人としての負担が必要な損失を控除して計算します。

　一方、所得税では所得を10種類に区分してそれぞれ計算しますが、収入金額から必要経費を差引くのは、①不動産所得、②事業所得、③山林所得、④雑所得（公的年金を除く）の4種類のみで、必要経費でなく、特別に紐つき的な法律上認められた支出を控除可能なのが配当所得、一部の給与所得、譲渡所得、一時所得の4種類の所得となっています。給与所得、退職所得および雑所得のうちの公的年金は必要経費はなく、年間の収入金額に応じて一律に定められた控除額を差し引いて各種所得を計算します。

　必要経費とは、収入を得るのに必要な経費であって、収入がなければ控除することはできません。

　ここのところが法人税と大きく異なる点で、貸不動産でも、入居者が退居し賃料収入のない期間の維持修繕費等は、家事関連費であって必要経費とはならないのが大原則となっています。

　税務調査もその辺を突っ込まれることが多く、保有自動車の償却費、ガソリン代その他の維持費、建物の固定資産税、修繕費、損害保険料等もすべて収入を得るのに必要であるかどうかが問われるところで、何の関連もなければ家事費で必要経費には該当しません。

　仮に時々事業に使用する、あるいは一部が利用されているとなれば、その部分だけが按分計算をしてやっと必要経費として一部認めてもらえるとなります。法人で資産として所有していれば、遊休中であっても償却費や公租公課すべて損金となるのとは大差があります。

　税務調査に当たっては、収入との因果関係のあることの主張を粘り強くし続けることが、最大のポイントとなります。

　何度も繰り返しますが、収入との関連は紐つきが難しく決め手はないものなのです。納税者としての態度は、言われるがままの頭がよくて物分かりのよい紳士であっては損をします。必ず、駄々っ子であることが必要です。

☆留意点②・青色か白色か

　所得税の青色申告は、事業所得、不動産所得と、それに山林所得について

Q123　「所得税」調査の対応ポイントは

適用を受けることができます。税法上は継続記帳要件が課されていますが、多くの青色申告は「白色の青色」と呼ばれる帳簿記帳のない領収書、請求書程度の証憑類を基に収支明細書を作成しただけの、白色申告者と全く変わらないものが存在しているようです。

　もちろん、青色事業専従者給与の支給は別にして、青色申告特別控除額は10万円か継続記帳を行い、確定申告書に貸借対照表を添付している場合は55万円（平成31年までは65万円）を差し引くことができます。

　このことは、青色申告が適用可能な前記3種類の所得については青色申告を届出ておくべきことを示しています。

　ずっと以前は、記帳不備理由でいとも簡単に青色申告承認を取り消して白色とし青色特典を否認しましたが、青色申告を盛んに奨励している今日では、取消しは通常はそうそう行われるものではありません。規模が少し大きくなれば帳簿記帳は少し大変になりますが、小規模事業や不動産所得では収支の記帳に手数を要しません。逆算方式で貸借対照表も作成は難しくありません。有利方式を選択しておくべきです。

　帳簿記帳の方法、備え付けるべき帳簿は、法律では完璧な規定を置くことは難しく、それらは会計実務や簿記実務の世界の話で、それでも千差万別の経済事象を括れないのです。青色申告にしておき、有利選択で記帳不備云々のところは、具体的な法令の規定を要求すればよいと考えます。

　申告義務者本人のみでは難しい話ですが、専門家の公認会計士や税理士の出番です。手数のかからない申告書作成方式で、節税を行わない馬鹿な手はありません。

☆留意点③・譲渡所得等大口単純な所得は調査対象

　既述のように、拡大指向の人種や事業意欲旺盛な人々は、成長に伴って事業を自然に法人成りにしていることが多く、所得税の事業所得者は数多いようですが、零細者に偏る気配がします。

　所得税の実地調査割合も減ってきており、昔からのとおりに事業所得者中心の調査事務では行政効率も悪く、どうしても高額所得申告に向かいがちとなります。そうなれば、自然に譲渡所得や特殊収入といったような、申告内容が調査対象となりやすくなるところです。そうした面からの問題となる項目は、次のとおりです。

・譲渡所得の取得費

　譲渡所得とは、棚卸資産以外の資産の譲渡すべてがその範疇となります。

第8章　移転価格、源泉所得税、消費税調査などの対応ポイント

事業用固定資産や、ゴルフ会員権等の譲渡も含まれますが、大口となれば土地建物や株式となります。どちらも分離課税ですが、譲渡所得は「収入金額－（取得費＋譲渡経費）」で計算されます。

譲渡対象資産の転売利益目的で、初めから取得していたようなケースは別にして、そうでなく何らかの必要で取得したものが多く、また、取得時期が古かったりすると、取得費の記録や根拠書類を保存していないことがあります。取得費は、譲渡収入金額の５％でもよいとされていて、不明であれば５％によらざるを得ないこととなります。

相続取得のものは、被相続人の取得費を引き継ぐこととされていますので、そんなときは５％でも不利になりませんが、比較的近年、それも経済成長期からバブルの間の取得資産では５％では納得できません。取得費とは、購入価額プラス登記料、仲介料、取得税等の付随経費となります。

売買契約書や付随経費領収書が保存されていれば、何ら問題はありません。これは、株式の場合も同様で、証券会社の口座等にずっとそのまま預けていて動かしていないときは、ほぼ取得費は記録されたりしていて判明します。何回か途中で一部譲渡や追加取得があったり、株式分割、併合等があったり、異なる証券会社に移し変えたりすれば、かなりややこしくなり、基本的にそんなときには継続記帳が必要かも知れません。

とにかく取得費５％が不利なことが明らかなときは、不動産であれば購入先、仲介業者、価額交渉時のメモ、記録、誰かの証言、何でもよいのです。説得力を持つあらゆるものを探し出して、合理的に当時の相場に近いと考えられるものを創り出し、その認容を求めることです。

５％が不当で、納税者が真面目な人柄なら、駄目とも言い切れないのではとも思いますし、必ずしも契約書、領収書がなければ駄目とも言い切れないはずです。どうしてもわからないときには、一般社団法人日本不動産研究所から出されている市街地価格指数でも参考に、比準計算したものの利用も検討してみるべきでしょう。

・**特殊職種の高額所得申告**

事業や職業のソフト化が進み、世の中には一般には思いつかない技術や情報、人脈を基に、数千万円から億単位の稼ぎがある人が案外いるものです。

最近は、国税庁側も大口所得者、富豪といった人種財産の動向を個別に把握しようとしていて、国外への持出し運用等の資料の提出を義務づけたり、密かに情報を収集したりしているようです。

こうした人々の申告は、通常の個人課税部門扱いでなく、特別国税調査官

Q 123　「所得税」調査の対応ポイントは

や総合調査を担当する職員が、調査に当たる場合が多いようです。しかし、彼らは、それを専門としているので、かなり裏づけとなる資料は取り寄せていますし、驚くことに本人の経歴や取引金融機関や証券会社まで把握していて、法人税調査以上のさらなる資金の流れと所得の漏れを追いかけてきます。

　こうした特殊職高額申告の場合は、出回っていると考えられる資料せんや金融機関の資金の流れのどこを尋ねられても、説明できるようにしておかなければなりません。通常の一般の所得税の調査のような、調査事務進捗の成行きに任せての対応では、いたずらに日数や調査期間を延ばすこととなるかも知れません。

☆所得税特有の事項①・事業専従者給与

　所得税は、法人税と異なり、生計を一にする親族との対価の授受は収入金額、必要経費の双方から除外して所得計算をします。原則的には、使用料や給料の支払いをしても、親族間で小遣いのやりとりをしているのに過ぎません。

　唯一例外が、事業に専従する親族の給与です。青色申告者の場合は、支払った労務の対価として相応しい金額（白色申告者は支給の有無関係なく年50万円または86万円を控除）が必要経費となります。

　条件は専従していること（他に職業等を有さない）、労務の対価として届け出た範囲内となっています。以前は、よく高額過ぎる云々が問題にされたところですが、最近は医業者の妻への高額支給の問題を耳にしたりしますが、通常はいわれなくなってきているようです。

　労務の対価として相応する金額は、一概に決められません。同族役員のような高額は難しいところですが、少々高目でも労働のきつさを説得して認めてもらうことです。万が一高い部分があったとしても、それが必要経費でなく贈与税の課税対象だとはいわれないはずです。

☆所得税特有の事項②・自家消費

　料理飲食業、食料品販売業、農業等では、日常生活上の食材を無償で売上に計上せず使用していることがほとんどでしょう。

　基本的には売価で売上に加算すべきですが、その売価をいくらに設定するか、最低は原価でもその記帳があればOKとなります。

　しかし、忠実にそれを記帳している人は珍しく、ほとんど年1で売上に加算していることも多いところです。この場合、例えば、喫茶店等では原料を

ブレンドする度にテストカップで味を見たりします。レストラン業、その他でもよく似たものがあります。それで腹が一杯となり、食べなくて済むこともあるかも知れません。

　必要上で、口に入れるものもすべてを売上とするのも少しおかしいところです。この辺は、自家消費額のうち、試食的な部分を如何に自家消費売上から除くかも攻防の１つです。

☆所得税特有の事項③・所得控除額および税額控除額

　所得税では、収入金額と必要経費の内容が所得金額の正否検討のため調査範囲の中心となりますが、必要経費でない所得控除額や税額控除額の当否も当然調査対象で、場合によっては少しトラブることもあります。

　所得控除額では、対象となる支出があったことにより控除される医療費控除や保険料控除と、該当すれば控除が認められる扶養控除等人的控除です。控除の適用が多くて申告納税額に大きく影響するのは、医療費控除と思われます。

　各種そうした支出があったことで控除が認められるものは、その年中に支払いが完了していることと、生命保険料控除のうち一部で少額の契約のものを除きすべて支出が行われ、かつ所得控除が認められることを明記した証明書、領収書の添付が必要です。

　税務職員に限ったことではありませんが、控除対象に該当するかどうかの判断は、その専門家でないとわからないし、真偽を照会し、確かめようにも支払先が曖昧な団体では、それも難しいところから説明書、領収書に頼らざるを得ないからなのです。

　例えば、医療費控除で医療費や介護費に該当するかどうかは、厚生労働省の所管事項ですからそちらに委ねていて、医療、介護の施設にその該当、非該当の別を領収書に明記させることにより、控除の適否を判断することにしているのです。領収書上に医療費控除の対象となりますと書かれていない限り、認められません。

　税額控除も同様、近年控除範囲が広がっている住宅関係控除も、単純な住宅取得ローン控除ならある程度普及していますので、登記事項の証明書や購入契約書、住民票等を取り揃えて添付することでの誤りは少ないと思われますが、その他の特例のローン控除、改修工事にかかる特別控除等は細部の要件があり、それらをクリアしている計算明細書と必要添付書類を完備しておくことで、初めて控除が認められると考えておくべきです。

　こうした控除額にかかる点のみの単純な調査は、恐らく税務署へ呼び出し

Q 123　「所得税」調査の対応ポイントは　　449

ての調査が多いと思われますが、調査がスムーズに完了するよう準備しておくことが必要でしょう。

要点は、次のとおりです。

・未払いは認められない、必ず支出（クレジット払いは OK）があること。

・領収書、証明書はすべて必要、不存在の場合は再発行を求めること。

・計算書、明細書を明確にして添付しておく（保存提示の場合もある）。

・医療費は疾病と関連づける医者、病院の処方せん等の必要なことも。

・扶養控除等の人的控除は無収入者で他の所得者と重複していない限り住民票、民生委員等の扶養の事実証明を必要としないが、実態の説明等が整然とできる必要がある。

☆所得税特有の事項④・収入金額および必要経費

法人税の課税所得は、益金の額から損金の額を控除して計算しますが、所得税では事業所得、不動産所得、山林所得、雑所得の 4 種類の所得に限り、収入金額から必要経費を差し引いて計算をします。通常は、所得税の収入金額と法人税での益金の額、所得税の必要経費と法人税の損金の額とは同じような収入・支出と考えられています。しかし、例外的にそうではないこともあります。その点の税務調査での指摘に、どう対応すればいいのかも留意しておかねばなりません。比較対象である事業所得について見てみます。

収入金額では、次のものです。

㋑　自家消費は売価の 70％以上の価額で加算。

㋺　農業所得は原則収穫等の年度の収入金額。

㋩　付随収入…営業用預金利子は利子所得、事業用資産の売却は譲渡所得。取引先会社持株の配当は配当所得として事業所得から外れる。

㊁　賠償金、慰謝料、保険金…物的補償を除き原則非課税収入。

必要経費では、次のものです。

㋑　接待交際の支出限度額はありません。無制限です。

㋺　減価償却…法人税のように、税務限度額以下の任意償却額が上限でなく、強制償却で償却不足があれば、減額更正が行われます。

㋩　貸倒引当金…期末債権金額の 5％と高額繰入可能。

㊁　同居親族への支払い…給与、賃料、借入金利子等の支出は一切認められない。子供へ休暇中のアルバイト代を支払っても駄目。

これらは、青色申告の場合はすべて決算での会計処理を行い、貸借対照表にそれを反映（事業主貸借勘定処理）させておかねばなりません。

Q124 「相続税、贈与税」調査のポイントは

Answer Point

★相続税、贈与税の調査は、通常、税務署の資産課税部門が、所得税の譲渡
　所得の調査と併せて担当しています。

★譲渡所得の調査は、金額も高額の場合も多く、法人税や所得税の循環調査
　のように数年に１回の実地調査では納税者が不利になることもあり、毎年
　の申告を翌年中に処理しているようで、相続税、贈与税の調査は譲渡所得
　調査の一段落の合間に、短期集中的に実施しているようです。

★相続税の調査は、住所地の役所から回付されてきた固定資産税の評価額や、
　独自で入手した被相続人の金融機関取引情報、過去の所得税申告額、その
　他の資料せんを参考に、問題がありそうな申告書を調査先に選定します。

★調査の狙いは、各種資料から課税財産額が低いと感じられる申告で、特に、
　家族名義資産に化けてしまっているものの有無となります。

★留意しておくべきは、被相続人の相続開始時点での名義財産を、棚卸法で
　書き並べるだけでなく、収支の流れを遡り、こうあったはずに修正してお
　くことと、相続人の財産についてはその取得経緯を明らかにし、質問に答
　えられるようにしておくべきです。

★被相続人の人となり、生立ちから終活頃までの生涯を書きまとめて添付し
　ておくのも調査省略への一手法ですが、申告代理人税理士関与の場合、書
　面添付制度があります。その場合、原則として先ず質問があり、答弁によ
　り疑問が解消すれば調査省略となり、調査が行われる場合でも焦点を絞り、
　その部分の解明で終了する取扱いとなっているようです。

☆資産課税部門が担当

　所得税の調査は個人課税部門、法人税の調査は法人課税部門が担当するこ
とについては既述のとおりです。しかし、相続税、贈与税の調査については、
そうした税目名での担当部門は各税務署には置かれていないようで、通常の
署では資産課税部門があって、所得税中の譲渡所得と相続税、贈与税を専門
に扱っています。最もこの部門も小規模署では置いていないところもあって、
そうした署では個人課税部門中に専門官が配属されていて、主としてそれら
資産税に特化して調査事務を行っているのだろうと思われます。

☆時期を絞って短期集中的調査か

　前述のように、譲渡所得税、相続税、贈与税を専門的に資産課税部門では担当しています。そのうちの譲渡所得税については、所得税の中の1種類所得に属するもので、分離課税の土地建物、株式の譲渡を担当しています。

　法人税や所得税中の事業所得、不動産所得のように継続して申告のある場合は、税務時効完成までの間に3～4年分まとめて調査を実施するほうが行政効率もよいので、数年に1度の循環的調査になります。

　しかし、譲渡所得では、そうしてまとめて調査を行えば、修正申告や更正に至った場合、加算税、延滞税も多額となって、特に善良な納税者には気の毒な結果となることもあってか、調査が必要と認められる場合は、比較的早期に調査に着手しているように思われます。

　そのようなところから、相続税、贈与税の調査については、早期優先すべき譲渡所得の調査事務の一段落の合間、年間のある時期に短期集中的に実施されているように見受けられます。

　したがって、法人税、所得税あるいは消費税のように、申告書提出後の一定期間内に実地調査があるとは限らず、かなり日数が経過してから、中には申告書提出後2年から3年近く経過して調査通知があったりします。

☆調査先の選定で決まる

　法人税のところで述べましたが、調査先は、何ら検討せずランダムに抜き出して選定しているわけではありません。法人税のような毎年申告が継続するような税目では、調査が遠のいていたりすれば、そうした中から抜き出して調査先に選定することもあると思われます。しかし、贈与税では、連年申告をするケースは考えられますが、相続税に限ってみれば、同一被相続人にかかる相続税の申告は、生涯でたった1回しかありません。遺産にかかる基礎控除額が平成27年分から大幅に引き下げられたため、相続税の申告件数は倍増しているとされています。その中からランダムに抜き出して、調査先を選定しているだけでは、空回り調査もあったりして、行政効率を落としてしまいます。

　人の死亡に伴い、市町村からは死亡の通知とその人の固定資産税評価額が所轄税務署へ送られますが、それらももちろん参考にしながら、申告内容が被相続人および相続人の生前の所得税の確定申告提出の有無や収入との関連、あるいは収集された金融、証券、不動産等の動きの資料せん、過去の不動産譲渡収入等々と、なお、重要なものに申告書に記載された金融機関、証

452　　第8章　移転価格、源泉所得税、消費税調査などの対応ポイント

券会社や住所地近辺の銀行等へ被相続人はもちろん、相続人および孫等、親族名義の取引をすべて照会して入手していることもありますが、それら数多くの調査先選定情報を基に最終的に決定していると考えられます。

通常は、遺産総額数億円以上のような大口はまず調査対象かと思いますが、そうしたことで異常が感じられなければ省略し、それ以外ではそれより少額の申告であっても、上記各種資料からの情報と申告内容に矛盾が明らかな申告については、調査が行われると思われます。

贈与税の場合もよく似たことかとは思われますが、通常の贈与税申告で課税価額が億円単位のものは少ないと考えられます。また、納税額100万円未満程度の少額贈与はあまり手をつけることもなく、調査が行われるとすれば各種特例を利用した節税贈与や、評価額の計算が特殊複雑な内容のものは、調査先となると考えておくべきでしょう。

相続税でもそうですが、特に財産評価が財産評価基本通達によらず、鑑定評価や取引実例価額等によっていたりすれば、まず調査があると構えておくべきです。

☆準備しておくべきは

上記のような入手可能な資料は、税務署では基本的にすべて揃えて予備調査をしています。

納税者側も、そうした相続人の分も含めた生前の収支の流れを過去3～5年間については、計算した記録はなくても推定値でつくってみるべきです。そうすることによって、被相続人の死亡の日だけを点で捉えて拾い上げた財産をすべて単純に並べただけの遺産では、生前の財産の動きをかなり精緻に把握していて、狙いを絞ってきている調査官の質問に答えられない局面が出てくることは目に見えています。

したがって、相続開始時点での被相続人の名義財産のみを帳簿記録でなく、棚卸法によって調べただけでは、生前収支のあるべき流れと相矛盾することが往々にして出てきます。特に、調査官の目の付け所は、家族名義に化けてしまっている財産です。残っているべき財産がないと、徹底して家族名義の預金等に化けてしまっているとみていて、調査はひたすらそのための証拠固めとなります。

ここでの結論は、相続開始日のあった被相続人名義の財産について、次の点に留意することです。

① あるがままに書き並べるのでなく、こうあったはずに修正をしておくこ

Q 124 「相続税、贈与税」調査のポイントは

と。

② 相続人、その他の親族名義のものは、少額のものを除き、取得理由と資金の出所（源泉）を明らかにしておくこと。

③ 預金は通帳や証書をかき集め、生前の収支記録を作成しておくこと。

④ 物品の購入、住居の改修等は外してもよいケースもあり怖がることもない。

⑤ 考えられる質問を網羅した想定問答集でもまとめておくのがよい。

☆被相続人の人となり等の添付は調査省略に効果があるか

被相続人の生前の状況は聞かれることもよくあります。彼らは、何も人生ドラマを楽しみたいわけではなく、それと相続税申告内容とに矛盾点はないか、あるいは調査の切込みポイントを見つけようとしているのです。

あらかじめ被相続人の生立ちから終活頃までのわかる範囲の経歴を手短にまとめて添付したり、財産がほぼ間違いなく申告されていることを大きな視点からまとめ、その中での不明財産の理由、親族名義の財産の由来等も調査があればいずれ答えなくてはならないことですから、文書にしてつけておくのも調査を避ける一手法となります。

税務署も準備調査での不審点があれば、放置はできませんので、必ず調査先となり実地調査があるはずです。それをよく心得ておくべきです。

それと、調査と聞いただけで緊張感や恐怖感を覚える税務実地調査を遠ざける効果のあるものに、申告代理人税理士による書面添付制度があり、近年よく活用されています。税務署側も、書面添付をすすめているやのようです。

これは、申告代理人税理士が、申告書作成の基礎となった帳簿、通帳、役所の各種証明書、残高証明書等々から、適正な申告であると主張できる諸事項等を、定められた様式のものにある程度詳しく記載して、申告書に添付して提出するものです。

現在の取扱いでは、税理士の書面添付のある申告書については、原則として事前通知なしの実地調査は行わない、調査を行う場合でもそれに先立ち質問がまず行われ、答弁により税務署側が納得できれば調査省略となります。仮に最終的に調査が行われる場合でも焦点を絞り、その部分のみの解明で終了するように取り扱っているようで、納税者側は安心していられます。税理士関与の場合は、そうすべきと思われます。

Q125	「相続税、贈与税」調査の 対応ポイントは

Answer Point

★相続税、贈与税の調査は、他の税目と異なり特定の時期、夏から秋にかけて集中的に行われるようです。税務署の新年度開始間もなくの頃で、時間的にも余裕があり、結論を急がないことが多いようで、納税者側も決して慌てる姿勢を見せてはなりません。ドッシリ、ジックリ構えてかかることが基本です。

★家宅捜索的な調査が行われることもありますが、財産の調査ですからある程度やむを得ません。すべてを拒否するのでなく、倉庫、引出し程度はある程度開けて、必要なもののみ提示するような受入れで済ますのが得策かと思われます。

★調査官の狙いは、相続人、親族名義財産の相続財産への加算です。相続人各人名義財産の流れを、収入との整合性のある説明が必要です。民法では、親族間の相互扶養義務が定められており、親族間の通常の生活費の範囲内の贈与はあっても、課税はありません。それも含めての説明をすべきでしょう。

★国税庁の評価通達によっていない財産評価は、通常、税務調査では認められないことが多いと思われます。調査が長引いたり、審査請求による決着によらざるを得ないこともあり得ます。

☆向こうは余裕、対応はドッシリ、ジックリ構えて

　国税庁の事務年度は、毎年7月から翌年6月となっていて、原則的に各調査官が担当した事案は、特別の事情がない限り通常は6月中にはすべて決着をつけ、上司の決裁を受け完了させなければなりません。

　したがって、5月以降、新規の調査事案を着手することはあまりないようで、それより処理が遅れてきている年度中に着手した案件を、すべて年度末までに完了させることに集中しなければならないくらい忙しい頃のようです。そしてその時期が過ぎれば、7月上旬に署長級レベルから一般事務官までの順に人事異動があり着任後、事務引継ぎを受け、即刻新年度の調査事務に取り掛かるようです。

　事務の電子化が進む前の手作業時代は、年度始め頃は引継ぎその他の内部

Q 125 「相続税、贈与税」調査の対応ポイントは

管理的な事務が多く、暑い時期はそうした業務に専念し、納税者の元へ臨場しての実地調査は少し涼しくなった頃から始まるようでした。しかし、そうした内部事務はコンピュータ処理がほとんど取って代わるようになり、最近では着任後、諸部門すべて新布陣でいきなり実地調査に出掛けるようです。

　相続税の調査は、Q124でも少し述べましたが、多くは8月頃から秋口にかけてある程度集中的に処理されているようです。

　ところで、上記のとおりこの時期は年度初めの頃で、好いところを見せようと張り切って仕事に取り組みます。したがって、日程的に余裕を持っているようで、あまり慌てることはないようです。

　焦点を絞って、そこを解明すれば終了ということでなく、調査途上で出てきた何か問題となりそうなものを次から次へと、すべて突っ込まれるようなこともあるかも知れません。早期終了を願うあまり必要のないところまで喋ってしまい、取り返しのつかないことにしてはいけません。あくまでも、質問されていることの答のみに集中することが肝心でしょう。

　向こうも急ぎませんので、回答を急かさせることもないでしょう。早期に要求されている物件は揃えて提示することはもちろんですが、こちら側から余計なものまで付けたりせず、提出後は悠然としておくべきです。そのほうが調査官のほうも調査日数をかけても大したこともないとの心証が湧き、他の担当している調査事案にウエートを移し、早期にこちらのほうの調査を完了させるような段取りで進むことになるでしょう。

　心構えは、いくら調査が長引いても結果は同じで、慌てるほど相手の理屈を呑んでしまいがちとなるので、受ける方もドッシリとジックリ構えての対応が基本です。

☆家宅捜索的調査には

　最近は減ってきているようですが、他の税目の調査においても、代表者や納税者の自宅金庫、会社の個人ロッカー等まで中を開けさせて不正に繋がる証拠がないかを調べ上げたりする調査官もいます。正規に提示された帳簿、その他の通常、当然備え置く物件から順に細部まで検証するオーソドックスな手続を踏むより、言い方は悪いですが、労少なく大きな獲物を手にすることがあるからでしょう。

　特にその必要がない限り、そうした手法はできないことになっていますが、稀にはそんなケースもあるやに聞きます。

　どう対応すべきかは様々な考え方があり、

第8章　移転価格、源泉所得税、消費税調査などの対応ポイント

- 絶対認めない
- 相手の言うとおりすべてをさらけ出して見せる
- 必要の理由を聞き、その範囲内でプライバシーに属するものですから個々に見せる場所や物件を1つひとつ許諾してから認める

のように分かれると思いますが、決めつけることはできません。

　私見としては、形式上、任意調査であり、納税者の協力があって適正申告を認めさせると考えれば、調査事務はギクシャクせずスムーズに進行させるのがベターかも知れません。

　もちろん、調査官は、話もよく聞きますし、常識的な会話や振舞いもしますが、真に心の中から知り得た納税者の種々事情に同情していることもないでしょう。そんなことばかりしていれば、遠慮の塊となって、皆目追徴税額を取ることができず、事績が上がりませんので、本当はこちらの言うことなど何も真剣に聞いていないと思うべきです。

　したがって、ひたすらすべて何かのこじつけ理由で認めないのが本当だと思いながら少々は妥協し、範囲を限定し、丸投げせず大したことのない金庫、引出し程度はこちらが開けて提示し、入っているものすべてを渡し切ってしまうようなことは、なるべく避けるような受入れで済ますべきでしょう。

　不動産等では、現場を視察したりすることもありますが、財産の正否ですからやむを得ないかも知れませんし、土地は実測によることとなっていますので、メジャー等で実測もありますが、建築をしていたりすれば実測図面があるはずですから、公簿によっていたりすれば過少、あるいは過大評価となります。

☆質問・検査の中心事項は家計の流れ

　相続税の調査では、落語の枕ではありませんが、何の変哲もない日常の出来事等の話等が済んだ後、調査官が聞いてくるのは、被相続人の生存中の実際の有のままの、日常の生活や家計のやりくりの状況です。

　被相続人・相続人およびその他の親族の多くが、同族法人から役員報酬を受け取っていたり、不動産賃料収入があったりすれば、一族の財産管理上の理由から、大概は1人の家長が存在していて采配を振り、資金をまとめて動かしていることがあります。

　そうすれば、果して相続開始時に各人の収入に相応した資金が存在しているかどうか、被相続人の財産をなるべく少なくし、各相続人の資金が不自然に多くなっていないかを検証する入口が、この家計の流れの質問です。

Q 125　「相続税、贈与税」調査の対応ポイントは

☆相続人名義財産が多い

上記のように家計費の流れを聞き出し、実際の被相続人・相続人やその他親族名義の財産の形成が、自然で合理的かを検証することになります。

ここでは、財産を端的に現金預金に絞って考えてみます。

同族法人の事業経営でもそうですが、特に不動産貸付でかなりの高額賃料があるケースでは、法人に名義を変えることの難しい土地のみを親または祖父に残し、地上の建物は子または孫、あるいは法人名義とし、家族間で役員報酬や個人への地代家賃で収入を分散しています。

こうしたときに法人から毎月末に役員報酬、給料、地代を現金で出金し、家族名義の預金口座に移し変えますが、相続人には手取収入を超えることはなくても、それに近い金額、被相続人には一族の生活費を賄うのにそれなりのお金が消えて、その割には低額の預入れとなっていた場合、不自然かつ不合理で被相続人から贈与があったとし、また、各相続人が預金について知らないとなれば、それは名義預金で、被相続人の遺産に加えるべきだと迫られたりするかも知れません。

相続税調査の最大の狙いは、親族名義に化けている被相続人のあり得べき財産の認定です。相続税で難しく感じるのは財産評価ですが、税務調査においては多少の誤りがあったとしても、そんなものはたかが知れています。一番困るのは、親族名義財産の形成過程です。

民法では、親族間の相互扶養義務が定められていて、直系血族間や兄弟姉妹は、互に扶養義務があるとされています。また、血族でなくとも、三親等内の姻族等の間も扶養義務を負わせることができることになっていて、親族間では通常の生活費の範囲内なら、負担しても贈与税はかからないとしています（相法21の3①二、相基通21-3-5）。

被相続人と相続人の財産は、各人の収入と固有の支出に基づいて計算されたものが残されているべきはずのものであるべきですが、それは教科書的で、民法上、税法上どこにもそんな規定はありません。

現在、銀行預金は、本人確認がないと口座は開けませんので、名義人である相続人が知らない預金もないことになります。くれぐれも、親族は全員自分自身の預金はよく知っておくべきとともに、誘導尋問に引っかかって知らなかったような答弁や、確認文書に署名しないことです。

☆贈与に贈与税はかからず、非贈与に贈与税がかかる

銀行の渉外担当者にすすめられるままに祖父母が孫名義の預金をしたとし

ます。それも、暦年贈与の基礎控除額の110万円かそれを下回る額とします。これで、少しずつ孫に財産が移って相続財産を減らしているつもりのようですが、これは認められません。なぜならそうした孫名義やその他親族名義の預金は、本人に何ら知らせることなく、通帳も祖父母が管理しているからです。

　民法では、贈与について「贈与は、当事者の一方が自己の財産を無償で相手方に与える意思を表示し、相手方が受諾することによって、その効力を生ずる」とされていて、孫が全く知らないものは相手方が受諾しておらず、贈与は成立していないことになります。

　通常、こうした少額の預金で贈与税の調査があることはありませんが、相続税調査で親族全員の名義預金を洗い出した際には、課税漏れ遺産として加えられます。預金は、名義人に早い時期に管理させ、受贈したことを認識させておき、税務調査で自己が貰って持っていたことを自然にいえるようにしておくことです。

　贈与でなく、親族間で売買しても、その価額如何で贈与税がかかります。低額譲渡、高額譲渡となり、時価（通常は財産評価基本通達による評価額）との差額をいずれか一方に贈与があったとされ、贈与税が課されます。

☆財産評価が問題

　相続税の課税される財産の評価は、「財産の取得時における時価による」とされています。

　しかし、客観性の高い現金や預金はよいとして、日々相場変動のある有価証券や、売買実例も少なく、時価がわからない土地や同族株式といった財産については、一体時価とは何かとなります。

　国税庁では、そうした財産評価における時価の目安とする「財産評価基本通達（財基通）」を出していて、税務職員が相続税、贈与税調査では、それに従っているかどうかのチェックをします。

　しかし、法律上は、評価は時価によるとしているだけで、財基通が唯一の時価としているわけではありません。不動産なら、売買実例があればそれは時価でしょうし、不動産鑑定評価制度も今日ではかなり浸透してきており、不動産鑑定士による鑑定価格も時価のはずです。

　税務では、法律は税務職員、納税者、双方従う必要がありますが、国税庁の通達は、すべて5万人ともいわれる全国税職員を拘束するもので、税務署の職員は必ずこれに従う必要があります。

Q125　「相続税、贈与税」調査の対応ポイントは

相続財産の評価も財基通に従って行われ、計算過程に誤りがなければ何の問題もありません。ところが、数多い相続税、贈与税の申告の中には、財基通によらず、例えば鑑定評価によっているものもあります。通常は、財基通ではどう見ても過大評価となるような場合のようですが、税務職員にその正否を判定する能力はありません。

こうしたケースでは、必ず税務調査があるはずで、税務署が熟慮の上、財基通評価が不当でないと判断すれば、財基通評価額によって更正するでしょうし、そうでないとなれば外部第三者鑑定となり、是認または更正に進み、最終的には裁判による決着となると思われ、そちらへ任せなければ仕方がないことになります。

☆まとめ

相続税、贈与税調査の基本的なところをまとめれば図表 159 のようになります。

【図表 159　相続・贈与税調査の基本】

調査ポイント	調査手続等
①他税目調査との違い	法人税のような循環的調査でなく、一発勝負的。 時期的にも余裕のある頃。
②調査の狙いは	相続人や親族名義財産の相続財産への加算。
③調査手続の中心	被相続人の収入の資金使途の流れ。 親族へ流出分を如何に否定するか。
④押さえたい事項	被相続人の生涯と申告内容の整合性の検証。
⑤贈与課税との関係	申告相続財産へ生前贈与加算または過年度分贈与の申告漏れのいずれかで申告不備補完。
⑥相続対策の否定	相続開始前３年間の駆込み生前贈与等対策は加算される。 配偶者への居住用財産等、特例は除かれる。
⑦不明財産の追跡	生前３～５年間の大口預金の流出不在は必ず質問あり。曖昧答弁では多方面の調査手続が駆使され、調査の終了はかなり先となる。

こうした点で徐々に追い詰められ、どこかで修正申告の妥協となることも多く、調査の各局面でこれらの否定答弁を粘り強く論理的に十分にすることが基本となります。

460　第８章　移転価格、源泉所得税、消費税調査などの対応ポイント

Q126 「印紙税」調査のポイントは

Answer Point

★印紙税は、間接税項目の流通税です。税務署に専門部署はなく、一般の中小法人への単独での調査も行われておりません。法人税の調査に併せて契約文書類を検査する際、注意しながら検討するのが通常の調査方法です。

★印紙税に関しても、詳しい専門官はいるでしょうが、その数は少なく、特定の調査先を専担しているようです。一般の法人税の調査官辺りは、あまり印紙税に詳しいともいえず、税理士、法人のベテラン経理マンとレベルは変わらず、対等と考えてよいでしょう。

★法律上は、課税文書、非課税文書が列挙されていますが、ほとんどの契約文書は印紙税が課税されると思っておくべきです。ただ、印紙の貼付漏れがあっても、契約文書の効力に何ら影響なく、恐れることはありません。

★印紙の貼り忘れには、ペナルティーとして過怠税が課されることになっています。基本税率は、本税額の2倍、印紙の消し漏れは本税額と同額の過怠税となっていて、その対応もポイントになります。

☆いつ、誰が印紙税の調査をするか

　印紙税とは、財産の移転に着目して課税を行う流通税の一種で、通常、契約文書の作成者が印紙を貼って消印する方法で納税する税目です。

　小は200円から大は数十万円まで、文書種類、記載金額により様々で、日常何気なく身についてしまっている領収書の貼付印紙のようなものから、不動産の売買契約書、請負契約書といった重要な契約文書まで、およそ契約書と称するものには印紙税の課されるものは数多く存在していて、いつどこで課税漏れを指摘されることがあるかも知れません。

　一般の中小法人では、長い間、印紙税の調査等は特別に行われることはほとんどなく、あまり気にしないままになっていたように感じますが、近年、印紙税の追徴で高い過怠税を払った等のケースが聞かれることもあります。

　では、印紙税の課税の正否の調査はいつ、どのように行われるのでしょうか。

☆担当部門、担当調査官は

　かなり以前の税務署の組織体制では、総務管理部門を除けば、直税調査部

門として所得・資産部門と法人・源泉部門が置かれ、別に間税部門に少人員が配置され、この間税部門が印紙税や、消費税導入前の物品税の調査を専門に担当していたようです。

　現在の組織体制では間税部門はなくなり、印紙税の詳しい専門官はいるようですが、法人課税部門の総括部門辺りに配属されているやに聞かれます。

【図表160　印紙税調査のしくみ】

①調査時期	印紙税についてのみの循環的調査は、大規模法人を除いてはなく、原則として法人税の調査に際し、並行同時調査を実施している。
②担当部門・担当者	法人課税部門の調査官。
③調査手順	通常、印紙税に特別に絞っての調査はあまりせず、契約文書類の多い法人を除き、法人税調査で検査した文書類の中から、課税漏れがあれば指摘。

　一般的な印紙税調査は図表160のとおりですが、契約文書類の数量が多く、かつ文書名称のみでは印紙税法第3条で規定する課税文書に該当するか否かが簡単に判別が難しく、実質的な目的や効果の判定をしなければならない文書も少なくないような場合は、専門官を印紙税に限って担当させたりすることもあると思われます。

☆双方馴染み薄く対等と思うこと

　印紙税法は、わずか全24条の条項から構成されていて、単純な税目のはずではあり、別表第Ⅰ（課税物件表）、別表第Ⅱ（非課税法人表）、別表第Ⅲ（非課税文書表）が具体的課税の有無の基礎となっています。

　特に、別表第Ⅰでは、課税物件が1号から20号まで種類別に詳細に列挙されています。一般の方々はもちろん、われわれ職業専門家とて、とても頭の中に入れられているものではありません。このことは、税務署職員も同様ではないかと思われ、その道一筋の印紙税専門官や、特に印紙税を勉強して事績を挙げたい意欲的職員を除けば、常識的レベルの場合が多いのではと考えます。

　したがって、誰が見ても明らかに印紙の貼付が抜けているような文書があれば、当然、追徴は指摘されるまでもなく納得できますが、別表第Ⅰの課税物件表をよく見なければわからなかったときや、果して課税物件に該当するかどうかも印紙税法の解釈は難しく、即座に判断はできません。

第8章　移転価格、源泉所得税、消費税調査などの対応ポイント

したがって、通常の法人税担当の調査官では、経験で多少取扱いに慣れているような物件ならその場で決めることもできますが、微妙なものは署のほうへ持ち帰り、専門官のほうへ照会を行い、最終的に判断をするようです。

　そうした面からは、調査官や税務職業専門家、あるいは法人のベテラン経理マンも、ほぼ印紙税に関しての取扱いについてのレベルは5分5分と考えてもよく、あまり印紙税については知らないからといって怖がることもなく対応すればよいと思われます。

☆契約文、証券類はすべて課税と考え軽くみない

　別表第Ⅰの課税物件表を一覧すれば、不動産等の譲渡契約書から始まり、その他の各種重要契約書、手形、株券の証券類、預金証書、通帳類、保険証券、倉庫証券、売上代金受取書、配当金領収証、更には判取帳まで各種の契約書、有価証券等の重要なものは、すべて網羅されているやのように感じます。

　日常、そうした文書は、交付・受領することも案外多く、また、証券類、判取帳、受取書もよく目にします。証券類等は、相手方が手抜かりのないような発行システムを組んでいることが多く、所持していても特に心配することはないようですが、各種契約書は何かの交渉の際には必ず契約書、または念書、覚書、あるいは貸借契約書等の名称でとりあえず交しておくということは、思っている以上にあるものです。

　それらは、基本的にすべて印紙を貼って消印の上、保管しておくものだと認識しておくべきです。いくら文言は契約書としていても、内容的に課税外の文書もありますが、そう思い込んでおくのが間違いないと思います。

　そうした上で、うっかり忘れていれば必ず問題にされるわけですから、契約書類は何でもかんでも一緒くたにして出さないことです。その局面での法人税の調査範囲の物件以外は外しておくべきで、特に契約文書は固有の物を指定して、提示を求められたときのみファイルから外して、その物件のみを提示する態度を維持することが印紙税に限らず、すべてに共通した基本です。

☆文書の効力、文言のまやかし

　自由主義社会では、何をするのも自由です。いろんな約束事も、申込者と相手方が合意すれば契約自由の原則により、公序良俗に反しない限り有効です。ところが、重要な契約文書については、そこに印紙を貼付けしていなければならないという税法の縛りが入っています。

　それがためにというのか節約志向か、つい文書化せず、契約内容が果たさ

Q 126　「印紙税」調査のポイントは　　463

れず、悔いを残すようなこともあるかも知れません。

　大丈夫です。仮に、印紙の貼付けされていない契約書で、相手方が契約不履行を起こし損害を被っても、印紙税未納付の契約書であっても、契約内容の効力に何ら影響を及ぼすことはないのです。契約と印紙の貼付けとは切り離して考えてください。税務調査に当たっても、それをネタに脅されることは全く心配無用です。

　契約文書の名称を「仮契約書」「予約書」「副本」「写」としていたり、契約当事者双方のうち、いずれか一方のみが通知的に相手方に交付しただけのものがあります。

　いくらそうした形式となっていても、契約内容が正規の契約と何ら変わらないものは、すべて正本の契約文書であり、課税物件に含まれることになっています。名称等を理由にして争っても、それだけで見れば無駄な抵抗となりますが、反論の迫力次第では全体として総額主義的に譲歩は引き出せるかも知れませんが、建前的には通用しません。

☆過怠税は高い、回避は難しい

　法人税調査において、更正や決定があったり、勧奨されての修正申告をした場合は、租税行政罰として無申告加算税や過少申告加算税が、追加納付すべき本税額の15％または10％課されることとなっています。

　印紙税では、納税義務者（文書作成者）が作成時までに納付をしなかった場合は、本税額の2倍の過怠税を納付しなければならないことと印紙税法上定められています（印法20）。また、印紙を文書に貼り付けてあっても、消印されていなかった場合は、本税額と同額の過怠税を納付することとなっています。なお、最低の過怠税額は1,000円です。都合、本税額と合わせて3倍、または2倍の印紙税を納付することとなります。そして、この納付した過怠税は、過少申告加算税と同様、法人税の課税所得の計算上、損金の額に算入されないこととなっていて、大変不利な扱いとなっています。

　なお、法人税においては、更正を予知してなされた修正申告でなく、自発的修正申告により納付した法人税については、過少申告加算税は課されないこととなっていますが、印紙税についても印紙税の調査があったことにより、過怠税が決定されることを予知して出された印紙税不納付事実申出書を提出した場合でない限り、過怠税は不納付税額の10％（計1.1倍の納付）に軽減される規定になっています（印法20②）が、この適用は課税サイドの裁量になるように思えます。

464　　第8章　移転価格、源泉所得税、消費税調査などの対応ポイント

Q127 「印紙税」調査の対応ポイントは

Answer Point

★契約文書や受取書、証券等に課される印紙税は、最低額の200円から最高数十万円程度で、個々の税務調査で課税漏れが発覚しても、国側からすれば、追徴税額は大した額ではありません。その割に、なぜねちっこく調査が行われることがあるのかは、調査官がいかに微細な面まで注意して調べたかの勤務状態の評価に基因する面もあると思われます。

★税務専門家である税理士に、印紙税だけは代理権限がなく、もし話がややこしくなって代理人が必要となったときは、弁護士しかありません。そんなことは滅多にありませんが、法人側の代表者や担当者も、常識感覚で、関係者すべて素人だと思って見解が違えば主張すればよいはずです。

★法律上、課税文書は限定列挙されていますが、判断は難しい面があります。文書名称と契約内容が相違していることも多く、名称だけにこだわらず、内容の説明主張も必要です。

★過怠税対策には、決定を受けるまでの間に申出書を提出して、本税額の10％で止めるようにすることでしょう。

☆調査官の狙いは

　法人税や所得税等の調査は、既述（Q5）のように比較的非違事項のありそうな申告を選定して実地調査を行うものと思われます。したがって、法人税の申告が甘いような法人は、内部管理、事務記帳レベルもルーズなことが比較的多いと思われます。

　この調査においては、当然に法人税の増差所得の積上げ、場合によっては厳しい加算税の賦課も視野に入れて調査事務を行っているはずです。そこに、ついでにというような印紙税調査では、本税額は1件の漏れが高々数十万円程度と知れています。中には1件200円の漏れも多いかも知れません。調査官1人当たりの追徴税額では、あまり効率的行政事務とも言えないでしょう。

　税額の絶対額はその程度ですが、彼らは肝心の法人税や加算税調査のほうは大口の調査事績を積み上げ、また、一方でこうした細かいうっかりミス的な課税漏れを探し出し、綿密、緻密な調査をよくやったなとの評価も出した

いところではないでしょうか。

組織で動いている職場では、人事異動が定期的にあり、昇進や栄転といったサラリーマン社会の表道を行くのが、多くの人の共通目標でもあります。

会社でも役所でも、そのため上司が部下の評価を行う人事考課制度が敷かれているようで、年1回事務年度の終盤である春先頃に、税務署では行われるようです。

一般の税務職員は、ほとんどが国税庁採用のノンキャリア公務員です。採用時に配属された国税庁管内での異動に限られ、地方の国税局幹部になったりすることはありますが、財務省本省のキャリアのような職位に着くことは絶対ありません。とやかくもいわれますが、それが役所の秩序ある人事制度のしくみのようです。

一般の税務職員の昇進の範囲はそんなようですが、その中でもやはり同期採用クラスの中ではかなりの差が見られるようです。決め手は、1つは人事を掌握している国税局人事担当部門との繋がりや、上司との人間関係の状況と、もう1つは調査事績如何ではないかと思われます。

したがって、割り当てられた調査先について、時間の許容範囲でいかに全般にわたって調べたかどうかが、勤務状態を評価するものとなるでしょう。人により重要評価点は異なるかも知れませんが、印紙税の漏れは注意力が甘ければ見つけ出すことはなかなか難しいかも知れません。被調査側としては、そうした相手側の立場に十分に気を配りながらの対応が、欠かせないところです。

☆税務調査に立会い抗弁するのは誰

法人税や所得税、あるいは相続税のような難解な税目の申告は、税の専門家である税理士に代理委任を行い、決算処理から申告書の作成まで依頼するケースが多いはずです。

そうした場合、実地調査があれば、代理権限証書を添付している申告では、当然、税理士が立ち会い、計算過程から適用した税法の取扱いの解釈等まで、依頼人に代わって答弁をすることとなります。

しかし、税理士は、法律上、ほとんどすべての税目について税務代理が行えることになっていながら、印紙税、登録免許税、関税、法定外普通税、法定外目的税については外されています（税理士法2-1-二）。このことは、厳密にいえば、法人税の調査において印紙税同時調査が行われ、印紙税の課否が問題となったとき、法人税申告の受任をしている税理士は、応答ができな

第8章　移転価格、源泉所得税、消費税調査などの対応ポイント

いこととなります。実務上は、調査官も印紙税についても税理士とやりとりしながら事務をしていますが、建前としてはそういうこととなります。

この点は話がこじれてきたりすれば、調査官が税理士を外して法人と直接交渉となったりしてしまうことも、通常まずないと思われますが、話の持って行き方としてあり得ると心得ておくべきでしょう。

税務調査も法律行為ですから、代理して答弁できるのは唯一法律専門家である弁護士のみということになります。それも実際に頼りになるのは、印紙税の取扱いに詳しい一部の専門弁護士に極限られ、Q126で少し触れたとおり、調査官（専門官を除く）も含め印紙税については、すべて素人ともいえないこともないところです。

☆常識感覚で言い分を主張

課税についての適否は、すべて税法に従って取り扱われるべきで、勝手気ままな屁理屈は当然通用しないものです。

しかし、実際の社会では、そのとおりにはなかなかいかず、また、一般人の常識的感覚では税の回避行為となったり、課税対象とされるのは納得し難いことも往々にしてあり得ます。

印紙税の課税物件は、税法上限定列挙の形で示されていますが、それでも別表は物件名とその定義が掲げられ、さらに課税標準がその下に並んでいます。これだけを見ても、果して具体的に何を指すのかピンときません。「○○に関する契約書、××については△△をいう」といった表現になっているからです。相手も印紙税専門官でない限り、即断はできません。税務署へ持ち帰って、専門部署へ回す等をして判断をすることになるでしょう。

こちらが簡単に納得しなければ、内部で検討する際、調査官はこちらの言い分を代弁してくれるかも知れません。それだけでも、全体としていくらか有利に進みます。

何度も繰り返しますが、素直なおとなしい、悪くいえば楽な納税者になってはいけません。税務調査の現場で、いくら好い格好をしても誰も誉めてはくれません。逆にいくら相手を手こずらせても、誰も一般の人達はそんなことは知りませんから、社会的に評判を落とす心配等は全く無用なのです。この点を忘れてはなりません。

駄々をこねる納税者には税務職員は手こずります。ただ、無茶苦茶を言ってみたり、わざと調査の邪魔をするようなことをしては、不答弁の罰として懲役または罰金刑に処せられますので、注意しておくべきです（通法128）。

Q 127 「印紙税」調査の対応ポイントは

☆文書名によらず課税

　印紙税課税物件表では、種々の契約文書名、証書、証券名が記載されていますが、日常、取引で後日のリスク回避や無効や取消しを主張するため、いろんな形の約束をすることがよくあり、多くの条項を並べなくても、僅かな取引の原点的なことのみを決めておくこともあります。具体的にはあまり意味はなくとも、簡単に取引関係を終了させないことが目的であったりします。

　契約金額等も記載されていなければ、譲渡契約でも請負契約でも何でもないと考え、印紙税は無関係と思いがちですが、2以上の種類の取引に共通する決済方法その他条件が含まれていると、継続的取引の基本となる契約書（7号文書）に該当し、1通4,000円の印紙税が課されます。日常、ほとんど取引が発生せず、時たま偶然にあることも考えられるようなことを想定して、少量多数の取引先とそうした契約文書を交わしていたりすると、高い間接コストを発生させることとなったりします。

　むしろ、交していないほうが取引上も有利なこともあり得ます。基本取引契約でなく、そうしたものは発生すれば僅かな手数料を払うような形の内容の契約文書である旨の説明や、契約上の効力は別にして期間3か月以内にしておけば、税務調査の現場では抗弁をすることが可能です（印基通3、別表1、第7号文書1）。

☆過怠税賦課への対応

　Q126のとおり、印紙税不納付の罰則として課される過怠税は、原則として不納付税額の2倍（計3倍の税額）となっていて（最低でも下限は1,000円）、大変不利となっています（印法20①④）。

　ただ、自発的不納付を申し出て納付した場合は、それが不納税額の10%（計1.1倍の税額）となります。法人税の調査途上において、印紙税の課税如何との調査官から持ち出された段階では、過怠税の決定段階に至っているとはいえず、早期に納税者名称、法人番号、課税文書番号、納付すべき印紙税額を記載した印紙税不納付事実申出書を提出して、過怠税の減免を受ける手続を受けておくのがベターと思われます（印法20②、印令19①）。

第9章

調査終了したときの対応ポイント

Q128 税務調査で問題がなかったときは

Answer Point

★税務調査についての規定は、税法上、事前通知、質問検査の内容と制限、調査終了の手続までかなり明確にされており、必ず調査終了の手続を踏むことになっています。

★調査の終了に当たっては、調査目的に対する結果を税目、期間別に出し、調査対象となった相手方納税義務者に明示することとなっています。

★税務調査結果の種類は、申告是認、更正または決定を行うか、更正に代えて納税義務者からの修正申告書提出の勧奨を行うかのいずれかとなっています。

★申告是認とは、今回の調査の範囲において更正すべき点はなかったという意味で、申告内容が完全無欠であったことを必ずしも証明しているわけではなく、疑わしきは罰せず的なものも含まれています。したがって、調査終了後、新たな資料せん等が回ってきたりし、再調査があることもあり得ます。税務時効が完成するまでは、帳簿、物件を保存し、質問に答えられるようにしておく必要があります。

☆税務調査は結末がある

　提出された納税申告書に誤りがあったり、納税申告書を提出すべき者が無申告であった場合は、調査を行って申告額の更正や決定を行うこととなっています（通法24、25、74の2）。本書は、その流れを具体的かつ詳細に述べることを目的にしています。

　税務官署は、上記の更正や決定をすべきかどうかを判断するため、調査をします。したがって、基本的に更正・決定の必要がないかどうかを決めなければなりません。

　第二次世界大戦後、シャウプ勧告により、民主的な申告納税制度が導入されましたが、昭和20年代から昭和30年代にかけては、納税者側にも自主的に適正な申告をする意識も乏しく、いかに税金を誤魔化すかの腐心ばかりの時代だったようです。

　税務調査に関しての規定も完備されておらず、調査を担当する職員も無理矢理でも何でも、とにかく更正・決定を行えばよい、それが職務と当然に考

470　第9章　調査終了したときの対応ポイント

えていたようです。

　したがって、調査に臨場し、一通りの質問・検査を終えて、暫くして突然更正通知書が書留便で送られてきたり、逆にその後何の連絡もなく放ったらかしといったようなこともありました。

　しかし、時代が進み、納税者の権利擁護が叫ばれたりしたこともあってか、最近では曖昧であった税務調査の取扱規定も明確にされ、税務調査の着手時、事前通知から質問検査の内容と制限、そして調査終了時の手続までかなり明確にされました（通法74の2〜74の13）。

☆税務調査終了時の処理は

　税務調査は、既述のとおり、原則として必ず事前通知が行われることになっています。そして、事前通知内容については、調査日、場所、目的、対象税目、対象期間、対象帳簿書類その他が掲げられています（通法74の9①）。

　このことから、調査手続が終了すれば、調査目的に対する結果を税目、期間別に出す必要があります。

　もちろん、これらについては、調査担当者が国税庁組織機構の中での管理規程に従い、上司の決裁を受け、担当事案の終結処理を行うものですが、その内容を、調査対象となった相手方の納税義務者に明示することとなっています（通法74の11①〜⑤）。

☆税務調査結果の種類

　税務調査は、税務行政コストの合理化の面から、数多い申告書の中で種々の要素を勘案し、非違事項のありそうな申告を選定し、申告内容の正否を検討するものであることも、第1章の辺りで説明しました。そうしたところからいえば、調査結果は更正や決定が多いと予想されますが、近年の不況、特に中小企業の不振から儲かる企業は減っていて、筆者の感じではとても更正するような内容でないものもあるようで、更正に至らないものも多いようです。

　税務調査終了時の税務署が採る処理の種類は、図表161ようになっています。

【図表161　調査終了時に採られる処理】

種類	意義	通知処理等
①申告是認	申告内容を認める。	調査の終了と更正・決定をすべきと認められない旨を書面で通知する（通法74の11①）。（注①）

Q 128　税務調査で問題がなかったときは

②更正・決定	申告に誤りがあったり無申告であったため、追加納税を行わせるか過納税金を還付する。無申告の場合は、決定額を納税をさせる。	調査結果内容の説明を行い（注②）、更正または決定通知書を送付（通法28①②③、74の11②）。
③修正申告の勧奨	上記更正・決定に代えて同内容の修正申告または期限後申告を納税義務者に勧奨するもの。	担当官と納税義務者間の口頭での協議、書面によらない。なお、納税義務者に対し更正の請求は可能だが、不服申立てはできない旨の教示を書面交付によりしなければならない（通法74の11③）。（注③、④）
④税理士等の税務代理人のある場合	①～③は、いずれも税務代理人がある場合は納税義務者の同意を得て税務代理人への通知をすることで行うことができる。	納税義務者から「調査の終了の際の手続に関する同意書」の提出を求めている。電話または臨場時の意思確認も可。（注⑤）

注① 調査手続の実施に当たっての基本的な考え方等について（事務運営指針）

            平成 24 年 9 月 12 日
          改正 令和 3 年 6 月 24 日

 国税庁長官

 （1～3は省略）

  4. 調査終了の際の手続 (1)

注②   同   (2)
注③   同   (3)
注④ 「修正申告について」の標題文書が交付されている。内容は、

 ・加算税、延滞税の併課とその納期
 ・不服申立てができないこと
 ・更正の請求はできること
 ・一定の要件に該当する場合は、修正税額について納税猶予の適用があること

 となっている。

注⑤ 前記 4. 調査終了の際の手続 (5)

☆申告是認はすべて完全無欠ではない

 税務調査は、繰り返しますが、通常は電話によって調査日、調査場所、調査目的、調査対象税目・期間等を事前に通知して行わねばなりません（通法 74 の 9 ①）。したがって、調査対象税目と対象期間を限定している以上、その他の税目や期間まで、調査は実施できないこととなっています。法人税に限っていえば、普通は第○○期（××年△△期）～第○○期（××年△△期）の法人税、及び消費税、××年△△月までの源泉所得税といった形で通知が行われています。

 そして、次回の調査は、この期間と重複せず、調査未了のその次以降の期間についてするのが、効率的税務行政の運営上当然のこととなります。

 しかし、任意調査である通常の税務調査では、納税義務者の協力の下に、

472 第 9 章 調査終了したときの対応ポイント

しかも昨今の働き方改革が叫ばれ、税務職員もかなり絞られた就業日数と勤務時間、さらに書類の庁外持出禁止の制限も加わったりで、担当している調査先法人に果して十分な調査が行えるかどうかは、甚だ疑問のあるところです。以前に比べ、どうしても上っ面のみの形式的調査に陥りがちとなるのは、やむを得ないところです。

　納税者側から見れば、そのほうが楽で助かるところですが、この申告是認は、調査対象期間の申告がすべてを調べて完璧であったことを保証するものではありません。

　今回の調査で見た限りの範囲では、更正すべき事項はなかったというだけの意味として捉えておくべきです。是認通知書には、そんな意味のことはどこにも書かれてはいませんが、そう解釈しておくことが大切でしょう。

　この項目の始めのほうでも述べましたが、ずっと以前は更正すべきことがなかったとしても、是認通知も来ないことも多く、放ったらかし状態で、不安が続くことも多かったのです。現在は、調査終了手続が法定化されましたので、更正しない限り、必ず申告是認の通知をしなければならなくなっています。

　申告是認の内容にも表面上出てきませんが、ピンからキリまであり、法人の帳簿組織や記帳状態が整然としていなかったり、怪しい証憑もあったり、個人資産の動き等もどうも納得がいかない、しかし更正に辿りつくような根拠となる決め手に乏しいといった低レベルの申告から、経理組織内部統制が完備されていて、会計と税法の熟知徹底しているような法人の、ハイレベルの申告まで千差万別です。

　要は「疑わしきは罰せず」的に、出さなければ仕方がない是認も混ざっているはずなのです。

　したがって、調査が無事完了、無罪放免と思っていたものが、何時、どんな資料せんが回ってきて突然再調査に来られることもあり得るのです。税務署の納税義務者ごとの税歴簿には、「調査結果には申告是認たるも、内容的には問題が多少含まれている」との記録が残っているかも知れません。

　税法上も「申告是認をした後においても、当該職員は新たに得られた情報に照らし、非違があると認めるときは納税義務者に対し、質問・検査等を行うことができる」（通法74の11⑥）となっています。

　税務調査終了後も、更正・決定の可能期限まで（申告期限の日から5年間）の間は、何時、再度調査があるかわかりませんから、帳簿、物件を整然と保存し、質問に答えられるようにしておく必要があります。

Q128　税務調査で問題がなかったときは

Q129 修正申告の勧奨を受けたときの対応は

Answer Point

★更正に代えての修正申告では、更正すべきであった本税額および加算税額とも更正が行われた場合と全く同一であり、また、拒否すれば次回の調査で不利な扱いを受ける等は、一切ありません。

★何故、修正申告を行わしめるかの理由は、表向きの基本は民主主義社会の自主申告納税制度の主旨からのものと考えられます。

★ホンネのところは、納税義務者が納得しての形となり、多少根拠が甘くても総額主義的結末からの妥協で、以後の不服申立てにも制限がある点でメリットがあるからです。納税義務者側も、調査終了手続において多少反論が取り上げられ、軽減感を得られる面もあります。

★そのほか、土曜閉庁、残業制限、資料持出禁止等、税務調査についての制限も多くなり、税務職員もオーバーワークとなっていて、すべて更正手続をしていてはとても日数的に追いつかない面と、納税者の更正をめぐってのトラブルがマスコミ辺りに漏れたりすれば大変なこととなるとの、お役所の体面もあるのではとも考えられます。

☆更正も修正申告も結果は変わらない

　税務調査の終了手続では、申告是認、更正、または決定の処理をすることとなっているのはQ128のとおりです。また、更正や決定に代えて、納税義務者に修正申告や期限後申告の勧奨をすることができることとなっています。

　実務上は、かなり以前より更正を行うケースは少なく、ほとんどが修正申告書の提出で税務調査を終えています。感触としては、課税官庁側が申告内容にこれこれの誤り漏れがあったから税金の追徴をしたいと告げ、それを承諾した形が、更正を行わず自主的に修正申告書を提出し、納税させていることになっていると理解することもできます。

　更正する場合は、更正通知書に更正税額と納期等が記載されますが、勧奨を受けて修正申告をすることにより、自発的に納税しても内容的に同じですから、追加納付する本税額も加算税、そして申告期限の翌日から実際の納付日までの延滞税の率も、すべて双方同じで何ら変わりません。したがって、

474　第9章　調査終了したときの対応ポイント

修正申告をしたほうが何か恩典があって有利とか、修正申告を拒否し更正を行わせしめたら次回の調査が早くなったり、厳しくなったりする等の規定や取扱いはどこにもなく、全く同一と考えてよいでしょう。

☆修正申告の勧奨はなぜ

　このように更正を行っても、修正申告書を出させても、結果は全く変わらないにもかかわらず、実務上は修正申告で一件落着となっているのはなぜでしょうか。ここで少し更正と修正申告を比較してみます。

【図表162　更正と修正申告の違い】

項目	更正	修正申告
①自主申告納税制度（民主的税制）	制度の主旨から賦課課税制的、課税権力側の一方的更正はのぞましくない。	納税者自らが負担すべき税額を自主的に計算し、修正申告納税をするのは制度上ベター。
②メリットとデメリット		
課税官庁側	（メリット） イ　証拠を揃えれば一方的に課税決定し、追徴税額も財産差押え等で一方的に徴収が可能。 ロ　非違事項に無理難題を捏ね上げ、納得しない納税義務者に対しても早期の決着処理もできる。 （デメリット） イ　更正の根拠を後日の係争に備え、耐えられるだけの収集積上げを要するので手数がかかる。 ロ　修正申告に応じないのは不服申立となる可能性が高く、大きなトラブルになれば担当官上司の能力が疑われる危険もある。	（メリット） イ　納税義務者が納得しての形であり、課税根拠となる証拠が甘い場合でも無理なく調査事務事績を残せる。 ロ　不服申立はできないので、後日の再調査や国税不服審判所への答弁書提出、訴訟での裁判所への出頭等の手数や心配の必要はない。 （デメリット） イ　説明に応じず執拗に粘る納税義務者には修正申告までに日数を要し事務コストを要す。 ロ　説得力を高めるため、職員には税知識とその他の高い教養力を日頃から磨き上げる努力が必要。
納税義務者側	（メリット） イ　納得のいかない指摘事項については、聞くことなく相手任せに撒せられる。 ロ　不服申立の敗者復活戦も残されている。 （デメリット） イ　場合によっては盾突く納税者として税務調査選定先候補の悪	（メリット） イ　調査終了手続において多少反論の余地ある問題項目は粘ることによって軽減されることもある。 ロ　いわゆる総額主義的決着もあれば追徴税額の軽減譲歩を求めることも。 （デメリット）

Q 129　修正申告の勧奨を受けたときの対応は　　475

	質納税者とされたりすれば、その後の耐え抜く精神力を要す。 ロ　課税官庁側が場合によっては更なる根拠資料の収集の必要から調査期間が長引いたり、反面調査の追加があったりする。	イ　提出後の不服申立は一切できない。 ロ　更正の請求は可能であるが場合によっては期限が迫っていて根拠等の収集、積上げが難しいことも。
③加算税	過少申告加算税、無申告加算税が賦課決定される。 延滞税が法定申告期限日の翌日から起算して決定される。	左同
④申告納期限	更正通知日から1か月以内。	修正申告と同時に。

通常、税務調査が一通り終了の際には、税務署の担当調査官、法人および代理人税理士の間で協議となります。そして、まず、調査官から結果の説明を受け、申告是認の場合を除き問題点と金額、結果としての法人側の受入処理について質疑応答となります。ここで、担当官から修正申告の勧奨を受けますが、修正云々は特にいわれることなく、これこれでお願いしたい（修正申告を）と依頼があるのみとなります。

既述のように、ほとんど修正申告を拒否する法人や税理士はおらず、何ら抵抗なく自動的に修正申告となります。

この理由は何なのでしょうか。法律上は更正・決定をすることになっていて、ただ修正申告、または期限後申告を勧奨することができると補足的にしているだけなのにです。

大きなものは、図表162の比較表を見ればわかると思われますが、課税官庁側には完全な黒でなく、やや灰色的であっても説得できれば、後は法人側からのイチャモンがつくことなくスッキリする。納税者側も、追徴税額について交渉次第で譲歩を引き出せるといった点があるのではないでしょうか。なお、その他についても以下で少し補足をしておきます。

☆その他の税務署の事情はあるのか

① 税務署は多忙

　国税の事務年度は、毎年7月に始まり翌年6月に終了します。職員は、新年度開始時はフレッシュで、張り切った気分で与えられた案件を処理していくようです。

　ところが、年度が進行するに従って臨時的事務が入ったり、日数の要するような案件の担当が回ってきたりすれば、後へ後へと未処理事務がズレて

溜っていくようです。

特に、調査案件の処理件数ノルマが形式的に決められているわけではないとも思われますが、いかに手早く与えられた調査事案を処理したか、かつ事績としての増差税額を出してきたかが、上司から見た職員の能力であろうし、署長辺りから見れば、それらを統括している上司の力量となります。

夏から秋口にかけてはまだしも、徐々に未処理案件が嵩んで来ると、調査結果が多少甘くてもやむを得ないところで、各職員も次の人事考課を考えると、上官からせかされるままに早期の担当事案の結着へと急ぎたくなるのでしょう。長年、税務調査でこのことを見てきている筆者には、これらは推測に過ぎませんが、そうではと感じるところです。

② 役所や大企業の体面維持

申告納税制度の導入後70年が経過しました。当初は、調査対象件数も多かったようで、片っ端から抜打ち調査を行い、一方的に更正や決定を行うといった税務行政現場の実際だったようです。それが、国税通則法も整備され、徐々に税務行政側の姿勢も変わってきました。

最近では、悪質納税者に対しては徹底して厳しい税務調査を、一般的な通常の納税者へは調査というより穏やかな接し方で、指導や納税協力への説得といった風に見える面もあります。国税庁長官交代の就任者の弁に、納得してもらっての納税や、円滑な税務行政への協力の要請がよく見られます。

納税は国民の義務です。当然、課税要件に該当すれば自ら進んで申告納税すべきことは、民主主義社会の当然のこととされています（憲法30条）。にもかかわらず、上記のように国税庁の行政運営は納税者をお客様、お得意様扱いにしていて、親切で優しい態度で臨んでいることを公言しているのです。職員教育も、多分お客様扱いに重点を置き、納税者を絶対怒らせてはならないが基本にあると想像されます。

やろうと思えば、いつでも否応なしに行える更正や決定の課税処分をあえてせず、じっくり納税義務者を説得し自主的な修正申告の提出を待つのは、そうしたところから出てきているものといえるでしょう。

特に、エリート中のエリート集団の財務省官僚です。ちょっとした高官や管理職者の発言が、メディアで大きく取り上げられる役所です。極力問題が表面に出てくることを避けたいはずです。したがって、その辺の反税集団やオンブズマンのようなグループに、不当な課税があった云々と騒がれ出したら大変なこととなります。税務調査の不手際をしてしまえば、担当した職員はまだしも、上司や署長周辺への「何をしていたのか」と憎むべきは手向う

Q 129　修正申告の勧奨を受けたときの対応は　　477

納税者であるのに、ラインの連中に当たらざるを得ず、以後の人事には影響を与えるでしょう。

　世の中、中小企業では少々のことは誰も見向きもしませんが、役所や大企業となれば新聞雑誌の絶好の餌食となってしまいます。こんなところに税務調査終了時の難しさがあると思われます。修正申告の勧奨を受けるというより、税務調査の結末時の対応は、そんな面があることを頭に入れながら対処することでしょう。

③　役所特有の形式主義等

　税務調査の終了段階で問題点の整理と、それが更正、あるいは修正申告を行う場合の納税義務者、代理人税理士の協議が簡単につかないことが通常です。納税義務者は、追加税金はなるべく少なく、また、税務上の取扱いにどうしても馴染めず、素人判断から認め難い否認項目は、納税できないと主張します。

　税理士も、自己に責のない項目に終わりたいところです。そしてなお、これが最大の難局でしょうか、とにかく理屈抜きにして、修正納税金額が高過ぎる感じがどうしても捨て切れないのです。何とかある程度助かったと感じるまで、関西風でいえば値段を「負けて」欲しいのです。

　税務署側にしてみれば、これらを１つひとつ懇切丁寧に説き落さねばならないのですから、これも一般の人の想像を超えた、遙かに役所という組織で動いている人の窮屈なところです。

　それと、図表156の課税官庁側の更正を行う場合（デメリット、イ）のとおり、修正申告でなく更正を行うとすれば、その根拠を後日の再調査請求、審査請求、場合によっては税務訴訟に進んだ場合に、簡単に取消処分等があれば、税務署の立場は全くなくなってしまいます。

　そこは役所です。修正申告で済めば、納税義務者が納得して自発的に修正申告書を提出したのですから、調査内容を記録した調書には、その経緯等は書き残していれば、徹底した根拠までは通常はさして不要かとも思われます。

　しかし、更正を行うとすれば、仮に、後日の不服申立てがあった場合に耐えるため、調査で発見した事実、その証拠物件、そして否認根拠となる条文、通達、判例等まで揃え、更正金額、項目がたとえ僅かであっても、上司の決裁、税務署内部の審理機構の見解等を、すべて揃えて最終署長決裁を経て、ようやく更正通知へと進むはずです。役所の仕事は形式が大切で、こうしたその間の書類のボリューム、決済印の数は、並大抵ではないと考えられるところです。それからすれば修正申告は、それらの省略された手数を要しない、非常に簡便な落着方式となるのも事情の１つでしょう。

Q130	税務当局の誤指導が あったときの対応は

Answer Point

★法人税の申告にかかる帳簿記帳や申告調整についての具体的処理法は、税務署では教えないはずですが、もし指導があるとすれば、①国税庁への事前照会による文書回答、②所轄税務署への質問、③実地調査時のアドバイスが考えられます。この中で、国税庁への事前照会を除いては、すべて非公式で根拠の乏しい性質のものです。

★税務職員は、偉大な人種と感じている一般国民からは、その指導は絶対的なものと思い込むでしょうが、程度の悪い調査官に質問し、経営面、その他の誤指導を受けたりすれば、後日それが更正や修正申告の基因となったりすることもあります。

★質問の仕方により、答は変わることは当たり前で、すれ違いの質疑応答で、後日大問題となり、誤指導を根拠にたとえ争ったとしても、その証拠はまずなく、すべて納税者側の負けとなります。

★不服申立も当然却下か棄却となります。救いがあるとすれば、正式な文書は残されていなくても、それらしきやりとりがあったとある程度推測されるような場合には、それそのものは認められないとしても、更正や修正申告税額の総額調整での譲歩は、引き出せる程度かと考えます。

☆誤指導が発生するのは

　申告納税制度が導入され相当年月を経過しましたが、それが国民、特に中小企業に馴染むまではかなりの年月を要しています。しかし、青色申告制度で記帳義務が強制されたこと等から、簿記会計の教育が普及し、企業の経理実務レベルは相当アップしました。

　当初は帳簿もまともにつけず、税務申告の基礎となるものが揃っていない状態の企業も多く、申告はやむなく税務署へ駆け込んで一切合切指導を受けていたようなこともあったようですが、今はそうした代書的事務は受けない代わりに、税理士へ依頼するように指導が行われているようです。

　そんなところから、国（税務官庁）が個々の私企業の会計処理に口を挟んだりすることはしないし、本来それもできないはずのものです。そんな中で誤った税務処理の指導とは、いかなる場合に起きるのか考えてみます。

Q130　税務当局の誤指導があったときの対応は

【図表163　税務当局とのやり取りから起きる質問・回答】

種類	事前照会に対する文書回答	所轄署への質問	実地調査時の担当調査官によるアドバイス等
①主体	国税庁	各税務署	特にない。職員による独善的なもの。
②形式手続等	文書により事実関係を具体的、明確に記して所轄税務署を経由して国税局宛に提出	事実関係の生じているまたは生じる事案に限って相談受付	任意のサービス的なもの。公的なもので一切ない。
③回答	文書で回答	口頭で質問者のみへ解答	納税義務者からの調査時の口頭質問や帳票、契約文書等の検査で気づいた事項を善意で指導。
④性質	一般の先例や指針となるものでオープンにされる	答えなければならないものではないが、後日トラブルや誤処理の回避のため、受けることがあるもの	私的な見解。国（税務署）が私企業の事務処理等に法令違反事項でない限り構うこと等できない。
⑤根拠	事前照会に対する文書回答の事務処理手続等について（事務運営指針）令和3年6月28日課審1-15	任意のサービス。法的制度ではない	なし。

☆質問回答の効果

　課税当局とのやり取りで起き得る質問や回答は、図表163のように分類されます。しかし、国税庁が各国税局宛に発遣している事務運営指針は、公式な納税義務者からの照会の受け方を示したもので、納税者サービスの一環として法令通達の何処を探しても回答が見つからないものに限って、例外的に取り扱っているもののようです。

　税務署の入口や、納税者向けのPR情報紙等では、納税相談や税金についてわからないこと等は、いつでも気軽に税務署の窓口へと書いたりしていますが、それは、親しみやすい税務行政への協力を求めるためのもので、法人企業等の日常の生じる税務処理等の疑問に、何でも教えてくれたり回答するものではありません。税務職員のレベルも様々で優秀な職員も居ますが、程度のいまひとつのような人も当然存在しているようです。

　したがって、前述の国税庁の公式な事前照会手続以外は根拠の乏しいもので、納税者側が多少の参考見解として聞いたといった性質のものと理解すべ

きと思われます。

　一般的に、こうした質問に対する答は、与件で明らかになっていない事項や質問の仕方によって異なることも多く、質問者、回答者の双方ともにすれ違った受け止め方をしたまま納得してしまっていたりして、これで回答を得た、間違いはないはずとして処理をしていても、後々になって認められない等と言われ、困ることもあり得ます。

☆どんな作用があるか①／前回の調査で指摘の迷惑

　「役員賞与は個人的にお金もいるので欲しいんだけれど、前回調査に来られたとき、役員は賞与はとれないと言われましたので貰っていないのです」とか、「代表者の親族は役員とみなすこともあり、トラブルの原因となりやすいので役員に就任してください」とか、ちょっと余計な一言が代表者を畏縮させたりすることがあります。どんな経営方式を採るかは企業の自由のはずです。前者は申告調整上申告加算すればよく、賞与を貰ってよいかどうかは会社法上の問題です。後者のような会社役員構成に口を出すのはもっての外です。

　しかし、比較的経験の浅い若い職員等は、十分な前後の配慮なく、あるいはもう一言の説明なく、勉強したとおりを言ってしまったりすることもあります。特に、企業法務に疎い中小法人経営者は、われわれ公認会計士や税理士の指導より、税務について威厳を持っている税務官僚のいうことは、絶対的で間違いのないものと思い込んでいますので、注意しなければなりません。

☆どんな作用があるか②／申告額、納付税額が変わる

　認められないものが認められると信じ込んで、法人の短期、中期資金計画や設備計画を立てていても、納付予定の税額が増えたりすれば混乱してしまいます。後日、税務調査で指摘され、修正申告にでもなれば加算税、延滞税は余分な負担となります。何も意図的租税回避処理を行っていないにもかかわらずです。

　税務署の窓口で聞いたことも、過去の税務調査で指導されたこともすべて関係している税理士がいるときは、もう1度相談をして、そのとおりでよいか確かめることが必要です。

☆どんな作用があるか③／質問の仕方によって答は変わる

　調査時の指導のように、具体的に判断可能な事象の場合には、あまり誤指

Q 130　税務当局の誤指導があったときの対応は　　481

導というようなことは起きませんが、今後あり得ると予想されるような取引
や予定、計画等は、様々な条件がそれに付いて回るはずですので、そうはい
きません。

　種々の条件を省略して質問すれば、質問者と回答者それぞれ頭の中での諸
条件が全然異なっていたり、互いに自己の立場、課税側が税の徴収漏れのな
いことを考えて、その面中心の判断となりますし、納税者側は有利な取扱い
のことばかりの回答を引き出したい目的の質問の仕方となり、その他の面抜
きの不利なことを隠したままのQ&Aとなり、双方バラバラのやり取りとな
ります。

　結果、そこでの結論を頼るのはちょっと無理があります。今一度冷静に立
ち返り、甘いものはないとの考え方で、同様に第三者、専門家の意見を聴く
べきでしょう。

☆如何なる場合もすべては納税者側の責任

①　指導はあったのか

　既述のごとく、税務署の入口辺りでは税金での困ったこと、わからないこ
とは何でも相談窓口へとの宣伝文句があったりし、何でもわからないことは
相談に行って手取り足取りで教えてもらえばよいとの認識は、それでよいの
でしょうか。

　しかし、前述したように、国税局への事前照会以外は、基本的に文書によ
る質問への回答は行いません。種々様々の似通った経済事象は、日常数多く
発生しています。何かある1つのことについての税務判断を例として示すと、
多方面、多数のそれを基準にした処理が罷り通ることとなり、手のつけられ
ない状態となれば大変です。したがって、口頭での相談や指導はあったのか
なかったのかは不明です。基本的には何も証拠はありませんので、指導はな
かったと思うべきで、仮にあったとしても、最終的に判断決定したのは自分
だと考えておかなければなりません。もともと自主申告制です、指導を受け
ての賦課課税制ではありません。

②　水掛け論

　調査のついでに指導したかどうかは、更正通知書でも明確にそれが書かれ
てあれば有無なく、だからこう処理していると押し切れます。しかし、何も
文書の所在しないもので、こう指導を受けたといっても、結局「言った、言
わない」の、水掛け論で終始してしまいます。

　税務調査時に問題となっても、担当調査官には、恐らく「何も残っていま

482　第9章　調査終了したときの対応ポイント

せんのでわかりません」で押し切られてしまいます。要は、粘りに粘って何か多少なりとも譲歩を引き出せるかどうかでしかありません。

③ 不服申立は

納税者の権利救済制度として、不服申立ができることとなっていて、再調査の請求、審査請求、税務訴訟と、3段階の課税処分の見直しが用意されています。

これらは争点主義といって、課税処分の原因となった事実関係の認識、税法規定適用の当否と解釈等について互いの見解を述べて決定や裁決、判決を得るものです。

このように、不服申立が可能な内容は上記に限られていて、税務職員の誤指導により課税処分が行われた場合は入っていません。したがって、誤指導があったことを理由にした不服申立は、一切できないこととなります。

前出、国税庁事前照会に対する文書回答の事務運営指針の中でも、「文書回答は、あくまで納税者サービスの一環として行うものであることから、不服申立の対象とならないこと、および照会文書に対する回答がないことを理由に、申告期限や納期限が延長されるようなことはないことに留意する」(同指針6回答及び公表(1)（注）)となっています。

どこまで行っても申告内容の誤りは納税義務者の責任で、税務行政上のアドバイス的なものであっても、自主申告によったものとなる以上、誰にも責任転嫁することはできません。

④ 救いはないが

以上のように、誤指導的なものにもいろいろありますが、税務調査時に指摘を受けても、すべてどうすることもできない処理済みの取扱いとなります。

多分、担当調査官も「それはあなたの聞き違いだろう」とか、「受け止め方の勘違いでしょう」とかしか言いようがないと思います。前回調査時の調書の片隅にでもそれらしき記録でもあれば、大したことでない限り、今回のみ見て見なかった取扱いにでもなるかも知れません。

しかし、そうでなくとも、本当に信じて処理してきたものを駄目と決められることもたまったものではありません。しかし、これは、当初から当然に納付しなければならなかった税金を、改めて後日確定させたに過ぎないものですから当然のことです。

ただ、税務署も口頭であっても、そうした指導を認めたような場合は、信義則に反することとなりますので、過少申告加算税を免除する規定の適用を主張も考えられます。堂々とこちらの気持ちを主張し、後は執拗に食い下が

Q 130　税務当局の誤指導があったときの対応は　　483

るのみです。そして、他の問題点でそれに代る譲歩を引き出すことくらいは、できるかも知れません。

　税務署窓口での相談回答で、応答者が転勤にならず在任中なら、先方も記憶にあるかも知れませんし、受付記録にでも載っていればそれを基に食い下がれるでしょうし、直接談判で埒があかなければ、国税局の納税者相談室のような部署へでも持ち込んでみるのも一法かも知れません。また、それで何らかの効果はあるかも知れません。行政の現場の実務の話で、部外者では全くわからない世界の話となります。

☆誤指導はないが原則

　役所の看板等に掲げられている「何でも税務署へ相談はどうぞ」は、あくまでも難解で複雑多岐にわたる税法（通達も含む）を基礎した、具体的事案取扱上の疑問を問われた場合に、税務署も受付窓口で何でも答えられるわけがありませんので、各担当専門官に通し、丁寧な応答を行わせしめ、近づきやすい税務署にするためのサービスだろうと考えます。

　答える職員はもちろん、その分野に詳しい者であることは当然ですが、質問の1つひとつすべて法文と理解も難しい用語の羅列した取扱通達に基づいて説明しているはずです。職員個人の主観で答を出すことはまずあり得ません。税務署職員にも、答が即座に出ない質問は調べてからにするはずで、役所です、根拠なしの見解はないと考えるべきで、質問者も、本来、自分で調べればどこかで答はあるはずのものを、念のため、役所のお墨付きをもらうだけのものだったのです。その意味で、誤回答はないのが結論です。

　また、税務調査時の、軽い判断で担当した調査官のふと口に出た指導事項も、それが、こと経営に関するものや会計処理的なものなら、先方に税務上での後日問題にされるようなものは絶対にありません。それらの税法規定は何ら存在せず、慣習や時代の流れから来るものばかりで、さして税金の取扱いに関係するものではないからです。しかし、これが税務上での取扱いとなれば、上述の税務署における相談窓口と同様、必ず法規上の根拠があって、その調査官はそうなっていると言い切っていると思われます。したがって、結局は質問で、与件や背景を十分に言わないまま、ある1点のみに絞って単純に答を求めたから、後日になって誤指導といわねばならなくなったのだろうと思われます。

　いずれにしても、一般的な誤指導とは、基本的に納税義務者の勘違い質問と理解と混同されているようで、あり得ない話で、どこへも持っていくことができない問題といえると思います。

Q131	青色申告を取り消すと いわれたときの対応は

Answer Point

★青色申告とは、税法上、青色の申告書によって申告書の提出ができるとなっているのみです。しかし、青色申告をするには、所轄税務署に申請して、その承認を受けなければならないとしています。

★なぜ青色申告云々かは、繰越損失金の控除をはじめ、その他の有利な処理が認められているからです。青色申告を継続するためには、整然とした帳簿記帳や不正行為をしない等が条件となっていて、違反すれば青色申告の承認が取り消されることになっています。

★青色申告の取消し理由は、①備付け帳簿の記録保存の不備、②帳簿書類の記録について税務署長の指示に従わなかった、③帳簿書類に取引の全部または一部を隠ぺい、仮装記載、その他記載全体にその真実性を疑うに足りる相当の理由、④無申告があった場合となっています。

★上記、法律上の要件に該当しても、国税庁は青色申告を育成助長しようとする基本方針にも顧み、かなりそれを緩めた取扱通達を出して、実務では運用しています。

★青色申告の取消しを迫られることは、日常、見受けることは極めて少なく、あまり神経質に考えることはありません。仮にそうしたことになったとしても、今後の改善を約して取消しの回避を強く訴えてみるべきです。

☆青色申告とは

　税務の取扱い上で、青色申告云々については、頻繁に出てきます。一般納税者もその文言は知っていると思われますが、正確に理解している人は少ないでしょう。

　青色申告の規定は、所得を課税標準とする所得税法、法人税法に置かれています。

　所得税では、「不動産所得、事業所得又は山林所得を生ずべき業務を行う居住者は、納税地の所轄税務署長の承認を受けた場合には、確定申告書および当該申告書にかかわる修正申告書を青色の申告書により提出することができる（所法143）。」となっています。

　また、法人税でも、「内国法人は、納税地の所轄税務署長の承認を受けた

場合には、次に掲げる申告書およびこれらの申告書にかかわる修正申告書を青色の申告書により提出ができる（法法 121 ①」と規定しています。

この規定からは、通常役所に提出する文書類は白色の用紙が使用されるのが常ですが、白色でなく青色の用紙で所得の申告をすることができるとの意味を表しているに過ぎないと読めます。なのになぜ、青色申告を喧しくいうのかについて、少し詳しく説明します。

☆青色申告制度の目的

わが国の税制は、戦後昭和 25 年のアメリカのシャウプ博士による調査と勧告により、申告納税制が確立されました。自主申告制ですから、申告書のレベルにはバラつきも多く、特に当初は不慣れなところから帳簿記録もずさんであったようで、その後の簿記会計の普及により徐々にレベルアップが進んだと思われます。

元来、正確な申告納税は、所得計算の基礎となる取引が正確に簿記のルールに従って記帳計算されて、初めて可能となるものです。そうした継続的に整備された帳簿組織が確立されていて、それに基づいて申告所得の計算ができる納税者に対しては、記帳義務を課す代わりに税法上種々の恩典を与えて、正しい申告の奨励をしようとしたのです。

そうした帳簿を備え付け、正確な計算に基づく申告者を一般の納税者と区別するため、白色でなく青色の紙に印刷された申告用紙の使用をさせて、青色申告者、青色申告法人と呼ぶことにしているのです。

☆青色申告の特典

青色申告者の特典は、所得税では青色申告特別控除、青色専従者給与、純損失の繰越し、各種特別償却等が設けられています。法人税でも同様、欠損金の繰越控除と繰戻還付、特別償却、特別準備金、圧縮記帳、各種税額控除等がよく知られているところです。

したがって、青色申告が認められない、要するに青色申告の承認が取り消されると、取り消された事業年に遡及して、それらの特典項目の利用がすべて認められなくなってしまいます（法法 127 ①②）。

特に、欠損金の繰越控除が認められなかったりすれば、欠損金を有しているわけですから、資金繰りは苦しいはずで、担税力が乏しいのに納税を強いられることとなってしまいます。

また、税務調査で更正を行う場合には、青色申告法人には必ず帳簿書類の

486　第９章　調査終了したときの対応ポイント

調査によって、誤りがある場合でなければできないこととなっており、更正の理由を更正通知書に付記しなければならないこととなっています（法法130①②）。

帳簿記録に基づかない推計課税も禁止されています（法法131）。

☆現行実務上の取扱い

一般的な個人の所得税納税者は、青色申告を適用できない給与所得、退職所得、譲渡所得、雑所得等を除き、不動産所得、事業所得に限ってみれば、連年継続して申告しているときは青色申告によっている人も多く、これらの人々がすべて複式記帳による決算を基に、申告書を作成しているのかと驚くところです。

しかし、内容的には、いわゆる白色の青色と呼ばれる極簡易な収入と支出を書き出しただけの帳簿と、領収書のみによる白色申告者と全く変わらない申告書も多いようです。手書きの場合は青色用紙の第1表を使用し、電子申告では青色、白色の区分欄のいずれかを○印で囲むだけのものも多いのが、実際の取扱いとなっています。

ただ、青色申告特別控除額は、複式簿記により記帳し、貸借対照表添付の場合最高550,000円が認められ、そうでなければ100,000円となっていて、ここで差をつけています。むしろ納税に協力を求めたい面から、形だけの青色申告でも歓迎しているやに見られます。

法人税の場合、設立当初に青色申告承認の申請を出し忘れていたような場合を除いて、白色申告法人はあまり存在しないのではと思われます。今日の税務行政現場の感覚では、申告書上の誤りや少々の帳簿記録不備でも、かなり以前はまず現金出納帳の記帳がないと現況調査でわかると、青色承認取消しを行い、推計課税で更正金額を弾き出しました。そして、応答者からその確認文書を入手し、簡単に更正が行われることもありましたが、そうしたものは今日では滅多に見られなくなりました。

円滑な税務行政、納得して納税との見地から、そうした納税者に反税感情を抱かせるようなやり方は避けているやに見受けられます。法人税でも、手書き申告の場合は青色の別表Ⅰの申告用紙により、電子申告では単に青色欄に○印を囲むだけとなっています。

☆青色申告承認取消しはどんな場合

青色申告の承認は、帳簿を正確につけ、それに基づいて適正な申告を行う

Q 131　青色申告を取り消すといわれたときの対応は

真面目な納税者と出鱈目な納税者を区別するシステムですから、青色申告者に相応しくない場合は、その承認を取り消すのは当然のことです。

　青色申告の取消し理由は、図表164のとおり4つになっています（法法4127①）。

【図表164　青色申告の取消理由】

理由	具体的内容	取消し年度
①備付け帳簿の記録保存の不備	備付け帳簿とは次のものをいう。 ・複式簿記による整然、明瞭に記録した帳簿に基づいた決算 ・全取引を記録した総勘定元帳その他の帳簿の備付け ・仕訳帳の記帳 ・棚卸表の作成 ・貸借対照表、損益計算書の作成 ・上記帳簿類と注文書、契約書、送り状、領収書、見積書等、自己作成のこれらの書類の写しの保存（7年間）	その発生事業年度
②帳簿書類の記録について税務署長の指示に従わなかった	上記帳簿等への特別の記録または保存すべき証憑の指示。	同
③帳簿書類に取引の全部または一部を隠ぺい仮装記載その他記載事項全体にその真実性を疑うに足りる相当の理由	不正目的の記録方法による帳簿の提示や不提示。 そうでなくとも不注意やずさんな記録により全体に真実性が疑われるような場合。	同
④無申告	申告期限までの確定申告書の不提出。	その申告書の事業年度

☆青色申告承認取消理由に該当すればすべてアウトか

　既述のように、かなり以前は、税務調査において手っ取り早く調査結果を出すために、少しの帳簿不備や過大仕入、売上の除外、経費の公私混同等が発見されれば、それが悪質でなく、たとえ僅少額であっても、帳簿の記録不備や一部の仮装隠ぺいだとして、青色取消しを迫られたものです。

　しかし、今日、親しみやすい納税、納税者の協力を得ての申告納税制度の発展を標榜している国税行政にとって、納税者と争うのはなるだけ避けたいところです。

　そうしたことからか、前記青色取消しの4要件に該当することがあっても、いきなり即刻青色申告の承認取消しが申し渡され、通知が送られてくるかと

488　　第9章　調査終了したときの対応ポイント

いえば、そうではありません。そのようなケースは皆無に近いのではないでしょうか。それより納税者を怒らせず、他の方法によりいかに適正申告に協力を求めるかに腐心しているようです。

少し明確にされている点を見ますと、図表165のようになります。

【図表165　青色申告承認取消しの取扱い】

1．「青色申告書の構成の取扱いについて」（昭29、直法1－180、直所6－37）
　「なお、青色申告にかかる所得に対する更正についての解釈は、以上のとおりであるが、努めて青色申告を育成助長しようとする基本方針にも顧み、今後処理するものについては、当分の間、計画的に収入を除外し、または経費を過大に計上しているなど、全体として帳簿書類の記載事項に信を措き難いことの明らかなものを除いては、原則として、個別的には握された記帳除外の収入金額または過大計上の必要経費の額を加算する方法により更正を行うことに取り扱われたい。」とあり、かなり弾力的な取り扱いが行われています。

2．「法人の青色申告の承認の取消しについて（事務運営指針）」（平12、課法2－10、課料3－15、査調4－12、査察1－31）
（趣旨）　～

① 　帳簿書類を提示しない場合における青色申告承認の取消し
　法人が帳簿書類の提示を拒否した場合には、青色申告の取消事由に該当する。なお、帳簿書類の提示がない場合には、青色申告の承認の取消し事由に該当する旨を告げて、帳簿書類を提示して調査に応じるよう、再三再四その説明に努める。
② 　省略
③ 　隠ぺい仮装等の場合における青色申告承認の取消し
　次のいずれかの場合は、前記取消し理由の表の第3号に該当するものとして、その承認を取消す。
㋑所得の決定または更正した場合において、決定または更正後の所得金額のうち、隠ぺいまたは仮装の事実に基づく所得金額が、当該更正所得金額の50％に相当する金額を超えるとき（不正所得金額が500万円未満の場合を除く）。
㋺欠損金額を更正する場合も更正により減少した部分の欠損金額のうち、隠ぺいまたは仮装の事実に基づく金額が当初申告欠損金額の50％に相当する金額を超えるとき（不正欠損金額が500万円未満の場合を除く）。
㋩または㋺に該当する場合であっても、前7年以内の各事業年度について。
　・青色申告承認の取消し処分を受けていないこと
　・既往の調査に係る不正所得金額または不正欠損金額が500万円に満たないことのいずれの要件を満たし、かつ今後適正な申告をする旨の法人からの申出等があるときは、青色申告承認の取消しを見合わせる。
④ 　無申告または期限後申告の場合の青色申告承認の取消し
　図表158の第4号（無申告）の規定による取消しは、2事業年度連続して期限内に申告書の提出が無い場合に行うものとする。この場合、2事業年度目の事業年度以後の事業年度について、その承認を取り消す。
⑤ 　相当な事情がある場合の個別的取扱い（国税局長との協議）
　㋑隠ぺい仮装による、青色申告承認の取消しをすべき事実がある場合、または無申告の場合でも役員、その他相当の権限を有する地位に就いている者が知り得なかったことも、やむを得ないと認められる等、その事実の発生について特別な事情があり、かつ再発防止の為の監査体制を強化する等、今後の適正な記帳および申告が期待できるなど、取消しをしないことが相当と認められるもの。

ⓗ本通達により、青色申告承認の取消しを行わない場合に該当していても、引続き隠ぺいまたは仮装した帳簿を作成している、当基準を僅かに下回る過少申告を、毎事業年度継続して行っている等の帳簿の不整備、隠ぺい仮装記帳および、無申告の規定による青色申告承認の取消しが相当と認められるもの。

については、所轄国税局長との協議の上、その事案に応じた処理を行う。

☆青色申告承認の取消しについてのまとめ

　以上のとおり、近年青色申告承認の取消しを迫り推計課税を行うとするケースは、かなり稀になってきています。

　帳簿不備、隠ぺい仮装や無申告の事実に該当するものは、表向きの統計はないようですが、その辺にはまだまだ存在しているようにも感じます。しかし、税務行政の現場では、上記通達のとおり、法律どおりの厳格な取扱い運用はしないで、かなり柔軟な姿勢で対応しているようです。

　通常の善良な納税者に、いきなり青色申告承認の取消しを言い渡すことは皆無に近いでしょう。

　この問題については、神経質に考えることなく、仮にそうした局面に出くわしたとしても、今後の改善することについて、強く訴えてみるべきだと考えます。

　青色申告特典を数多く適用している法人は、いざ取消しでかなりの痛手を被りますので、低姿勢で臨み、欠損金の繰越控除適用もないような実害の少ない法人の場合は、記帳の不備が悪質とまで判定されないものであることを主張し、特に、青色申告承認には取消しの基因となった事実が、税法のいずれ（図表158の①～④）に該当するのかを必ず付記しなければならないこととなっているので、その説明を求め、納得のいかない場合は、最終的に不服申立をするくらいの態度でもよいかも知れません。

　中小法人は、日本経済を支え、かつ法人数も多く、反税的思想を抱かれては税務行政にマイナスになりかねません。そこら辺のメリハリを考えて、ものに動じない態度も必要かと思われます。

　中小企業では、今なお、帳簿は放ったらかしで、代表者が資金のすべてを握り、勘による経営をしていて、それで平気の人もいますが、それでは事業の発展は難しく、むしろ、倒産が先に待っているのは間違いありません。

Q132 事前通知後調査開始前にした 修正申告の可否・加算税の課否は

Answer Point

★申告期限内に申告書の提出を行っていても、税務調査により更正があるまでの間は、いつでも修正申告をすることができることは、繰返し述べたとおりです。

★修正申告には、自発的修正申告と、税務調査の結果、更正を受ける代わりに勧奨を受けて提出する修正申告があります。勧奨を受けて提出する修正申告は、更正を受けた場合と本税、加算税は全く変わらないことになっています。

★自発的修正申告にも2通りの性質があり、真に自主的に誤りに気づいた場合と、実地調査による更正があることを予知して提出する場合があり、後者については、更正が行われた場合と同一になります。

★税務調査の事前通知後、調査開始前に提出した修正申告は、更正の場合と同様の扱いとなり、正当な理由がある場合を除き更正を予知しての提出では10%、予知していなかった場合は5%の過少申告加算税が課されることになっています。

☆修正申告の取扱いは

　わが国の税制は、税目により申告納税制のものと賦課課税制のものに分かれています。その理由は、民主主義社会であるところから、国民の代表たる国会議員が、法律で定めた規定に該当すれば自主的に納税すべきであることと、合理的な税務行政の面からとされています（第1章Q2参照）。

　国税中の重要税目である法人税についても、法人の記帳計算による決算に申告調整を施して、申告納税期限内に自ら申告納税をすることとし、提出された申告書の中から一部の申告について、その適否を国が検証するシステムとしています。しかし、税法の不知や計算誤り、その他で必ずしも適正な申告が行われるとは限りません。

　そこで、申告期限内に申告書の提出を行っていても、課税所得と納税額に誤りがあることに気づいた場合は、税務官署の更正があるまでの間（申告期限後5年間）には、正当な金額による申告書の提出ができることになっています。これを修正申告と呼んでいます（通法19①②③）。

Q132　事前通知後調査開始前にした修正申告の可否・加算税の課否は

☆修正申告と加算税

前述のように、修正申告は、更正可能期限内はいつでも何回でもすることができることになっています。しかし、Q130でも触れましたが、修正申告にも性質の異なるものがあり、図表166のように分かれます。

【図表166　修正申告の種類】

種類	内容	その他
①自発的修正申告	④計算誤びゅう等に申告後に気づいた場合 ⓪税法解釈等が分かれていたものが明確な取扱いが示され修正の必要が生じた場合 ⑧バレもとで最初から税務調査があれば判明する不適正内容を調査直前に修正して提出する場合 ⑫税務署の誤指導により誤っていた場合	⓪⑫については、正当理由による修正に該当すると解される。
②税務調査の結果、勧奨を受けてする修正申告	税務調査終了手続の一環としての更正に代わる修正申告	

☆加算税

税務調査における無申告法人への決定、不適正申告法人への更正は、正当な申告をしていなかった法人に対して行われる当然のものです。決定や更正、あるいは修正申告により最終的に正当な法人税を納税したとしても、申告期限内に適正申告を済ましている適正申告法人との課税の公平が図られなければ、正直者が馬鹿を見ることになります。

そこで、税法では、そうした無申告者、過少申告者に対し租税行政罰として、各種附帯税を課すこととしています。

修正申告の場合は、過少申告を正当な税額に増額修正するところから、過少申告加算税が賦課されることになっています。

修正申告と過少申告加算税の関係は、図表167のとおりです。

【図表167　修正申告と過少申告加算税の関係】

修正申告	過少申告加算税の賦課決定	過少申告加算税の額
自発的修正申告	その修正申告の計算の基礎となった事実のうちに正当な理由のある場合	課されない。
	実地調査の事前通知前に提出した場合　注①	課されない。

第9章　調査終了したときの対応ポイント

	実地調査があったことにより更正が行われることを予知せず提出した場合	修正納付税額の5%（当初申告税額または50万円のいずれか多いほうの金額を超える部分については10%）。
	実地調査があったことにより更正が行われることを予知して提出の場合	修正納付税額の10%（当初申告税額または50万円のいずれか多いほうの金額を超える部分については15%）。
勧奨による修正申告	税務調査終了手続で更正に代えて修正申告の勧奨があった場合　注①	修正納付税額の10%（当初申告税額または50万円のいずれか多いほうの金額を超える部分については15%）。

注①　国税通則法74条の9に規定する手続によった実地調査によるものをいい、それ以外の行政指導により修正申告を提出した場合は、正当な理由のある修正申告と解される（通法65①②③④⑤）。

　なお、上記過少申告加算税は、通常の過少申告について修正申告をした場合であって、これが事実の全部または一部を隠ぺいまたは仮装し、それに基づいて申告していた場合は、過少申告加算税でなく、重加算税（35%ないし40%）が課されることとなっています（Q133参照）。

☆事前通知後調査開始前の修正申告は

　修正申告の取扱いは、以上のとおりとなっています。また、修正申告に伴う加算税の賦課についても同様です。

　結論として、修正申告の提出は、更正可能期限（当初申告期限後5年間）はいつでもできます。もちろん、当初申告期限の翌日でOKですし、本Qのように税務調査の事前通知があってからバレもとでしておいた、不当な処理を申告調整によって正しい課税所得に置き直した修正申告書の提出も可能です。

　加算税については、ここ10年間くらいの間に2転3転取扱規定が変わりました。過少申告加算税については、それまで、基本10%、更正を予知しない場合の自発的修正申告についてはかなり解釈を緩めて課されないケースが多かったところですが、平成28年度より正当な理由による場合と事前通知前の修正申告についてのみ、課されない取扱いとなりました。

　本Qの税務調査事前通知後の修正申告は、正当な理由がある場合を除き課されることになっています。

　過少申告加算税の税率は、更正を予知して提出した場合は10%、予知していなかった場合は5%となります。いずれの場合も、修正申告税額が一定値を超える場合は5%の加重が行われます（通法65①②）。

Q132　事前通知後調査開始前にした修正申告の可否・加算税の課否は

Q133 重加算税がかかるのはどんなとき

Answer Point

★正当な申告をした納税者と、過少に申告した者との間に、正直者が損をしないように各種の租税行政罰を設け、期限後に追加申告納付した場合は、行政罰としての加算税を課すことで、適正納税への間接的強制手段を採っています。

★上記行政罰には、延滞税、過少申告加算税、無申告加算税、不納付加算税、重加算税の5種類があります。

★重加算税の規定は、事実の全部、または一部を隠ぺい、または仮装したところに基づき、納税申告書を提出していた場合、無申告、あるいは期限後申告を行っていたときは、過少申告加算税に代え重加算税を課すとなっています。

★事実の仮装、隠ぺいとは、国税庁の事務運営方針では、①いわゆる二重帳簿の作成、②帳簿類の破棄または隠匿、帳簿の改ざん、虚偽記載、収入の脱漏、除外、③証明類の改ざん等々となっています。これらは脱税目的でなくても、存在していれば当てはまると解されています。

★重加算税の決定は、税務署長の権限となっていますが、過少申告加算税との異同は微妙で、追加本税額が多額でも賦課決定がないこともあり、少額であっても内容如何で課されることもあります。

★重加算税の決定で争ったとしても、勝ち目は少ないようです。担当調査官は、たとえ少額であっても重加算税を賦課決定にしたがる傾向があるところから、それは呑めない主張をし、しかる後、争点にこだわらず、加算税を含む修正総税額を引き下げる方向にウエートを移しての調査結末を目指すのも一方法です。

☆租税行政罰として課されるもの

わが国の国税のうち、重要な税目については申告納税制となっていることについては、何度も述べてきたとおりです。申告納税制度が維持されるためには、納税者の誠実な態度が期待されるところです。しかしながら、国民の納税意識にはバラつきがあり、納税額の多寡によって何ら差別がないところから、少しでも納める税額は少ないことを願うのは当然のこととなります。

このことは、税法規定を自己に有利なように解釈、適用を行って納税額を抑えようとしたり、意図的でなくても帳簿記録の誤りや計算ミスがあったりして、本来納める額より少ない税額計算で申告を行い納税することもあり得るのは、何時の時代でも同じです。

そこで税法では、正当な申告をした納税者と過少に申告した者、あるいは無申告者の間に正直者が損をしないよう各種の行政罰を設け、期限後に追加納付した場合には加算税を課すこととし、適正納税への間接的な強制手段を採っています。

租税行政罰は、あくまでも申告納税制度の秩序維持を目的としたもので、制裁的な意味を持つものではありません。制裁については、別途租税刑事罰の規定があり重大な違反行為には懲役、罰金、科料および没収の刑事罰が科されることになっています。こちらは税務行政機構でなく、裁判所の判決によって言い渡されます（法法 159 ①）。

☆租税行政罰の種類は

重加算税は、前述のとおり、租税行政罰の一種でありますが、租税行政罰にはこのほか延滞税、過少申告加算税、無申告加算税、不納付加算税があります。

まとめると図表 168 のようになります（通法 65、66、67、68）。

【図表 168　租税行政罰の種類】

租税行政罰の種類	内容	納付税額の取扱い
①延滞税	法定納期限までに税金を完納しない場合、実際に納付された日までの日数に応じて一定の利息相当額として課されるもの 現在の延滞税率は 　完納税額 × 特例基準割合（財務大臣が告示する割合）× 法定納期限から完納までの日数	払った税額は所得税では必要経費に、法人税では損金算入が認められない
②過少申告加算税	期限内申告者が修正申告の提出または更正を受けた場合、不足税額の 5%〜 15%の割合で課される	
③無申告加算税	期限内に申告書を提出せず期限後申告の提出または決定があった場合 　納付税額の 5%〜 20%の割合で課される	
④不納付加算税	源泉所得税を法定期限内に完納しなかった場合 　納税税額の 5%または 10%の割合で課される	

Q 133　重加算税がかかるのはどんなとき

495

⑤重加算税	過少申告加算税、無申告加算税、不納付加算税が課される場合で、そのうち証拠資料の隠ぺい、仮装による意識的な申告額または納税の回避があった場合

☆重加算税がかかるときは

　以上のように租税回避行為については、それが悪質重大な場合は租税刑事罰が司法上の制裁として科されますが、そうでない場合にも各種加算税を、租税行政上の秩序維持としての制裁が行われることになっています。

　租税行政罰のうち意識的な租税回避行為については、租税行政罰の中では最も高額の加算税として、重加算税が課されることになっています。

　重加算税とは、どんなときにいくらの加算税を払わなければならないのかは、法律上では、「過少申告加算税や無申告加算税が課される場合に、納税者がその国税の修正申告額、更正税額または決定税額の基礎となるべき事実の全部、または一部を隠ぺい、または仮装したところに基づき、納税申告書を提出していた場合や、無申告あるいは期限後申告を行っていたときは、過少申告加算税に代え、その基礎となる税額に35％（無申告、期限後申告では40％）の重加算税を課する（通法68①②）」と規定されています。

　なお、「期限後申告、修正申告または更正、決定があった日の前日から5年前の前日までに、同じ税目について無申告加算税または重加算税を課されている場合は、それが10％加算され、35％→45％、40％→50％となる（通法66④）」としています。

　少し条文を要約したものですが、これが重加算税の取扱規定です。要するに隠ぺい、仮装した帳簿や証憑に基づいて計算した申告書を提出した場合は、悪質と看做して過少申告加算税等を重加するというものです。

　では、事実の隠ぺい、仮装とは何をいうのでしょうか。隠ぺい、仮装とは一般的には、次のように理解されています。

・隠ぺい（蔽）…人、または物のありかを隠し覆うこと
・仮装… 仮の扮装　（以上、広辞苑）

　これを、納税額の計算の基礎となる事実に当てはめて使うのは、あまり具体的にピッタリするものが浮かびません。

　ここのところは、税務運営上、国税庁長官から各国税局長宛に出されている事務運営方針「法人税の重加算税の取扱いについて」を少し参照してみます（図表169参照）。

496　第9章　調査終了したときの対応ポイント

【図表169　隠ぺいまたは仮装に該当する場合】

> 1、…（略）…例えば、次に掲げるような事実（以下「不正事実」という）がある場合をいう。
> 　(1)　いわゆる二重帳簿を作成していること。
> 　(2)　次に掲げる事実（以下「帳簿書類の隠匿、虚偽記載等」という）があること。
> 　　①　帳簿、原始記録、証憑書類、貸借対照表、損益計算書、勘定科目内訳明細書、棚卸表、その他決算に関係のある書類（以下「帳簿書類」という）を、破棄または隠匿していること
> 　　②　帳簿書類の改ざん（偽造および変造を含む。以下同じ）、帳簿書類への虚偽記載、相手方との通謀による虚偽の証憑書類の作成、帳簿書類の意図的な集計違算その他の方法により仮装の経理を行っていること
> 　　③　帳簿書類の作成または帳簿書類への記録をせず、売上その他の収入（営業外の収入を含む）の脱漏または棚卸資産の除外をしていること
> 　(3)　特定の損金算入または税額控除の要件とされる証明書その他の書類を改ざんし、または虚偽の申請に基づき当該書類の交付を受けていること。
> 　(4)　簿外資産（確定した決算の基礎となった帳簿の資産勘定に計上されていない資産をいう）にかかわる利息収入、賃貸料収入等の果実を計上していないこと。
> 　(5)　簿外資金（確定した決算の基礎となった帳簿に計上していない収入金または当該帳簿に費用を過大もしくは架空に計上することにより当該帳簿から除外した資金をいう）をもって役員賞与、その他の費用を支出していること。
> 　(6)　同族会社であるにもかかわらず、その判定の基礎となる株主等の所有株式等を架空の者または単なる名義人に分割する等により非同族会社としていること。

　ここでの隠ぺい、仮装とは、隠ぺいは事実を隠匿し、あるいは脱漏することをいい、仮装は取引上名義を装う等の事実を曲げることであり、隠ぺいの典型的な例として2重帳簿の作成、売上の除外、架空経費の計上等、また、仮装は証拠書類の改ざん、他人名義の使用、虚偽答弁等が該当します。

　なお、事実の全部または一部の隠ぺい、仮装は、それが脱税目的でなくても事実として存在していれば、ここでいう隠ぺい、仮装になると解されています。

☆重加算税と過少申告加算税の異同は微妙

　重加算税は、過少申告加算税、無申告加算税が賦課されるところ、それに代えて事実の隠ぺい、仮装によった部分の税額を対象として課されることとなっています。

　これは、修正納付税額や決定税額が多額となるような重要性の高い場合は必ず対象となり、少額であれば逆に対象としないのかといえばそうでもなく、僅かな売上除外や過大仕入でも課されることもあります。

　あくまでも、税額の計算の基礎となる事実について隠ぺい、仮装の行為があった場合に初めて、隠ぺい、仮装により免れようとした税額に対して課さ

Q 133　重加算税がかかるのはどんなとき

れるものです。

　具体例はなかなか難しく、一筋縄ではいきません。事例を参考に考えてみます。

　最近、筆者が経験したケースでは、期末（3月決算法人）で3月度の売掛金の期末残高で、大口販売先の1社が全く根拠のない期末残高約15,000千円として約20,000千円近く過少、もう1社が1桁少なく誤って約11,000千円のところ、1,100千円で期末計上をしていました。

　これは、営業の責任者が自身で毎月次計上しているもので、代表者は全く関知しておらず、誤りに少し驚いていたくらいでした。単なる誤びゅうだと主張しましたが、売上の脱漏や隠ぺいの事実を主張され、最終的に重加算税取消しを争っても無理かと判断し、妥協しました。この場合、会社にも、その担当者にも全く脱税の意図はないのにであります。脱税目的不要説とこれは一般に呼ばれています。

　そのほかにも、従業員の使込みや過大仕入→裏リベートの収受等で代表者が全く関知しないケースでも、代表者の行為と同視すべきだとして、会社に重加算税を課した事例（判決や裁決）も、解説書辺りでは紹介されています。

　また、「重加算税は納税義務違反の発生を防止し、もって申告納税制度の信用を維持し、徴税の実を挙げようとする趣旨に出た行政上の制裁措置であり、故意に所得を過少に申告したことに対する制裁ではないものである。したがって、税の申告に際し隠ぺい、仮装した事実に基づいて申告する、あるいは申告しないなどという点についての認識を必要とするのでなく、結果として過少申告などの事実があれば、足りるものと解すべきである（最高二小判　昭和59年（行ツ）302号　税務訴訟資料158号　592頁）」との判決例があったりし、微妙な問題での争った場合の勝ち目は少ないような感じがします。

　しかし、重加算税は、税務署長が決定することになっていますが、税務調査の現場においては、一方的に決め付けてしまえるようなケースは少ないと思われます。

　担当した調査官は、たとえ少額であっても重加算税を賦課決定した事績を挙げたがる傾向があります。

　重加算税云々が出てきた場合、まず第一に種々それを否定する根拠理論を展開し、しかる後、問題の争点にこだわらず、修正額の総額主義にウエートを移し、多少の重加算税決定を呑む代わりに、修正の総額を引き下げることで調査結末とする方向を目指すのも一方法とする考え方もあります。

第9章　調査終了したときの対応ポイント

Q134 修正申告提出後に更正の請求ができるのは

Answer Point

★税務申告額が少なかった場合は、5年間はいつでも修正申告を提出して、不足税額を納税することができます。一方、誤って過大の申告をしてしまった場合は、納税義務者側にそれを修正する方途はなく、ただ申告額が間違っていましたと国に願い出て、訂正してもらう外はありません。これを更正の請求と呼びます。

★修正申告についても、誤って過大に計算した場合は、当初申告と同様、その修正は、更正の請求手続によることになっています。

★税務調査の結果での更正に代わる修正申告の提出は、その後、修正申告の内容に不満や誤りがあっても、一切不服申立の途はなく、更正の請求のみが残されているに過ぎません。

★このことは、更正に代えての修正申告の勧奨は、それに応じれば、後からあれは間違っていましたから元へ戻してくださいと言って来ても、駄目ですよ、の意味も込められているかも知れません。しかし、更正の手続についての手順を踏めば、更正の請求が認められなかったとしても、その後、今度は通常の不服申立制度の適用が可能です。審査請求、訴訟と進めばよいのです。

★いずれにしても、税務調査終了時にはよく考えて、慎重な修正申告をしておくべきでしょう。

☆申告の減額修正は更正の請求のみ

　申告額が誤っていた場合の修正手続は、図表170のとおりです。

【図表170　申告額が誤っていた場合の修正手続】

申告額が過少か過大か	手続	期限	取扱い
過少の申告	修正申告	更正があるまでいつでも（最長5年間）	通常の申告と同じ。特別の税務調査はない。
過大の申告	更正の請求	申告期限後5年間	請求の正否を調査の上、認否を決定（通法23④）。

Q 134　修正申告提出後に更正の請求ができるのは

申告額が過少であった場合は、いつでも修正申告を行って不足税額の追加納付や、青色申告繰越欠損金の額を減少させることができますが、誤って申告額を過大に計算していた場合は、納税義務者側にはそれを修正する権利はありません。

これは、1度出された申告書は、申告期限が過ぎれば申告税額は国側には租税債権として法的に成立したものとされ、納税義務者はその債務を負担しなければなりません。そうでなければ、国は収入の確定した税金を事業に安心して使えないからとの理由だそうで、国庫主義というそうです。したがって、過大にしてしまった申告は、間違っていましたと願い出て、国（税務署の職権）によって訂正をしてもらわなければ仕方がない仕組みを採っているのです。

☆修正申告には種類がある

当初の期限内申告や期限後申告をしている場合、また、税務調査があって更正を受けた場合、さらにはまた、既に修正申告書を提出している場合において、その内容に誤りがあってそれが過少であった場合には、いつでも修正申告ができるのは前述のとおりです。

Q130でも説明しましたが、上記とは別に修正申告には性質の異なる①自発的修正申告、②税務調査があり、更正に代えてする修正申告の2つの種類があります。

自発的修正申告は、申告書提出後、何かの理由で、例えば、税の書物を読んで解釈の仕方の間違いに気づいたり、翌期の取引から前年度に処理すべきであったことが判明したり、様々です。この場合は、過少申告加算税の減免を受けられるケースもあることも既に述べたとおりです。

一方、税務調査が行われ申告額が過少であることがわかった結果、本来は税務署が更正を行うべきところ、自主申告制度の育成といった観点から納税義務者側の積極的な申告額の修正により、税務調査手続の終了を図ろうとするもので、法的にも明記されています（通法74の11③）。

実務上の修正申告は圧倒的に②のほうが多く、①の自発的修正申告は少ないようです。

本Qで取り上げているのは、②のほうの更正に代えてする修正申告となります。

☆更正の請求手続は

既に提出した申告が誤っていて、それが過大であった場合の訂正は、税務

署の職権による更正を待つより仕方がないことは、先述のとおりです。過大申告をそのまま放置すれば、租税債権の消滅時効の法定納期限から５年経過すれば、その間に税務調査でもあって誤りが明らかにならない限り納め損で、一切取り戻せないこととなってしまいます。

したがって、過大申告誤りに気づいたときは、早急に更正の請求をすることが必要です。

更正の請求規定は、およそ図表171のとおりです（(通法23①②③④⑤、通令6①②))。

【図表171　更正の請求規定】

事項		内容		
		請求の理由		請求期限
種類	通常の請求	①提出した申告書の納付すべき税額が過大。 ②提出した申告書の純損失の金額が過少または記載なし。 ③提出した申告書の還付金の金額が過少または記載なし。		法定申告期限から５年以内。 ②については10年以内。
	後発的理由による請求	①申告、更正または決定にかかる基礎となった事実に関する訴えについての判決等により事実が異なることとなったとき。 ②申告等をした者に帰属するものとされていた所得その他が他の者に帰属するものとして他の者にかかる国税に更正または決定があったとき。 ③その他申告期限後に計算の基礎となった事実のうちに含まれていた行為の効力にかかる官公署の許可、その他の処分の取消し、契約の解除、取消し、帳簿書類の押収等で課税標準等の計算ができなかった場合のその事情の消滅。 租税条約等が当局間の協議により異なる内容の合議が行われたこと、国税庁長官通達が裁決、判決により変更されたこと等。		事実等の確定後２か月以内。
手続等	文書によること	記載事項および添付書類		
		記載事項	①更正前の課税標準または税額と、更正後の課税標準または税額。 ②更正の請求の理由。 ③請求に至った事情の詳細その他参考となるべき事情。	
		添付書類	基礎となる事実の取引の記録とその証明する書類。	
税務署の	請求の当否の実地調査	（結果） ①更正する（更正の可能期間の５年内に限る）。 ②更正すべき理由がない旨を請求者に通知。		

の処理	査	
	税額の取扱い等	更正の請求にかかる未納付税額の徴収猶予はしない。 相当の理由があると認めるときは、一部または全部の徴収を猶予する。

☆更正に代わる修正申告の場合の更正の請求

　税務調査手続を終了させるには、実地調査の結果については図表172のとおりになっています（通法74の11）。

【図表172　税務調査終了の手続】

結果	内容等
申告是認	納税義務者等に対し更正決定等をすべきでないと認められる旨を文書により通知。
更正	納税義務者等に対し更正決定等をすべきと認めた額およびその理由を説明。更正通知書の送付。
修正申告	納税義務者等に対し修正申告または期限後申告を勧奨。

　以上、いずれも納税義務者に対して行いますが、税務代理人がある場合は代理人に行うことができます。

　図表172のとおり、申告額や税額に誤りがあると更正が行われることとなっているのは当然のことですが、更正、またはこの場合の修正申告は結果的に全く同じですが、図表173のようにその後の取扱いに差があります。

【図表173　更正、修正申告に誤りがあつたときの取扱い】

更正か修正申告か	税額計算者は	更正、修正申告に誤りがあった場合は
更正	税務署	不服申立の救済が受けられる。
修正申告	納税義務者	不服申立はできない。 更正の請求が残されるのみ。

　以上のように、税務調査が行われた結果は、一般的に申告是認ケースはやや少なく、更正か修正申告の提出となることが多いようです。

　そうなれば、必ず更正が行われるか納税者側からの修正申告のいずれかとなります。これも既述のように、圧倒的に修正申告が多いところです。その理由は、現在は更正の請求可能期間は5年となっていますが、平成23年ま

では申告期限から僅か1年間でした。そうすれば、修正申告書の提出時には早や1年を経過しようとしていることも多く、修正申告をすることにより、その後は一切救済を受けられないこととなっていたのです。

しかし一方、更正が行われれば異議申立、審査請求、訴訟と権利救済の途は残されています。また、税務署サイドでも更正を行う場合は、その後の納税者側の不服申立に備えて、審査請求や訴訟と進んだ場合にも持ち応えるだけの更正理由や、それの証拠の積上げが必要でした。要するに、調査終了の事務手続が大変だったのです。しかしそれが、納税者側が自主的に修正申告を出してくれれば、納税義務者の意思で為された行為ですから、以後何の心配もなく安心しておれる結果となります。

そんなところから税務調査の結末は、納税者側が真に納得できない場合を除き、ずっと長い間修正申告で済まされてきたのです。

☆更正に代わる修正申告についての更正請求は

このように修正申告、更正の請求は、ともに通常は申告期限から5年間はすることはできることと税務規定上はなっています。問題は、税務調査があった場合の修正申告後の、更正の請求の場合です。単純に更正をしてくれれば、修正申告をしても税額も加算税も全く変わらないのに、税務調査では修正申告を求めて（勧奨して）きます。これはつまり、自らの申告だから後から「あれは間違っていましたから元へ戻してください」と言ってきても駄目ですよ、の意味もどこかに込められていたと思います。

しかし、形式的に表面上では全くそんな決まりはありません。申告額が過大であれば、減額修正（更正）を求めることはできるはずです。納税者側にも修正申告の勧奨された際に、もっと粘ってOKしなければよかったと思うこともないことはありません。そして、実質更正を受けた場合とすべて同扱いなのに、以後不服申立の途が閉ざされてしまうのも腑に落ちないところです。

そうした税法上の取扱いからは、通常の期限内申告や自発的修正申告と同様に、何の遠慮することもなく不服申立てと同じ観点から、更正の請求を堂々と行えばよいと考えます。そして、更正の請求の結果は、税務署も修正申告の勧奨を行った担当調査官の顔を立てることもあるかも知れず、更正の理由なしとなることが多いかも知れません。

しかし、その手続さえ踏めば、その後は更正の請求を認めなかったことによる不服申立を行えばよいのです（通法75①）。再調査請求→審査請求→

Q 134　修正申告提出後に更正の請求ができるのは

訴訟と、途は残されています。

　ただ、次のような点については、税務調査終了時によく考えてから慎重な修正申告をしておくべきかと考えられます。

① 　修正申告をしてしまえば、過大申告となっていても、その取消しには日数、手数がかかり、その間、相手側は人事異動その他で人は変わることがあっても、納税者側は最終的決着まで1人で闘わねばならず、それまでの心理的ストレスが大変です。

② 　一般の納税者は、税務調査の早期終結ばかりを考えてあせるため、深く考えもせず修正に応じますが、慎重な姿勢で臨み、日数に余裕のないのは先方のほうですから、あせらず修正申告は損をしたと感じることがないと納得してから応じることでしょう。

③ 　また、今日ではそんなことはないはずですが、OKしておいて文句を言ってくる、盾を突く納税者として税務署の税歴ランクを下げ、何かと不利な取扱いを受ける、過去にはそうしたことはあったようです。

　義理人情を大事にする日本の社会では、一旦約束をしたら、それを守らなければならないというような考え方が尊ばれています。そうしたところから、税務調査でも微妙な問題点が比較的多く、最終協議でその中から絞って修正項目としたり、修正金額の基礎を少し甘くしたりの妥協の産物で、修正金額が決まることはよくみられるところです。

　一般の更正の請求で、当然の前提となっている自らの誤計算による、過大申告の減額更正請求では、偶然的なもので、自らの手違いを決められた手順として更正の請求を行うに過ぎず、誰に遠慮をすることもありません。

　しかし、税務調査の結果、申告額に誤りがあれば滅多にありませんが、過大申告であったときは減額の更正を行い、過少申告と認められれば、税務署は修正申告を求めるか、更正をすることとなっています。これは、税務調査終了手続として、最終的に納税者に内容を説明することとされていて、そこで上記の経過で修正申告、あるいは更正の金額が決まります。

　問題は、納税義務者がこの説明を聞いて、1度納得しながら後日文句をつけてくる、即ち、約束に反した行動をとるという、義理に背くことに抵抗感があるのではということだろうと考えます。しかしながら、これは、遠慮は不要としかいいようがありません。

　そうした面はあるものの、修正申告の勧奨に応じておいて、その後更正の請求をすることについて何ら差し支えることはないというのが、本Qの結論となります。

第9章　調査終了したときの対応ポイント

Q135	更正通知書の内容と調査官に口頭で 聞いた内容と違うときの対応は

Answer Point

★税法上、税務調査の終了手続は申告是認の場合を除き、更正すべき場合に
は納税義務者に対し、調査の結果を説明することとされています。

★質問検査等の実地調査が終了すると、担当調査官は問題事項を整理し、代
理人税理士と法人代表者も交えて最終協議が行われ、更正または修正申告
の内容が固まります。一方的な更正等はできません。

★申告額に誤りがあると、更正または修正申告を勧奨して行わせますが、ほ
とんどは修正申告となります。更正通知を行うのは、法律上の規定が実
情にそぐわず、国税不服審判所や裁判所で新解釈をしてもらうのが望まし
いケースや、最終協議で双方の主張に差があり過ぎ、不服申立を税務署も
了解しての更正に限られます。

★一連の税務調査手続規定からは、最終説明内容と更正通知内容が異なるこ
とはないはずです。担当調査官の説得力未熟、あるいは軽々しく勘違いし
て了解したかだろうと考えられます。再度折衝を行い、駄目なら信義則に
反することを理由に、不服申立手続へ進むほかは途がないとしかいえない
ことになります。

☆税務調査の手順

本書では、税務調査の対応の仕方について、その取扱規定と実務を全般的
に知ることを目的としており、まず税務調査は、申告納税制度の下では行わ
れるということを前提にしています。では、税務調査の開始から終了までは、
どんな手順で行われるのかここまで説明してきたところですが、再度まとめ
てみます。

税務調査は、納税申告書の提出があった場合には、その納税申告書に記載
された課税標準または税額等の計算が法律の規定に従っていなかったとき、
その他、その課税標準または税額が調査したところと異なるときは、その調
査により申告書にかかる課税標準または税額を更正するとしています（通法
24）。

具体的な調査規定として、国税庁職員は、所得税、法人税等に関する調査
について必要があるときは、納税義務者等に質問し、帳簿書類等の物件を検

査することができる（通法74の2①）となっています。

　次に、実地調査に関しては、原則として事前に場所、目的、対象税目、対象期間等を通知して臨場し、質問検査権を行使することとしています（通法74①）。

　調査の結果は、①申告是認（通法74の11①）、②更正（通法74の11②）、③修正申告の勧奨（通法74の11③）のいずれかを納税義務者に通知をしますが、申告是認については説明義務の規定はありません。単に更正をすべきと認められない旨の通知をすることになっています。

　しかし、更正すべきと認められる場合には、納税義務者に対し、調査結果の内容を説明する（通法74の11②）とされ、なお、更正は税務署長が更正通知書を送達して行うとしています（通法28①②）。

　こうした一連の手続を、税務署は順を追って進めなければならないことに法律上はなっています。

☆更正額の決め方

　税務調査の実務では、どんなに帳簿書類等が整備されていたとしても、調査途上、調査官は疑問を発します。逆に言えば、正当な申告内容であればあるほど、僅かな問題取引でも俎上に上げられ、何か正直者が馬鹿を見るような光景となったりします。

　そうした問題点が、小から大、さらには重大な当否を争う内容のものまで数日間の調査で上がってきます。低レベル内容の申告になるにしたがって問題事項が数多く、少額のものや問題にしてみても詰めるのに手数がかかりそうな問題は、逆にほとんどカットされて、終盤になれば忘れ去られてしまうようなこともあります。

　余計なことをいってしまいましたが、最終的に問題事項を担当調査官は整理し、後は法人側（中小企業では代表者）と代理人税理士との最終協議が通常は行われます。

　そして、問題点を事実関係については納得するまで書類等の正偽を、また、解釈面の相違は税理士も見解を披露し、金額の修正や認めるもの、更正やむを得ないものに分けて更正額が決まります。調査官は、それを基にした修正申告を税理士に依頼し、税理士はそれを約し、終結となります。

☆修正申告でなく更正を選ぶのは

　以前は、税務調査があった後1～2か月何の連絡もなく、ある日突然書

506　第9章　調査終了したときの対応ポイント

留便で更正通知書が送られてきたようなことも見られました。今日では、前述の手続を行いますので、そんなケースは皆無のはずと思われます。そして、通常の税務署所管の中小法人の場合は、更正でなく修正申告を上述のように選択します。

　修正申告をするか更正を受けるかは、Q 130で説明しましたが、更正を選択するのは、修正申告は所得の公示制度があった頃は修正申告額が公示され、多額の修正があった場合等は、国税局所管の大法人等ではマスコミが追いかけてきたりして、修正内容をしつこく聞いたりし困ってしまうところから、あえて更正を頼んでいたような話もありました。

　しかし、最近は、所得の公示制度もなくなっていますので、そうした理由による更正の選択は少ないと思われます。

　一般的には「納得しての納税」の浸透との国税庁の方針の下、修正申告を勧奨するのが原則となっていますが、中には理由があって更正を希望することもあるようです。

　そうしたことも含めて更正が行われるのは、次のようなケースです。

① 　税法令、通達の規定が実情に合わず、さりとて税務署の立場として法令、通達と異なる取扱いができない場合、1度審査請求から税務訴訟に持ち込んで、新解釈をしてもらうことが望ましいというようなケースでは、更正を行って、不服申立へと税務署側も了解しての更正をすることがあるようです。

② 　税務調査最終局面での協議において、担当調査官の指摘内容と納税者側主張に差があり過ぎ、どうしても納得できず、更正をせざるを得ないとき。

③ 　税務調査途上で、法人代表者や経理担当者が感情的になり、最終協議の場につかず、税務署も結局事務処理上放置するわけにもいかず、更正通知書を出さなければ仕方のない場合。

④ 　反税思想の持ち主で、言うことを全く聞かない納税義務者への更正。

　更正が行われるのは、これらの場合かと考えられますが、いずれにしても数少ない例だろうと推定されます。現在の、国税通則法の前記更正を行う場合の手続規定からは、通常あり得ない話のように思えます。

☆話の違う更正内容はあるのか

　現在の国税通則法の前記更正を行う場合の手続規定からは、通常、説明を受けた更正内容と、更正通知書の内容が違うことはないはずです。

　通則法74条の11第2項においては、「国税に関する調査の結果、更正

Q 135 　更正通知書の内容と調査官に口頭で聞いた内容と違うときの対応は

決定等をすべきと認める場合には、当該職員は当該納税義務者に対し、その調査結果の内容（更正をすべきと認めた額およびその理由を含む）を説明するものとする」、また、通則法第28条1項では「更正は税務署長が更正通知書を送達して行う」とし、第2項では「次に掲げる事項を記載しなければならない。」としています。

その次に掲げる事項とは、①その更正前の課税標準等および税額等、②その更正後の課税標準等および税額等です。

さらに、法人税法では、「青色申告書の更正はその理由を附記しなければならない（法法130②）」となっていて、白色申告書の場合でも不利益処分の場合は、理由の附記が必要と解されています（法法74の14①、行政手続法14）。

これらの諸規定からは、好い加減なことを言う調査官でもいない限り、税務調査時に説明を受けなかった内容を、調査官がするはずはないことになっています。調査官が忘れていた点を追加したのか、あるいは向こうが言ったつもりがこちらには届いてなかったか、いずれにしても聞いた聞かなかったの話で決着のつかないところです。

もし、本当に聞いてなかったのなら信義則に反するもので、それを理由にした不服申立も可能ではとも考えられます。既に、納税法人側に到達した更正通知書を取り消すようなことは、手続上、相手は役所です、簡単にはいかない面も存在しています。

☆結局は中身の話

強力な権限を有する、相手は国税機構です。先方も立場があります。文句を言って取り消してくれるとは、まず考えられません。結局は、更正内容がどんなものなのか明らかな誤りや不正の場合、若い調査官等はうまく説得できず更正をしてしまうこともあるかも知れません。しかし、更正理由で争ったとしても、勝目のないものであるのならどうしようもないのが、正直なところではないかと考えられます。

折角、少し減額することを約してくれたのに、そうなっていなかったことも中には考えられますが、通常は、担当調査官はそれまでに上司と相談し、更正の骨子を決めています。内容、金額はほとんど決まっています。多少の担当調査官の判断に任す部分もありますが、代理人税理士には詳細に理由を説明し増差所得金額は更正理由ごとに、増差税額はおよその金額を示し、細部は税理士側での計算となります。

この辺が曖昧のまま終わらせたときに本項の問題となります。

第9章　調査終了したときの対応ポイント

しかし、結論としては、当然の更正理由なら呑まなければ仕方がないのが結論で、納得のいかないままの点なら再度折衝を行い、駄目なら不服申立手続へ進むほかは途がないのが、解答としかいえないでしょう。

☆不服申立ての勝ち目は

最後に、進むしか仕方がないと申し上げた点について追加しておきます。

本書のいろんな局面で、税務調査の結末はほとんど修正申告の勧奨が行われ、代理人税理士および納税義務者とも納得いかない部分は、受けられない旨の主張をある程度通したり、多少の譲歩を引き出したりの上で修正申告に応じるのがほとんどであることを、幾度となく繰り返してきました。

筆者自身でも、長年の実務でそうでなかった案件は、ほんの2～3件、それも現在のように、税務調査手続の規定が全くなかった何十年前の一方的更正の時代の話で、近年は自身の経験のみでなく、同業者間でも聞かれません。ただ、雑誌等で不服申立例等も数多く取り上げられていて、修正申告によることなく、事情次第で更正もあることは事実のようです。

そうしたことから、更正例ももともと少ないのにまして、本Qのような「更正通知書の内容と調査官に口頭で聞いた内容と違う云々」は、本当にそんなことがあり得るかと疑問に感じたりするところです。

「言った、言わない」的な更正があるかどうかもありますが、先方も言ったことについて多少理解したとしましょう。しかし、それだけでは更正内容が根拠薄弱な杜撰なものでもない限り、ただ、信義則に反するものだとの理由が、不服申立理由になるのでしょうか。なるとしてもまた、それを以って十分な再調査請求や、審査請求事務が行われるのでしょうか、いささかこれは疑問です。

修正申告も更正も、最終的に適正な申告所得金額、納付税額に改めるものなのはずです。仮に、更正通知書の送付に至る間の手順に、多少のそのような手抜かりがあったとしても、結論としては不服申立てにより、より公正で第三者的立場からの所得金額、税額を決定や裁決で出してもらうのに過ぎないのです。内容的に、文句のつけられないものは、更正内容で争う以上、駄目なものは駄目で勝ち目は薄いと思うべきでしょう。

Q136で詳しく述べたいと思いますが、ただでさえ処分に不服があって、再調査請求やなお国税不服審判所への審査請求では、認容（処分の一部または全部の取消し）例も少なく、それも低率のものとなっています。どうするかは、単純な追徴税額だけで判断することなく、その他の全体としての経済的効果、精神的負担も含めて考えられるべきとなります。

Q135 更正通知書の内容と調査官に口頭で聞いた内容と違うときの対応は

Q136 処分に不服のあるときの対応は

Answer Point

★法律上での処分とは、行政上の処分をいい、公権力の行使に当たる事実の行為とされていて、税法上では税務署長が行った決定や、更正のことを処分といいます。

★国民は、納税義務を負いますが、法律の規定以上の納税は強いられません。しかし、中には誤って、法律の規定を超えた課税処分が行われないとも限りません。そのため、税法上各種の納税者の、権利救済制度が設けられています。

★権利救済制度は、原処分庁への再調査の請求、次いで国税不服審判所への審査請求を行い、なお、不服が認められない場合は裁判で争うという順序での、不服申立制度が定められています。

★不服申立は、申立先、期間、申立方法、申立事項等、詳細に定められていて、その規定に従って手続を進めなければなりません。不適法の場合は、内容を審査せず却下されたりします。

★近年の国税不服審判所の審査請求の処理状況は、年間2,000件前後裁決が行われ、そのうち納税者側の請求が認容されているのは、僅か10%前後となっています。国税不服審判所では、請求から1年以内の裁決を目指して処理しているようですが、それまでの間審査に耐えなければならず、そのストレス、プレッシャーは大変なもので、審査結果の状況から見れば徒労に終わる面もあります。

☆処分とは

　一般に処分といえば、始末をつけることや処罰をすることを意味しますが、法律上での処分とは、行政上の処分をいい、行政不服審査法では公権力の行使に当たる事実の行為とされています（行政不服審査法第2条1項）。

　税法上では、税務署長が行った決定や更正のことを処分といいます。

　更正または決定が行われれば、納税義務者はいかに対処すべきかについては、納税者の権利救済制度として、不服申立の途が開かれていることを本章中でも何度か触れているところですが、改めてまとめてみると次のようになります。

510　第9章　調査終了したときの対応ポイント

☆納税者の権利救済制度

　国民は、法律の定めにより納税の義務を負いますが、税法に定められた金額以上の納税までは強いられることはありません。ところが、税務官署は更正や決定を行うという強力な行政権力を有しているところから、納税者の権利が侵害されるといった、法律の規定を超えた課税処分が行われないとも限りません（憲法 30）。

　そこで、税法には、各種の納税者の権利を救済する制度が定められています。

　法治国家であるわが国では、国民の一切の紛争はすべて裁判所が裁くことになっています。しかし、行政事件に関しては紛争の件数も多く、また、その内容についても類型化されていると思われるところから、いきなり紛争を裁判所へ持ち込めば手数や経費も膨大なものとなり、不合理な面も多く、税務に関するトラブルは原則として税務官庁へ不服申立てを行って、決定や裁決を経た上でなければ訴を提起することはできないことになっています。これを不服申立ての前置主義と呼んでいます（通法 115 ①）。

☆権利救済制度の概要

　税務行政上の処分（更正や決定）に対し不服がある場合は、その見直しを要求することを不服の申立てといいますが、処分官庁に対して行う不服の申立てを再調査の請求といい、処分官庁以外の官庁にする不服の申立てを審査請求と云います。

　処分からの不服申立ての流れは、図表 174 のとおりです。

【図表 174　税法の権利救済制度の流れ】

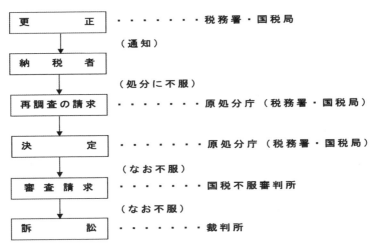

　　　　　　　　Q 136　処分に不服のあるときの対応は

511

☆再調査の請求

税務署が行った更正に対し不服がある場合は、その処分を知った日の翌日から3か月以内に再調査の請求を、更正をした税務署長・国税局長（場合によっては国税庁長官）に対して行います（通法75）。

再調査の請求に関する規定は、図表175のとおりです（通法77、81）。

【図表175　再調査請求に関する規定】

申立先	税務署長または国税局長（国税庁長官がした場合は国税庁長官）
①申立期間	更正のあったことを知った日の翌日から3か月以内（更正通知書は書留郵便で送られてきます）
②申立方法	書面によります（様式については、国税庁不服申立関係に示されています）。
③申立事項	(a)更正内容 (b)更正があったことを知った日 (c)再調査の請求の趣旨・理由 (d)再調査の請求の年月日 （申立が法律の規定に従っていないときは補正を求められます）
④再調査の請求に対する決定	(a)却下…申立期間経過後その他の不適法であるとき (b)棄却…申立の理由がないとされたとき (c)一部取消し…申立の一部に理由があると認めたとき (d)全部取消し…申立人のすべての理由を認めたとき このほか処分の変更もできますが、申立人の不利益処分は禁止されているので、決定は実質的に(a)～(d)となります。

なお、再調査の請求を経ないで直接国税不服審判所に対して審査請求をすることも認められていて、どちらを選ぶかは不服申立人の自由となっています（通法75①一）。

☆審査請求

再調査の請求に対する決定になお不服がある場合は、国税不服審判所に対して審査請求を行うこととなります。

国税不服審判所は、国税庁の特別の機関として昭和45年5月に設置された税務行政部内における第三者的機関としての性格を持つ審査請求に対する裁決を行うところで、中央（東京）に本部があって、各国税局の所在地に12の支部が置かれています。

審査を行うのは、審判官1名、参加審判官2名の計3名で合議の上、多数決で裁決が行われます。

国税審判官の資格は、

(1) 弁護士、税理士、公認会計士、大学の教授、准教授、裁判官、検察官の職にあった者

(2) 職務の級が一定以上の国家公務員で、国税に関する事務に従事した経歴を持つ者

(3) (1)～(2)と同等以上の知識経験を有すると国税庁長官が認めた者

となっていますが、公正な審理に資するため、(1)の審判官が合議体を構成する国税審判官の半数程度を占めています。

審査請求に関する規定は、図表 176 のようになっています（通法 75、87、91、92、93、94、95、96）。

【図表 176　審査請求に関する規定】

①請求ができる場合	(a)税務署長、国税局長の処分に不服のあるとき、または再調査の請求の決定に不服があるとき (b)再調査請求日の翌日から3か月以内に決定がないとき
②請求先	国税不服審判所
③請求期間	更正のあったことを知った日の翌日から3か月以内または再調査の請求の決定書の送達があった日の翌日から1か月以内
④請求方法	書面による（様式は定められている）
⑤請求事項	(a)請求にかかる処分 (b)同上の知った日 (c)請求の趣旨および理由 (d)請求年月日 （書面の補正が求められるのは再調査請求と同じ）
⑥審査方法 （手順）	(a)請求期間適否 (b)不備に対する補正の要求 (c)原処分庁への答弁書の提出要求 (d)担当審判官1名、参加審判官2名以上の指名 (e)実質審理 (f)請求人の意見陳述 (g)審判官合議 (h)裁決
⑦裁決	(a)却下…請求期間経過後、その他不適法であるとき (b)棄却…理由なしとしたとき (c)一部取消し…一部理由ありと認めたとき (d)全部取消し…請求の理由のすべてを認めたとき （処分の変更もできますが、請求人の不利益処分は禁止されていますので、裁決は実質的には(a)～(d)となります）

Q 136　処分に不服のあるときの対応は

☆審査請求処理の状況

　不服申立制度の流れは前述のとおりですが、再調査の請求や審査請求の処理状況は、双方とも取消しの割合（請求の認容）は一部取消しも含めて低い状況にあって、申立てが認められるのは簡単ではありません。近年の審査請求の処理状況は、図表177のようになっています。

【図表177　審査請求の処理状況】

(単位：件、%)

区分	全部認容	一部認容	棄却	却下	取下げ	計	認容割合	1年以内処理件数割合
平成27年度	37 (1.6)	147 (6.4)	1,615 (69.9)	289 (12.5)	223 (9.6)	2,311 (100.0)	8.0	92.4
平成28年度	49 (2.5)	192 (9.8)	1,258 (64.2)	191 (9.7)	269 (13.7)	1,959 (100.0)	12.3	98.3
平成29年度	55 (2.2)	148 (6.0)	1,840 (74.3)	186 (7.5)	247 (10.0)	2,475 (100.0)	8.2	99.2
平成30年度	77 (2.8)	139 (4.3)	2,310 (79.7)	136 (4.7)	261 (8.9)	2.596 (100.0)	7.4	99.5
令和 1年度	90 (3.2)	285 (10.0)	1,989 (69.9)	134 (4.7)	348 (12.2)	2,846 (100.0)	13.2	98.0
令和 2年度	65 (2.8)	168 (7.2)	1,803 (77.4)	93 (4.0)	199 (8.5)	2,328 (100.0)	10.0	83.5

　国税不服審判所は、審査請求人の心理的負担にも配慮し、早期の処理（目標1年以内）を目指しているようですが、それにしても申立人には書類の作成、証拠の収集整理、口頭意見陳述、原処分庁の答弁書に対する反論書等、資料の積上げの労や権力相手のプレッシャー、ストレス等々は大変なものです。

　原処分庁（税務署）は、処分時の担当調査官が事案を引き継ぐのでなく、他の専担者が担当するはずで、要は組織で動いてくるわけですから、心理面でも随分差があり、申立人側には圧倒的に不利と考えます。

　特に、審理途上において審判官は、入手した証拠について、審査請求人、原処分庁の双方に心証開示は一切してはならないとなっているようで、最後まで有利に展開しているかどうかも不明で、不安が晴れないままずっと経過を待つ状態が続きます。

　現に上表のように、それでもなお認容された件数は、一部も含めて僅か10％前後です。

　結論からいえば、更正を受ける最終の段階で粘るだけ粘って調査側の譲歩を引き出し得るなら、勝ち目が多少なりとも見込まれるケースは別にして、不服申立は避けておくほうが、それにより失くすエネルギーに比べて遙かに有利ではないでしょうか。

第9章　調査終了したときの対応ポイント

| Q137 | 税務訴訟をするか否かの
判断ポイントは |

Answer Point

★税務調査での処分に対する救済は、いきなり税務訴訟をすることはできず、不服申立を経てからと、法律上定められています。したがって、国税不服審判所での裁決を受けての後となります。

★審査請求の結果は、Q 136のように約90%が棄却されていますが、中には税務署の処分が取り消されているものもあります。税務署はそれを裁判で争うことはできず、訴訟は納税者側のみに認められているものです。

★税務訴訟の提起件数は、年間200件を少し上回る状況ですが、納税者側が勝訴しているのは、審査請求に対する裁決よりまだ厳しく、僅か7〜8%程度となっています。

★訴訟件数は、統計上、審査請求件数の約10分の1と低いものとなっていますが、これは、審査請求で審判官が請求人の言い分を丁寧に聞き、感情面での行き違い等は解消させているからかとも思われます。

★裁判では、公権力により強制的に証拠提出を求めたりが可能であるところから、有利な展開が期待できる数少ない、限られた条件の場合のみ訴訟提起すべきが結論で、それまでの長い年月、追徴税額の予納は必要ですし、手続費用や心労も大変なものです。願わくは、税務調査の終了手続時に決着をつけておくのがベターかと思われます。

☆審査の裁決になお不服のある場合は訴訟

　訴訟は、紛争を公権力により解決調整する手続をいいます。税務に関するトラブルも、最終的には裁判所が裁くものであるはずですが、Q 136でも述べたように、行政事件では紛争件数の多さや内容的に類型化されている面も多く、いきなり裁判所へ訴を提起するよりも税務官庁へ不服申立を行い、行政部内の第三者機関である国税不服審判所での裁決を経た上で、訴訟に移ることになっています。これは、不服申立の前置主義と呼ばれているものです（通法115 ①）。

☆税務訴訟は納税義務者が行う

　再調査請求や審査請求は、課税処分を受けた側が申し立てるもので、税務

部内の第三者機関といっても、仮に審査請求で課税処分が取り消され、国側が不利な結果（裁決）となっても、国（税務署）が裁判所に対して訴訟することはできません。

　税務訴訟は、あくまでも処分に不服のある納税義務者（法人）が提起するものです。このことは、かなり重大な意味を持っています。

　国税不服審判所は、いくら第三者的機関であるとしても、税務行政部内の１部門です。税務行政部内の機関が、国側（税務署）の処分を取り消すと、納税義務者側と異なり、そのようにもはや訴訟に進むことはできないのです。ほぼ、国の見解として確定してしまうことになってしまうのです。

　特に、国税不服審判所が慎重になるのは、グレーゾーンでの事案で、審査請求での判断を避け、申立棄却を行い、裁判での決着をつけて欲しいのが本音なのではないでしょうか。

☆最近の審査請求と訴訟での処理状況

　国税庁から出されている、税務統計資料による近時の処理状況を見てみますと、図表178、179のとおりです。

【図表178　審査請求の状況】

年度	請求件数	処理件数	一部を含む取消件数 （認容件数）	認容割合
平成27年度	2,098	2,311	184	8.0%
平成28年度	2,488	1,959	241	12.3%
平成29年度	2,953	2,475	202	8.2%
平成30年度	3,104	2,923	216	7.4%
令和１年度	2,563	2,846	375	13.2%
平均	2,641	2,503	244	9.8%

【図表179　国側を被告とした訴訟状況】

年度	訴訟提起件数	訴訟終結件数	原告勝訴件数	勝訴割合
平成27年度	231	262	22	8.4%
平成28年度	230	245	11	4.5%
平成29年度	199	210	21	10.0%
平成30年度	181	177	6	3.4%
令和１年度	223	216	21	9.7%
平均	213	222	16	7.2%

　審査請求件数は伸びていますが、それ以前の数年を加えますとほぼ横ばいに近く、訴訟提起件数、終結件数はともに下向状況が続いています。

　これらを見ればよくわかるとおり、審査請求では一部認容を含めても

10％に届かず、また、訴訟ではさらに下がって7.7％程度しか納税義務者の主張を、一部を含めて認めてくれていないのです。

　申立件数は、審査請求は12の国税不服審判所支部で約2,500件年間申立がありますが、これがなお不服として税務訴訟に進んだのは、審査請求件数の約10％弱と激減しています。これは、審査請求については、審判所が請求から処理までの期間を最長1年以内を目標としていて、ほぼそれに近い結果で推移していますが、かなり慎重に取り消さないまでも、納税義務者の言い分を聞いているのではとも推測されます。

☆裁判の内容は

　審査請求は、全国12支部で審理を行い、東京の国税不服審判所長が裁決書を決裁し、請求人宛に送付しますが、全国すべての支部で1回限りの審査となります。しかし、訴訟では、第一審、控訴審、上告審と3回の裁判の途が開かれています。

　先述の訴訟状況は、第一審から上告審までを単純に合計したもので、これを令和元年度処理件数の内容別に見れば、図表180のとおりです。

【図表180　訴訟処理件数の内容】

	第一審		控訴審		上告審		合計	
	終結件数	納税義務者勝訴	終結件数	納税義務者勝訴	終結件数	納税義務者勝訴	終結件数	納税義務者勝訴
課税関係	106	13	47	5	25	0	178	18
徴収関係	27	2	8	1	2	0	37	3
審判所関係	1	0	0	0	0	0	1	0
計	134	15	55	6	27	0	216	21

　また、課税事件の訴訟で、本書の中心である法人税関係の事件では、図表181のようになっています。

【図表181　法人税関係の訴訟】

	終結件数（件）	納税義務者勝訴（件）
第一審	40	6
控訴審	11	2
上告審	7	0
合計	58	8

　図表181を見ておわかりのとおり、訴訟も一審、控訴審、上告審と上級審へ進むにしたがって件数も減り、しかも納税義務者の勝てるのは極限られているのが実態のようです。

Q 137　税務訴訟をするか否かの判断ポイントは

上記法人税事件での納税義務者勝訴の訴訟の争点について、平成29年分は未だ内容は出されていませんのでわかりませんが、平成28年分でのやや大型のものは、沖縄の酒造メーカーの役員報酬、役員退職金、数億円の当否の事件と、名古屋のタックスヘイブン対策税制に関しての所得金額1,809億円の取消し事件等といったもので、とても並の中小法人の話ではないようです。

☆訴訟結果からの結論は

　以上の流れを見ていると、税務署長更正処分に対する不服申立である審査請求は、かなりの件数にのぼっていますが、これが一部でも言い分が認められているのは僅か10%足らずで、にもかかわらず訴訟に進むのは、残りの90%強のうちの約10%、年間200件内外という結果となっています。

　その理由は明確ではありませんが、審査請求で国税不服審判所が申立人の言い分をかなり丁寧に聞き、何かの行き違いで感情悪化等のケースでは、ガス抜き効果が出ているのではないかとも思われます。

　また、類似の事案が過去から積み上げられ、裁決例、判決例でそれらを示されれば勝ち目の薄いことがわかり、以後の争いを止めることになるのかも知れません。

　もし、審査請求での裁決が不満で訴訟へ進むとしても、僅かでも見込みのあるものに限られるとの結論になるのではと考えられます。

　例えば、先述の国税不服審判所が税務行政部内の第三者機関で言い分を認めれば、国の見解として一般に公表、確定されてしまうところから、グレーゾーンの範囲の判断を要する事案や、過去に裁決例、判例とかが出されていても、時代とともに経済の変化に合わせて当否の基準が動いていくような役員報酬、退職金の関係等々では、見込みがあることもあるかも知れません。

　なお、国税不服審判所は、申立内容の当否判定では、関連する当事者に面接質問を行ったり、物的証拠を収集したりの職権調査を行いますが、あくまでも税務調査の任意調査と同様、相手側がそれを拒んだりすれば、申立人の有利な証拠が出て来なかったりすることもあるのではと考えられます。

　裁判では、公権力により、強制的に提出命令を出すこともあるかも知れません。その点で、有利な展開が期待できるような数少ない限られた条件のとき、はじめて訴を提起するのが結論かと考えます。

　長い年月をかけて、その間納税は原則として猶予されませんので、処分にかかる追徴税額も予納しておかねば延滞税がかさみ、手続費用等も併せて経済的には不利な点が多く、文句を言うのなら、税務調査終了手続時に、決着

518　第9章　調査終了したときの対応ポイント

をつけておくのがベターかと思料されます。

☆まとめとして

　裁判の内容のところで、第一審、控訴審、上告審の各処理件数と結果を引用しましたが、訴訟に移ることができるのは納税義務者のみで、国側（税務署）は、国税不服審判所での裁決で処分の取消しがあっても、訴訟に持ち込むことができないことは説明しました。

　しかし、第一審で納税義務者の勝訴となった場合、敗訴した国側は、控訴審、上告審へ訴の提起は可能で、そうなればそこから再度、国と納税義務者の一からの争いとなります。控訴審、上告審の納税義務者敗訴は数多いようですが、第一審で納税義務者の言い分が認められたにもかかわらず、蒸し返されて、結局、最終的に途労に終わってしまうケースもあるだろうと推測します。

　このことは、先に述べたとおり、まず税務調査終了手続時に、その後の無駄なエネルギーの消耗を避けるべく、言い分は様々な主張をすべて出し切っておくことでしょう。万が一、それでもなお特殊な案件で見解は分かれるものはやむなく、国税不服審判所で判断してもらうことです。

　税務調査終了手続時と同様、審査の段階でも審判官には遠慮なく有利となる主張を、これが最後と考えて述べることです。これは、国税不服審判所も国税機構の１組織で、審判官への民間人の登用は近年かなり増加していますが、国税職員のベテランが主流の統括職を握っていて、審判所長や支部長辺りには判事、検事が就いているようですが、個々の事案審査は、民間人審判官が必ずしも担当審判官に選任されることにはなっていないようです。審査途上で申立人の提出証拠を検証してみてのその心証は、一切申立人に述べてはならないとなっているようですから、以後の見込み、見通しをいうことは厳禁とされていて、双方の主張が五分五分の場合は、結局棄却となることが多いのではとも思えたりします。

　また、時々新聞等に書かれたりしますが、裁判所の調査官等には、国税職員が出向していることが多いとされています。彼らは、国側有利の学説、判例等の情報は十分に有していて、なお、必要に応じて入手が容易で、この点でも不利ではと考えられます。多忙を極める裁判官は、自ら参考文献等を紐解いて調べることも限られていて、どこにも根拠はありませんが、情報が偏っていては勢い、国側の見解を認める結論になりがちかも知れないと思うところもあります。

　とにかく、そうした表面上に見えてこないハードルを越えていかなければならない、難しい点があるように感じられます。

Q 137　税務訴訟をするか否かの判断ポイントは

著者略歴 ───────────────────────────────

辰巳　忠次（たつみ　ただつぐ）
昭和14年奈良県生まれ。昭和41年近畿大学短期大学部卒。昭和40年
税理士試験合格。昭和47年公認会計士第3次試験合格。昭和50年よ
り平成17年まで近畿大学非常勤講師。現在、英青監査法人代表社員と
して監査業務に従事。稲清税理士法人代表社員として税務業務に従事。
その他奈良地裁民事家事調停委員、奈良県斑鳩町監査委員を歴任。

辰巳　八栄子（たつみ　やえこ）
公認会計士・税理士。
辰巳公認会計士事務所勤務。稲清税理士法人　社員。
昭和46年奈良県生まれ。平成5年京都大学卒業。平成6年公認会計士
第2次試験合格後、朝日監査法人（現・あずさ監査法人）に入所。平成
10年公認会計士第3次試験合格。平成18年同監査法人を退職。
平成22年税理士登録。

改訂新版　Q＆A　中小企業の税務調査対応ハンドブック

2019年10月25日　初版発行
2021年10月 1 日　改訂版発行
2023年 9 月20日　改訂 2 版発行　　2024年 9 月30日　改訂 2 版第 2 刷発行

著　者	辰巳　忠　次 ⓒ Tadatsugu Tatsumi
	辰巳　八栄子 ⓒ Yaeko Tatsumi
発行人	森　　忠　順
発行所	株式会社セルバ出版
	〒113-0034
	東京都文京区湯島 1 丁目12番 6 号 高関ビル 5 B
	☎ 03（5812）1178　FAX 03（5812）1188
	http://www.seluba.co.jp/
発　売	株式会社 三省堂書店 / 創英社
	〒101-0051
	東京都千代田区神田神保町 1 丁目 1 番地
	☎ 03（3291）2295　FAX 03（3292）7687

印刷・製本　株式会社丸井工文社

●乱丁・落丁の場合はお取り替えいたします。著作権法により無断転載、
　複製は禁止されています。
●本書の内容に関する質問は FAX でお願いします。

Printed in JAPAN
ISBN978-4-86367-844-6